VISIONS NATIONALES

Susan Mann Trofimenkoff

VISIONS NATIONALES
une histoire du Québec

Traduit de l'anglais par
Claire et Maurice Pergnier

ÉDITIONS DU TRÉCARRÉ

Données de catalogage avant publication (Canada)

Trofimenkoff, Susan Mann, 1941-

   Visions nationales: une histoire du Québec

   Traduction de: *The Dream of Nation.*
   Bibliogr.: p.
   Comprend un index.

   2-89249-131-2

   1. Québec (Province) — Histoire.   2. Nationalisme — Québec (Province).
   I. Titre.

FC2911.T7614 1986   971.4   C86-096287-3
F1052.95.T7614 1986

Conception de la couverture: Martin Dufour

Photocomposition et montage: Édipro ltée

L'édition originale de cet ouvrage a paru sous le titre: *The Dream of Nation, A Social and Intellectual History of Quebec.*
Publié par Gage Publishing Limited, Toronto, Ontario, Canada.

ISBN 2-89249-131-2

Dépôt légal — 3ᵉ trimestre 1986
Bibliothèque nationale du Québec

Imprimé au Canada

Éditions du Trécarré
Saint-Laurent (Québec) Canada

TABLE DES MATIÈRES

AVANT-PROPOS

Voici ma façon de voir le Québec. Elle s'opposera ou apportera des compléments aux points de vue que d'autres ont défendus. À l'origine, j'ai voulu produire une synthèse de l'histoire du Québec qui offre aux Canadiens anglophones une interprétation centrée sur les Québécois francophones, ceux-ci n'ayant guère cessé d'étonner le Canada anglais. Le Québec anglophone s'est tout juste mis à écrire sa propre histoire, car il s'est rarement considéré comme une entité distincte au Canada. Ce ne fut jamais le cas du Québec francophone. Des visions nationales ont toujours accompagné les événements qu'il a vécus, les unes et les autres s'influençant mutuellement. Et cela dès les premiers temps de la colonisation française. Cette conjoncture eut des effets variés, tantôt surprenants ou amusants, tantôt incohérents ou inquiétants, qu'on fût Anglais ou Français. Très peu y restèrent indifférents, mais nul n'a trouvé de solution au problème: comment être Français en Amérique du Nord?

Ce livre eût été conçu autrement et écrit à un autre moment si deux incidents fortuits ne m'étaient arrivés en 1979. D'abord, pendant les sessions de la Société historique du Canada à Saskatoon, Virgil Duff, qui représentait alors la maison d'édition Macmillan, brandit devant moi une pétition signée par un certain nombre d'historiens — nos amis communs sans doute — et visant à me convaincre d'écrire une histoire du Québec à l'intention des étudiants et du grand public. Ayant déjà mille autres projets en tête, j'y résistai, jusqu'à ce qu'une nuit je me réveille avec le titre du livre et de ses chapitres dictés dans un rêve. Là-dessus, mes parents (Marjorie et Walter Mann qui m'ont toujours considérée comme leur contribution au bilinguisme) me dirent sur un ton détaché que «toutes ces études» que j'avais faites devaient logiquement aboutir à ce livre. C'est à cause de ce rêve et de cette remarque que je me suis attelée au travail.

J'ai mis dans ce livre quinze ans d'études, de recherches et d'enseignement consacrés à l'histoire du Québec. Les lectures générales à la fin de l'ouvrage et celles suggérées au terme de chaque chapitre témoignent de ce que je dois aux autres, à un moment où les études historiques au Canada se sont étendues à l'histoire sociale, à l'histoire du travail, à celle des villes et des femmes. J'ai eu la chance de pouvoir compter sur la patience et le savoir de plusieurs collègues, spécialistes en histoire du Québec ou dans ces nouveaux domaines, à l'intérieur de mon propre département à l'Université d'Ottawa. Je tiens tout particulièrement à remercier Cornelius Jaenen, Fernand Ouellet, Jacques Monet, Andrée Lévesque, Don Davis, Michael Piva et, pour la première révision du texte français, Jean-Guy Daigle. Deux étudiants diplômés, Mark Entwistle et André Cellard, ont procédé sur demande aux vérifications nécessaires. Lynne Trépanier, du Département de géographie, a dressé les cartes.

Grâce à l'appui financier du Conseil de recherches en sciences humaines du Canada et à celui de l'Université d'Ottawa, j'ai pu me consacrer entièrement à la rédaction de ce livre pendant mon congé sabbatique de 1980-1981. Pendant tout ce temps, j'ai bénéficié du soutien moral que m'ont discrètement accordé mon mari Nicholas et ma fille Britt-Mari, qui ont accepté mes absences de corps et d'esprit.

À sa parution, *The Dream of Nation* a été accueilli avec bienveillance par les médias, francophones aussi bien qu'anglophones. On a alors pensé que cet ouvrage pourrait toucher un public de langue française. Après avoir compté parmi les premiers lecteurs de cet ouvrage, Claire et Maurice Pergnier l'ont aimé suffisamment pour accepter de le traduire. Je les en remercie beaucoup — mon admiration pour le métier de traducteur est maintenant sans bornes —, de même que la Faculté des arts de l'Université d'Ottawa qui a contribué financièrement à cette traduction. Pour l'ultime révision du texte j'ai profité énormément de l'oeil et de l'oreille de Marie-Christiane Charbonneau. Comme moi, elle écoute le mot écrit et l'écho de son crayon rouge se fait entendre à travers les pages. Je tiens donc à remercier les Éditions du Trécarré, avec qui mes relations ont toujours été des plus cordiales, de me l'avoir attachée.

Traduire, c'est trahir, m'apprend-on récemment. Que les Québécois et Québécoises auxquels je dédie tout particulièrement cette version française ne m'en veuillent pas trop.

Susan Mann Trofimenkoff
Ottawa, mai 1985

Au commencement était le fleuve ...
Le cap Tourmente, John J. Bigsby,
Archives publiques du Canada, C11632

I VISIONS D'EMPIRE

Au commencement était le fleuve, gelé six mois sur douze. Et
le fleuve unissait autant qu'il séparait. Bien avant que les
Européens, au seizième siècle, ne se risquent le long de ses
rives, il avait favorisé le commerce entre nations amérindiennes en des points privilégiés (Tadoussac, Québec, Montréal). Il
servait de limite territoriale à plusieurs de ces nations. Celles
du nord (Montagnais, Hurons, Algonquins) tentèrent d'en faire
la frontière entre leur zone d'influence et celle des Européens.
Quant à ces derniers, pourtant fascinés par le fleuve, ils

étaient hésitants. La route de l'Asie était encore coupée par un obstacle, mais cette fois on pouvait peut-être en tirer quelque chose: l'immense golfe qui, au gré des saisons, ouvrait ou fermait l'accès au fleuve regorgeait de poissons. C'était là un réservoir inépuisable de nourriture pour un marché européen lui-même sans limites, en raison de la pratique religieuse qui interdisait la viande pratiquement un jour sur deux. Par ailleurs, dans le cours supérieur du fleuve, les rives, plus resserrées, abritaient des tribus amérindiennes amies qui, pour le moment du moins, ne demandaient pas mieux que d'échanger leur surplus de fourrures contre les excédents de babioles décoratives ou meurtrières des Européens. Le profit était bon et la demande européenne sans bornes, stimulée qu'elle était par l'aiguillon de la mode; ce que les Indiens portaient sur le corps, les Européens le porteraient sur la tête. Les yeux inexpérimentés de Jacques Cartier crurent voir briller de l'or dans certaines crêtes rocheuses de la côte. À une époque où les galions espagnols rentraient d'Amérique du Sud les flancs chargés de trésors, est-il surprenant que la France ait pu se laisser leurrer par quelques pâles étincelles dans l'austère pays que le destin lui avait dévolu en Amérique du Nord? Sur le cours inférieur du fleuve, la rive nord adossée aux collines et la rive sud vaste et plate présentaient, du moins à l'oeil avisé d'un Samuel de Champlain qui savait regarder au-delà de la forêt, des possibilités de culture et d'établissements agricoles capables de faire vivre une colonie, voire d'exporter des produits. D'autre part, les remous et les courants du fleuve laissaient supposer l'existence, évoquée également par les récits des Amérindiens, de terres et de mers lointaines. Il était peut-être encore possible de découvrir un passage vers les richesses bien réelles de l'Asie en traversant l'obstacle plutôt qu'en le contournant. Seul le fleuve le savait. L'été, il enflammait l'imagination des Européens; l'hiver, il les plongeait dans un abîme de misère physique et morale.

Mais les Européens du dix-septième siècle étaient moralement préparés à affronter ces deux extrémités: l'aventure pouvait conduire à la richesse matérielle; quant aux épreuves, elles étaient propres à assurer le salut éternel. Cet ensemble de motivations poussa les Français à se joindre à l'aventure colonisatrice et à tenter de combler leur retard dans la course au prestige et aux richesses face aux Espagnols, aux Portugais et autres Européens. Certes, il y avait longtemps que les pêcheurs français avaient découvert la route de la morue canadienne; parmi les rares qui avaient accosté sur la terre ferme pour faire sécher le produit de leur pêche avant leur retour, certains étaient revenus en bourrant leurs bateaux déjà chargés de poisson, de fourrures troquées avec les tribus côtières. Aussi les premières rencontres entre Jacques Cartier et les Amérindiens en 1534 ne constituèrent-elles une surprise ni pour les Français ni pour les indigènes, encore que l'insistance de Cartier à planter de gigantesques croix pour baliser son passage ait éveillé une certaine curiosité. Cependant, les quelques tentatives faites par les Français pour hiverner au Canada tournèrent au désastre et laissèrent aux Amérindiens un sentiment accru de leur supériorité. Ce n'est donc qu'au début du dix-septième siècle, après que la France eut résolu ses problèmes intérieurs sur les plans religieux et politique, que l'effet de cet élan colonial se fit sentir pleinement. La mise en mouvement, tout d'abord, de toutes les ressources matérielles et spirituelles provoquée par les découvertes géographiques et scientifiques, la fermentation sociale suscitée par l'émergence d'une nouvelle classe de marchands ensuite, les progrès techniques dans l'art de la construction navale et de la navigation enfin, se conjuguaient en France à la centralisation de l'État et à une grande ferveur religieuse. Au début du dix-septième siècle, ces deux derniers facteurs alimentèrent la vision d'un empire français en Amérique du Nord.

Dans cette vision, c'est encore l'État qui est le moins ardent de tous. Ce n'est qu'après avoir fait l'essai, pendant trois quarts de siècle, de compagnies et de colonies diverses que la monarchie française se décide, après 1660, à jeter dans la balance de la colonisation du Canada le poids de sa propre infrastructure militaire et administrative. Dans l'intervalle, elle a entériné l'existence de plusieurs établissements en Acadie et au Canada. Après avoir, un temps, envisagé de les utiliser comme dépotoir pour protestants indésirables, elle finit par opter pour une colonie purement catholique. C'est avec un certain détachement que cette monarchie avait rivalisé avec les Anglais pour la possession de l'Acadie et qu'elle avait vu cette dernière changer continuellement de main au cours des siècles, au gré des prétentions des puissances européennes, voire de simples bandes de pillards, revendiquant la priorité de la découverte ou de l'occupation. Même Québec avait changé de main temporairement en 1629, faisant ainsi apparaître la fragilité de la base que Champlain y avait implantée depuis 1608; l'État français observait d'un oeil attentif, mais ne s'engageait qu'à regret. C'est qu'en fait, tandis que Champlain explore méthodiquement les cours d'eau de l'est du Canada jusqu'au lac Huron, la monarchie française attend des nouvelles de la route de l'Asie, qui seule l'intéresse: le plan que Champlain présente en 1618 en vue d'établir sur les rives du Saint-Laurent une colonie agricole et commerciale prospère est poliment mis au rancart.

Manquant des ressources nécessaires à son engagement direct dans l'entreprise coloniale, l'État français concède tout d'abord à de riches personnages et ultérieurement à de grandes compagnies commerciales l'exploration du pays, le commerce et la colonisation. La Compagnie des Cent-Associés obtient le monopole commercial en Nouvelle-France, mais reçoit en échange la mission de faire passer en quinze ans la population de la petite colonie, qui comptait à peine cent personnes en 1627, à plus de quatre mille. Si le commerce s'épanouit, il n'en est pas de même pour la colonisation. Les deux choses sont en fait largement incompatibles, car les colons absorbent les bénéfices de la compagnie qui, dans les premières années, doit subvenir entièrement à leurs besoins. D'autre part, les colons eux-mêmes portent plus d'intérêt au commerce qu'à la production de biens agricoles ou artisanaux. La colonisation, cependant, est indispensable à l'établissement de liens durables avec les Amérindiens. La compagnie ne peut pas se contenter de se présenter chaque printemps en espérant qu'ils seront là à l'attendre gentiment, les bras chargés de «castor gras», la fourrure la plus recherchée à l'époque. Ce sont les Européens qui doivent s'adapter aux méthodes commerciales des Amérindiens et non l'inverse, et si l'on veut maintenir les alliances patiemment établies par Champlain au début du siècle, cette adaptation requiert une présence française continue. Tout le système de cadeaux, d'échanges, de discours et de cérémonies pacifiques et guerrières qu'il faut mettre au point pour que les autochtones continuent de venir au fleuve avec leurs fourrures repose sur l'installation permanente des Français.

En dépit des impératifs commerciaux et des besoins de la monarchie française, la Compagnie des Cent-Associés ne voulut ou ne put jamais être à la hauteur de ses engagements en ce qui concerne la colonisation. Les villages français de Québec, Trois-Rivières et Montréal restèrent des entités fragiles, accrochées au cordon ombilical du fleuve et exposées dès le milieu du siècle à la vindicte des Iroquois en raison de l'alliance contractée par les Français avec leurs ennemis, les Hurons. Une deuxième compagnie, constituée par des colons dans la décennie 1640, la Communauté des Habitants, ne parvint pas davantage à réaliser des profits ni à développer la colonie. À de nombreuses reprises, le rêve colonisateur parut même se changer en cauchemar: et en fait de rêve, ce fut sans doute plus d'une fois que les deux mille cinq cents colons de

1660, tremblant de peur et de froid dans leurs lits, durent souhaiter la nuit se réveiller en France. Ce n'est qu'en 1663 que le gouvernement français finit par décider de façonner lui-même le rêve à sa manière.

Au début du dix-septième siècle, le dessein religieux était autrement puissant que celui de l'État. À tel point que, sans lui, la Nouvelle-France aurait très bien pu ne jamais voir le jour. La tourmente religieuse du seizième siècle et les luttes menées pour restaurer au dix-septième siècle une unité religieuse avaient donné naissance à une race exceptionnelle de dévots prêts à tout : mystiques capables de mener des affaires, nobles et bourgeois riches animés d'un puissant désir de changer le monde au profit de Dieu, et, ce faisant (s'Il était particulièrement bien disposé à leur égard), d'accepter le martyre. Leurs rêves leur montraient la Nouvelle-France où ils imaginaient une nouvelle race de chrétiens composés de Français et d'Indiens. En outre, ils avaient l'argent, les relations, la ferveur et la détermination nécessaires à la réalisation de leurs projets. Parmi eux, beaucoup de femmes.

Tels sont les personnages qui débarquent en Nouvelle-France. Rompant avec leurs attaches personnelles, mais rarement avec leurs puissantes relations de France, tantôt seuls, tantôt en groupe, ils viennent évangéliser, enseigner, soigner ou se livrer aux oeuvres charitables. Ils ouvrent des écoles pour les jeunes Amérindiens, des collèges pour les jeunes Français, des couvents pour les filles des bourgeois de la colonie, des hôpitaux pour les malades, des hospices pour les nécessiteux et même des classes pour les filles de la campagne. En 1642, ils fondent l'établissement de Montréal ou Ville-Marie, afin, selon leurs propres termes, d'assurer «la gloire de Dieu et le salut des Indiens». Ils envoient en France des lettres qui font connaître la colonie et plaident en sa faveur; il est rare que leurs appels ne soient pas entendus. Argent, colons et vivres arrivent dans le sillage des religieux : missionnaires jésuites suivant les Amérindiens dans leurs déplacements loin des établissements, Ursulines cloîtrées à Québec, mais qui n'en sont pas moins au fait de toute la vie politique de la colonie et qu'on retrouve même à la tête de certaines des seigneuries les plus prospères, Soeurs de la Congrégation enfin, les premières religieuses non cloîtrées qui assurent l'enseignement dans les campagnes. Bien avant que la colonie ne soit solidement enracinée économiquement et politiquement sur les rives du Saint-Laurent, ces mystiques y ont établi un réseau d'institutions dirigées par le clergé qui, non seulement vont survivre à la Nouvelle-France, mais qui vont demeurer l'une des caractéristiques durables de la société québécoise jusqu'au cœur du vingtième siècle.

Cependant, les rêves de ces personnes pieuses ne se réaliseront pas. La Nouvelle-France ne deviendra jamais un «Nouveau Royaume» et l'ambition de faire des Amérindiens des chrétiens sédentaires et francisés se heurtera à des résistances culturelles aussi ancrées que le zèle des religieux eux-mêmes. Qui plus est, certains missionnaires seront, à leur corps défendant, les propagateurs de certaines maladies; ils tueront probablement plus d'Amérindiens qu'ils n'en convertiront; la petite vérole, la rougeole et même de bénignes affections respiratoires dévasteront les communautés amérindiennes avec la rapidité d'un incendie. C'est avec les mêmes conséquences catastrophiques que d'autres aspects de la civilisation européenne comme les vêtements, les outils, les armes à feu et l'eau-de-vie, prélèvent leur dîme. En règle générale, les missionnaires sont hostiles à l'alcool et, dès que sous la conduite de monseigneur François de Laval, nommé vicaire apostolique en 1659, l'Église canadienne s'est donné une direction et une organisation fermes, elle érige en priorité le combat contre son trafic. C'est cependant une cause perdue d'avance, car les réseaux d'amitié, de confiance et de savoir qu'avaient tissés entre eux les missionnaires et les Amérindiens ouvrent mainte route à la traite des fourrures, contribuant ainsi à créer d'office le problème que l'Église combat.

Si les Français résistent mieux à l'alcool que les Amérindiens, ils ne sont cependant pas davantage à l'abri des effets secondaires de la traite des fourrures. Le principal d'entre eux est l'état de guerre. Il arrive que les Français soient pris dans le feu croisé des guerres tribales, comme en 1640 où Iroquois et Hurons se battent pour la maîtrise des circuits d'approvisionnement de fourrures destinées aux Français le long du fleuve et aux Hollandais plus au sud. Il arrive aussi qu'ils soient en butte à l'hostilité économique et culturelle des Iroquois, comme au cours de la décennie 1650 où leurs fragiles établissements sont continuellement soumis aux attaques des autochtones. Ce qui répond au vœu de martyre chez les mystiques et justifie la terreur de la torture chez les colons. Il faudra attendre encore une quarantaine d'années l'engagement direct de l'État français et un afflux massif de soldats et de colons pour que les Français puissent se permettre d'avancer qu'ils sont là pour y rester. Pendant plusieurs générations, la colonie en herbe se maintient tant bien que mal.

En France, cependant, l'administration civile et Louis XIV lui-même prennent peu à peu conscience de la précarité de la colonie accrochée aux rives du Saint-Laurent entre Québec et Montréal. Dans le même temps, on s'aperçoit que les colonies peuvent se révéler intéressantes en termes de prestige et même, avec un peu de chance, en termes de richesses. Un homme fait beaucoup pour alimenter cette prise de conscience, puis pour la traduire en actes : c'est Jean-Baptiste Colbert qui, entre 1660 et 1670, est successivement ou simultanément intendant des Finances, contrôleur général des Finances et enfin ministre de la Marine, ce qui lui confère la responsabilité des colonies. En 1663, la colonie est équipée à la mode des provinces françaises ; on la dote d'un gouverneur et d'un intendant chargés respectivement des affaires militaires et des affaires civiles, et d'un Conseil souverain investi de fonctions judiciaires et administratives. Au gré des talents et des inclinations variées des personnages qui vont alors se succéder dans ces fonctions au cours du siècle suivant, le gouvernement de la Nouvelle-France oscillera entre une administration tatillonne, une planification judicieuse, des entreprises militaires hasardeuses au fort relent de castor gras, et une gestion brillante, sans oublier l'art de se remplir les poches cher à certains. Comme tous les administrateurs, ceux de la petite colonie se querellent ; mais leur travail, en outre, est compliqué par l'éloignement et le climat : il n'est pas rare qu'il s'écoule dix-huit mois ou plus entre une demande de secours ou de conseil envoyée en France et la réponse. La colonie va à son propre rythme : celui des saisons et du fleuve.

De temps à autre, un administrateur essaie de brusquer ce rythme. Jean Talon, qui sera intendant de la colonie dans la décennie 1660 et n'y séjournera que cinq ans, a un programme ambitieux. Il veut développer le peuplement et agrandir le territoire en favorisant le commerce, la traite des fourrures, l'agriculture, la pêche et l'exploitation des mines et des forêts. Construire à Québec des navires pour renforcer la flotte française : quel beau rêve! Mais Talon se heurte bientôt à des traits permanents de la Nouvelle-France : les colons ne veulent pas bâtir leurs villages à l'intérieur des terres au milieu des défrichements. Indifférents aux impératifs de la défense aussi bien qu'aux promesses de prospérité, ils préfèrent s'accrocher à leurs parcelles rectangulaires donnant sur le fleuve, qui représente pour eux à la fois un moyen de transport, la subsistance et la garantie de leur indépendance vis-à-vis du seigneur. Il n'est pas facile non plus de trouver des capitaux. Les investissements venus de France fluctuent plus au rythme de la situation militaire en Europe qu'au rythme des marées du bas Saint-Laurent. Quand des capitaux se présentent, ils cherchent des profits rapides que seule la traite des fourrures peut garantir.

Les trois quarts au moins des bénéfices réalisés par les capitaux privés massivement investis dans la traite retournent en France, le reste aboutissant entre les mains de quelques familles canadiennes peu enclines à diversifier leurs placements. À vrai dire, sans même parler d'investissements, l'argent est une denrée rare en Nouvelle-France. Il est vrai que les gens eux-mêmes sont rares, qu'il s'agisse de travailleurs qualifiés ou de consommateurs. Locale ou importée, la main-d'oeuvre est insuffisante. Les travailleurs engagés amenés de France y retournent dès que leur contrat est terminé et que leurs ressources le leur permettent. Quant aux enfants nés sur place des femmes qu'on a tirées des orphelinats parisiens pour les faire venir au Canada entre 1665 et 1673, nanties d'une formation scolaire et d'une dot pour les marier à des colons et à des officiers — les fameuses «filles du roy» —, ces enfants répugnent à s'installer dans la vie stable et étriquée d'artisan. Ceux d'entre eux qui ouvrent boutique grâce au système de l'apprentissage suffisent et parfois même dépassent les besoins de la colonie en boulangers, en cordonniers et en bouchers. Il n'y aura jamais d'argent en quantité suffisante pour innover ni même pour ouvrir un véritable marché à la consommation. Qui plus est, tous les rêves de développement économique se briseront sur la raison d'être même des colonies: elles sont faites pour servir la métropole, non pour rivaliser avec elle.

Cependant, la France prend au sérieux ses devoirs de défense. L'envoi de troupes régulières au cours de la décennie 1660 fait plus pour donner le ton de la société canadienne que des programmes de développement économique sans résultat. Le régiment de Carignan-Salières contiendra la menace iroquoise dans la vallée du Saint-Laurent, bien que cette menace ne cesse de se faire sentir qu'à la signature du traité de paix de Montréal en 1701; avec d'autres régiments envoyés ultérieurement de France, il marquera la colonie d'une empreinte militaire. En outre, les soldats arrivent avec de l'argent destiné à l'intendance et à leurs dépenses personnelles. Les besoins militaires de la colonie s'accroîtront à un point tel qu'au dix-huitième siècle les trois quarts environ des dépenses françaises en Nouvelle-France seront d'ordre militaire. Beaucoup de soldats sont en même temps des colons: les hommes de troupe s'installent dans la colonie comme ouvriers ou agriculteurs; et les officiers épouseront fréquemment de riches héritières canadiennes une fois que l'équilibre démographique, rompu au bénéfice des hommes, se sera rétabli au début du dix-huitième siècle. Leurs enfants emprunteront la même voie, car les situations offertes par l'armée comptent parmi les plus intéressantes et les plus prestigieuses de la colonie: les garçons «canadiani-seront» rapidement les rangs des officiers de fusiliers marins, tandis que les filles tisseront solidement les mailles du tissu social grâce au réseau des mariages et des relations et au jeu des influences.

Les mêmes traits caractérisent la milice locale. En 1669, tous les colons âgés de seize à soixante ans sont automati-quement membres de la milice qui est organisée en sections locales fondées sur le découpage paroissial. Leur fonction est de défendre la paroisse et ses environs immédiats et, en cas de nécessité, d'accompagner les troupes françaises régulières — beaucoup moins importantes numériquement — dans leurs grandes expéditions en territoire iroquois ou anglais. Jusqu'à ce que les soldats français soient assimilés par les Canadiens, les uns et les autres s'étonneront et se mépriseront mutuelle-ment. Les Canadiens combattent à la manière indienne, par la surprise, la ruse, la rapidité et en tendant des embuscades, sans respecter les règles et les conventions des guerres euro-péennes. Ils survivent mieux dans la forêt et n'ont nul besoin du soutien logistique indispensable aux armées européennes. Mais ils n'échappent pas pour autant au mirage de la promo-tion sociale: pour un milicien, obtenir un grade c'est souvent se servir du tremplin qui lui permettra d'atteindre une position plus élevée; au dix-septième siècle, quand il demande à être anobli par le roi, c'est plus d'un seigneur qui fait valoir ses services comme officier dans la milice et, au siècle suivant, plus d'un bourgeois en quête d'un poste de prestige fera de même. C'est le fait que l'armée ait été indispensable en Nouvelle-France et qu'elle y ait été si présente qui devait contribuer à y maintenir une structure sociale d'Ancien Régime fondée sur l'ordre, la hiérarchie, les préséances, la propriété et l'honneur.

Cela ne signifie pas que tous respectent les règles de bonne conduite: le fleuve et la forêt sont trop proches et trop pleins d'attraits, les gardiens de l'ordre moral trop éloignés et la population à la fois trop nombreuse pour être tenue en main par la poignée de prêtres et d'administrateurs qui la dirige, et trop petite pour se sentir liée par quelque code que ce soit. Le clergé, notamment, n'y trouve pas son compte, mais comme la population se trouve dans les campagnes et les prêtres dans les villes, et que les évêques, dans la plupart des cas, sont en France, qu'est-ce que le clergé peut faire de plus que de s'in-quiéter? Il s'inquiète beaucoup, en effet, et tonne contre la mode et les jeux de hasard, contre les jurons, les beuveries et la danse; il regarde d'un oeil désapprobateur le théâtre et, plus encore, les courses de chevaux que les colons organisaient autour des églises pendant les sermons; il déplore que la dîme soit réduite d'un treizième de toutes les productions à un vingt-sixième de la production de blé et qu'on ait pu s'y soustraire aussi facilement; il se lamente de ne pouvoir obtenir de la population la réfection d'un toit d'église. Mais, même unie à celle de l'État, sa voix n'est pas entendue. En dépit des sévères règles morales édictées par l'Église et des encouragements financiers de l'État, les Canadiens persistent à attendre pour se marier d'avoir bien plus de vingt ans et se contentent de familles qui, en moyenne, atteignent seulement la moitié du nombre d'enfants — la douzaine — que l'Église et l'État pres-crivent. Avec obstination, délibérément, les habitants refusent de conformer leur mode de vie aux desiderata d'une toute petite classe dirigeante.

Si les colons se comportent souvent de manière imprévisi-ble, les institutions coloniales évoluent parfois aussi d'une façon non conforme aux intentions primitives. Le régime sei-gneurial, plus formel que réel, s'inspire d'une réalité euro-péenne qui a peu de rapports avec les conditions sociales, poli-tiques et même économiques qui règnent sur les rives du Saint-Laurent. En France, les nobles détiennent un fief pour le compte du roi; en échange des moyens d'existence qu'ils tirent de la terre, les nobles et leurs vassaux doivent au souverain le service des armes; le statut et le mode de vie des nobles et des paysans sont nettement différenciés. En Nouvelle-France, au contraire, le seigneur qui acquiert une terre a l'obligation d'en concéder des parcelles à des colons. À bien des égards, il a davantage de devoirs que les colons eux-mêmes. En contrepar-tie de quelques droits honorifiques et d'un impôt symbolique qui lui est versé annuellement en espèces et en nature, il contracte moultes obligations: pourvoir à la construction et à l'entretien d'un moulin à blé, construire une maison seigneu-riale, patronner l'église paroissiale, apporter sa contribution aux travaux de voirie et enfin tenir un état des terres, de leur population et de leurs productions. Rien d'étonnant donc à ce que peu d'entre eux honorent l'engagement qu'ils ont pris de développer leur seigneurie. Ils ne peuvent en escompter le moindre revenu avant d'avoir installé trente à quarante fa-milles sur des parcelles défrichées. À moins qu'eux-mêmes ou leurs fils ne consacrent une partie de leur temps à la traite des fourrures et s'y constituent ainsi un capital, et le reste de leur temps à défricher et à cultiver leur domaine, ils ne réalisent aucun bénéfice; qui plus est, la division de la seigneurie entre tous les héritiers lors du décès rendait toute accumulation de capital extrêmement difficile. Aussi beaucoup d'entre eux se désintéressent-ils complètement de leur fief, où leur situation n'est souvent pas différente de celle des habitants. Ils vivent en ville et considèrent leurs propriétés comme une simple marque de prestige social. C'est pour cette dernière raison que certains d'entre eux essaient d'acquérir de nouvelles seigneuries. Mais d'autres verraient peut-être sans déplaisir l'État les dessaisir de leur titre de seigneur pour cause de défaut de mise en valeur de leur fief, comme cela se produit en une ou deux occasions. Dans l'ensemble, comme moyen de coloniser le pays, le système de la seigneurie détenue par un particulier se révèle un échec.

Celles que possèdent l'Église ou des ordres religieux connaissent plus de succès. Leurs domaines sont gérés avec soin, en partie à cause du fait que les seigneuries demeurent indivises à travers le temps (ni l'Église, ni les ordres religieux n'ayant d'héritiers entre lesquels les partager), et en partie parce que les religieux doivent tirer un revenu de la terre pour financer leurs entreprises de charité et d'enseignement. Ces exploitations ont démarré avec des capitaux fournis par les ordres religieux et des mécènes français, et se sont développées grâce à l'attention constante et à l'esprit d'entreprise de mère Marie de l'Incarnation, la mystique fondatrice des Ursulines, voire de monseigneur de Laval lui-même. Dans l'ensemble, ce sont les seigneuries les mieux situées et ce sont elles qui ont les meilleures terres; en 1663, un tiers des concessions riveraines du fleuve se trouvent entre les mains de l'Église; en 1657, l'île de Montréal tout entière constituée en seigneurie appartient aux Sulpiciens. Un siècle plus tard, l'Église et les ordres religieux qui en dépendent se trouvent à la tête d'un quart de la totalité des terres concédées en Nouvelle-France, pour la plus grande part dans les environs immédiats de Québec et de Montréal. Sur ces terres, vit plus du tiers de la population.

Ce n'est que lentement que l'exploitation des terres seigneuriales se traduit sur le plan commercial. Pendant le dix-septième siècle, la production est tout juste suffisante pour nourrir les familles d'agriculteurs. Il arrive même que les conditions climatiques ou la guerre entraînent des famines. Une fois satisfaits leurs propres besoins, les campagnes ont même du mal à approvisionner les villes. La pénurie de main-d'oeuvre se fait sentir dans l'agriculture comme dans tous les autres secteurs. Il n'y a pas assez de monde pour cultiver les terres et, à plus forte raison, pour étendre le domaine cultivable, chaque pouce de terroir devant être arraché à la forêt.

Sans même parler de dimension commerciale, ce n'est qu'au début du dix-huitième siècle que l'agriculture devient un métier important. La traite des fourrures se met à souffrir de surproduction et la population en expansion doit chercher à s'employer ailleurs. Les habitants commencent alors à cultiver du blé pour l'exportation, essentiellement à l'intention du fort de Louisbourg, sur l'île Royale (actuellement Cap-Breton), nouvellement construit et plein de bouches à nourrir. Le paysage campagnard lui-même connaît une mutation : de petits villages font leur apparition pour subvenir aux besoins d'une agriculture devenue plus commerciale. La structure sociale elle-même évolue, et les habitants se répartissent alors en différentes catégories : les riches, les autosuffisants et les pauvres. De plus, l'histoire commerciale de l'agriculture en Nouvelle-France fournit de nombreux sujets d'interrogation à l'historien : la décennie qui commence en 1730 semble avoir été une période de vaches maigres, avec des récoltes ratées, des exportations réduites, du chômage et une misère généralisée.

En fait, l'agriculture ne sera jamais une composante importante de l'économie de la Nouvelle-France. Dans un système économique fondé sur la traite et la guerre, les vraies sources d'argent sont les fourrures et les militaires. À des degrés divers, pendant les cent trente ans d'existence stable de la Nouvelle-France, presque tous les hommes jeunes de la colonie ont pris part à l'une ou l'autre de ces activités, si ce n'est aux deux. En 1760, quatre mille personnes sur les soixante-cinq mille environ qui constituent la population totale de la vallée du Saint-Laurent sont officiellement employées par la traite et personne ne sait combien y prennent part de façon non officielle. Il est probable qu'avant 1660, date à laquelle les Amérindiens viennent encore aux foires annuelles de Montréal, tout le monde y participe peu ou prou. Par la suite, une spécialisation intervient. À la fin du siècle, les négociants emploient des voyageurs, ces hommes intrépides qui prennent le relais des coureurs de bois improvisés, indépendants et quelque peu libertins, dans l'exercice de la traite. Au printemps, les voyageurs quittent la colonie vers le nord et l'ouest, dans des canots assez grands pour transporter sept hommes et d'énormes chargements de troc. Ils rentrent quelquefois à l'automne, quelquefois seulement l'été suivant, rapportant des fourrures — principalement du castor au dix-septième siècle, d'autres peaux aussi au dix-huitième siècle. En dépit de l'aura romantique qui les entoure (légende faite de chansons, de force physique et d'aventure), les voyageurs ne sont que de simples convoyeurs : ils ne traquent pas les bêtes et n'empochent pas les bénéfices. Ils ont le rôle le plus dangereux: ils se glissent entre tribus indiennes ennemies sur des territoires disputés; ils affrontent rivières et portages, et doivent déjouer à la fois la glace et les embuscades pour rentrer à Montréal. Souvent, ils y laissent leur vie. Et tout cela, ils le font uniquement pour rapporter leurs fourrures à des agents de commerce dont le nombre décroît. En effet, au fur et à mesure que les trajets vers l'intérieur se font plus longs et que les Indiens deviennent plus exigeants sur le nombre et la qualité des produits, la traite se concentre entre les mains d'un petit nombre de riches familles associées, capables de faire face à des délais de paiement atteignant souvent trois ou quatre ans. Ces familles qui agissent pour le compte de grandes compagnies de la métropole, ou qui sont constituées en associations commerciales indépendantes, placent tous leurs bénéfices dans le circuit relativement fermé de la traite. La plus grande partie de ces bénéfices retourne en France, le reste servant à pourvoir à l'organisation et aux fournitures de la traite. Ici ou là, on achète une seigneurie pour établir sa position sociale; le plus souvent, on organise des fêtes somptueuses avec vins et toilettes importés de France pour entretenir des liens d'amitié entre administrateurs, officiers, marchands et agents de la traite. Les profits passent rarement dans les autres branches de l'activité commerciale ou industrielle.

À l'intérieur de la colonie, les fourrures ne font que changer de main. Elles ne fournissent de travail qu'aux transbordeurs de Montréal et de Québec, et doivent se plier aux contraintes de l'économie de la métropole et non à celles de l'économie canadienne. En France, elles sont soumises à la concurrence des sources d'approvisionnement européennes et subissent les vicissitudes de la mode. La traite canadienne fluctue en fonction de l'état du marché européen; tantôt elle encombre de ses surplus les magasins français comme c'est le cas au début du dix-huitième siècle; cinquante ans plus tard elle doit réduire et diversifier sa production. Mais de tout temps, la fourrure à l'état brut demeure l'exportation principale de la colonie.

Dans les faits, beaucoup de pelleteries sont exportées en fraude. La filière passant par Albany est dangereuse, car elle traverse des territoires tenus par les Amérindiens et les Anglais, mais elle est plus courte et plus immédiatement lucrative. Elle fait échapper les peaux à la taxe de vingt-cinq pour cent qui frappe les fourrures quittant la colonie et, en outre, elle donne accès à des produits anglais que les Amérindiens, et même les Montréalais, apprécient. C'est ainsi que de beaux lainages anglais se mettent à figurer dans les ballots des marchands français circulant dans les territoires de l'Ouest et que les tables des négociants de fourrures de Montréal s'ornent de porcelaine et d'argenterie anglaises. L'un des maillons de la filière est certainement constitué par l'organisation des sœurs Desaulniers qui opèrent depuis Caughnawaga, sur la rive sud du Saint-Laurent à l'ouest de Montréal. Les deux femmes ont suffisamment de relations au sein des riches familles des marchands de fourrures de Montréal pour échapper à tout contrôle administratif et elles font affaire avec des courriers amérindiens qui gardent la route d'Albany. Bien que la contrebande ait été officiellement interdite, elle devient peut-être la planche de salut de la traite canadienne, car elle a pour effet l'exportation ininterrompue de fourrures, même lorsque le marché français se trouve saturé, et rend possible l'accès à des denrées de meilleure qualité, permettant ainsi aux Canadiens de maintenir leurs alliances commerciales et politiques avec des Amérindiens insatiables.

Ces alliances entraînent les Canadiens, soutenus par les forces militaires françaises, à s'enfoncer de plus en plus loin dans l'intérieur du continent nord-américain. De même que la traite, à ses débuts, a nécessité le maintien d'une présence ténue mais constante le long du Saint-Laurent, de même l'expansion de la traite et le maintien de la paix avec les Amérindiens après 1701 rendent nécessaire la présence française à l'intérieur du pays. Pour que les Indiens ne soient pas tentés d'établir des liens commerciaux directs avec les colonies anglaises, il faut que les Français leur amènent à domicile des denrées, en nombre suffisant et de bonne qualité. Seule la proximité de troupes françaises peut persuader les Amérindiens de ne pas basculer dans l'autre camp à la moindre escarmouche avec les Anglais ou du moins les y contraindre. Et c'est seulement dans la mesure où la France fait valoir ses droits, en y étant physiquement présente, sur les territoires situés au-delà du Saint-Laurent derrière les colonies anglaises de la côte atlantique, qu'elle peut maintenir son prestige en Europe. D'où la formidable expansion de la Nouvelle-France, qui fait d'une colonie collée aux rives d'un grand fleuve un empire en forme de toile d'araignée lançant ses filaments loin vers le nord, vers l'ouest, vers le sud, à la dimension de tout un continent. Au début du dix-huitième siècle, la Nouvelle-France aura envoyé des explorateurs et des marchands bien au-delà des territoires primitifs de l'Acadie, de Terre-Neuve et du Canada, jusqu'à la baie d'Hudson, jusqu'aux Grands Lacs et jusqu'aux régions iroquoises situées au sud des lacs; ils auront descendu le Mississippi jusqu'au golfe du Mexique. Comme au début du dix-septième siècle, les explorateurs ouvriront la voie aux missionnaires, aux commerçants, puis aux militaires. À la fin des années 1730, les Français tiendront des postes militaires à tous les endroits stratégiques du centre du continent.

Soldats et marchands marchent main dans la main. La défense de l'Empire offre la traite en récompense. Les hauts fonctionnaires eux-mêmes en tirent parfois bénéfice. À la fin du dix-septième siècle, c'est peut-être bien l'attrait de la fourrure qui a amené le gouverneur Frontenac à décider de l'emplacement des postes militaires financés par le gouvernement français. Une fois installée dans ses positions défensives autour des Grands Lacs, une garnison française ne pouvait pas ne pas passer son temps à faire du troc avec les Amérindiens. Et les voyageurs employés par les troupes remplissent leurs canots d'autant d'objets de traite que de fournitures militaires. Rapidement, cela rapporte trop d'argent à trop de gens pour que le gouvernement soit en mesure de se désengager habilement de ce qui s'avère bientôt une beaucoup trop vaste entreprise.

Mais il se peut que la France n'ait pas souhaité se retirer. Bien qu'il soit devenu évident pour les autorités françaises que, la pêche mise à part, la Nouvelle-France représentait au dix-huitième siècle un poids économique, elle reste désireuse de tenir la dragée haute à ses rivales européennes, particulièrement à l'Angleterre. Dans cette perspective, la Nouvelle-France représente pour la métropole un atout majeur sur les plans politique et militaire. Elle permet de cantonner les colons britanniques le long de la côte est et les négociants de la Compagnie de la Baie d'Hudson sur la bordure extrême de la mer nordique; elle sert à maintenir la paix dans l'arrière-pays de la Louisiane et, lors des conflits importants en Europe, à retenir de nombreux soldats britanniques dans les forêts d'Amérique du Nord loin des fronts européens. Ce plan permet également de neutraliser en Europe la flotte britannique, tenue de défendre les colonies vitales de son pays. Les occasions de conflit ne manquent pas. Entre les monarchies, de nombreux affrontements sont provoqués par les querelles de succession aux différents trônes; ainsi, au début du dix-huitième siècle, la guerre de Succession d'Espagne ou, après 1740, celle liée au trône d'Autriche. Chaque fois, la guerre trouve des prolongements dans les colonies, se nourrissant des vieilles rivalités tribales amérindiennes, de la concurrence sur le terrain de la traite des fourrures et des intérêts antagonistes des colons. Chaque fois, les Canadiens sont gagnants dans les bois d'Amérique du

Nord, mais perdants à la table des négociations européennes. C'est peut-être pour cela qu'après 1713, ils cherchent à s'assurer la mainmise économique et militaire sur l'ouest. Cette année-là, le traité d'Utrecht, marquant la fin de la guerre de Succession d'Espagne, assure à l'Angleterre, du moins sur le papier, la possession d'une grande part de ce que la Nouvelle-France considérait comme son bien — le bassin de la baie d'Hudson, Terre-Neuve, l'Acadie et les territoires iroquois du sud des Grands Lacs — mais ni la France, ni les Canadiens n'ont l'intention de laisser la Grande-Bretagne tirer parti de ses conquêtes. En 1717, afin de contrôler les Britanniques en Acadie, et de protéger les bancs de pêche et l'accès au Saint-Laurent, la France entreprend de fortifier solidement Louisbourg. À l'ouest, les officiers et les soldats canadiens des compagnies de fusiliers marins stationnés en Nouvelle-France occupent solidement les postes militaires et maintiennent les alliances amérindiennes. Les Anglais ont beau avoir gagné sur le papier, sur le terrain, ce sont les Français et les Canadiens qui sont présents, et donc tiennent le pouvoir. En 1713, il ne se trouve personne pour considérer qu'un traité européen peut sceller la fin de la présence française en Amérique.

Au contraire, la France et la Nouvelle-France vont connaître pendant une génération, de 1713 à 1744, une période de paix particulièrement favorable. Le commerce international de la France se développe; la domination maritime incontestée des Britanniques est menacée par une flotte française en plein essor. Aucun des deux pays ne peut se permettre une autre guerre et, des deux, c'est la France qui bénéficie le plus du répit accordé. Même la colonie de la Nouvelle-France commence à s'installer plus solidement. Pendant la période des guerres européennes du début du dix-huitième siècle, le désengagement de la France avait amené les colons à miser davantage sur leurs propres productions: l'agriculture, la pêche, le commerce et même l'industrie commencent à prospérer. Après la guerre, le blé et les biscuits constituent la base d'un actif commerce avec Louisbourg; au large de la Martinique, on peut voir des navires en provenance de Québec. Le renforcement de la flotte française donne un second souffle à la construction navale canadienne: pour les besoins de sa politique impériale, le roi subventionne les chantiers navals; après le retrait des subventions, ceux-ci, bien équipés, produisent des embarcations plus légères destinées à la navigation commerciale côtière, très lucrative. De manière sporadique, la construction navale française elle-même fait appel aux bois canadiens. Les mines de fer de la région de Trois-Rivières sont mises en service grâce à des subventions royales pour alimenter les forges du Saint-Maurice. Manufactures de textile, tanneries, brasseries se mettent à produire pour le marché local, de même que des ébénistes et des orfèvres, signe infaillible de l'accession de la colonie à un certain niveau de prospérité; ils fabriquent des articles destinés à la traite des fourrures copiés sur des médaillons français et des vases d'église sur le modèle des ustensiles domestiques.

Dans cette activité commerciale, les femmes jouent souvent un rôle important. Aux échelons supérieurs de la traite des fourrures, le mariage est autant un contrat commercial qu'une affaire de coeur: le conjoint parti dans l'intérieur du continent, généralement l'homme, laisse à l'autre le soin de gérer les comptes et les magasins à la colonie. Dans les garnisons autour des Grands Lacs, la femme et les filles de l'officier sont souvent à ses côtés: elles s'occupent de la traite pendant que les soldats se battent ou commercent. Plus bas dans l'échelle de la traite, les veuves de négociants se livrent à de fructueuses opérations commerciales: ainsi Marie-Anne Barbel, veuve Fornel, ajoute aux activités de négociant, d'approvisionneur et d'affréteur pour le commerce du Nord dont elle avait hérité de son mari, celles d'agent immobilier et de fabricant de poteries. Plus bas encore, les épouses des voyageurs ouvrent en ville des tavernes pour tirer profit des nombreux soldats assoiffés que la France envoie et que la colonie produit elle-même après 1663. Dans les campagnes, les femmes font marcher les fermes, souvent pendant plusieurs années de suite; leur instruction étant supérieure à celle des hommes, il est vraisemblable que ce sont elles également qui tiennent les comptes de l'exploitation. Des établissements industriels prospèrent eux aussi grâce aux femmes qui les dirigent. C'est ainsi qu'Agathe de Saint-Père commence à produire des textiles au dix-huitième siècle, en rachetant des tisserands anglais aux Amérindiens qui les gardaient prisonniers. Madame Benoist, qui lui succède, emploie des ouvrières à fabriquer des chemises et des jupons pour la traite. Louise de Ramezay ouvre plusieurs chantiers d'exploitation forestière sur la rivière Richelieu. Rien dans la société de la Nouvelle-France ne s'opposait à ce que les femmes se lancent dans des entreprises commerciales; beaucoup de choses au contraire les y encourageaient.

De manière moins visible, les femmes contribuent également à modeler et à maintenir les structures sociales qui s'élaborent pendant le dix-huitième siècle. Dans une société où la famille est non seulement la cellule sociale de base, mais quelquefois la seule cellule politique, où la maisonnée constitue le centre de production économique, où les lois protègent les

droits de l'épouse avant, pendant et après le mariage, (les risques de devenir veuve, même pour peu de temps, sont élevés),
où les femmes au début sont très rares et ensuite souvent isolées au milieu d'une population elle-même plus que clairsemée,
celles-ci ont toute latitude pour se livrer à des activités grati-
fiantes. Elles font entendre leur voix au bas de l'échelle sociale,
convoquant par exemple une assemblée en 1713 pour élire une
sage-femme, ou encore provoquant des émeutes au cours du
terrible hiver 1757-1758 pour protester contre les rations de
viande de cheval. Et elles manifestent aussi leur présence au
sommet : Louise-Élisabeth Joybert de Soulanges, l'épouse canadienne de Philippe de Rigaud de Vaudreuil, qui fut gouverneur
de la Nouvelle-France de 1703 à 1725, passe des années à Versailles où elle prépare l'accession de ses fils à des carrières de
prestige et de commandement, veille aux intérêts de son mari
et sert de conseillère au ministre de la Marine pour les affaires
coloniales. Entre ces deux extrêmes, les femmes soudent les
liens d'intérêts, et perpétuent le caractère militaire de la société
en présentant leurs filles à marier aux officiers et en faisant
servir les autres comme infirmières dans les hôpitaux des
ordres religieux qui soignent les soldats. Les femmes, bien sûr,
mettent au monde les enfants qui vont peu à peu canadianiser
toutes les couches de la société canadienne, depuis les habitants jusqu'aux administrateurs, en passant par les employés
de la traite et les militaires. Il se peut même qu'elles aient
atténué (à moins qu'elles n'aient au contraire accentué!) la
rivalité qui subsiste au sommet de cette petite société : les invi-
tations, les réceptions fastueuses et les raffinements des salons
maintiennent le dialogue entre le haut de la hiérarchie constituée par les administrateurs et les négociants français, et leurs
subalternes canadiens.

Ce que les femmes ne furent jamais capables de faire, pas
plus que les hommes d'ailleurs, ce fut de venir à bout d'une des
plaies fondamentales du système économique et social de la
Nouvelle-France : son sous-peuplement. La pénurie de main-
d'oeuvre qualifiée, en particulier, était chronique. L'immigration demeura toujours insuffisante : pas plus de dix mille personnes entre 1608 et 1759 — c'est-à-dire toute la durée de la
Nouvelle-France — dont la majorité étaient des hommes de
peine pauvres et sans formation. La colonie n'avait pas
grand-chose à offrir aux immigrants éventuels et, lorsque
l'État faisait mine d'encourager l'industrie, il se heurtait à la
rareté et, en conséquence, au coût élevé de la main-d'oeuvre
qualifiée. L'argent manqua toujours en Nouvelle-France et, à
force d'importer plus qu'elle n'exportait, la colonie envoyait

toujours plus d'argent à l'extérieur qu'il ne lui en arrivait. Seuls la présence de l'armée, la taxe de dix pour cent prélevée sur les importations, les subsides royaux versés à l'administration de la colonie, l'Église et les rares industries existantes assurèrent à la Nouvelle-France quelques rentrées d'argent. Et là encore, la guerre ou les imprévus du climat pouvaient-ils en interrompre le flux : en certaines occasions, le manque d'espèces conduisit même à faire l'essai de la monnaie de carte et des lettres de change, les cartes étant échangeables contre des espèces sonnantes quand arriverait de France un envoi de marchandises, les lettres de change contre des marchandises sur le marché français. On évitait ainsi les risques inhérents au transport d'argent par voie de mer. Aucune de ces deux expériences ne s'avéra cependant réussie et elles se soldèrent au désavantage de tous les coloniaux, car le gouvernement français ne remboursait les cartes qu'à la moitié de leur valeur nominale et les fournisseurs français procédaient à un abattement sur la valeur des billets. Avec un tel manque de monnaie et dans le contexte d'une économie liée à l'exportation de matières premières, il ne pouvait y avoir dans la colonie ni volonté, ni possibilité de se lancer dans des entreprises industrielles rentables.

C'est seulement en temps de guerre que l'argent liquide circule normalement dans les mains des Canadiens ; et encore faut-il que la France prenne au sérieux les dimensions coloniales de ses guerres européennes. C'est ce qui se passe en 1743, année pendant laquelle la France et la Grande-Bretagne reprennent les hostilités, cette fois-ci pour des raisons de suprématie commerciale et coloniale. L'argent afflue à la colonie et lui permet non seulement de prendre une allure plus prospère, mais également de parer aux urgences militaires immédiates. Des raids frontaliers sur les colonies anglaises démontrent une fois de plus la valeur des troupes canadiennes malgré l'infériorité numérique. Cependant, sur la côte atlantique, Louisbourg tombe aisément entre les mains des Anglais en 1745. Le résultat de ces deux événements est l'interruption de l'approvisionnement en marchandises d'échange, les unes provenant d'Angleterre par la filière clandestine d'Albany, les autres de France par la filière officielle de Louisbourg. En conséquence, les Amérindiens de l'Ouest deviennent récalcitrants : ne recevant plus des Français en quantité, en qualité et à bon prix, les produits dont ils avaient pris l'habitude, ils sont prêts à résilier l'alliance qu'ils avaient conclue avec eux, à les bouter dehors et à s'engager dans des transactions avec les commerçants anglais qui ne demandent pas mieux que de traverser les Alleghanys pour pénétrer sur le territoire de l'Ohio. Seuls la brièveté de la guerre et le retour de Louisbourg à la France en 1748 permettent à la fragile alliance de se maintenir. Pas pour longtemps néanmoins. Pendant la décennie 1750, les Français tentent de renforcer leurs positions précaires dans l'ouest en construisant une série de forts dans la vallée de l'Ohio. Cependant, à l'est, les Britanniques commencent à s'installer sérieusement en Acadie, qui depuis 1713 est pour eux une colonie virtuelle, en fondant Halifax, à la fois base navale et place forte, et en préparant l'expulsion des populations francophones du territoire. Patiemment mis en place mais terriblement précaire, l'empire que la France avait construit en Amérique du Nord, au dix-huitième siècle, ne va pas tarder à s'effondrer.

Peut-être cette fin était-elle inscrite dans son destin. Tant de choses faisaient défaut à la colonie — argent, hommes, compétences, esprit d'entreprise, paix, direction ferme, chance — que c'est miracle qu'elle ait pu survivre si longtemps. Grâce à son ardeur, elle avait donné naissance à un peuple et grâce à sa valeur militaire, elle avait marqué de son sceau un continent entier. Mais trop peu de gens venaient s'y installer et encore moins de rêves s'y réalisaient. La base en resta toujours un mince ruban déployé le long d'un fleuve perfide qui, ou bien attirait les hommes vers l'intérieur, ou bien suspendait leur destin à l'arrivée des premiers navires venus d'Europe. Rien dans l'avenir du Québec n'atténuerait l'insécurité léguée par la Nouvelle-France.

ORIENTATIONS BIBLIOGRAPHIQUES

Bosher, John F., « The Family in New France», *In Search of the Visible Past: History Lectures at Wilfrid Laurier University, 1973-1974*, sous la direction de Barry M. Gough, Waterloo (Ontario), Wilfrid Laurier University Press, 1975.

Dechêne, Louise, « La croissance de Montréal au XVIIIe siècle», *Revue d'histoire de l'Amérique française*, 27, 1973, p. 163-79.

, *Habitants et marchands de Montréal au XVIIIe siècle*, Paris, Plon, 1974.

, *Dictionnaire biographique du Canada*, Les Presses de l'université Laval, 1966.

Eccles, William J., *La société canadienne sous le régime français*, Montréal, Harvest House, 1968.

———— , *The Canadian Frontier, 1534-1760*, Montréal, Holt, Rinehart and Winston, 1969.

_____ «The Social, Economic and Political Significance of the Military Establishment in New France», *Canadian Historical Review*, 52, 1971, p. 1-22.

Frégault, Guy, *Le XVIIIᵉ siècle canadien: Études*, Montréal, Éditions HMH, 1968.

Groulx, Lionel, *Histoire du Canada français depuis la découverte*, vol. 1: *Le régime français*, Montréal, Fides, 1960.

Hamelin, Jean, *Économie et société en Nouvelle-France*, Québec, Les Presses de l'université Laval, 1960.

Harris, Richard C., *The Seigneurial System in Early Canada: A Geographical Study*, Madison (Wisconsin), University of Wisconsin Press, 1966.

Jaenen, Cornelius, J., *The Role of the Church in New France*, Toronto, McGraw-Hill Ryerson, 1976.

Moogk, Peter N., «Apprenticeship Indentures: A Key to Artisan Life in New France», *Historical Papers/Communications historiques*, Ottawa, Société historique du Canada, 1971, p. 65-83.

Noel, Jan, «New France: les femmes favorisées», *Atlantis 6*, 1981, p. 80-98.

Ouellet, Fernand, «Propriété seigneuriale et groupes sociaux dans la vallée du Saint-Laurent (1663-1840)», *Mélanges d'histoire du Canada français offerts au professeur Marcel Trudel*, sous la direction de Pierre Savard, Ottawa, Éditions de l'Université d'Ottawa, 1978, p. 183-213.

Trudel, Marcel, *Initiation à la Nouvelle-France: Histoire et Institutions*, Montréal, Holt, Rinehart and Winston, 1968.

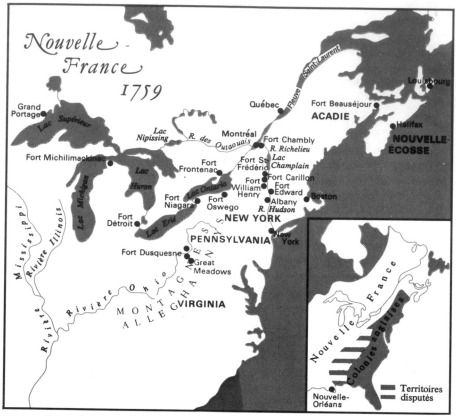

La Nouvelle-France en 1759
Encadré réalisé d'après la quatrième édition de l'Atlas national du
Canada ©, 1974 Sa Majesté la Reine, chef du Canada, avec l'autorisa-
tion d'Énergie, Mines et Ressources Canada.

II
LA CONQUÊTE

Dans la décennie 1760, la Conquête s'ajoute à l'héritage de la
Nouvelle-France et confère une nouvelle dimension à la condition de Français en Amérique du Nord. La portée véritable de
cet événement a suscité beaucoup de controverses chez les his-

toriens au cours des âges. Certaines de ces controverses éclairent des aspects de la société de la Nouvelle-France, mais, la plupart du temps, elles ne font que manifester les positions politiques des historiens eux-mêmes. En faisant de la perte militaire de la Nouvelle-France au bénéfice des Britanniques un traumatisme psychologique, les historiens ont, en réalité, joué dans la pièce un rôle presque aussi important que les protagonistes du dix-huitième siècle. Ils se sont certainement montrés moins courtois que les généraux qui deux siècles auparavant, avant de se lancer dans une bataille rangée, faisaient gravement prendre des nouvelles de la santé de leur adversaire et lui demandaient les dernières informations venues d'Europe. Français et anglais, les soldats du dix-huitième siècle étaient au service de l'Empire : ils étaient mus par le sens du devoir et de l'honneur, rarement par la passion. Les historiens, surtout ceux du milieu du vingtième siècle, étaient des idéologues, et dans leur dévotion passionnée à la patrie, c'étaient des nationalistes — espèce rare et incompréhensible pour des gens du dix-huitième siècle. Leurs armes — discours, conférences, articles scientifiques, traités savants et pamphlets — étaient certes moins meurtrières que les mousquets, les canons ou les hachettes utilisés deux siècles auparavant, mais en fin de compte, elles ont peut-être fait plus de ravages. Car derrière les débats politiques qui continuent de faire rage au sein du Québec, et entre le Québec et le reste du Canada, se profile le spectre de la Conquête, spectre que les historiens ont abondamment alimenté.

En tant que problème historique, la Conquête soulève trois questions essentielles. La moins controversée semble être celle de savoir ce qui s'est exactement passé au Canada pendant la guerre de Sept Ans (1756-1763 pour les Européens ; 1754-1760 pour les Canadiens) ou pendant l'année décisive qui s'est écoulée entre la chute de Québec, le 13 septembre 1759, et la capitulation de Montréal, le 9 septembre 1760. Les spécialistes d'histoire militaire, les stratèges, les généraux en chambre et les passionnés de jeux guerriers supputent les mouvements des troupes et des approvisionnements, mais s'affrontent rarement avec passion. Seul le dernier en date, W.J. Eccles, alliant l'histoire militaire et l'histoire sociale, se met à polémiquer contre ses prédécesseurs et à contester l'opinion généralement admise selon laquelle l'effondrement militaire de la Nouvelle-France était inévitable. Beaucoup plus controversée est la question des conséquences exactes de cette défaite sur les structures économiques, politiques et sociales de l'époque. Certains historiens comme Jean Hamelin et Fernand Ouellet ont soutenu qu'elle avait entraîné des changements mineurs; pour d'autres comme Guy Frégault, Michel Brunet et Maurice Séguin, ces changements, au contraire, ont été désastreux. La discussion fut vive à la fin des années cinquante et au début des années soixante; on s'interrogeait essentiellement sur l'existence au dix-huitième siècle d'une bourgeoisie canadienne-française autochtone dont on déplorait le comportement. La question des implications de la Conquête pour les générations ultérieures de Canadiens français s'est avérée d'une plus grande portée encore: une des principales préoccupations des intellectuels canadiens-français depuis lors semble avoir été de savoir quel sens donner à cet événement.

La bataille proprement dite, entre les Français conduits par Montcalm et les Britanniques conduits par Wolfe, sur les Plaines d'Abraham le 13 septembre 1759, n'a pas duré plus de quinze minutes, mais les préparatifs, eux, avaient été longs. La Nouvelle-France était une société militaire et la guerre faisait partie de ses réalités quotidiennes. Pour les Canadiens, la guerre de Sept Ans, en dépit de sa dureté, ne représenta rien de plus que ce à quoi ils étaient habitués: l'insécurité, la maladie, la crainte de la famine, les menaces militaires et l'instabilité économique. Certes, c'était la première fois, depuis que les frères Kirke s'étaient permis de prendre Québec en 1629 et l'avaient tenue pendant trois ans, que les Anglais étaient vainqueurs dans une expédition militaire contre le Canada. Mais ils n'avaient jamais cessé de rôder aux alentours, montrant un front menaçant au sud, au nord et sur mer. Il est possible aussi que certains esprits se soient laissé bercer passagèrement par l'illusion de la sécurité à cause de la paix qui avait régné pendant trente ans entre l'Angleterre et la France. Mais ceux qui touchaient à la traite — c'est-à-dire presque tout le monde — avaient bien conscience que la rivalité continuait, dans l'ouest et dans le nord, dans les comptoirs clandestins d'Albany et jusque dans l'activité commerciale fébrile des centres d'approvisionnement de Louisbourg. L'importance politique du commerce des fourrures, l'expansion extraordinaire des colonies américaines et la rivalité des États européens rendaient probable un conflit ouvert.

L'issue, cependant, n'était nullement inévitable. Certes, au vu des chiffres, on aurait pu considérer la cause des Canadiens comme perdue d'avance, puisqu'ils étaient seulement soixante-cinq mille à affronter plus d'un million d'Anglo-Américains installés dans les colonies britanniques du sud. En fait, si on les avait laissés combattre seuls et à leur guise, sur leur propre terrain, le résultat aurait pu être sensiblement différent. Au lieu de cela, la France signa l'arrêt de mort de la colonie en l'affligeant de la personne de Louis-Joseph, marquis de Montcalm. Le problème des approvisionnements — ceux fournis localement comme ceux envoyés de France — n'a pas non plus joué un rôle aussi important que l'ont soutenu certains historiens. Il est possible que l'intendant François Bigot ait détourné de l'argent et ait perdu au jeu les bénéfices de certains contrats militaires lucratifs; il n'en a pas moins pourvu aux approvisionnements. La pénurie alimentaire qu'a connue la population civile dès 1756 et qui s'est accentuée pendant l'hiver de 1758-1759 n'était pas une nouveauté pour les habitants: leur agriculture, largement autosuffisante, avait toujours été tributaire des aléas des saisons et du climat. Qui plus est, jusqu'en 1759, les bateaux d'approvisionnement français avaient réussi à échapper à la vigilance des Britanniques dans le golfe du Saint-Laurent. Et même après la chute de Québec, la victoire française de Sainte-Foy, en avril 1760, ouvrait la possibilité d'une reconquête de la ville. Seul le hasard, et peut-être aussi la désinvolture de la flotte française qui, dès l'automne 1759, semble avoir considéré la cause du Canada comme perdue, firent que les premiers bateaux à remonter le fleuve à l'ouverture des glaces furent des bateaux anglais. C'est à ce moment seulement que la défaite devint une certitude.

On ne s'est jamais entendu sur la portée réelle de la défaite: elle a pris des significations différentes selon les générations et les groupes sociaux. Il n'y a peut-être pas lieu de s'étonner de ce que le clergé de la fin du dix-huitième siècle ait vu dans les victoires anglaises de 1758-1760 la main de la Providence, épargnant à la colonie française d'Amérique du Nord les ravages de la Révolution de 1789, d'autant plus que la Conquête contribua à propulser le clergé à un niveau de pouvoir et de prestige qu'il n'avait jamais connu pendant le régime français: visiblement, la Providence avait aidé le bon camp. Au début du dix-neuvième siècle, ce sont d'autres opinions qui prévaudront: l'historien François-Xavier Garneau ne porte pas le clergé dans son coeur et, en dépit des coupures qu'il a effectuées dans les versions successives de son *Histoire du Canada*, c'est son interprétation de la Conquête comme une tragédie ayant entraîné la décapitation des élites sociales (et, de ce fait, ayant fait le lit du clergé) qui deviendra la norme jusqu'au milieu du vingtième siècle. Plus tard, dans le courant du dix-neuvième siècle, les politiciens et les journalistes canadiens-français, éblouis par le pouvoir et le prestige que leur conférait le régime parlementaire, commencent à considérer la Conquête comme une pénétration bénéfique de la liberté dans un pays arriéré. Ils estiment que les idées et pratiques politiques britanniques permettent de donner plus de latitude à l'initiative individuelle que les structures familiales et hiérarchiques propres à l'Ancien Régime. Qui plus est, souligne une petite minorité aux opinions plus radicales, ces mêmes institutions libérales permettent au Canada français de survivre malgré la tyrannie du clergé.

Au début du vingtième siècle, époque où les Canadiens français chancellent sous les coups successivement portés par l'intolérance des Canadiens anglais, par l'industrialisation et par les guerres impériales, la Conquête apparaît comme un défi lancé à l'instinct de conservation du Canada français. Voyant à tort dans la société de la Nouvelle-France une société agricole et cléricale, l'historien Lionel Groulx interprète la persistance de ces caractères dans le Québec de la décennie 1910 comme un signe évident que la résistance et la fidélité au passé constituent l'héritage précieux, et peut-être même providentiel, d'une néanmoins tragique conquête. Les historiens du milieu du vingtième siècle, laïcs dans l'ensemble, verront moins de prêtres et moins d'agriculteurs en Nouvelle-France; Frégault, Brunet et Séguin y discerneront plutôt une société normale en gestation dont le développement a été arrêté par la Conquête. Cette conception de la Conquête comme une injection de thalidomide, vigoureusement contestée par Hamelin et Ouellet, est à l'origine des interrogations sur la nature de la société de la Nouvelle-France, question qui s'avère l'une des plus riches, bien qu'elle soit encore loin d'être résolue, qui aient été soulevées par le débat sur la Conquête. La plupart des historiens québécois d'aujourd'hui ont résolument cessé de s'intéresser à ce problème: les plus vieux concentrent leur attention sur la capacité d'adaptation des Canadiens français face aux changements économiques et sociaux du début du dix-neuvième siècle; et les plus jeunes se posent la même question pour la fin du dix-neuvième et le début du vingtième.

Derrière ces interprétations variées de la Conquête, on discerne deux façons très différentes d'envisager la situation du Canada français au sein de l'Amérique du Nord. Si les deux conceptions se rejoignent sur la position minoritaire des Canadiens français, l'une en fait un handicap, l'autre un atout. Selon certains Canadiens français, le fait d'être une minorité a entraîné un état de dépendance sociale, économique et politique. Ils peuvent se réclamer d'observateurs étrangers tel Lord Durham qui, au dix-neuvième siècle, prévoyait cette situation, ou d'enquêtes fédérales du vingtième siècle qui, comme la Commission royale sur le bilinguisme et le biculturalisme, en ont fait le constat. Ils en ont recherché l'origine dans la Conquête et le remède — même si c'est parfois à contrecoeur — dans l'indépendance. Cependant, d'autres Canadiens français ont vu dans le fait d'appartenir à une minorité un défi difficile à relever plutôt qu'un obstacle. Ce défi en a même amené certains à revendiquer et à démontrer leur supériorité sur les Canadiens anglais. Pour d'autres, elle a consisté à nier tout bonnement la composante ethnique et à proclamer que seuls comptent les intérêts politiques et de classe. Les tenants de cette opinion prônent soit la saine concurrence, soit la coopération intéressée entre Canadiens français et anglais, et estiment qu'en conséquence il convient de s'adapter et de prendre son destin en main, plutôt que de condamner et de geindre. Ses adversaires voient là un comportement de compensation ou pis encore, de collaboration. Ces deux conceptions ont alimenté les débats des historiens, des intellectuels et des politiciens pendant toute l'histoire du Canada français. René Lévesque et Pierre Trudeau ne sont que les champions les plus récents de ces deux points de vue. Sans la Conquête, aucun des deux n'aurait existé.

Sans doute parce qu'on a le sentiment en s'immisçant dans le débat sur la Conquête, d'être l'importun qui arrive au milieu d'une querelle de famille, les historiens anglophones ont peu contribué à ce débat. Les auteurs du dix-neuvième siècle comme William Smith ou William Kingsford partagent les vues libérales de leur époque sur le progrès et le développement: pour eux, ceux-ci sont étroitement liés aux institutions politiques et économiques britanniques. Comme la plupart de leurs compatriotes protestants, ils ne font pas grand cas du catholicisme et de ce fait ils inclinent à considérer la colonie francophone d'Amérique du Nord comme noyée dans les brumes de l'obscurantisme clérical. La Conquête ne pouvait donc être qu'une libération. Cette manière de voir a profondément imprégné le Canada anglais, en raison du soutien que lui ont apporté au vingtième siècle des historiens éminents comme Donald Creighton. Pour lui, la Conquête a amené au pouvoir les vrais bâtisseurs de l'empire commercial du Nord, et cela, bien que les responsables britanniques eux-mêmes ne l'aient pas toujours reconnu; la plus grande partie de son histoire du Canada après la Conquête se résume à la résistance butée opposée par des politiciens et des paysans canadiens-français présomptueux au progrès et au développement voulus par les commerçants canadiens-anglais. De temps à autre une voix plus compréhensive s'est fait entendre. Un Arthur Lower, un George Stanley ou un Ramsay Cook ont courageusement essayé de dépeindre ce que la Conquête représente réellement, ce qu'on ressent quand on est une minorité. Mais le Canada anglais n'a jamais été dans la situation de conquis ni de minoritaire. Il faut donc faire un effort d'imagination aussi grand que celui des historiens canadiens-français dont le voeu le plus cher serait que la Conquête n'ait jamais eu lieu ou qui auraient souhaité que leurs prédécesseurs y aient réagi différemment. Seule une comparaison peut permettre de faire ce saut dans l'imaginaire: la Conquête est semblable à un viol, le choc ne prend que quelques minutes, mais les conséquences, si bien dissimulées qu'elles soient, peuvent être au mieux imprévisibles et au pire dévastatrices.

Bien avant la destruction de Québec en 1759, des problèmes s'étaient fait jour plus à l'ouest. Dans les riches territoires situés à l'ouest des Alleghanys, les rêves d'empire étaient voués à l'affrontement. Le rêve français reposait sur le maintien des alliances amérindiennes, pour des raisons à la fois économiques et stratégiques. La construction, dans la décennie 1750, d'une ligne de forts enserrant les colonies américaines depuis l'est des Grands Lacs jusqu'à la Louisiane, devait assurer la cohésion de l'empire français d'Amérique du Nord et en même temps garantir la continuité de l'approvisionnement du marché français en pelleterie; c'était l'alliance amérindienne qui assurerait à la fois la sécurité des forts et la production des fourrures. Ensemble, les Français et les Indiens empêcheraient les colons anglo-américains d'avancer vers l'ouest. En outre, si jamais la paix bancale de 1748 réglant le sort de la Succession d'Autriche devait dégénérer à nouveau en une guerre ouverte entre la Grande-Bretagne et la France, la proximité des Français et des Américains dans le Midwest américain, associée à une menace amérindienne sur les colons américains, entraînerait la présence de beaucoup plus de troupes britanniques en Amérique: plus il y aurait de troupes et de navires britanniques de l'autre côté de l'Atlantique, moins il y en aurait pour faire la guerre en Europe.

Cette politique était cohérente, du moins selon le point de vue français. Par contre, les Britanniques, les Anglo-Américains et les Amérindiens voyaient les choses d'un autre oeil. Les Britanniques ne tenaient pas à voir éventer leur stratégie qui consistait à empêcher l'expansion navale et commerciale française. Quant aux Anglo-Américains, notamment les spéculateurs fonciers de Pennsylvanie et de Virginie, ils n'avaient pas l'intention de laisser les Français s'opposer à leur expansion vers l'Ouest. Ils lorgnaient sur les terres amérindiennes et sur le profit qu'ils pouvaient en retirer en les revendant à leurs compatriotes. D'autres colonies du Nord — particulièrement New York —, qui se livraient à un commerce clandestin lucratif avec le Canada, étaient moins disposées à se lancer dans un affrontement avec leurs voisins francophones. Quant aux Canadiens, ils voyaient dans les desseins d'empire de la France sur les territoires de l'intérieur une menace à leur propre stabilité commerciale. La puissance militaire des Français dans l'Ouest reposait sur l'alliance amérindienne, et celle-ci ne pouvait être maintenue que grâce à des pratiques commerciales dans lesquelles les Amérindiens trouveraient leur compte. Cela impliquait que les prix des objets de la traite restent bas et que le tout-venant des officiers et des soldats ne se livrent pas à la traite. Mais, dans un tel système, les commerçants canadiens ne pouvaient pas faire de gros bénéfices. Aussi n'est-il pas surprenant que les Canadiens se soient avancés sans grand enthousiasme dans la vallée de l'Ohio, où, dans la décennie 1750, les Français construisaient lentement une route au sud-est du lac Érié en direction des sources de l'Ohio, et après 1753, une série de forts plus au sud. Les Amérindiens non plus n'étaient pas particulièrement satisfaits, car les projets impériaux des Français étaient d'un maigre intérêt pour eux. Désireux d'empêcher les colonisateurs blancs de s'installer de manière permanente sur leurs territoires, de conserver leur position d'intermédiaires vis-à-vis des tribus pourvoyeuses de fourrures vivant plus à l'ouest, et d'acquérir les objets de la traite au meilleur prix, les Amérindiens prennent le parti du meilleur offrant.

Habituellement — mais pas toujours — les meilleurs offrants, ce sont les Français. Ils sont tellement soucieux de maintenir leurs alliances avec les Amérindiens qu'ils vendent souvent à perte pour pouvoir fournir à ceux-ci les marchandises anglaises qu'ils prisent tant. Les Amérindiens, de leur côté, comprennent aisément que le jeu des Français consiste à bloquer l'accès direct aux marchands britanniques; tout commerce direct risquerait d'entraîner l'avance anglo-américaine et l'installation des Blancs dans l'Ouest. Puisque les Français n'ont pas l'intention de s'installer en permanence dans l'Ouest, les Amérindiens les regardent d'un oeil favorable. Mais la partie est serrée et les Amérindiens suivent de très près l'évolution des rapports de force entre leurs alliés du moment et leurs alliés potentiels. En 1754, ils ne peuvent pas deviner qu'en dernier ressort, ce seront eux les perdants dans la guerre d'escarmouches qui verra successivement les Français déloger les Virginiens, construire le fort Duquesne sur l'Ohio, et envoyer à la rencontre des Anglo-Américains un détachement qui tombera finalement dans une embuscade dressée par George Washington et des membres de la milice. Deux ans avant le début de la guerre de Sept Ans en Europe, les Nord-Américains combattaient déjà pour régler le sort de lointains territoires de l'Ouest. Après que les Français eurent mis Washington en déroute à Great Meadows, les Indiens indécis se rangent, temporairement du moins, aux côtés de leurs alliés traditionnels.

En moins d'un an, les combats ininterrompus de l'ouest s'étendent à la côte atlantique et à la région du Saint-Laurent. Sur la côte est, les Britanniques, qui ne parviennent pas à empêcher les navires militaires français de se rendre à Louisbourg et à Québec, vont s'emparer du fort Beauséjour situé sur l'isthme de Nouvelle-Écosse et se lancer dans l'épisode le plus tragique des débuts de l'histoire canadienne: la déportation des Acadiens. Sur les sept mille colons francophones arrachés de force pendant l'été de 1755 aux maisons, aux fermes et aux villages de ce qui constitue actuellement le Nouveau-Brunswick et la Nouvelle-Écosse, environ deux mille prennent le chemin de Québec où leur arrivée aggrave à la fois le climat de terreur dans lequel vivent les habitants, et les difficultés de ravitaillement et de logement de la ville. Plus à l'ouest, les Anglo-Américains renoncent à un projet d'attaque du fort Niagara cependant qu'en juillet, près du fort Duquesne dans la vallée de l'Ohio, un petit détachement de Canadiens met en déroute avec l'aide d'alliés indiens une force importante composée de deux mille deux cents hommes placés sous les ordres du général britannique Braddock. Parmi les dépouilles abandonnées par Braddock, on retrouvera les plans d'attaque des centres nerveux du Canada. Cependant que la nouvelle se propage vers l'est, les Français et les Indiens effectuent une série de raids systématiques sur les frontières de la Pennsylvanie et de la Virginie actuelles. Et dans les basses-terres du Saint-Laurent, Britanniques et Français fortifient leurs bases le long de la vallée du Richelieu, cet ancien couloir d'invasion des Iroquois étant maintenant utilisé par les Britanniques. Les Français construisent le fort Carillon à la pointe sud du lac Champlain, tandis que les Britanniques construisent le fort Henry et le fort Edward respectivement sur le lac George et sur l'Hudson. En septembre, les Britanniques sortent vainqueurs d'un engagement près du lac George, mais ne parviennent pas à prendre le fort Saint-Frédéric qui aurait fourni des provisions, un abri et des munitions aux troupes en maraude. De l'Atlantique à l'Ohio, tout le long de la frontière indécise, la peur hante les colons.

En 1756, lorsque la guerre est officiellement déclarée en

Europe, la France envoie Montcalm pour commander les troupes de terre. C'est là que les ennuis commencent! Officiellement, Montcalm est le subordonné du gouverneur de la Nouvelle-France, Pierre de Rigaud, marquis de Vaudreuil, qui commande à toutes les troupes dont disposent les Canadiens : troupes de terre, troupes de la marine, milice, détachements navals, alliés amérindiens. Vaudreuil est canadien ; c'est même le premier gouverneur canadien ; il a de puissantes relations, patiemment entretenues par sa mère, à la cour de France. Lui et Montcalm ne s'entendent pas. Leurs caractères s'opposent et ils remplissent des fonctions trop semblables pour que l'harmonie règne entre eux. En outre, leurs conceptions stratégiques divergent totalement. Élevé dans le rêve impérial français, Vaudreuil juge qu'on a avantage d'un point de vue militaire à déployer un cordon de positions d'attaque à travers tout le centre de l'Amérique du Nord. Il est convaincu qu'une guerre de harcèlement menée de front par les Canadiens et les Amérindiens peut amener l'ennemi à se soumettre. Pour Montcalm, formé aux batailles rangées à l'européenne, seule la défense du Saint-Laurent est praticable à tous égards ; on peut imaginer une sortie de temps à autre sur les territoires lointains, mais à condition de se replier immédiatement sur la base à coup sûr imprenable du Saint-Laurent. Mais même de cela le commandant français n'est pas toujours sûr. Il communique son incertitude et même son manque de conviction à ses propres officiers qui, à leur tour, se querellent avec les officiers et soldats canadiens dont la détermination est beaucoup plus grande.

Il n'en reste pas pour autant inactif. Au cours de l'été 1756, il prend et démantèle le fort anglo-américain d'Oswego sur la rive sud du lac Ontario. Des raids canadiens préalables ont coupé les voies d'approvisionnement du fort et facilité sa prise, mais c'est bien lui l'artisan de la victoire. Elle assure la domination française sur la totalité de la région des Grands Lacs et de l'Ohio, parant à la fois aux risques de représailles qui peuvent suivre les opérations menées sporadiquement par les Canadiens derrière la frontière américaine et aux risques d'invasion de la région du Saint-Laurent à partir des Grands Lacs de la part des Anglo-Américains. La même stratégie française allait réussir un an plus tard sur la deuxième voie de pénétration possible, c'est-à-dire le passage vers le Saint-Laurent par la rivière Richelieu et le lac Champlain. Mais là intervient le caractère hésitant de Montcalm et peut-être aussi sa méconnaissance de la mentalité des alliés amérindiens qu'il est obligé de tolérer dans les rangs de son armée. Le fort William

Henry tombe facilement sous l'assaut de Montcalm, mais celui-ci se refuse à poursuivre l'avantage. Il ne tient pas la dragée haute à ses troupes amérindiennes si bien qu'elles se livrent au massacre de la garnison et de la population du fort, et il ne sait pas non plus utiliser leurs tactiques pour semer une terreur telle chez les colons américains qu'ils se soumettent jusqu'à Albany. Au lieu de cela, il se retire.

Les tergiversations de Montcalm reflètent celles de la France. Cette dernière, s'intéressant davantage aux péripéties européennes de la guerre, abandonne son rêve d'empire. Le fait d'avoir la pointe du pied posé sur le continent américain lui semble suffisant comme monnaie d'échange quand viendra le moment des discussions de l'après-guerre. De ce fait, la France approuve la conception de Montcalm selon laquelle seul le coeur de la vallée du Saint-Laurent peut être défendu. Comme pour confirmer cette position, Montcalm s'arrange pour repousser une attaque sur le fort Carillon au début de juillet 1758, mais se refuse à passer de la défensive à l'offensive. Dans le même temps, la France envoie beaucoup moins de renforts à la Nouvelle-France que la Grande-Bretagne n'en envoie à ses colonies américaines — seulement sept mille hommes contre vingt-trois mille — montrant par là à la fois qu'elle s'y intéresse peu et qu'elle a réussi à fixer plus de troupes britanniques que de troupes françaises sur le continent nord-américain. Les conséquences de ce choix stratégique sont évidentes : plus de troupes britanniques signifie plus de victoires britanniques. Et c'est précisément ce qui se produit tout au long de l'année 1758. Sur la côte atlantique, Louisbourg passe aux mains des Britanniques en juillet ; bien que le gain soit mince, la flotte française n'étant pas au port et le siège de soixante jours ayant occupé les Britanniques trop longtemps pour qu'ils se risquent à se lancer à l'automne dans une course contre la montre avec les glaces pour remonter le Saint-Laurent à l'assaut de Québec, sur le plan stratégique, l'acquis est énorme. Dans l'ouest, une attaque surprise des Anglo-Américains contre le fort Frontenac à la pointe nord-est du lac Ontario, détruit les navires et les vivres qui s'y trouvaient, paralysant ainsi les voies d'approvisionnement et de communication avec la région de Niagara et la vallée de l'Ohio. Pour une fois, les Amérindiens n'ont pas prévenu les Français de l'attaque ; après avoir su gré aux Français, deux ans plus tôt, de les avoir débarrassés des Anglo-Américains à Oswego, de l'autre côté du lac, les Amérindiens semblent maintenant enclins à savoir gré à l'autre bord de les débarrasser des Français. En novembre, le retournement des Amérindiens incite les Français à abandonner le fort Duquesne, sur l'Ohio; ainsi, en contrepartie d'un traité de paix entre les Amérindiens et les Pennsylvaniens, par lequel ces derniers renoncent à toutes prétentions sur le territoire amérindien à l'ouest des Alleghanys, les Français détruisent leurs propres positions dans le Midwest américain. Entretemps, Paris a ajouté l'insulte à la blessure en élevant Montcalm au rang suprême de commandant de toutes les forces françaises, canadiennes et indiennes d'Amérique du Nord, par-dessus la tête du gouverneur canadien. Vaudreuil enrage, car il est convaincu que la désinvolture de Montcalm, maintenant entérinée par la France, finira par causer la perte de sa patrie.

C'est ainsi que dans le courant de 1759 les Britanniques peuvent accéder facilement au coeur de la colonie du Saint-Laurent par les trois voies d'invasion possibles. De l'ouest, arrivent des troupes anglo-américaines qui projettent d'atteindre Montréal depuis le lac Ontario. Malgré la prise du fort Niagara au milieu de l'été, prise qui coupait le dernier lien de la France avec la région de l'Ohio, ce plan d'attaque ne réussira pas avant la fin de l'été 1760. Par le sud arrivent d'autres forces anglaises le long du lac Champlain en direction du Richelieu. Face à cette progression, les Français battent en retraite en détruisant le fort Carillon et le fort Saint-Frédéric à leur départ. Mais là aussi la progression s'arrête, du moins jusqu'à l'année suivante, le général Jeffrey Amherst décidant, dans un accès d'irrésolution bien peu digne d'un envahisseur, de réparer les forts et d'en construire un nouveau à Crown Point plutôt que de continuer d'avancer vers le nord. S'attendait-il à se heurter à des troupes canadiennes remontant le cours du Richelieu? Ou bien était-il si sûr que la tentative du général Wolfe de prendre Québec par l'est en remontant le Saint-Laurent se solderait par un échec, qu'il n'osa pas s'avancer trop loin en territoire ennemi?

Et en effet Wolfe est en situation délicate à la fin de l'été 1759. Ses huit mille hommes ont été débarqués en trois points différents où ils occupent des positions précaires: à la pointe ouest de l'île d'Orléans, sur la pointe de Lévis et sur la rive est de la rivière Montmorency. Ils auraient dû être des cibles faciles pour les seize mille soldats dont Montcalm disposait et, si la tactique canadienne avait prévalu, les Français auraient pu aisément aller les surprendre par derrière, les forçant ainsi lentement mais sûrement à battre en retraite. Mais Montcalm reste imperturbable à l'abri des murailles et le bombardement continu que Wolfe fait subir à la ville pendant tout l'été ne l'en fait pas sortir. Ni les attaques britanniques sur la côte de

Beauport à l'est de Québec, ni la destruction par les Américains de quelque quatorze cents maisons et fermes sur l'île d'Orléans et le long des deux côtes ne réussiront à l'attirer dans une bataille rangée. Peut-être compte-t-il sur l'arrivée de l'hiver autant que Wolfe la redoute? Hésitant entre une ultime tentative pour prendre Québec depuis la côte de Beauport et un retrait immédiat vers le golfe avant le gel du fleuve, Wolfe décide finalement de jouer le tout pour le tout: dans le noir, à la dérobée et la chance aidant, les Britanniques pourraient parvenir à escalader la falaise presque verticale qui protège Québec à l'ouest, à couper les voies d'approvisionnement et de renfort des Français, et à se présenter en bon ordre de bataille, selon les règles européennes, sur le terrain plat qui domine le fleuve devant les murs de la ville. Cela pourrait réussir. Mais il ne fait pas de doute que si cela ne réussissait pas, les Britanniques devraient battre en retraite; cela ne se ferait plus dans le noir, ni à la dérobée et la chance ne serait plus là: ils seraient honteusement tous précipités de la falaise. Et voilà que cela réussit! Le matin du 13 septembre, à la plus grande surprise des généraux des deux camps, les Britanniques se trouvent face à face avec une troupe de soldats français rassemblés à la hâte et qui ne représentent que la moitié des hommes dont Montcalm dispose. En quinze minutes, la bataille des Plaines d'Abraham est terminée et les deux généraux sont morts, ce qui donne une idée du degré de préparation des deux camps. Du moins Wolfe et Montcalm échapperont-ils aux rigueurs de l'hiver canadien!

Pour les Canadiens, l'issue est moins claire. La ville elle-même, en ruines et ayant plus de bouches à nourrir qu'elle n'en a les moyens, se rend sous condition à l'adjoint de Wolfe, le général de brigade James Murray, le 18 septembre. Les troupes françaises se retirent à l'ouest de la ville; elles sont encore suffisamment nombreuses pour harceler les fermiers canadiens qui seraient tentés de fournir à la ville des vivres et du bois de chauffage, mais pas encore assez fortes pour envisager d'attaquer les Britanniques. On ne sait pas quel est le poids de l'autorité de Murray à l'extérieur de la cité; on ne sait pas davantage combien de temps sa présence durera. Comment la ville passera-t-elle l'hiver? Y aura-t-il suffisamment de nourriture et de combustible? Y aura-t-il même du grain pour les semailles de la saison à venir? La suspension par les Français de tout paiement sur les lettres de change sera-t-elle provisoire ou définitive? Les incertitudes sont innombrables. Seules les religieuses, qui soignent sans discrimination Canadiens, Français et Britanniques gardent leur sérénité habituelle.

Murray n'oubliera pas leur dévouement quand il entreprendra d'organiser la nouvelle colonie britannique.

Mais cette organisation devait attendre encore un an au moins. Entre-temps, les soldats français et canadiens de la région montréalaise sont regroupés sous les ordres de François, duc de Lévis et projettent d'attaquer Québec au moment où les premiers navires de ravitaillement arriveront de France. En avril 1760, alors que des forces françaises sont déjà à Sainte-Foy, à l'ouest de Québec, Murray est informé du projet d'attaque, mais non de l'importance de l'armée de Lévis, qui est égale à la sienne, soit environ trois mille huit cents hommes. Décidant de livrer immédiatement bataille plutôt que de subir un long siège que la ville, après le rigoureux hiver, risque de ne pas être capable de supporter, le 28 avril, Murray fait sortir ses troupes de Québec pour aller au-devant des troupes françaises et canadiennes. Après un engagement d'une plus haute tenue militaire que celui de l'automne précédent sur les Plaines d'Abraham, les Anglais sont battus. Lévis se prépare alors à reprendre Québec, attendant seulement pour cela l'arrivée des premiers bateaux sur le fleuve. Le 15 mai, les navires arrivent bien, mais hélas! ils ne sont pas français! Le hasard, les conditions météorologiques et, comme à l'automne 1759, semble-t-il, le manque d'intérêt total de la France ont décidé que les premiers navires de guerre à remonter le Saint-Laurent à la débâcle des glaces seront britanniques. Lévis n'a plus qu'à se retirer. Dès lors, l'issue n'est plus qu'une question de temps. En septembre, les armées d'invasion sont parvenues à se rendre maîtresses des trois couloirs traditionnels — bien que rarement utilisés avec succès — qui assurent le contrôle de Montréal: Murray arrive de Québec en remontant le fleuve, William de Haviland atteint le Saint-Laurent par le Richelieu et Amherst descend le cours du fleuve depuis le lac Ontario. Sans fortifications, sans vivres, sans munitions, avec une armée de deux mille hommes seulement pour faire face aux dix-sept mille alignés par les Britanniques, la ville de Montréal ne pouvait pas être défendue. Les Amérindiens avaient déjà fait la paix avec Amherst et les miliciens étaient déjà rentrés dans leurs foyers. Alors, le 9 septembre, Montréal capitule, ainsi que tout le Canada, l'Acadie et la région des Grands Lacs.

Même à ce moment, la Conquête pourrait encore être temporaire. Il est impossible de prédire comment les puissances européennes régleront leurs différends une fois la guerre finie. Qui pourrait dire que la France préférera deux îles sucrières (la Guadeloupe et la Martinique) à son vaste empire nord-américain? On ne le saura qu'en 1763, à l'heure du traité de Paris. En attendant, un régime militaire gouverne Québec jusqu'à l'instauration d'un gouvernement civil en août 1764, près d'un an après que les intentions de la Grande-Bretagne vis-à-vis de la colonie eurent fait l'objet d'une Proclamation royale en octobre 1763. On ignore également en 1760 comment le régime militaire va fonctionner. Les Britanniques eux-mêmes n'en savent trop rien: leur expérience la plus récente dans la façon de traiter des populations conquises est la déportation des Acadiens. Bien que beaucoup de Canadiens redoutent une solution de ce genre, elle apparaît inapplicable ne serait-ce qu'à cause du nombre et aussi à cause du gel interminable du Saint-Laurent. Aussi les conditions de la capitulation reflètent-elles l'esprit chevaleresque qui caractérise les relations guerrières au dix-huitième siècle: les soldats de l'armée régulière française sont autorisés à rentrer en France pourvu qu'ils s'engagent à ne pas reprendre les armes. C'est ce que feront la moitié d'entre eux, soit environ seize cents. Les administrateurs français sont aussi autorisés à repartir, et les Canadiens qui souhaitent les accompagner en France ou dans une autre colonie française ont également le loisir de le faire. Quelques seigneurs et certains officiers des troupes de la marine incapables d'abandonner leur rêve d'empire quittent la colonie vaincue. À part une poignée de marchands, qui espèrent réduire leurs pertes en se rendant immédiatement à Paris ou dans les villes portuaires françaises, tout le monde reste: les vainqueurs leur ont donné l'assurance qu'ils seront humainement traités en cas de maladie ou de blessure, et que les personnes, les biens et la religion seront respectés. Aucun esprit de revanche ne préside à la Conquête: les chefs militaires du dix-huitième siècle se devaient d'agir avec honneur après avoir, par le simple fait de le vaincre, privé le camp ennemi de son honneur. Et ils seront à la hauteur de cette conduite pendant toute la période d'occupation militaire. Les officiers britanniques coulent leur réglementation dans le moule du système en vigueur des lois et des coutumes françaises. Et en plus, ils paient ce qu'ils achètent, et ils paient en espèces. Les conquérants n'auraient pas pu trouver un meilleur moyen de s'assurer les faveurs d'une population qui a connu la dévaluation puis, ultérieurement, la liquidation de la monnaie de carte pendant les dernières années du régime français.

En vérité, les Français pourraient bien rire de la situation. Il leur convient parfaitement que la Grande-Bretagne soit laissée aux prises avec les dépenses militaires énormes que représente l'Amérique du Nord, même si la stratégie visant à retenir un grand nombre de soldats britanniques en Amérique a échoué en 1760. La victoire britannique en Nouvelle-France rend les troupes disponibles pour la guerre qui va durer encore trois ans en divers points de l'Europe; mais la victoire et le traité de paix qui suivront en 1763 rendent la Grande-Bretagne maîtresse de toute l'Amérique du Nord. La France pressent qu'il y a là les ferments d'une agitation déjà perceptible chez les Anglo-Américains plus au sud. Ces derniers ne tarderont pas à se révolter, mettant ainsi un terme à l'hégémonie commerciale britannique tant enviée. Loin au nord des riches États américains, l'Angleterre restera alors avec ces quelques arpents de neige si méprisés. L'imagination des Français ne va pas plus loin, mais on peut facilement imaginer le gigantesque éclat de rire qui aurait accueilli le «Vive le Québec libre» de de Gaulle en juillet 1967, s'il avait été proféré quelque part aux alentours de la sépulture de Louis XV!

Cependant, à l'époque, il se trouve peu de gens pour rire. En dépit de la civilité qui y a présidé, et même des bénéfices qu'elle leur apporte, pour les Canadiens, la capitulation est synonyme d'insécurité: des choses vont changer, d'autres vont demeurer identiques, mais personne ne pourrait dire exactement lesquelles ni quand, ni comment. Des populations appartenant à deux États européens, qui se sont combattus pendant des siècles, sont maintenant appelées à vivre ensemble dans une lointaine colonie dont personne ne sait au juste ce qu'elle vaut. Elles diffèrent par la langue, par la religion, par les lois, par les coutumes politiques et judiciaires. Mais, en même temps, elles partagent les mêmes valeurs monarchiques, religieuses et familiales fondées sur la hiérarchie, la loyauté, l'ordre et la distinction. Elles ne peuvent s'empêcher de s'admirer l'une l'autre: les Anglais cultivés parlent couramment français, tandis que les Français cultivés discutent des mérites des institutions parlementaires britanniques. Maintenant que les hasards de la guerre les ont mises ensemble, elles vont devoir montrer leur aptitude à faire face à la situation.

Ceux qui se débrouillent le moins bien sont les membres des classes dirigeantes canadiennes. Les nobles, les officiers et nombre de seigneurs (souvent, ce sont les mêmes) ont été habitués à jouer leur rôle en Nouvelle-France en liaison aussi étroite que possible avec les administrateurs français. Leurs moyens d'existence et leur position sociale personnelle en dépendaient. Les carrières, dans l'armée ou dans l'administration, dont tous espéraient qu'elles leur permettraient d'accéder facilement à la traite des fourrures, reposaient sur les relations mondaines et, si possible, familiales, avec les commis de l'État, à la fois dans la colonie et à Versailles. Ces relations les rendent désormais suspects aux yeux des Britanniques, cependant que leur expérience en matière militaire les rend potentiellement dangereux. Les jours de l'aristocratie canadienne étaient comptés au moment où des officiers et des administrateurs britanniques accédaient aux charges laissées vacantes par les Français. Même les quelques postes de faveur, qui peuvent être ouverts à des personnes de confiance pour aider les nouveaux maîtres à interpréter les us et coutumes, ne suffisent pas pour employer tous les Canadiens. Ceux que la mise en valeur agricole de leur seigneurie intéressait vraiment peuvent escompter tirer profit du nouveau et vaste marché impérial qui s'ouvre pour le blé. Mais ils sont peu nombreux; la plupart des seigneurs canadiens — semblables en cela aux aristocrates britanniques — considéraient leur fief non comme un investissement économique mais comme une marque de prestige social. Qui plus est, nul ne sait ce qui va advenir du régime seigneurial, système totalement étranger aux Britanniques. Ceux qui pensent que le sort en est jeté, partent pour la France, en laissant souvent une partie de leur famille derrière eux pour mettre toutes les chances de leur côté. C'est ainsi que quarante seigneuries — le quart environ du total des terres concédées — changent de mains et sont acquises, soit par d'autres membres de la noblesse canadienne, soit par des officiers britanniques nouvellement arrivés. Ceux qui partent comptent sur les pensions royales, les protections officielles et peut-être même sur des contrats commerciaux que leur vaudront leurs relations en France. Pour retrouver leur prééminence d'antan, ceux qui restent — la majorité — font confiance aux recettes éprouvées: les mariages et la guerre.

Quant aux marchands, ils ont toujours mieux su s'adapter que les élites traditionnelles. Bien que dans cette minuscule société qu'était la Nouvelle-France, ils aient toujours entretenu des liens étroits avec l'aristocratie, ils ne pouvaient compter que sur leur débrouillardise et leur argent. Ils deviennent précieux pour les Britanniques car ce sont eux qui connaissent les rouages compliqués de la traite des fourrures: distances, équipements, voyageurs et marchandises. Mais ils ont aussi besoin de crédit, de longues chaînes de crédit courant sur trois ou quatre années, des centres métropolitains — Paris ou Londres — jusqu'aux confins les plus reculés de l'Amérique du Nord de l'époque. Là, les marchands canadiens sont victimes d'un handicap, les marchands français étant pour leur part tout bonnement partis. Quant aux nouveaux arrivants britanniques et américains, ils arrivent les poches pleines d'argent liquide et de crédits, et ont bien l'intention de mettre la main sur cet arrière-pays qu'ils convoitent. Qui plus est, ils sont jeunes et dynamiques, alors que le seul témoignage que nous ayons sur les marchands de Montréal, à la fin de la décennie 1750, nous montre que la plupart d'entre eux avaient dépassé l'âge de s'adapter à de nouvelles conditions commerciales. Certains, cependant, ne trouvent pas le changement considérable : des familles de commerçants canadiens, comme les Baby et d'autres, font aisément transférer leurs obligations de Paris à Londres. Il leur est cependant moins facile d'apaiser la crainte des militaires britanniques qu'aux marchands canadiens de l'intérieur de fomenter de l'agitation chez les Amérindiens.

En fait, les marchands canadiens et britanniques ont d'autres soucis que l'agitation des Amérindiens. Depuis le début de la guerre, la traite est désorganisée et ni les Canadiens ni les Britanniques ne savent comment s'y prendre pour la remettre sur pied. La guerre a réduit les approvisionnements et fait monter les prix. Avec la victoire britannique, les méthodes de la traite changent, passant du monopole très organisé du régime français à un esprit de libre entreprise et de libre concurrence. Les marchands de Montréal ont à peine eu le temps de reprendre leur souffle après la capitulation que déjà les rues de Montréal sont pleines de négociants américains et britanniques qui se ruent vers l'Ouest, nantis de marchandises anglaises. En 1765, cinquante de ces nouveaux marchands sont installés à Montréal, et la concurrence est âpre, aussi bien entre eux qu'avec les concurrents traditionnels d'Albany et de la baie d'Hudson. Les Canadiens semblent avoir largement pris leur part dans les affaires, en terme de nombre, de sommes investies et de savoir-faire, jusqu'à ce que l'expansion démesurée de la traite à la fin des années 1770 nécessite des capitaux et la mise en oeuvre de nouvelles techniques. Ce n'est que pour l'obtention des privilèges traditionnellement liés aux marchés de l'Ouest que les Canadiens sont défavorisés : sauf quand ils sont associés à des marchands britanniques, il est très rare que les contrats lucratifs pour l'approvisionnement des postes militaires britanniques de l'Ouest leur soient attribués. Ces contrats, à eux seuls, suffisent à faire prospérer un marchand pendant des années. Leur obtention dépend, bien sûr, d'une recommandation glissée opportunément dans l'oreille d'un transporteur, d'un fournisseur ou d'un prêteur, et ces recommandations sont souvent glissées en anglais...

Savoir glisser les paroles qu'il faut dans l'oreille qu'il faut et quand il faut est un art qu'on associe souvent au clergé. Ce dernier fait, lui aussi, usage de ses talents propres dans ses rapports avec les nouveaux maîtres protestants d'un pays catholique. Et il en fait bon usage, car bien que le clergé soit, de tous les groupes sociaux de la Nouvelle-France à l'époque de la Conquête, celui qui a le plus à perdre, il finira par être le grand vainqueur. Les membres du clergé sont peu nombreux et le deviendront de moins en moins, proportionnellement à la population, jusque bien avant dans le dix-neuvième siècle. Dans les années qui suivent immédiatement la Conquête, le nombre de prêtres qui était d'à peine deux cents en 1759, tombe à cent quarante en 1764. Comme il n'y a pas d'évêque pour en ordonner de nouveaux (le dernier, Henri-Marie Dubreil de Pontbriand est mort en 1760), on peut craindre que le clergé ne soit tout simplement en voie d'extinction. En outre, ceux qui restent se retrouvent dans une situation financière et juridique critique: les églises, les bâtiments ecclésiastiques, les séminaires et les presbytères ont tous été très abîmés pendant la guerre; certains même, qui ont été réquisitionnés par les troupes britanniques, n'ont pas été rendus. De même les seigneuries exploitées par l'Église ont été ravagées, avec pour conséquence que les revenus agricoles et les impôts seigneuriaux s'amenuisent; même les droits seigneuriaux du clergé sont remis en question, car les Britanniques ne savent pas encore trop ce qu'ils vont faire du régime seigneurial. Les subsides royaux qui contribuaient à financer les écoles et les oeuvres charitables des communautés d'hommes et de femmes n'arrivent plus. Accoutumé pendant le régime français à ce que sa place dans la hiérarchie soit définie en fonction des services qu'il effectuait en relation étroite, bien que subordonnée, avec le pouvoir, le clergé ne sait pas trop quel sort lui réserve un pouvoir anglican dans lequel l'État entretient des rapports tout aussi étroits avec la religion, mais pas avec le catholicisme. Néanmoins les prêtres ont l'habitude de prêcher l'obéissance au souverain. Quant aux religieuses, qui sont environ deux cents, aucune ne quitte la colonie. Elles sont toutes canadiennes et comme pour la plupart, elles ont apporté une dot à leurs communautés, celles-ci se retrouvent dans une situation financière moins critique que les communautés d'hommes. En outre, contrairement à ces derniers, les religieuses bénéficient de l'aval officiel des nouveaux dirigeants en raison des soins qu'elles ont donnés aux blessés pendant la guerre. Aussi, pour de nombreuses raisons d'ordre pratique, personnel, politique, financier, social, traditionnel et même religieux, le clergé est-il tenté de parler en faveur des autorités britanniques. Il eût été téméraire de faire autrement; c'eût été prendre le risque de priver de consolation spirituelle et de direction une population pas très pieuse, peut-être, mais pratiquante. En même temps, le clergé sait bien que les Britanniques eux-mêmes ont besoin d'une certaine forme de consolation. Parmi tous les intermédiaires possibles entre eux et le peuple, il était vraisemblable que les Britanniques feraient plus confiance au clergé qu'aux anciens capitaines de la milice ou aux seigneurs, et ils avaient besoin de ces intermédiaires s'ils voulaient que la transition du français à l'anglais, et de la capitulation à la résignation se fît dans le calme. Le clergé, en conséquence, avance à pas feutrés et à propos mesurés. De toutes les élites, c'est lui qui va le mieux tirer son épingle du jeu.

Ce sont les gens du peuple qui se ressentent le moins de la Conquête. Ils sont habitués à se battre; après tout, le changement politique est peut-être une épreuve moins dure à supporter que la peste, la mort d'un époux dans l'Ouest ou d'une épouse en couches. En 1757, les femmes s'étaient révoltées contre les rations de viande de cheval distribuées aux civils; maintenant, et pour la première fois depuis de nombreuses années, elles entendent tinter des espèces sonnantes et trébuchantes. C'est pour les citadins surtout que le changement est sensible: les prix baissent et l'argent circule. Il se peut même que tous les commerçants situés dans l'échelle sociale au-dessous des grossistes, des importateurs, des fournisseurs d'équipement et des négociants — c'est-à-dire les artisans, boutiquiers, aubergistes et prêteurs sur gage — aient eu le sourire. Ceux de Montréal, contrairement à ceux de Québec, n'avaient pas vu dévaster leur ville. Quant aux habitants qui, pour la plupart, vivent dans les régions situées autour des deux villes principales, tous connaissent un parent ou un voisin dont la ferme ou la récolte a été détruite, quand la leur a été épargnée... Transmises à travers les générations, et notamment pendant les longues veillées d'hiver, ces visions se sont inscrites de manière indélébile dans la mémoire collective, et ceci, bien que les Britanniques aient apporté avec eux la paix et de l'argent pour payer les produits agricoles. S'il est demandé aux habitants de fournir du travail communautaire, ou plus rarement si leur blé est réquisitionné, ils remplissent ces devoirs avec la même mauvaise humeur qu'au temps du régime français. Ils n'ont pas été longs à comprendre la position délicate dans laquelle se trouvent le seigneur et le clergé; aussi est-ce avec encore plus de mauvaise grâce qu'ils s'acquittent de leurs redevances et de la dîme. Il se peut que ce soit vis-à-vis des habitants que la Conquête ait été le moins exigeante et qu'en raison de cela ils en aient été contents.

Pendant ces années de déclin de la Nouvelle-France qui

vont des victoires militaires britanniques de 1759-1760 au traité de Paris de 1763 par lequel la France renonce à son empire nord-américain, personne ne s'est comporté tout à fait comme l'auraient souhaité les historiens deux siècles plus tard. Décrite ultérieurement par les auteurs comme un horrible cauchemar, la Conquête fut peut-être moins effrayante dans la vie réelle qui demande surtout des qualités de bon sens, de discernement et d'action. Se débrouiller est une chose, collaborer en est une autre! En 1760, l'économie de la colonie, fondée sur l'exportation d'une matière première brute — les fourrures — et sur une agriculture de subsistance, demeure inchangée. De même, la colonie continue d'être administrée par un gouverneur et une poignée de favoris responsables devant une lointaine métropole. La gent militaire continue de tenir le haut du pavé dans une société coloniale qui se perpétue et où les groupes sociaux — les anciens et les nouveaux — jouent des coudes pour s'assurer les meilleures places. Deux systèmes juridiques, deux religions, deux langues — visibles et audibles essentiellement à Montréal et à Québec — ne font qu'ajouter à la nature cosmopolite de deux villes qui depuis leur formation en ont vu et entendu d'autres.

Et néanmoins, c'est la Conquête. Et toute conquête est semblable au viol...

ORIENTATIONS BIBLIOGRAPHIQUES

Brunet, Michel, *Canadians et Canadiens: études sur l'histoire et la pensée des deux Canadas*, Montréal, Fides, 1954.

_____ , *Les Canadiens et les débuts de la domination britannique*, 1760-1791, Ottawa, Société historique du Canada, 1962.

Cook, Ramsay, « Une quatrième dominante de la pensée canadienne-française », *Le sphynx parle français*, Montréal, Éditions HMH, 1968.

Eccles, William J., *The Canadian Frontier, 1534-1760*, Montréal, Holt Rinehart and Winston, 1969.

_____ , *France in America*, New York, Harper and Row, 1972.

Frégault, Guy, *La guerre de la Conquête*, Montréal, Fides, 1955.

_____ , *Le XVIIIe siècle canadien: Études*, Montréal, Éditions HMH, 1968.

Igartua, José, « A Change in Climate: The Conquest and the Marchands of Montréal », *Historical Papers/Communications historiques*, Ottawa, Société historique du Canada, 1974, p. 115-34.

_____ , « The Merchants of Montreal at the Conquest: Socio-economic Profile », *Histoire sociale/Social History* 8, 1975, p. 275-93.

Miquelon, Dale, dir., *Society and Conquest: The Debate on the Bourgeoisie and Social Change in French Canada, 1700-1850*, Vancouver, Copp Clark, 1977.

Nish, Cameron, dir., *The French Canadians, 1759-1766: Conquered? Half-conquered? Liberated?*, Vancouver, Copp Clark, 1966.

Ouellet, Fernand, *Histoire économique et sociale du Québec, 1760-1850: structures et conjoncture*, Montréal, Fides, 1966.

————, « Dualité économique et changement technique au Québec (1760-1790), *Histoire sociale/Social History* 9, 1976, p. 256-96.

————, « Propriété seigneuriale et groupes sociaux dans la vallée du Saint-Laurent (1663-1840) », *Mélanges d'Histoire du Canada français offerts au professeur Marcel Trudel*, sous la direction de Pierre Savard, Ottawa, Éditions de l'Université d'Ottawa, 1978, p. 183-213.

Séguin, Maurice, *L'idée d'indépendance au Québec: Genèse et historique*, Trois-Rivières, Boréal Express, 1968.

Stanley, George F.G., *New France: The Last Phase, 1774-1760*, Toronto, McClelland and Stewart, 1958.

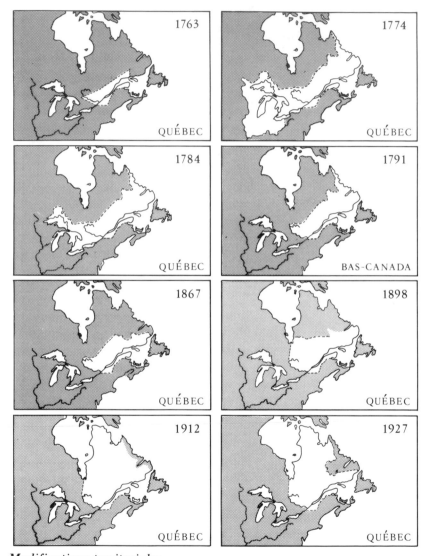

Modifications territoriales
D'après la quatrième édition de l'Atlas national du Canada © 1974
Sa Majesté la Reine, chef du Canada, avec l'autorisation d'Énergie,
Mines et Ressources Canada.

III L'EMPIRE DE L'AUTRE

Pendant les trente ans qui suivent la Conquête, la Grande-Bretagne va s'efforcer sans grand succès de faire du Québec une colonie anglaise. Dans leur rêve d'empire, les Anglais sont plus indécis que les Français — trois politiques différentes sont adoptées dans le même nombre de décades — mais le résultat est identique: la colonie ne se comportera jamais selon les attentes de l'empire. Au Québec, gouverneurs et marchands, à Londres, secrétaires d'État aux colonies et parlementaires, tous essaient non seulement de modeler la nouvelle colonie à leur propre image, mais aussi de l'intégrer dans un empire incroyablement vaste et épars. Rien d'étonnant, par conséquent, à ce qu'il en résulte souvent de la confusion. Dans le monde occidental, l'époque est une période de grands bouleversements. Pendant les dernières décades du dix-huitième siècle et les premières années du dix-neuvième, presque aucun pays n'échappe à ce que les historiens ont appelé «la révolution du monde atlantique». Chez elle, la Grande-Bretagne sait s'adapter au changement dont les effets politiques se feront sentir jusque dans la décennie 1830; mais il n'en va pas de même à l'extérieur. Le Canada, les États-Unis et la France connaissent des changements révolutionnaires sur les plans militaire, politique et social, marqués, pour le Canada, par la Conquête de 1760 et par l'insurrection de 1837-1838. En tant que puissance impériale, la Grande-Bretagne subit le choc de ces transformations, ne gagnant un nouvel empire en Amérique du Nord que pour voir le précédent se désagréger.

Par le traité de Paris, la Grande-Bretagne acquiert tous les anciens territoires français d'Amérique du Nord, sauf un banc de pêche au nord de Terre-Neuve et les deux îles de Saint-Pierre et Miquelon dans le golfe. À ses treize colonies de la côte Atlantique, elle ajoute au nord et à l'ouest un vaste empire aux dimensions inconnues. Le petit établissement des bords du Saint-Laurent est le cadet de ses soucis. Bien sûr, il va falloir assimiler soixante-dix mille catholiques francophones dans un empire anglophone et majoritairement protestant; mais on suppose que ce sera là chose facile: le modèle utilisé dans les autres colonies américaines est censé y suffire. Le vrai problème se situe dans l'Ouest: le vaste territoire amérindien entourant les Grands Lacs et longeant les colonies américaines jusqu'au golfe du Mexique ne sera pas si facile à surveiller et à administrer.

Comme pour en faire la preuve, les Amérindiens de l'Ouest prennent les armes au printemps de 1763 avant même que l'encre du traité de Paris ne soit sèche. La nouvelle de la paix entre la France et l'Angleterre n'est évidemment pas parvenue dans les profondeurs de l'Ouest, où de nombreux groupes d'Amérindiens souffrent des interruptions de la traite des fourrures occasionnées par la longue rivalité des Européens dans les forêts nord-américaines. La guerre n'a pas seulement eu pour effet de réduire les échanges, elle a aussi fait monter le prix des denrées. Aussi les Amérindiens sont-ils mécontents de payer avec davantage de fourrures moins de produits en échange. Qui plus est, les Britanniques s'avèrent moins généreux que les Français envers les Amérindiens. Ils se montrent avares aussi bien en marques d'hospitalité et en cérémonies, comme les discours et les salutations, qu'en témoignages tangibles, comme les armes et le rhum. Des attaques sporadiques se produisent tout le long de l'été 1763, période pendant laquelle les Amérindiens, soit seuls, soit sous la conduite de Pontiac, s'en prennent à tous les postes britanniques depuis Michilimackinac, à la pointe nord-ouest du lac Huron, jusqu'à ceux situés au sud et à l'ouest des lacs Érié et Ontario. Cependant, avec l'automne, arrive le début de la saison de chasse pour les Amérindiens: il est alors plus important pour eux de manger, de se vêtir et de commercer que de s'attaquer aux forts britanniques. Le retrait des Français, après que les termes du traité de paix européen furent connus, met en lumière l'isolement des Amérindiens. Ils ne peuvent compter sur aucune aide de leurs anciens alliés et le soulèvement tourne court.

Mais les Britanniques s'en souviendront quand ils élaboreront la politique à appliquer à leurs nouvelles acquisitions nord-américaines. À Londres, les stratèges de l'Empire comprennent que le danger principal réside dans l'agitation des Amérindiens; aussi est-ce essentiellement pour y parer qu'ils élaborent la Proclamation royale de l'automne 1763. En faisant des territoires de l'Ouest une vaste réserve indienne placée sous le protectorat de la Couronne, la Grande-Bretagne compte assurer la sécurité de la région, empêcher les Blancs de s'y installer, et rompre les liens séculaires entre Français et Amérindiens. Cet objectif rend nécessaire une présence britannique tout comme leur politique de résistance à l'invasion anglo-américaine et de pacification des Amérindiens avait obligé les Français à être présents sur le terrain. Cela implique d'autre part que le commerce avec les Amérindiens se fasse dans des conditions avantageuses pour eux. C'est pourquoi les Britanniques ne sont pas plus tôt en possession de la région centrale du continent nord-américain qu'ils sont amenés à se comporter exactement comme les Français l'avaient fait avant eux: ils jalonnent la région de postes militaires et autorisent leurs officiers à participer directement à la traite. Le continent et le commerce nord-américain avaient leur logique propre qui transcendait les divisions des États européens...

Il y avait un autre moyen de couper le lien entre Français et Amérindiens, c'était de réduire radicalement les limites territoriales de la colonie du Saint-Laurent. En octobre 1763, le territoire de Québec est ramené à ce qui n'est plus qu'une caricature de l'ancien empire français: ses liaisons naturelles par voie d'eau avec l'ouest, le nord et même l'est, sont coupées par les frontières que les Britanniques imposent; dépouillé de la traite des fourrures et de la pêche, il ne reste au Québec qu'un rectangle, enserrant en sandwich un Saint-Laurent aux limites nettement circonscrites de la pointe ouest d'Anticosti au lac Nipissing. Au-delà de ces limites, il est interdit aux colons de s'installer, et ils ne doivent pas non plus dépasser les limites des treize colonies du sud. Le Québec est appelé à devenir la quatorzième, une colonie semblable aux autres.

Tout comme les autres, la colonie sera régie par les lois et institutions britanniques; c'est-à-dire qu'elle aura un gouverneur avec son conseil, ainsi qu'une assemblée élue chargée de faire des lois et de lever les impôts permettant d'appliquer celles-ci. Cela signifie aussi, sans doute, qu'elle jouira d'un régime de franche tenure et qu'elle verra affluer de nouveaux agriculteurs venus des colonies surpeuplées du sud et peut-être même des îles Britanniques, et à long terme, il se peut aussi que cela signifie qu'elle devra parler anglais et se convertir au protestantisme. En tout cas, cela implique que le Québec va devenir partie intégrante de l'empire commercial britannique. Les *Lois de navigation britanniques* imposent au Québec des règles et restrictions commerciales que les autres colonies ne vont pas tarder à rejeter sans cérémonie.

Le seul aspect réaliste de la Proclamation royale en ce qui concerne le Québec, c'est la constatation qu'il se pourrait bien qu'elle ne soit pas applicable immédiatement en raison des circonstances. En effet, comment faire élire une assemblée quand la majorité des électeurs potentiels sont frappés par la loi britannique d'exclusion des emplois publics en raison de leur foi catholique? Et que se passera-t-il si les nouveaux colons ne se présentent pas en nombre suffisant pour que des changements radicaux dans les lois, les usages et les croyances se produisent à coup sûr? Mieux, comment pourra-t-on garantir aux quelques rares nouveaux arrivants qui se présenteront effectivement, qu'ils jouiront des lois britanniques promises par la Proclamation royale, alors qu'il n'existe pas de lois britanniques au Québec?

Ce sont là des questions que les administrateurs britanniques du Québec ne vont pas cesser de méditer jusqu'à la fin du siècle. Les changements successifs de personnes, de fonctions et de lignes politiques ne changeront rien au fait que le Québec ne rentre pas dans les schémas préétablis. Tous les gouverneurs — James Murray, puis Guy Carleton, puis Frederick Haldimand et à nouveau Carleton devenu Lord Dorchester — ne se coltineront avec ce problème que pour finalement agir en fonction de leurs penchants personnels et souvent en prenant leurs désirs pour des réalités. Ils auront tous l'occasion de se rendre compte que même la meilleure des proclamations britanniques ne peut pas réconcilier la légalité et la justice, le commerce et le *fair-play*, le droit et la coutume. Tous, en outre, feront montre d'une certaine propension à se laisser séduire par les élites canadiennes de l'aristocratie et du clergé, à être déconcertés par les marchands américains et britanniques et, vraisemblablement, à se laisser duper par les rares habitants qu'ils auront l'occasion de fréquenter. Dans cette société de la fin du dix-huitième siècle au commerce entreprenant et à la démocratie naissante, les gouverneurs trouvent réconfortantes les valeurs aristocratiques et militaires des Canadiens. Après tout, ce sont des soldats. C'est pourquoi il leur arrivera parfois d'ignorer les ordres qui parviendront de Londres.

Quand le gouvernement civil est installé à la fin de l'été 1764, James Murray étant gouverneur, siègent autour de la table de ce Conseil un petit groupe de personnes triées sur le volet. En cette période de loyauté douteuse, une seule est française. Et pour comble, c'est un huguenot nouvellement arrivé. Les autres sont britanniques: ce sont des officiers, des administrateurs et un groupe de plus en plus remuant de marchands, qui s'y trouvent en raison de leur poids financier dans les affaires de Québec et Montréal. Le clergé n'y figure pas. Cela serait à la fois peu politique et contraire aux lois. Ce n'est qu'en 1766 qu'un évêque, Jean-Olivier Briand, sacré en France à la sauvette est autorisé à rentrer au Québec. Et ce n'est qu'au début du siècle suivant que sa fonction et son église se trouveront définitivement hors de péril. Bien avant cette date, on avait placé à la droite du gouverneur un évêque de l'Église anglicane rivale. Il n'est pas officiellement au Conseil, mais s'occupe activement à angliciser le système scolaire en cours d'élaboration et rêve de l'extinction du catholicisme dans cette colonie britannique. Les membres du Conseil, eux aussi, se demandent pendant combien de temps cette nouvelle colonie britannique pourra échapper à l'anglicisation complète, notamment lorsque se font entendre dans le pays les récriminations des «anciens sujets» — Anglais, Écossais, et Irlandais — venus des colonies américaines ou des îles Britanniques.

Bien que, dès 1766, il soit apparu clairement qu'un statut spécifique est nécessaire pour le Québec, il faudra huit longues années d'attentes et de tergiversations avant que cette constatation passe dans les faits avec l'Acte de Québec. Les juristes et les responsables des deux côtés de l'Atlantique usent beaucoup de salive à disserter sur les subtilités de l'égalité dans la différence, sans cesser pendant tout ce temps de garder un oeil vigilant en direction des treize colonies plus anciennes, qui, elles, laissent entendre de plus en plus clairement qu'elles souhaitent non seulement l'égalité mais l'indépendance. La nouvelle colonie de Québec abritant maints anciens Anglo-Américains, peut-on leur refuser des institutions politiques et des structures juridiques auxquelles ils ont été habitués? Mais d'autre part, peut-on instaurer de telles institutions dans une colonie conquise et catholique? Et à supposer qu'on puisse trouver quelque moyen de contourner l'irritante question de la tolérance du catholicisme (ce moyen ne sera pas trouvé par la Grande-Bretagne pour son propre compte avant la fin des années 1820), doit-on vraiment le tolérer si l'objectif ultime est l'assimilation? Le dilemme est celui que décrit l'historienne Hilda Neatby: «Une colonie anglaise sans assemblée paraissait impensable, une assemblée comprenant des catholiques paraissait peu digne de confiance et une assemblée excluant les catholiques paraissait injustifiable.»

Les tergiversations se prolongent jusqu'au début des années 1770. À ce moment-là, il devient évident d'une part, qu'il se fomente des troubles dans les colonies situées plus au sud et d'autre part que le Québec ne sera pas l'objet d'un afflux d'immigrants. Quant aux Canadiens, ils ne montrent aucun signe d'assimilation. Qui plus est, ils prolifèrent. Certains membres des élites canadiennes se servent de la sympathie manifeste de Carleton à leur égard pour prendre des contacts à Londres par son intermédiaire. Pendant ce temps, l'économie donne peu d'indices que la colonie va à brève échéance devenir l'un des joyaux commerciaux de la couronne impériale. La traite des fourrures étant très étroitement liée à la présence militaire dans l'Ouest, la Grande-Bretagne se trouve bientôt prise dans le bourbier auquel la France a été si heureuse d'échapper à la fin des années 1750. D'autant plus que les forces immobilisées dans les postes de l'ouest risquent d'être bientôt nécessaires plus près des frontières occidentales des colonies américaines récalcitrantes. Elles auront même probablement besoin d'une base sûre pour opérer à partir du nord.

C'est de ce contexte impérial, nord-américain et canadien, qu'est né *l'Acte de Québec*, tentative de la Grande-Bretagne pour garder le Québec britannique sans pour autant l'angliciser. Ses effets dureront à peine plus longtemps que ceux de la Proclamation royale, car un Québec au régime français ne pouvait pas plus survivre dans l'Amérique anglaise de la fin du dix-huitième siècle qu'une colonie pseudo-anglaise composée de catholiques francophones. En outre, les Anglo-Américains sont mécontents. Ils voient dans l'Acte de Québec une nouvelle mesure intolérable justifiant leur révolte vis-à-vis de la Grande-Bretagne. Les clauses territoriales de l'Acte donnent aux Américains toutes les raisons de s'alarmer: la Grande-Bretagne rattache à nouveau à la province de Québec l'ensemble des territoires de l'ouest, du nord et de l'est que la Proclamation royale lui a enlevés. Ce qui apparaît comme simple justice aux Canadiens et comme une aubaine aux marchands britanniques et même américains installés dans la colonie est ressenti par les populations des colonies américaines comme une menace militaire. N'ont-ils pas vécu pendant un siècle et plus sous la menace constante d'une attaque surprise par le nord ou l'ouest? Et voilà non seulement que la Grande-Bretagne fait peser à nouveau cette menace militaire, mais qu'en outre elle donne son aval à l'étrange société instaurée au nord. Toutes les institutions françaises, la langue, le droit coutumier et la religion vont être officiellement tolérés; le régime seigneurial, la dîme, tout ce qui a toujours aux yeux des Américains fait apparaître la Nouvelle-France comme si archaïque va maintenant prendre force de loi britannique! Pis encore: il n'y aura pas d'assemblée élue, ce qui est une atteinte sans précédent aux droits imprescriptibles de tout citoyen anglais. Au lieu de cela, on verra les Canadiens s'immiscer par nomination — et donc sans doute par favoritisme — jusque dans le conseil du gouverneur. Par là, et grâce à une nouvelle formulation du serment exigé de toute personne détenant des charges publiques, ils auront leur mot à dire dans la conduite des affaires canadiennes. L'instauration du droit criminel britannique est peu de chose en comparaison des énormes concessions faites aux Canadiens.

Si l'Acte de Québec déplaît aux Américains, il n'est pas mieux reçu dans certains cercles du Québec. Les seigneurs et le clergé y voient évidemment des raisons de se réjouir, car il leur donne accès aux postes de pouvoir et d'honneur dans un système administratif nouveau, mais néanmoins familier. Ils exagèrent même leur influence véritable sur les populations, en affirmant au gouverneur Carleton qu'il n'a qu'à manifester ses désirs dans le domaine militaire et qu'ils se font fort de les faire passer comme des ordres auprès de ces populations. Les marchands britanniques et américains ne sont pas aussi satisfaits : l'extension territoriale est de nature à leur convenir, mais les aspects politiques et sociaux de la nouvelle loi les choquent profondément. Ils n'ont cessé, depuis le début des années 1760, de répéter qu'une colonie britannique sans chambre d'assemblée est une contradiction dans les termes ; en réalité, ce qu'ils voulaient dire, c'est qu'une administration qu'ils ne dirigeraient pas eux-mêmes leur serait intolérable : il y aurait des nobles et des seigneurs dans le conseil composé de dix-sept à vingt-trois membres ; et ils pèseraient pour le maintien des pratiques et des lois «féodales», notamment du droit coutumier français. Cela signifierait qu'il n'y aurait pas de franche tenure et donc pas de bureau pour enregistrer les possessions, les dettes, les hypothèques et les charges ; et pas non plus de banques ou d'établissements de crédit, puisque ces derniers faisaient l'objet de la réprobation des autorités légales et religieuses frappant les pratiques usuraires ; et que la loi passerait après les droits seigneuriaux et la dîme du clergé. Donc, pas d'accumulation de capital. Les marchands sont fort mécontents. Leur colère est même partagée par un nombre de plus en plus grand de marchands canadiens, qui sont convaincus que l'élimination des élites traditionnelles passe par l'instauration d'institutions électives. Si les marchands étaient informés de certaines des instructions reçues par Carleton en complément de l'Acte de Québec, leur mécontentement serait peut-être moins grand. Il est en effet demandé au gouverneur, en contradiction avec la lettre de l'Acte, de faire en sorte que son conseil introduise l'*habeas corpus* dans la colonie et trouve les moyens d'y faire pénétrer, par ordonnance, les lois anglaises sur les dettes, promesses, contrats et conventions. Il a également pour mission de saper secrètement la religion catholique en restreignant progressivement le champ d'activité de l'évêque, des séminaires, des ordres religieux masculins et des missionnaires. Carleton garde le secret sur ces instructions pour ne pas s'aliéner les seigneurs et le clergé, et pour ne pas compromettre la docilité de son conseil. Les débats et les discussions ne l'intéressent guère; ce sont là des moeurs trop américaines pour un aristocrate comme lui et ses tendances despotiques s'affirment de plus en plus.

Malheureusement pour Carleton, ces moeurs américaines s'avèrent avoir le vent en poupe. Et même, certains Américains n'hésitent pas à vouloir les porter jusqu'aux marches de cette Nouvelle-France ressuscitée sous couleurs britanniques. Une des toutes premières initiatives de la révolution américaine n'est-elle pas l'invasion du Québec en 1775? Que les Américains aient souhaité libérer le Québec ou qu'ils aient voulu seulement manifester leur mauvaise humeur vis-à-vis de l'Acte de Québec reste sujet à discussion. Incontestablement, ils convoitent les pêcheries du nord-est et la traite des fourrures de l'ouest. Toujours est-il que le mois même de la prise d'effet de l'Acte de Québec, en mai 1775, ils se présentent sur l'une des voies habituelles d'invasion, celle du lac Champlain et de la rivière Richelieu, pour attaquer les forts britanniques de Ticonderoga et de Crown Point. À l'automne, ils reçoivent le soutien officiel du congrès de Philadelphie et sont pourvus d'un chef de valeur en la personne de Richard Montgomery. Leur armée prend Chambly et Saint-Jean sur le Richelieu, puis se dirige par voie de terre vers Montréal pour y passer l'hiver au milieu d'une population effrayée, mais pas toujours mécontente. Pendant ce temps, Carleton évacue Montréal et retranche ses troupes à l'est de Sorel pour éviter que les envahisseurs ne coupent en deux les forces britanniques au cas où ils auraient décidé de continuer de descendre le Richelieu jusqu'à Sorel où il se jette dans le Saint-Laurent.

Les Américains envahissent aussi le Québec par une voie moins usuelle. Le même automne de 1775 voit des troupes commandées par Benedict Arnold se frayer un chemin le long d'une ancienne voie indienne reliant le Maine et la Chaudière dans la région de la Beauce. De là, elles montent droit vers le nord pour attaquer Québec. Les habitants accueillent les envahisseurs en leur ouvrant leurs bras et leurs provisions non pas en raison d'une quelconque sympathie pour l'idéologie américaine, mais pour témoigner de la surprise et de l'admiration qu'ils aient réussi à passer par un chemin aussi peu hospitalier, surtout avec leur barda de soldats. Ainsi revigorées, les troupes continuent vaillamment leur route vers Québec où elles rejoignent une partie de l'armée de Montgomery venue de Montréal. Là, elles se terrent pour entreprendre un difficile siège de la ville: celui-ci durera tout l'hiver 1775-1776. Ni les Américains ni les Britanniques n'ont assez de troupes pour engager une bataille rangée, et la tentative faite le 31 décembre par les envahisseurs pour prendre la basse-ville de Québec et de là se rendre maîtres de la cité se soldera par un échec. Les deux camps se contentent d'attendre la fin de l'hiver, les Britanniques n'osant pas quitter la ville tant la loyauté de la population est douteuse. Au printemps, dès que la navigation est à nouveau possible, c'est le fleuve qui vient encore une fois au secours des Britanniques, en leur amenant un renfort de dix mille hommes. Les troupes américaines fondent alors en même temps que les glaces, reprennent en sens inverse la route du Richelieu sans être — contre toute attente — poursuivies par les Britanniques.

Peut-être Carleton a-t-il trop peur de ce que feraient les Canadiens sur ses arrières si son armée s'engageait dans les campagnes. Et en effet, peu d'entre eux se sont ralliés à la cause royale pour repousser les envahisseurs. Malgré les bonnes grâces dont fait montre Carleton vis-à-vis des seigneurs et du clergé, ni les uns ni les autres ne réussissent à susciter l'ardeur du peuple, à plus forte raison sa participation militaire. Les seigneurs, qui voient dans la menace que représentent les Américains une bonne occasion de restaurer leurs prérogatives, sont les plus attristés par le manque d'intérêt affiché par les habitants. Le service des armes rendu à l'État est leur vocation traditionnelle: un tel service auprès des nouveaux maîtres leur aurait garanti charges, considération et pouvoir. Le clergé lui aussi a de bonnes raisons de pousser les habitants à apporter leur soutien aux Britanniques pendant la révolution américaine. Sous la conduite de monseigneur Briand, l'Église catholique connaît des difficultés de tous ordres, aussi bien en ce qui concerne les finances, le recrutement, les bâtiments que la création et le contrôle des paroisses; elle souhaite donc être proche du pouvoir. L'évêque et de nombreux curés de paroisse n'hésitent pas à déclarer publiquement que la loyauté vis-à-vis de la Couronne est le prix à payer pour la générosité politique et religieuse dont les Britanniques ont fait preuve dans la colonie. Moins ouvertement, l'évêque laisse entendre que quelques troupes pourraient utilement stimuler la loyauté des habitants. Manifestement, le message de l'Église ne reçoit pas un complet assentiment. Un seul témoignage nous est parvenu exprimant une note discordante, mais il est probable qu'il en cache beaucoup d'autres: au cours d'un sermon, un paroissien excédé lance au prêtre: «C'est trop longtemps prêcher pour les Anglais!» En dépit des efforts du clergé et des seigneurs, la loyauté des habitants est loin d'être une certitude absolue.

Les habitants, en réalité, jouent le jeu de l'attentisme.

Habitués à faire les frais des aventures militaires, soit comme membres de la milice, soit comme approvisionneurs des troupes, ils ont, cette fois, l'intention de voir venir. Leur indifférence à l'appel des seigneurs est patente, leur manque d'empressement aux injonctions du clergé, non moins évidente. Aucun d'eux ne réagit comme le gouvernement et les élites cléricales et seigneuriales aimeraient qu'ils réagissent. Cette attitude est peut-être seulement due à l'éloignement: très peu de seigneurs résident dans leurs domaines et encore moins de prêtres dans leurs paroisses. Mais il est surtout probable que les gens ont peur, sachant que, quel que soit le vainqueur, c'est eux qui paieront le coût de la victoire ou de la défaite. Aussi, s'en tiennent-ils à une neutralité obstinée, cherchant à en tirer un profit personnel à chaque fois que l'occasion s'en présente: c'est ainsi qu'ils vendent de la nourriture aux envahisseurs américains contre des espèces sonnantes, mais que, dès qu'apparaît le papier monnaie, la nourriture s'évanouit. En tout cas, rien ne peut les convaincre de rejoindre la milice et de prendre les armes, les obligations militaires du temps du régime français ayant semble-t-il été abolies, du moins dans la mentalité populaire, par la Conquête.

Étrangement, ce sont les marchands, si méprisés par Carleton, qui s'avéreront ses meilleurs alliés pendant l'invasion et la révolution américaines (1775-1783). Quelques-uns d'entre eux parviennent même mieux que les seigneurs et le clergé à insuffler quelque sentiment patriotique aux habitants. Si opposés qu'ils soient aux aspects politiques et légaux de l'Acte de Québec, les marchands qui prennent part à la traite des fourrures ont compris que leur propre avenir dépend du maintien du lien avec la Grande-Bretagne, surtout depuis que les territoires de l'Ouest ont de nouveau été rattachés à la Province. La révolution américaine leur est en fait utile, car elle neutralise la concurrence d'Albany; les marchands de Montréal en récoltent le bénéfice. Ils retirent aussi des avantages de l'état de guerre lui-même: l'armée n'a-t-elle pas de tout temps été un des meilleurs soutiens de l'économie canadienne?

Il n'est donc pas étonnant que, pendant le reste de son mandat de gouverneur, Carleton se soit trouvé en difficulté sur le plan militaire. Ses ennemis d'hier devenus ses meilleurs soutiens et les alliés qu'il avait tant choyés n'étant plus que des poids morts. Il était peu concevable qu'il réussisse à défendre énergiquement la colonie ou que, même, il aille attaquer les rebelles au sud. Bien que la menace d'une deuxième invasion ne se soit jamais concrétisée, les craintes restent suffisamment fortes sur tous les fronts pour que tous les sujets «anciens» et «nouveaux» restent en alerte. En outre, en 1778, la France laisse paraître ouvertement la stratégie qu'elle suit dans les guerres européennes depuis 1775, en prenant officiellement parti pour les rebelles américains contre la Grande-Bretagne. Pendant un temps, l'aide navale, puis militaire, que la France leur apporte peut sembler manifester la volonté de soutenir une deuxième tentative d'invasion du Québec; mais la France ne vise ni à reconquérir la province pour son propre compte, ni à aider les Américains à s'en emparer; rien ne lui convient mieux, en effet, que l'existence de deux pouvoirs en Amérique du Nord, l'un britannique et l'autre américain: pendant que les troupes britanniques seront engagées en Amérique du Nord, elles ne la menaceront pas sur le terrain européen. Cependant Carleton ne devait pas assister au jeu subtil des Français avec la révolution américaine: en 1778, froissé par le fait que la conduite d'une opération sur les colonies américaines l'année précédente ait été confiée à un autre, il démissionne de son poste de gouverneur et rentre en Grande-Bretagne. Pendant les cinq années suivantes qui verront la révolution américaine l'emporter, c'est Haldimand qui gouvernera la province.

Les répercussions de la victoire de 1783 seront, sur les plans économiques et social, bien plus importants pour le Québec que l'invasion et même que la guerre dans son ensemble. Au grand dam des marchands de Montréal et Québec, les frontières de la colonie vont à nouveau changer. La manne qu'apportent les fourrures du sud des Grands Lacs leur échappe à tout jamais, la nouvelle frontière passant à l'ouest de Montréal par le Saint-Laurent, et par le milieu des lacs Ontario, Érié, Huron et Supérieur. En un instant, à la table des négociations en Europe, la Grande-Bretagne cède aux États-Unis ses territoires et ses alliés amérindiens des régions de l'Illinois, de l'Ohio et du Mississippi; puis elle s'emploie — en conservant les postes militaires et de traite de Niagara, Détroit, Michilimackinac et Grand-Portage — à protéger de possibles représailles amérindiennes, non ses infortunés alliés, mais les colons de la région. La possession du Midwest américain, qui avait commencé en 1774 avec l'Acte de Québec et avait duré dix ans, prenait brutalement fin, et le rêve des marchands britanniques et canadiens d'un empire commercial fondé sur l'accès privilégié aux meilleurs territoires de traite s'écroulait.

Avec les modifications territoriales entraînées par le traité de 1783, le handicap des Canadiens dans la traite des fourrures, dont ils n'ont commencé de sentir les effets qu'à la fin des années 1770, devient chronique. Non seulement les Américains ont-ils maintenant un égal accès aux Grands Lacs, mais en outre, la seule façon d'y être compétitif est de remplacer les canots par les bateaux, plus grands et plus coûteux. Ceux qui continuent d'avoir recours aux canots doivent s'enfoncer encore plus loin, à l'ouest et au nord du lac Supérieur, dans la région de la Saskatchewan. Dans un cas comme dans l'autre, les prix de revient montent: les changements techniques et l'accroissement des distances, joints à l'augmentation des coûts des denrées de traite, aux exigences croissantes des Amérindiens en ce qui concerne la qualité des produits, et aux salaires plus élevés payés aux voyageurs, tous ces facteurs entraînent la ruine des commerçants indépendants et même des commerçants associés. La seule façon de survivre est de se regrouper en sociétés pour éliminer la concurrence, et favoriser la concentration des capitaux et du crédit. Mais les Canadiens renâclent. Pour des raisons personnelles ou financières, ils répugnent à passer du niveau de l'entreprise familiale ou de l'association individuelle à une véritable société de commerce. Ainsi, la Compagnie du Nord-Ouest, une société fondée par des Écossais, domina le commerce des fourrures à partir de Montréal, des années 1790 aux années 1820, jusqu'à ce que la concurrence trop forte de la Compagnie de la Baie d'Hudson ne finisse par en avoir raison. Au départ, les «Nor'westers» étaient arrivés à titre individuel et s'étaient associés avec des Canadiens, les premiers fournissant le capital, les crédits et quelquefois leur connaissance de la langue française, tandis que les seconds apportaient leurs connaissances techniques et plus d'une fois des filles à marier. Mais il est significatif que lorsque la société se forma à la fin des années 1780, il se trouva peu de Canadiens pour y entrer comme associés ou comme commanditaires: les Canadiens continuèrent de manier les rames des canots et des bateaux, cependant que les Écossais vivaient la vie de voyageurs par procuration, dans les cercles et les confortables demeures de Montréal. Néanmoins, ce devait être un Écossais qui, poussé toujours plus loin vers l'ouest par les impératifs de la traite des fourrures, allait découvrir la mer occidentale, raison d'être initiale de la présence française en Amérique du Nord aux seizième et dix-septième siècles. Alexander Mackenzie laissera le signe de son passage sur la côte du Pacifique par une inscription: *du Canada par la terre. 22 juillet 1793.*

Il y avait bien sûr une autre manière de réagir à la présence américaine dans la région des Grands Lacs. Au lieu de la fuir à la recherche de nouvelles voies purement canadiennes de traite au-delà du lac Supérieur comme le faisait la Compagnie du Nord-Ouest, on pourrait l'affronter franchement. Il était possible de faire du Saint-Laurent la principale voie d'accès au Midwest américain. En attendant d'y faire passer les denrées que la région produirait une ·fois que les colons y auraient afflué, et enfin les biens d'importation de toutes sortes dont ces mêmes colons ne manqueraient pas d'avoir besoin, on pouvait en faire une voie d'écoulement des fourrures. Un tel projet nécessitait un soutien politique et économique considérable: il faudrait une incitation extrêmement forte pour qu'un fleuve gelé six mois par an l'emporte dans la compétition avec d'autres artères menant au port de New York, libre de glaces toute l'année. Ce soutien politique et économique ne pouvait venir que d'un État ayant des lois adaptées, une monnaie forte, un gouvernement efficace et des investissements publics importants. La façon la plus rapide d'obtenir ce soutien résidait dans une chambre d'assemblée élue. C'est ainsi que, sans l'avoir réellement voulu, la révolution américaine se trouva à l'origine à la fois d'un rêve de marchands et d'un programme politique et économique auquel certains Montréalais allaient adhérer opiniâtrement pendant les cent ans qui suivraient.

La rupture des Américains avec la Grande-Bretagne a aussi entraîné une conséquence plus immédiatement perceptible: elle a fait déferler des milliers de loyalistes dans les colonies britanniques du nord. La plupart de ces opposants à l'indépendance américaine sont allés en Nouvelle-Écosse. Ils y sont si nombreux qu'une nouvelle colonie est créée à leur intention en détachant la partie nord-ouest de la Nouvelle-Écosse qui devient le Nouveau-Brunswick. Sept ans plus tard, la même chose se produira pour le Québec, où la portion découpée sera cette fois-ci le sud-ouest, c'est-à-dire ce qui constitue actuellement l'est et le sud de l'Ontario. À l'origine de ce découpage, on trouve les quelque sept mille loyalistes que le gouverneur Haldimand a installés le long du Saint-Laurent, en amont de Montréal, à la limite ouest des dernières seigneuries. Bien que les loyalistes aient redonné une impulsion au rêve, toujours vivace, d'angliciser le Québec, ils n'en sont pas moins très éloignés des Canadiens français. Néanmoins, ils n'ont pas plutôt commencé de retourner la terre le long du fleuve et du lac Ontario, que les commerçants de Montréal perçoivent déjà le profit qu'ils peuvent en tirer: les loyalistes vont avoir besoin de moyens de transport, de fournitures, d'argent et de crédit pour soutenir leur agriculture et pourvoir à leurs besoins courants. Avec un peu de chance et en s'organisant bien, c'est un marché que les commerçants de Montréal peuvent s'assurer. Beaucoup moins intéressants, parce que beaucoup moins nombreux, sont les loyalistes qui s'installent dans ce qui deviendra ultérieurement les Cantons de l'Est, c'est-à-dire les terres non encore colonisées s'étendant derrière la zone seigneuriale au sud du Saint-Laurent, au-dessous de Sorel et à l'est du Richelieu. D'autres loyalistes s'installent encore plus à l'est, sur la côte sud de la péninsule gaspésienne, où ils passent inaperçus, car ils sont clairsemés parmi les quelques Acadiens qui ont réussi à s'échapper.

En dépit de l'éloignement et de son faible taux de colonisation, la Gaspésie va préfigurer à la fin du dix-huitième siècle le mode de développement économique qui deviendra la règle, au début du dix-neuvième, pour l'ensemble du Québec. Le commerce des fourrures s'y est éteint depuis longtemps, comme il va s'éteindre progressivement dans tout le Québec et dans la région des Grands Lacs. Trois activités qui prendront de plus en plus d'importance dans le reste du Québec ont commencé de se faire jour en Gaspésie, bien que sur une échelle encore très modeste : il s'agit de la pêche, de l'agriculture et du bois. En Gaspésie, ces trois activités ont pour particularité d'être menées de front comme cela sera également le cas ultérieurement dans d'autres parties de la province. Les familles s'y livrent simultanément, selon une division sexuelle et saisonnière du travail : les femmes surveillent les récoltes et nettoient le produit de la pêche pendant que les hommes écument les mers et les bois. Ici et là, on peut constater une spécialisation par groupes ethniques — les Acadiens et les loyalistes étant spécialisés dans l'agriculture, tandis que les colons français et britanniques se livrent à la pêche, mais aucune de ces deux activités ne peut à elle seule subvenir aux besoins d'une famille. D'autre part, en Gaspésie, le marché de la seule denrée exportable — le poisson — est entre les mains de négociants extérieurs. C'est ainsi que les Robin, une famille francophone venue des îles anglo-normandes et établie dans la région au cours de la décennie 1760, vont en quelques années s'illustrer parmi toutes les autres familles de l'extrémité de la péninsule ; par le moyen de l'endettement, ils tenaient la plupart de leurs compatriotes, et même bon nombre d'autres colons, et empochaient les bénéfices de la plus grande partie des exportations de poissons vers l'Europe, les Antilles et le Brésil.

Mais il n'en reste pas moins que, à l'époque comme de nos jours, la Gaspésie est en dehors du centre des décisions. Ce centre nerveux se situe, économiquement et politiquement, dans le peuplement primitif des bords du Saint-Laurent. La traite des fourrures continue d'y captiver les imaginations et d'arracher les jeunes gens à leurs campagnes ou à leurs villes.

Peu d'investissements sont faits dans le secteur de la pêche, les quelques marchands de peaux et huile de phoque de Québec étant en compétition sur la côte du Labrador avec ceux de Terre-Neuve. L'exploitation forestière, pour sa part, ne deviendra rentable qu'à la toute fin du siècle, lorsque le coût de la guerre pourra justifier le prix élevé du transport du bois; en même temps, l'exportation sera favorisée par le besoin international illimité de tonneaux qui, à l'époque, servent au transport de la plupart des marchandises: débité en douves, le bois sera beaucoup plus facilement transportable. Sur place, le bois est utilisé comme combustible et pour la construction. Mais l'élément dominant de l'économie est l'agriculture, qui va se développer et occuper de plus en plus de monde au cours du dix-huitième siècle. En se commercialisant et en développant même ses capacités d'exportation — les agriculteurs vendent aux villes, aux pêcheries, à l'armée, aux Antilles, et font leur entrée sur le marché du blé en Grande-Bretagne — l'agriculture devient une activité recherchée. Son essor à la fin du siècle entraîne l'apparition de nombreux emplois spécialisés: forgerons, boulangers, détaillants, notaires et même quelques médecins. Ils se regroupent en villages dont la seule existence témoigne de la prospérité grandissante de l'agriculture. En conséquence, il se trouve moins de jeunes gens prêts à s'embaucher pour une saison dans l'ouest, et ceux qui le font peuvent exiger de meilleures rémunérations. Ce n'est pas que l'agriculture soit sans risques: elle est exposée aux aléas du marché et du climat. La révolution américaine, par exemple, a stimulé à la fois les exportations illégales par la filière du Richelieu et la demande des armées britanniques du Québec; une fois la guerre terminée, ces deux débouchés se sont fermés. Une maladie des récoltes se produisant une année peut entraîner la famine l'année suivante: c'est le cas en 1788 et 1789. Les résultats de cette agriculture ne sont pas toujours satisfaisants: cela s'explique en partie par le fait que, au moment où une population en augmentation se presse sur les terres seigneuriales, on applique la méthode consistant à défricher toujours de nouvelles terres au lieu de cultiver les anciennes avec de nouvelles techniques, ce qui est d'ailleurs le cas à cette époque dans toute l'Amérique du Nord. Le blé est la culture privilégiée, car ses excédents peuvent relativement s'échanger contre des produits importés très prisés comme le thé, le sucre, la mélasse, le rhum et le tissu; mais le stockage et le transport posent des problèmes constants, notamment parce que des exploitations s'ouvrent de plus en plus loin dans l'arrière-pays.

Dans les villes, Montréal et Québec en particulier, une

nouvelle forme d'activité est en train d'émerger et de prendre une importance grandissante pour un certain nombre de Canadiens français: c'est la politique. Restée jusque-là l'apanage des marchands anglophones de la colonie, habitués par leur passé britannique ou américain à mettre les institutions politiques au service de leurs fins économiques, la politique commence à intéresser la classe des commerçants et négociants canadiens. Les intérêts sociaux et économiques de ces deux groupes coïncident car chacun perçoit que sa propre prospérité dépend de l'essor commercial de la colonie et qu'il n'a rien à attendre d'un gouvernement dans lequel dominent les militaires et les propriétaires terriens. Même là où leurs intérêts divergent, la stratégie leur commande de faire front commun par tactique. Les marchands canadiens ont compris que leur influence auprès du gouvernement n'a aucune chance de s'accroître tant qu'ils n'auront pas délogé les quelques conseillers canadiens — tous des seigneurs — qui ont une attitude par trop servile envers le gouverneur. Leur seul moyen d'accroître leur pouvoir est d'avoir une chambre d'assemblée élue, et pour arriver à cette fin, ils ont besoin d'alliés mécontents et décidés. Mécontents, les marchands britanniques n'ont pas cessé de l'être depuis qu'il leur est apparu clairement au milieu des années 1760, que la création d'une chambre d'assemblée n'était pas à l'ordre du jour; décidés cependant, ils ne le sont pas, parce qu'ils ne sont pas en nombre suffisant. Eux aussi ont besoin d'alliés, d'alliés nombreux, et, ils le comprennent progressivement, d'alliés canadiens et catholiques. Pour accéder au pouvoir, il faut partager le même chemin, chaque groupe pensant évidemment qu'il prendra le pas sur l'autre une fois réalisés les objectifs pour lesquels ils se sont alliés.

La révolution américaine n'a pas plus tôt pris fin que les marchands britanniques et canadiens, qui s'étaient volontairement rangés derrière le gouverneur pour appuyer sa politique militaire, cessent de le soutenir et se lancent dans l'agitation. Pendant cinq ans, ils vont agir de concert, animant des comités à Québec et Montréal, rédigeant des pétitions, rassemblant des signatures et expédiant leurs doléances à Londres. Ils vont écrire dans la nouvelle presse qu'ils lisent assidûment: la *Gazette* de Montréal, journal anglais à sa création en 1778, puis bilingue à partir de 1785; et le *Herald* de Québec qui paraît en anglais depuis 1788. Les articles internationaux reproduits par cette presse leur donnent la conviction que leur propre cause rejoint la cause du monde occidental tout entier. Ils présentent leurs doléances à Londres et au gouverneur en novembre 1784 et en janvier 1785: ils veulent une assemblée élue, composée sans discrimination «d'anciens» et de «nouveaux» sujets, et choisis par les habitants des villes aussi bien que des campagnes; ils veulent des lois commerciales anglaises promulguées par une assemblée, mais demandent que les lois criminelles anglaises soient gardées, ainsi que les lois civiles françaises; ils veulent davantage de conseillers, mais que ceux-ci aient moins de pouvoir, puisque seule l'assemblée devrait avoir le droit de lever des impôts et de proposer des mesures budgétaires. Leur requête est appuyée par deux mille trois cents signatures dont les deux tiers émanent de Canadiens.

Il semble que c'est vers la fin de la décennie 1780 que les deux groupes ont cessé de faire route commune. Non que leurs objectifs se soient modifiés; simplement, ils semblent avoir décidé d'emprunter des chemins différents pour se faire entendre auprès du roi à Londres. Les rapports et les pétitions de 1788 sont signés tantôt par l'un des groupes, tantôt par l'autre. Les Canadiens y ajoutent même des revendications de leur cru. Il se peut que monseigneur Briand ait fait une démarche auprès d'eux. Peut-être eux-mêmes avaient-ils besoin du soutien de l'Église? Quoi qu'il en soit, les nouvelles revendications sont autant religieuses que politiques: ils veulent faire retirer de l'Acte de Québec la mention disant que le catholicisme est toléré «sous la suprématie du roi» et demandent que les droits fonciers des communautés religieuses soient garantis. En même temps, ils demandent que Canadiens et Britanniques accèdent aux charges publiques en proportion de leur nombre, et que l'assemblée élue recrute et rémunère des fonctionnaires. Les Canadiens français commencent à se faire les dents dans le domaine politique, en même temps qu'ils posent les premiers jalons d'une alliance avec le clergé qui ne prendra pleinement effet qu'après 1840.

En dehors des commerçants, aucune unité n'existe chez les Canadiens français. En 1784, les seigneurs lancent une pétition opposée à celle des commerçants. Prétendant parler au nom de la nation — cette prétention sera la première, mais non la dernière du genre dans l'histoire du Québec — les seigneurs prennent position contre l'idée d'une chambre élue. Selon eux, une telle institution aurait pour effet de saper la religion, la propriété privée et les droits des personnes; il faut donc s'en tenir fermement à l'Acte de Québec pour garantir l'avenir de la province. Ces seigneurs, membres pour la plupart du Conseil législatif du gouverneur, et généralement originaires de la région située entre Sorel et Longueuil, sur la rive sud du Saint-Laurent en aval de Montréal, parviennent à réu-

nir deux mille quatre cents signatures. Un grand nombre d'entre elles sont de simples croix. Ces dernières sont-elles attri-
buables à des habitants à qui on a fait peur? Sans aucun
doute, les seigneurs ont brandi la crainte de l'impôt foncier, ce
qui touche une corde sensible chez les cultivateurs. Mais ce que
les seigneurs craignent surtout, c'est de perdre les privilèges et
les distinctions attachés à leurs seigneuries. Une assemblée
élue élèverait dans la hiérarchie sociale deux catégories de
gens jusque-là situées au-dessous d'eux. De vulgaires marchands domineraient l'assemblée et feraient des lois qui leur
seraient favorables — par exemple en instituant un impôt foncier à la place de la taxe commerciale sur les importations —
et d'encore plus vulgaires habitants voteraient pour les marchands au même titre que leurs seigneurs. Cela paraît impensable à des gens qui, pourtant, ont dû s'habituer à des
choses qui leur paraissaient impensables depuis la Conquête.
L'Acte de Québec leur permet de ne pas être relégués aux
oubliettes. Rien d'étonnant donc à ce qu'ils se fassent entendre
si fort et s'abritent derrière la nation pour défendre leurs
privilèges.

Tout ce tintamarre venu de Québec arrive de manière fort
inopportune aux oreilles de l'administration londonienne de la
fin des années 1780. La question de la guerre d'Indépendance
américaine à peine réglée, et alors qu'ils se remettent difficilement de la perte de prestige qu'elle a représentée sur le plan
international, les Britanniques se trouvent confrontés à l'éventualité d'une nouvelle guerre en Europe. C'est qu'une nouvelle
clameur, autrement plus importante, a éclaté en France, d'une
ampleur telle que personne ne sait où elle peut mener: des
troubles populaires y ont éclaté pendant l'été de 1789. Et voilà
que cette fichue colonie héritée de la France demande encore
des réformes constitutionnelles! N'en finira-t-on jamais? D'ailleurs, y a-t-il moyen d'y voir clair dans l'embrouillamini de
problèmes que cela soulève? La colonie doit rester une colonie;
la Grande-Bretagne ne va pas se laisser dépouiller de la totalité de son empire nord-américain. D'autre part, cette colonie
abrite des sujets britanniques; il est donc nécessaire qu'elle ait
des institutions électives. Cependant, il faut contrôler ces institutions: l'excès de participation populaire n'est-il pas ce qui a
déclenché l'insurrection américaine? Mais maintenant il semble que l'excès inverse soit à l'origine de la Révolution française... D'une façon ou d'une autre, il faut trouver un moyen de
réconcilier les différentes communautés de la colonie entre
elles et avec la Couronne. Seigneurs et clergé, officiers et
administrateurs, commerçants, citadins et ruraux, Britanni-

ques, Américains et Canadiens, sans parler des loyalistes, on doit réussir à fondre tout ce monde dans le moule d'un régime viable, qui pourra se financer et bien entendu accueillir des immigrants venus de la métropole. Mais là, on rencontre le problème de la propriété foncière, avec ses aspects juridiques et ses répercussions dans le domaine des prérogatives sociales. Comment résoudre ces dilemmes ?

Néanmoins, la Grande-Bretagne fait encore une tentative pour transformer le Québec en colonie anglaise : l'Acte constitutionnel de 1791 organise la province sur le modèle constitutionnel britannique — considéré comme le seul viable dans tout le monde atlantique — mais l'adapte au goût du jour. Il en renforce le côté monarchique en prévoyant des réserves de la Couronne, c'est-à-dire des terres destinées à fournir un revenu autonome au gouverneur et à sa suite. En même temps, il conforte la composante aristocratique en maintenant le Conseil législatif dont les membres sont nommés, et en sauvegardant les droits juridiques et fonciers contenus dans l'Acte de Québec : les seigneuries demeurent, mais au-delà de leurs limites actuelles, c'est le régime de franche tenure qui prévaudra ; ce dernier est lui-même susceptible de donner naissance à une nouvelle aristocratie terrienne en fonction des gens qui se présenteront pour acquérir les terres. Enfin, l'Acte introduit un élément de démocratie en accordant la chambre d'assemblée élue ; c'est là donner au peuple la parole, mais pas nécessairement le pouvoir. En somme, une petite Grande-Bretagne. La seule adaptation nécessaire pour faire entrer le Québec dans ce schéma est, une fois de plus, l'ablation de l'ouest de la province. Pour répondre à la demande des loyalistes — et peut-être aussi parce qu'il devient évident que le Québec, tout britannique qu'il soit, restera français — la Grande-Bretagne sépare du reste de la province les territoires loyalistes situés à l'ouest des seigneuries : à partir de là, le Haut-Canada et le Bas-Canada vont poursuivre leurs destinées dans des cadres constitutionnels similaires, mais leur évolution divergera sur les plans juridique et, selon toute vraisemblance, ethnique.

Conçue pour satisfaire tout le monde, recherchant l'équilibre, la Constitution de 1791 n'en est pas moins porteuse de conflits qui vont s'amplifier dans les décennies suivantes. Le Québec s'inscrit dans le mouvement d'ensemble du monde atlantique à la recherche d'institutions toujours plus démocratiques ; combien de temps son assemblée élue va-t-elle supporter les composantes aristocratiques insérées dans cette constitution ? Il n'est pas possible qu'un gouverneur économiquement indépendant, responsable devant Londres, choisissant lui-même les membres de son Conseil législatif, et, à partir de 1792, du tout nouveau Conseil exécutif, ayant un droit de veto sur les décisions de l'Assemblée, ne finisse pas par entrer en conflit avec un organe élu démocratiquement. Et de fait, à mesure que la composition de l'Assemblée se modifiera au cours des années, celle-ci va de plus en plus mal accepter d'être cantonnée dans un rôle limité. Elle est mécontente de voir des opposants politiques s'infiltrer par la flatterie dans les conseils du gouverneur et s'y tailler des situations de pouvoir; et peu à peu, elle va trouver les moyens de faire partager ce mécontentement par le peuple.

Cependant, il faudra quarante ans avant que les conséquences de l'Acte constitutionnel se manifestent; dans la décennie 1790, les problèmes dont il est porteur sont encore peu perceptibles. Les quelques fissures sociales et politiques qu'on pouvait déceler avant et après cette décennie sont camouflées par la prospérité économique et les menaces militaires émanant des États-Unis et de la France. La colonie francophone de l'Angleterre commence à exporter du blé et du bois sur le marché de l'empire britannique, tandis que de l'ancienne métropole française s'exportent la peur, une grande fermentation intellectuelle, quelques prêtres émigrés et une denrée qui va sonner le glas de toutes les tentatives d'anglicisation. Une chanson révolutionnaire donne naissance aux «enfants de la patrie», et pour le Québec, la fête ne fait que commencer...

ORIENTATIONS BIBLIOGRAPHIQUES

Brunet, Michel, *Les Canadiens et les débuts de la domination britannique, 1760-1791*, Ottawa, La Société historique du Canada, 1966.

Burt, A.L., *Guy Carleton, Lord Dorchester, 1724-1808*, Ottawa, La Société historique du Canada, 1973.

Creighton, Donald, *The Empire of the St. Lawrence*, Toronto, Macmillan, 1956.

Eccles, William J., *France in America*, New York, Harper and Row, 1972.

Hare, John E., «Le comportement de la paysannerie rurale et urbaine de la région de Québec pendant l'occupation américaine, 1775-1776», *in Mélanges d'histoire du Canada français offerts au professeur Marcel Trudel*, sous la direction de Pierre Savard, Ottawa, Éditions de l'Université d'Ottawa, 1978, p. 145-50.

Neatby, Hilda, *Québec: The Revolutionary Age, 1760-1791*, Toronto, McClelland and Stewart, 1966.

Ouellet, Fernand, *Le Bas-Canada, 1791-1840. Changements structuraux et crise*, Ottawa, Éditions de l'Université d'Ottawa, 1976.

_____, *Histoire économique et sociale du Québec, 1760-1850*, Montréal, Fides, 1966.

Tousignant, Pierre, «Les Canadiens et la réforme constitutionnelle, 1783-1791», communication non publiée présentée à l'assemblée annuelle de la Société historique du Canada, juin 1972.

_____, «Problématique pour une nouvelle approche de la constitution de 1791», *Revue d'histoire de l'Amérique française* 27, 1973, p. 181-234.

_____, «L'incorporation de la province de Québec dans l'Empire britannique, 1763-1791», 1re partie: «De la Proclamation royale à l'Acte de Québec», dans *Dictionnaire biographique du Canada*, vol. IV, Québec, Les Presses de l'université Laval, 1980, p. xxxii-xlix.

... Montréal... qui, vers 1825, abrite environ vingt-cinq mille âmes...
Montréal par S. Davenport, 1825.
Archives publiques du Canada C-113639

IV LA NAISSANCE DU NATIONALISME

Au début du dix-neuvième siècle, les Canadiens français vont
donner de l'une des idées les plus mobilisatrices du monde
occidental une version purement québécoise. Ce faisant, ils
vont façonner une vision qui leur sera propre et qui ne sera
plus ni celle du régime français, ni celle des premières années
du régime britannique. Cette vision nationale, qui n'est plus
fondée sur la création d'un vaste empire, et qui s'enracine
dans les réalités sociales, économiques et politiques du Bas-
Canada, n'est cependant pas sans liens avec ce qui se passe
ailleurs. Plus au sud, une nouvelle nation vient d'être créée par
la volonté du peuple (*We the people*). De l'autre côté de l'Atlantique, une formule, «Liberté, Égalité, Fraternité», vient de
transformer une nation ancienne. En essayant d'exporter sa
révolution par la force, la France se heurte non à la seule

résistance de mercenaires, mais à une nouvelle force idéologique populaire émanant de ses voisins européens. Les porte-parole de la nouvelle idéologie ont un langage commun: ils condamnent tous avec la même ferveur les contraintes sociales et politiques de l'Ancien Régime. À tel point que, souvent, on les prend à tort pour des libéraux, favorables aux droits de l'homme, aux libertés collectives, à la liberté du commerce et à la participation populaire au pouvoir politique. Mais ces porte-parole utilisent en même temps un autre langage en vogue: ils sont tous également attachés aux composantes populaires de leur culture, si bien qu'on les prend à tort pour des conservateurs s'accrochant à leur langue, à leur religion, à leur terroir et à leurs coutumes familiales et juridiques. En réalité, ils sont les deux à la fois sans être ni l'un ni l'autre.

Les nationalistes ne représentent pas non plus l'ensemble du peuple, bien que l'un de leurs tours les plus réussis ait été de se faire passer pour les porte-parole de la collectivité. Ils s'en persuadent eux-mêmes et en persuadent leurs adversaires. Ils en convainquent les gouverneurs britanniques de l'époque et, par l'intermédiaire d'un gouverneur en particulier (Lord Durham, à la fin des années 1830), ils en persuaderont des générations d'historiens. Ils sèment le doute chez les nouveaux arrivants britanniques et américains de la colonie, et ils continueront de le faire chez les Canadiens anglais tout au long du siècle à venir. La presse leur a toujours été ouverte et leur a toujours consacré des titres — favorables ou critiques — à l'époque comme plus tard. Ils possèdent un sens aigu de la communication et utilisent tous les moyens à leur portée pour répandre leur message. Néanmoins, ils ne représentent pas l'ensemble du peuple, mais plutôt une classe sociale spécifique dont l'émergence a été provoquée par la révolution du monde atlantique et la situation particulière du Bas-Canada. Ils ont leurs objectifs propres qui diffèrent de ceux d'autres groupes sociaux. Ils utilisent leurs moyens propres (l'idéologie du nationalisme) pour justifier leur existence et leur prétention à exercer le pouvoir social et politique. Eu égard à l'époque et au pays, ils bénéficient de conditions très favorables pour répandre leur vision dans les autres classes de la société. Les difficultés économiques de l'époque leur offrent un terrain fertile pour rallier la masse à leur cause et les institutions mises si obligeamment en place par la Grande-Bretagne en 1791 vont leur offrir le moyen de les répandre.

Tout cela ne s'est pas produit en un jour, et les historiens ne sont pas d'accord sur la façon dont les choses se sont déroulées. Pour certains — c'est la thèse chère à Jean-Pierre

Wallot, Gilles Paquet et Pierre Tousignant —, le processus est déjà sous-jacent avant la fin du dix-huitième siècle, et sans aucun doute, on peut trouver des traces d'arguments de type nationaliste dans les propos qu'utilisent pour masquer leurs ambitions les groupes sociaux tenus à l'écart par l'entente douillette des seigneurs, du clergé et des administrateurs britanniques, qui forment la classe dirigeante de la société québécoise avant 1791. De temps à autre, on rencontre même le mot nation dans une pétition. Il ne fait guère de doute non plus que la prospérité agricole de la fin du dix-huitième siècle commence de produire une nouvelle génération instruite, capable d'occuper des métiers autres que les métiers traditionnels de l'agriculture, de l'artisanat et du commerce. Si ces nouvelles générations sont devenues nationalistes par la suite, il reste à savoir quand et comment elles le sont devenues. Fernand Ouellet fait remonter cette évolution aux difficultés de l'agriculture qui, selon lui, ont commencé dans la première décade du dix-neuvième siècle. Pour d'autres, le tournant se situe plus tard. La polémique est alimentée par les nouvelles méthodes et les perspectives de l'histoire économique, et elle dure depuis les années soixante, donnant lieu à beaucoup d'analyses historiques de qualité, mais ne rendant pas compte de manière convaincante du comportement des habitants. Il est indiscutable que l'agriculture a connu de grosses difficultés après 1815 et surtout après 1830; mais quant à savoir si elles sont à l'origine du nationalisme au Québec ou si celui-ci est à rechercher dans des causes plus anciennes, c'est une question encore largement débattue de nos jours. Quoi qu'il en soit, dans la décennie 1790-1800, il n'y a pas de personnalités qui se proclament patriotes dans l'arène politique du Bas-Canada; dans les années 1830, elles tiennent incontestablement le haut du pavé. Quelque part entre ces deux dates, les nationalistes sont nés et avec eux le nationalisme.

Entre ces deux dates, la stratification sociale du Québec va aussi beaucoup se modifier. Le réseau d'intérêts et de craintes qui, après la Conquête, s'était tissé entre les administrateurs et officiers britanniques, les seigneurs et le clergé pour former ce que l'historien Alfred Dubuc a appelé le pacte aristocratique va se dissoudre à la fin du dix-huitième et au début du dix-neuvième siècle. Sa dissolution tient en partie au fait que l'une de ses composantes, le groupe des seigneurs, disparaît en tant que classe sociale. Mais elle tient aussi en partie à l'émergence du nationalisme. Là où naguère les alliances entre divers groupes situés au sommet de l'échelle sociale reposaient sur les liens du sang et du rang, et sur les valeurs aristocratiques et hiérarchiques, ce sont maintenant les liens d'appartenance à l'un ou l'autre des groupes ethniques qui commencent à se faire sentir. Tout naturellement, c'est donc la classe des marchands — composée essentiellement d'anglophones et située à la fin du dix-huitième siècle juste au-dessous du pacte aristocratique dans la hiérarchie — qui commence de s'élever. Dans les années 1830, cette catégorie a complètement pris la place des seigneurs; elle siège dans les conseils du gouverneur et dîne avec ses officiers. Le seul groupe de Canadiens qui ait réussi à se maintenir au sommet, le clergé, s'y maintient au prix de multiples difficultés, menacé qu'il est par la défiance des responsables britanniques à son égard, par la crise religieuse provoquée par la révolution du monde atlantique, par des dissensions en son sein, et par les liens familiaux, amicaux et sentimentaux qui l'unissent justement au groupe d'où commencent d'émaner les clameurs nationalistes. Ce groupe, sorti du peuple, formé en grande partie par le clergé pour occuper les nouvelles professions de la moyenne bourgeoisie, lorgne maintenant vers les situations du haut de l'échelle. Comme dans le cas des marchands, ses aspirations sociales et économiques peuvent peut-être suffire à expliquer son attitude. Reste, au bas de l'échelle sociale, la masse du peuple sur laquelle les perspectives de mobilité sociale ne peuvent exercer aucun attrait: en matière de mobilité, elle ne connaît que la mobilité géographique et les fluctuations de ses revenus (en général, plutôt vers le bas), deux types de problème qui la rendent réceptive au discours nationaliste. C'est de cette façon qu'une structure sociale héritée de l'Ancien Régime se pare des plumes de la modernité avec une inflexion dans le sens du nationalisme.

Les premières victimes de la révolution du monde atlantique sont les seigneurs. Leur impuissance à mobiliser les habitants au moment de la révolution américaine a mis en évidence leur inutilité pour le pacte aristocratique. Cela ne les empêche pas de s'accrocher aux privilèges de leur état et aux quelques charges que leur a ouvertes l'Acte de Québec au Conseil dans l'administration, la justice, et même, occasionnellement, dans l'armée. Habitués depuis l'époque du régime français à considérer que leur rang social est lié à la proximité du pouvoir, ils s'occupent peu de leur seigneurie et laissent passer la chance unique qui s'offre à eux de devenir réellement des chefs d'entreprises agricoles prospères, voire dynamiques, à une époque où les prix montent et où s'ouvrent de nouveaux marchés. Malheureusement, la seule denrée de leur domaine que la plupart d'entre eux considèrent comme exploitable,

avant que le commerce du bois n'ouvre des perspectives intéressantes bien après le tournant du siècle suivant, ce sont les
habitants eux-mêmes. Plus les prix agricoles montent, plus les
droits seigneuriaux montent aussi. Des revenus intéressants se
présentent également du côté des terres nouvellement concédées où le seigneur augmente les redevances en espèces aussi
bien qu'en nature. Il va de soi que, dans ces conditions, les
habitants ne portent guère les seigneurs dans leur coeur.

Cependant, le système de la tenure seigneuriale va durer
encore un demi-siècle. Cela est dû en partie au fait qu'un certain nombre de seigneurs, à titre individuel sinon en tant que
classe sociale, continuent d'être des personnages puissants. Ils
sont membres de l'Assemblée, au moins pendant les quatre
années qui suivent 1792, tout en faisant partie du Conseil
législatif. Un certain nombre d'entre eux parviennent même à
se racheter sur le plan militaire pendant la guerre de 1812.
Une autre raison pour laquelle le système réussit à se perpétuer si longtemps est le fait que de nombreux nouveaux venus
n'appartenant pas à la classe seigneuriale traditionnelle acquièrent des propriétés terriennes dans le cadre du régime seigneurial. Au dix-huitième siècle, des marchands, pour la plupart anglophones, achètent des seigneuries pour le prestige
social et découvrent ensuite qu'elles sont d'une bonne rentabi-
lité, tout d'abord pour l'agriculture à la fin du dix-huitième et
ensuite, au dix-neuvième, pour le bois. Certes, il se trouve au
Québec des Anglais et des Américains pour maugréer contre ce
vestige de l'Ancien Régime, mais ceux d'entre eux qui se trouvent effectivement propriétaires de terres seigneuriales, et la
plupart sont riches, sont rarement des partisans de l'abolition.
Un autre facteur contribue à prolonger la vie du régime seigneurial: c'est l'attrait que ce dernier exerce sur une classe
sociale entièrement nouvelle: les professions libérales. Des
gens dont le mode de vie, l'éducation et les convictions représentent un démenti à un système de propriété foncière fondé sur
l'appartenance à une caste, sur la transmission héréditaire et
sur l'inféodation, aspirent pourtant à acquérir le prestige social
qui continue d'être lié à la propriété foncière. Dès qu'ils peuvent réunir les capitaux nécessaires, ils s'empressent souvent
d'acheter une seigneurie lointaine et la moins chère possible.
C'est ce que fait l'arpenteur Joseph Papineau avec la seigneurie de la Petite Nation sur la rivière des Outaouais, entre Montréal et Hull; il la revend ensuite à son fils Louis-Joseph qui
s'avérera l'un des seigneurs les plus intraitables du dix-neuvième
siècle. Mais la raison déterminante de la longévité du système
seigneurial, c'est le rêve nationaliste, propagé par des gens qui

eux-mêmes se trouvent peut-être dans l'incapacité de faire leur chemin dans le monde en acquérant une seigneurie. Papineau a pu en acheter une, mais il y a peu de ses collègues de l'Assemblée législative, du monde du journalisme ou du monde politique, dans son cas. Ces gens-là peuvent néanmoins en rêver, et il est évident que le système seigneurial de propriété foncière est un élément important pour quiconque rêve de distinguer les Canadiens français des autres.

Le clergé catholique représente un autre élément de ce rêve. Sa position est cependant plus difficile à définir. Sans aucun doute, le clergé a joué un rôle clé dans le pacte aristocratique. Il a facilité l'enracinement du régime britannique en servant de médiateur. Il est même possible qu'il ait constitué le seul rempart contre l'enthousiasme populaire vis-à-vis des envahisseurs américains en 1775-1776. Mais le clergé ne constitue pas une classe sociale à proprement parler, car il se recrute dans toutes les couches de la société et — en ce qui concerne les hommes — il importe de France nombre de ses cadres. Néanmoins, en dépit de cette hétérogénéité interne et peut-être à cause d'elle, le clergé représente une voie d'ascension sociale: en franchissant ses échelons, il est possible d'acquérir une formation, une position sociale et même un pouvoir. Mais le clergé n'a jamais constitué un parti politique clairement définissable comme ceux qui commencent à prendre forme au début du dix-neuvième siècle. On y rencontre autant d'opinions politiques qu'il y a d'origines sociales qui le constituent. Cela ne l'empêche pas de coller étroitement au pouvoir politique; son flair lui fait sentir d'où souffle le vent et il en épouse les changements. Se gardant bien de quitter son camp de base auprès du gouverneur, il tente néanmoins une sortie en direction du parti qui va devenir de plus en plus populaire à l'Assemblée dans la décennie 1820.

Tout en étant proche du pouvoir, l'Église catholique canadienne n'est au début du dix-neuvième siècle ni omnipotente, ni omniprésente. Son action spirituelle et son action sur la société se sont trouvées toutes les deux sérieusement limitées par le manque d'effectifs, par les problèmes financiers et par la crise générale des valeurs à laquelle l'ensemble des institutions de l'Ancien Régime se sont trouvées confrontées dans tout le monde occidental. Jamais il n'y a eu assez de prêtres pour desservir toutes les paroisses du Bas-Canada, à plus forte raison pour fournir des enseignants aux écoles et aux collèges. En 1780, il y avait un prêtre pour 750 habitants, et ce taux est tombé à peine un pour 1400 en 1810 et à un pour un peu plus de 1800 en 1830. Sans les religieuses, l'Église n'aurait pu remplir aucune de ses obligations sociales: enseignement aux enfants et aux jeunes filles, soins aux malades et aux vieillards, assistance aux pauvres. En outre, les prêtres canadiens ne sont pas particulièrement bien formés, car ils n'ont reçu aucune préparation théologique rigoureuse. Ils doivent affronter l'hostilité à peine déguisée des prêtres venus de France et le dénigrement direct des pasteurs anglicans. Ils doivent faire face aussi à l'indifférence religieuse de leurs paroissiens auxquels ils essaient de faire adopter une conduite plus digne dans les églises et moins scandaleuse dans la vie quotidienne. En 1808, il devient même nécessaire de faire voter par l'Assemblée une loi pour faire respecter un semblant d'ordre pendant les offices religieux. Et, comme précédemment, le clergé a beaucoup de mal à soutirer à ses paroissiens un soutien financier que ce soit sous forme de dîme ou de réparation d'églises.

Le «surintendant des Églises romaines» n'a pas une situation plus assurée que celle de ses prêtres. Monseigneur Joseph-Octave Plessis se trouve fort démuni pour plaider sa cause: en face de concurrents anglicans qui ont les amis et l'argent pour faire prévaloir leur volonté d'assurer la suprématie de l'Église d'Angleterre, il ne dispose d'aucune reconnaissance officielle et d'aucune tribune politique. Il ne peut nommer de nouveaux prêtres qu'avec l'approbation du gouverneur. Il n'a pas le pouvoir d'ouvrir de paroisses, celles-ci relevant maintenant du pouvoir civil. Il n'est jamais sûr que le gouverneur ne jettera pas son dévolu sur les biens de l'Église. En 1800 déjà, le gouvernement s'est emparé des terres des Jésuites et des Récollets prétendument pour les besoins de l'éducation. Mais cette éducation sera-t-elle catholique? L'avenir de monseigneur Plessis et celui de son Église vont dépendre largement des circonstances extérieures. Les guerres du début du dix-neuvième siècle entre la Grande-Bretagne et la France ont laissé craindre à Londres des tensions religieuses au Québec. La guerre contre les États-Unis qui suit, en 1812, donne au clergé canadien l'occasion de montrer une fois de plus sa loyauté. En 1818, monseigneur Plessis est officiellement et légalement reconnu comme évêque de Québec; depuis 1813, il reçoit une pension annuelle du gouverneur et, depuis 1817, siège au Conseil législatif.

La position difficile de l'Église n'a pas échappé aux nouveaux groupes politiques qui se sont formés à l'Assemblée. Peut-être même ces groupes politiques et leur message nationaliste n'auraient-ils jamais pris forme si l'Église avait eu une position plus forte au début du dix-neuvième siècle. Ayant leurs propres idées démocratiques et leurs propres projets politiques, ceux des membres des nouvelles professions libérales qui peuvent se faire entendre à l'Assemblée considèrent le clergé avec quelque défiance. Cette défiance repose en partie sur l'anticléricalisme caractéristique de leur époque et de leur catégorie sociale et, en partie, sur le fait qu'ils voient d'un mauvais oeil la collaboration trop étroite de l'Église avec le gouverneur; les parlementaires sont constamment en désaccord avec celui-ci. Mais il y a aussi de leur part une certaine jalousie. Car le clergé et les nouvelles professions libérales visent le même objectif: dominer idéologiquement la société québécoise. Leurs armes et leur tactique se ressemblent également: c'est le prestige de l'instruction, l'habileté à communiquer, l'aisance à manier les idées, leur seule différence résidant dans la nature de ces idées; et même les différences ne sont pas toujours évidentes. Aussi en 1810, le clergé enjoint-il à la fois à tous les fidèles de se ranger derrière le gouverneur dans son conflit avec l'Assemblée et de continuer à s'abonner au journal préféré des parlementaires, *Le Canadien*, qui est à l'origine du conflit. Dans l'autre camp, il arrive que les membres des professions libérales regardent de travers le comportement politique du clergé, mais continuent d'envoyer leurs fils en recevoir l'enseignement. Il n'est donc pas étonnant que les deux groupes commencent à prendre des contacts après 1820, chacun d'eux cherchant le soutien politique de l'autre. Parallèlement, le discours nationaliste se mit à faire une place plus grande aux valeurs religieuses, considérées maintenant comme typiquement canadiennes-françaises et méritant de ce fait d'être sauvegardées. Dans le même temps, le nouvel évêque du diocèse nouvellement créé de Montréal, monseigneur Jean-Jacques Lartigue, commence à intégrer d'une manière tout à fait inhabituelle des valeurs nationalistes dans ses messages religieux. Les différences entre le clergé et les professions libérales ne sont évidemment pas destinées à disparaître complètement, mais une alliance s'esquisse.

Les possibilités d'alliance sont plus réduites avec le groupe des marchands qui est lui aussi en mutation. Les marchands du début du dix-neuvième siècle conservent très peu de choses en commun avec les groupes qui ont formé le pacte aristocratique à la fin du dix-huitième et encore moins avec les nouvelles classes moyennes qui ont émergé au début du dix-neuvième. La raison d'être des marchands est le commerce, leur champ d'action, le continent et l'Empire. Les restrictions politiques et géographiques imposées à leur commerce les ont irrités; la division de la province entre Haut-Canada et Bas-Canada en 1791 les ont rendus furieux. Ils ont bien essayé de prendre la majorité dans les premières assemblées, mais comme le nombre de leurs représentants est tombé de cinquante pour cent à trente en 1810, ils cèdent lentement la place aux nouvelles classes moyennes. Pendant que ces transformations s'opèrent, la composition interne de leurs groupes ne cesse pas non plus d'évoluer. Les plus riches adoptent un style de vie modelé sur celui de l'aristocratie; ceux de la base suivent l'essor d'une agriculture qui se commercialise et d'un commerce du bois qui commence à se développer. Les premiers contribuent ainsi à perpétuer le pacte aristocratique tout en prenant peu à peu la place des seigneurs, tandis que les seconds prennent l'habitude de demander à l'État son aide et son intervention pour réaliser leurs projets de développement commercial du Saint-Laurent. La Chambre d'assemblée ne leur apportant pas les succès électoraux escomptés, ils font usage de la puissance que leur apporte l'argent pour s'assurer des postes dans les conseils proches du gouverneur, n'hésitant pas à changer de credo politique. Après avoir été les principaux adversaires du gouverneur pendant les années qui ont suivi la Conquête, les marchands — dont la composition s'est, il est vrai, modifiée et diversifiée — sont devenus en 1820 les alliés les plus fidèles du gouverneur.

Ainsi, confortablement installés près du gouverneur et parlant pour la plupart la même langue que lui, les représentants de la grande bourgeoisie d'affaires de la société québécoise deviennent la cible privilégiée de la nouvelle classe moyenne. Cette bourgeoisie d'affaires détient à la fois le pouvoir économique et le pouvoir politique que les membres des professions libérales convoitent. Parmi ces derniers, la plupart dédaignent le commerce et revendiquent leur place dans la société au nom des études qu'ils ont faites et qui leur confèrent une haute idée de leur importance intellectuelle. Lorsque ce discours demeure sans écho, ils ont recours à la note nationaliste: les Anglais détiennent le pouvoir; les Français sont écartés du pouvoir. Ils croient que les positions respectives des deux groupes se définissent par le favoritisme dans le cas de l'un et la discrimination dans le cas de l'autre. Il est donc facile d'y remédier: que l'on remplace les privilégiés anglais par des Français, en les plaçant aux endroits clés, en leur donnant éventuellement la haute main sur l'administration et les données économiques seront redistribuées au bénéfice de la société tout entière.

Quelle est-elle donc cette classe moyenne, cette classe regroupant les professions libérales, si encline à revêtir ses ambitions politiques du manteau du nationalisme? Dans les deux dernières décennies du dix-huitième siècle, on aurait pu compter ses membres sur les doigts de la main: un notaire par-ci, un avocat par-là, un médecin ailleurs. Après 1820, ils sont trop nombreux, plus nombreux que ne peut en absorber une société agricole en récession économique. Issus des couches supérieures des familles d'agriculteurs ayant les moyens de faire faire des études à l'un de leurs fils, ils sont apparus dans une période de prospérité agricole. Ils exercent leurs métiers respectifs — notaire, arpenteur, avocat, médecin, petit commerçant, journaliste — au sein de la population rurale et ils ont maintenu leurs liens avec cette population même lorsqu'ils sont allés vivre dans les villages d'abord, puis dans les villes, y compris dans les grands centres urbains de Québec et Montréal. Lorsque les difficultés surviennent dans l'agriculture, c'est eux qui se font l'écho des craintes des habitants. En somme, ils ont remplacé progressivement le seigneur, le capitaine de la milice, le prêtre et même le gros fermier en tant que cadres de la population rurale, prodiguant le savoir, les conseils, quelquefois l'argent, et dans les années 1820, l'organisation politique. C'est parce que leur éducation et leurs activités les préparaient aux débats publics, aux arcanes de la politique et aux finesses procédurières qu'ils se sont adaptés si facilement aux institutions politiques en 1791. En 1810, ils représentent déjà plus d'un tiers de la Chambre d'assemblée; dans les années 1830, ils possèdent la majorité absolue dans le cadre du Parti canadien.

La spécificité de la nouvelle classe moyenne réside précisément dans l'intérêt qu'elle porte aux choses sociales et politiques. Contrairement aux seigneurs, aux commerçants et même aux habitants du régime français, cette nouvelle classe en cours de formation n'a aucune base économique. La plupart des personnes qui la constituent ne remplissent même pas la fonction militaire qui a rendu à la fois les seigneurs et les habitants précieux pour l'État. On dirait cependant que cette nouvelle classe a pris comme modèle de conduite les seigneurs qui essaient de s'assurer une fonction dirigeante en se rapprochant du pouvoir. Ce que ces gens ne voient pas, c'est que le déclin des seigneurs et la montée concomitante de la classe des marchands trouvent leur fondement dans l'économie. C'est parce que les seigneurs n'ont pas veillé à assurer une base économique solide à leurs prétentions politiques que la classe des commerçants monte, elle qui précisément possède cette base. La seule fonction économique remplie par la nouvelle classe moyenne, c'est une fonction de services. Mais ces services sont anachroniques: pendant la phase de prospérité agricole, ils correspondent à un besoin et seront à nouveau utiles plus tard dans le cours du dix-neuvième siècle en accompagnant l'industrialisation. Mais pendant le début du dix-neuvième siècle, où ne prévaut aucune de ces conditions, la nouvelle classe moyenne est économiquement inutile. Elle en est probablement consciente, c'est pourquoi elle cherche à se faire une place dans la société grâce à son activité politique débordante. Elle se dit que plus elle occupera le terrain politique et plus elle aura de prise sur le système de patronage qui accompagne l'exercice du pouvoir politique. C'est ce pouvoir qui décerne les emplois, et les membres des nouvelles professions libérales se disent qu'ils ont justement le type de compétences nécessaires à l'exercice des charges publiques.

Manquant de bases économiques sur lesquelles appuyer ses ambitions politiques et sociales, la classe moyenne a recours à ce à quoi son éducation l'a préparée, c'est-à-dire à l'idéologie. Importé d'Europe, ayant l'allure du libéralisme, le principe d'autodétermination pouvait conférer aux nations les caractères attribués aux individus: leur spécificité se manifestait conformément aux lois naturelles et demandait à s'exprimer librement et totalement. En vertu de ce principe, rien de plus simple que de revendiquer des caractères propres de langue, de religion et d'institutions pour les Canadiens français. Rien de plus agréable aussi que de se présenter comme leur porte-parole.

Mais il n'est pas aussi simple d'en persuader l'ensemble de la population. Les habitants n'ont ni le temps, ni la patience, ni la préparation nécessaires aux discussions philosophiques; le seul moyen de les atteindre, c'est la terre. Les trois quarts de la population du Bas-Canada vivent de la terre. Au fur et à mesure que la population grandit, les terres cultivées s'étendent. Peu à peu, elles lancent des tentacules en direction de la rive sud du Saint-Laurent, emplissant les zones du sud de la rivière Richelieu qui ont été dévastées après l'invasion américaine du dix-huitième siècle ainsi qu'après la brève incursion des Américains au cours de la guerre de 1812. Aux pieds des Laurentides, la rive nord de la rivière des Outaouais est peu à peu conquise, à l'intérieur des seigneuries existantes et par extension de celles-ci. Entre 1820 et 1830, les Cantons de l'Est, théoriquement réservés aux colons anglais, sont graduellement grignotés, et après 1830, les terres cultivées s'avancent en direction du Saguenay. Cependant, lorsqu'à la fin de la décennie de 1820, les terres cultivables se font rares et s'appauvrissent, l'agriculture commence à connaître une certaine désaffection et un timide courant d'émigration se dessine en direction des États-Unis. Car la seule mobilité que connaissent les habitants est d'ordre géographique, et non d'ordre social ou intellectuel. Il se peut qu'ils se soient adaptés à la demande croissante de blé et ensuite de bois, qui s'est fait jour à la fin du dix-huitième siècle et au début du dix-neuvième, tout comme il se peut que plus tard ils aient pris acte du déclin du marché d'exportation pour le blé et qu'ils aient commencé de cultiver des pois, des haricots et des pommes de terre. Nombre d'entre eux ont sans doute aussi vu leurs revenus et leurs chances d'aventures diminuer avec le déclin de la traite des fourrures dans l'Ouest. En tout cas, quoi qu'ils aient fait, tout porte à croire qu'ils se sont progressivement appauvris pendant la première moitié du dix-neuvième siècle. Néanmoins la grande majorité d'entre eux sont électeurs, et c'est en cela qu'ils intéressent la classe moyenne qui tire parti de leur peur (peur des impôts, peur des rachats, peur de l'immigration anglaise), pour se gagner leurs suffrages. Aux alentours de 1825, le degré de succès électoral du Parti canadien reflète étroitement les difficultés économiques des habitants.

Enfin, il existe un groupe social auquel personne ne s'intéresse. Dans les centres urbains de Montréal et Québec, qui, vers 1825, abritent chacun environ vingt-cinq mille âmes, une main-d'oeuvre ouvrière se développe et acquiert des caractères qui lui sont propres. Un bon quart de cette main-d'oeuvre est féminine. En 1825, à Montréal, ces femmes sont essentiellement des domestiques, des journalières, des prostituées, des religieux et des enseignantes; quelques-unes trouvent aussi à s'occuper comme gouvernantes, blanchisseuses, sages-femmes, couturières, employées de forge, aubergistes ou bien marchandes de tissu. Il se peut que nombre de ces femmes aient omis de déclarer un emploi à Jacques Viger, agent recenseur particulièrement curieux, ou qu'il se soit adressé à elles au moment où elles étaient en chômage saisonnier, ce dernier sévissant de manière endémique chez les travailleurs de Montréal et Québec pendant tout le dix-neuvième siècle. Quant aux hommes, ils sont aussi employés comme domestiques, tâcherons et charretiers dans le cadre du commerce d'importation et d'exportation de Montréal; celui-ci est très florissant, mais soumis à des aléas saisonniers. Il y a toujours des artisans fabriquant et vendant directement des chaussures, des vêtements et des ustensiles ménagers, avec l'aide éventuelle d'un apprenti. Mais des unités de production plus grandes, dans le domaine de la chaussure et de l'alimentation, emploient aussi des manoeuvres. L'une de ces grandes entreprises est la Brasserie Molson. La situation est identique à Québec, où l'on rencontre en outre un nombre important de débardeurs, de marins, de draveurs et, sans aucun doute, de prostituées, en raison du commerce d'exploitation du bois, lui aussi important et saisonnier. La classe moyenne ne voit dans tous ces gens que leur utilité politique; certes, à l'exception des ouvriers très qualifiés, la plupart d'entre eux ne remplissent pas les conditions de propriété, et ne sont pas en mesure d'acquitter les droits requis pour être électeurs, mais en temps d'élection, beaucoup d'entre eux sont susceptibles d'être utilisés comme gorilles et remplissent effectivement cet office. En cette période où le vote est oral, chaque électeur proclamant publiquement son choix, une équipe de gros-bras s'avère souvent utile.

Exception faite pour la plus grande partie de ce dernier groupe social de travailleurs urbains, la nouvelle classe moyenne réussit à faire passer son message nationaliste à travers tout le Bas-Canada pendant les premières décades du dix-neuvième siècle. Et s'il réussit, c'est en raison des grandes turbulences que doit subir le Québec pendant cette période; en effet, en moins de trente ans, c'est toute la structure économique du Québec qui change: tandis que la traite des fourrures disparaît, l'agriculture entre dans une lente récession et seul le nouveau commerce du bois offre un répit à quelques régions. Nous connaissons encore les conséquences idéologiques, sous la forme du nationalisme de ces bouleversements. Même sans fondement économique solide, une classe moyenne qui était à la fois le produit et le manipulateur des transformations économiques se perpétuera au Québec pendant encore un siècle.

L'intérêt du Québec pour l'ouest du continent décline en même temps que la traite des fourrures. Après 1800, il se trouve de moins en moins de Canadiens français pour partir dans l'Ouest comme employés de la Compagnie du Nord-Ouest. Cette compagnie doit elle-même faire face à une réduction de la demande venant d'Angleterre et à une concurrence accrue dans l'Ouest. À peine a-t-elle absorbé l'une de ses rivales en 1804 qu'il s'en trouve d'autres sur la côte du Pacifique. La Compagnie de la Baie d'Hudson, qui jouit d'un accès plus facile vers le nord-ouest continental, occupe le terrain. En apportant une assistance financière à l'établissement de Selkirk sur la rivière Rouge à partir de 1812, la Compagnie de la Baie d'Hudson espère couper les voies de l'Ouest aux commerçants de Montréal. Mais dès cette époque, les exportations de fourrures à partir de Québec sont tombées à un niveau très inférieur à ce qu'elles étaient. En 1790, ces exportations représentaient en valeur la moitié de toutes les exportations; en 1810, elles arrivent péniblement à dix pour cent. Ces exportations sont même appelées à disparaître sous la pression de la concurrence acharnée que leur fait la Compagnie de la Baie d'Hudson. En 1821, les commerçants montréalais de la Compagnie du Nord-Ouest renoncent, unissent leurs forces avec celles de leurs rivaux du Nord et, devenus membres de la Compagnie de la Baie d'Hudson, poursuivent la traite canadienne à partir des ports nordiques. C'est la fin de l'activité qui a lié le Québec à l'Empire, à la fois sur le continent nord-américain et par-delà les mers. Le commerce qui avait modelé la géographie et l'économie de la province pendant deux cents ans disparaît ainsi.

Après avoir tenu sa place pendant un temps sur la scène de l'Empire, l'agriculture du Québec, qui emploie beaucoup plus de monde que la traite n'en a jamais employé, entre à son tour en récession et suffit à peine à nourrir les agriculteurs. On ne sait pas exactement quand cette récession s'est produite. Il ne fait pas de doute que dans les années 1790, on trouvait sur les marchés impériaux à Londres et aux Antilles du grain, de la farine et des biscuits venant du Québec; en 1810, on ne les y trouve plus. Pendant la guerre de 1812, l'agriculture du Québec avait dû répondre à la demande croissante des troupes britanniques et de la milice canadienne en lutte contre les Américains, mais la guerre n'était pas plus tôt finie que des difficultés sérieuses se faisaient jour. Tout le monde est d'accord sur un point: en 1815, l'agriculture du Bas-Canada était en état de crise et ne devait guère en sortir qu'après 1850.

Si donc la crise elle-même ne fait pas de doute, ses causes sont toujours sujettes à controverses. À tour de rôle, les historiens ont mis le triste état de l'agriculture sur le compte de la baisse de la demande britannique, de la fluctuation des prix impériaux, de l'augmentation des tarifs de transports, de la concurrence des produits américains moins chers, et de la baisse qualitative et quantitative de la production au Bas-Canada lui-même. En particulier, les questions concernant les méthodes de production et leurs résultats ont donné lieu à des querelles très vives: les habitants étaient-ils incompétents et refusaient-ils de moderniser leurs techniques agricoles? Se consacraient-ils uniquement aux produits susceptibles de subvenir aux besoins de leurs familles: avoine, orge, pomme de terre, foin et bétail? Au contraire, ces habitants étaient-ils avisés et avaient-ils le sens du commerce; ce qui les amenait à se consacrer aux produits nouveaux pour répondre non à la demande de l'étranger, mais à celle plus proche et plus lucrative des villes et du commerce du bois en plein développement? Ou bien encore ces habitants s'embauchaient-ils dans les chantiers forestiers au détriment de leur propre production agricole?

Incontestablement, la terre ne rend plus. Dans les seigneuries anciennes, vers 1820, le sol est visiblement épuisé et, sauf dans les Cantons de l'Est où peu de Canadiens français se sont aventurés, sur les terres nouvellement conquises, les arbres poussent mieux que le blé. Et pourtant, il faut bien étendre les terres cultivables au fur et à mesure que la population déborde les seigneuries existantes. On ne peut pas diviser indéfiniment les propriétés entre les héritiers: lorsqu'une ferme est réduite à la largeur d'un sentier carrossable, on ne peut pas s'attendre à ce qu'elle produise beaucoup ni à ce qu'elle puisse en faire vivre ses jeunes. Certaines des filles ont pu trouver des emplois de domestiques dans les villes, comme elles vont le faire à la fin du siècle, mais la plupart des garçons n'ont d'autre ressource que de devenir ouvriers agricoles. Ils passent d'une seigneurie à l'autre à la recherche d'un travail hypothétique, n'ayant même pas l'espoir d'un héritage paternel avec lequel ils achèteraient une terre de plus en plus rare. Ils ne font qu'ajouter à la crise de l'agriculture, car leur nombre vient grossir celui des bouches à nourrir. Dès avant 1830, le Québec est obligé d'importer des produits alimentaires du Haut-Canada.

La crise agricole a des répercussions sur l'ensemble des catégories sociales. Au fur et à mesure que les habitants s'appauvrissent en raison de la chute de leurs exportations de blé et de leur incapacité en conséquence à acheter des produits importés, les liens, si minimes fussent-ils, qui les reliaient au monde extérieur, se rompent. Le fait que l'agriculture devienne une agriculture de subsistance entraîne un retour à la production domestique des biens de ménage, ce qui porte un dur coup à l'activité des artisans indépendants et des petits commerçants ruraux. De même l'appauvrissement des habitants signifie qu'ils ont moins recours aux services des professions libérales qui elles, cependant, ne cessent de s'accroître. Les problèmes des habitants mettent au désespoir la classe commerçante dont les activités d'importation et d'exportation souffrent cruellement; elle essaie de compenser ses pertes en envisageant de se livrer au transport de produits agricoles du Haut-Canada et même du Midwest américain. Cela ne peut cependant se faire que si elle dispose d'institutions, de crédit — ce n'est qu'en 1816 que s'ouvrent les premières banques du Bas-Canada — et elle a aussi besoin que les moyens de communication soient améliorés; elle a notamment besoin de routes et de canaux. Il va bientôt s'avérer impossible de concilier l'appartenance à l'Empire et à un Bas-Canada de plus en plus autarcique, le Saint-Laurent tendant à ressembler plus à un lac qu'à un cours d'eau. La crise de l'agriculture n'épargne pas non plus les seigneurs et le clergé. Peut-être même ces deux dernières catégories aggravent-elles les difficultés des habitants, dans la mesure où les impôts seigneuriaux et religieux viennent accroître leurs charges. On voit même des seigneurs refuser de concéder des terres à des fermiers trop pauvres. En effet, là où l'habitant est insolvable, les bénéfices du seigneur et du clergé sont touchés.

Au milieu de ces sombres perspectives économiques, une petite lumière brille cependant. En conséquence de la demande massive de la Grande-Bretagne pendant les guerres napoléoniennes, le commerce du bois québécois est florissant et fournit des emplois et des ressources. En raison du blocus des ports du continent effectué par les Français après 1806, les approvisionnements à partir de la Baltique ont été coupés et la Grande-Bretagne est prête à payer plus cher pour recevoir du bois venu d'Amérique du Nord. Au début, quelques habitants isolés ont perçu dans ce commerce la possibilité d'augmenter leurs revenus en coupant le bois de leurs propres parcelles. Puis l'extension du commerce forestier a entraîné l'ouverture d'un marché local de produits agricoles constitué de produits alimentaires destinés aux équipes de bûcherons installées dans les chantiers d'hiver. Nombre d'habitants trouvent à s'employer dans ces chantiers, de même que dans le port de Québec dont l'activité d'exportation est en pleine expansion. Le chargement des bateaux s'effectuant à cette époque à bras d'hommes, il nécessite l'emploi d'une grande quantité de main-d'oeuvre, employée souvent de manière saisonnière. En 1810, le port de Québec abrite quelque six mille débardeurs et matelots. Il faut les nourrir, eux aussi, et leur approvisionnement fait appel non seulement à l'agriculture locale, mais aussi aux produits importés des États-Unis. Cette activité fait du bois la principale denrée d'exportation, et en 1810, le commerce du bois représente en valeur les trois quarts de tous les produits transportés à partir de Québec. Il va fléchir ultérieurement, mais ce phénomène va rester limité grâce aux droits de douane préférentiels fixés par les Britanniques: ceux-ci vont maintenir ce commerce, et avec lui la plus grande partie de l'économie québécoise, en état de fonctionnement jusqu'après 1840.

En dehors de ses conséquences économiques, le commerce du bois a deux types de répercussions sociales sur le Bas-Canada: là où le commerce est prospère, le nationalisme ne l'est pas, comme si, en maintenant le lien avec l'Empire, le commerce du bois avait maintenu les régions dans lesquelles on le trouve à l'écart des tentations idéologiques et politiques. La région de Québec en particulier, mais aussi l'Outaouais, ne sont pour ainsi dire pas touchés par les thèses nationalistes. Mais, dans le même temps, le commerce du bois entraîne dans son sillage un problème qui exacerbera la crise du monde agricole en donnant au discours nationaliste une tonalité ethnique malsaine: les bateaux servant au transport du bois emplissent leurs soutes, pendant le voyage de retour, d'immigrants miséreux qui servent à lester les navires en échange d'une traversée à prix modique. Ces malheureux parcourent les villes à la recherche d'un travail et les campagnes, à la recherche de terres. Entre 1815 et 1830, le Québec en voit arriver plus de cent mille et bien que la majorité ne fassent que traverser la province pour se rendre dans le Haut-Canada et dans l'Ouest des États-Unis, la conscience populaire en sera marquée de manière indélébile; ne sont-ils pas envoyés pour prendre les terres et les emplois? Certes, ils sont pauvres comme les gens d'ici, mais ils sont anglophones et quelquefois ils apportent des maladies. Tout cela n'est-il pas fait exprès?

Les nouveaux membres des professions libérales ne font pas grand-chose pour dissiper ces frayeurs. Comme ils sont inquiets pour leurs propres moyens d'existence et enclins à considérer la présence commerciale britannique comme un obstacle à leurs chances d'ascension sociale et politique, on ne peut pas s'attendre à ce qu'ils offrent d'autre mode d'explication à ceux qu'ils influencent, parents, clients et électeurs du monde agricole. Ils ont même la possibilité de tirer parti de ces peurs. Les changements économiques qui se sont produits pendant cette période, la fin du commerce des fourrures dans l'Ouest et l'état désastreux de l'agriculture, tout cela constitue une base propice au développement du message nationaliste dans le peuple. Les habitants et la nouvelle classe moyenne se sentent également menacés. Le nationalisme leur indique la cause de cette menace: c'est l'étranger, l'autre. Par une ironie du sort, cet «autre» leur a fourni le moyen d'exprimer ces idées publiquement: les institutions parlementaires que la Grande-Bretagne a mises sur pied dans la colonie en 1791 offrent aux Canadiens français une tribune pour exprimer publiquement, parfois bruyamment, leur insatisfaction croissante. Pendant les premières décades du dix-neuvième siècle, les politiciens canadiens-français, qui appartiennent presque tous aux nouvelles professions libérales, ont acquis les techniques du parlementarisme et se sont progressivement fondus, ainsi que leur électorat, en un parti politique hautement discipliné, le Parti canadien.

Les problèmes ont commencé très tôt au début du siècle. En 1805, les groupes rivaux s'affrontent à l'Assemblée et dans la presse à propos de la politique économique. En essayant de faire modifier certains chapitres du régime seigneurial, les marchands ne réussissent qu'à déclencher l'hostilité des représentants de la nouvelle classe moyenne dont le nombre va croissant, et ces derniers obtiennent gain de cause. Ces mêmes groupes s'opposent sur la question du financement des nouvelles prisons de Montréal et Québec: au grand désespoir des marchands, il est décidé que les revenus nécessaires à ces constructions seront prélevés sur les importations et non par une taxe foncière. Les marchands expriment leur mécontentement dans le *Mercury* de Québec et dans la *Gazette* de Montréal; à quoi l'Assemblée réagit en faisant arrêter les rédacteurs pour libelle. Un certain nombre de parlementaires soutiennent alors l'un de leurs collègues, Pierre Bédard, et en 1806, il fonde le premier journal purement francophone, *Le Canadien*. Les tendances démocratiques de ce journal ne plaisent ni au gouverneur, ni au clergé. Dès le début, Bédard affirme que la responsabilité ministérielle devant l'Assemblée est une conséquence logique du principe constitutionnel et des usages britanniques; il est accusé de bafouer les liens de la colonie avec la Couronne et les saines notions de subordination. Sir James Craig — qui fut gouverneur de 1807 à 1811 — se range aux côtés des marchands dans un autre débat, houleux également, de l'Assemblée. La controverse a été soulevée par la présence de juges et de juifs dans la colonie: Craig prononce la dissolution de l'Assemblée, suscite des élections en 1809 et à nouveau en 1810, et s'en prend directement au *Canadien*. Avec l'approbation du clergé, il fait saisir l'imprimerie et arrêter Bédard. Mais le seul résultat de ces décisions, c'est qu'elles renforcent le soutien populaire vis-à-vis du Parti canadien naissant. C'est même lors d'une de ces élections, celle de 1809, qu'émerge la personnalité qui, plus tard, fera la synthèse des questions politiques, économiques et sociales: Louis-Joseph Papineau.

En interrompant momentanément le jeu politique du Bas-Canada, la guerre de 1812 rappelle opportunément au Québec qu'il fait encore étroitement partie de l'empire britannique. Cette guerre ne fait que traverser le Québec, mais elle accorde un répit aux élites traditionnelles et révèle la nature véritable des élites nouvelles. L'affrontement américano-britannique, qui porte une fois de plus sur les territoires de l'Ouest, rencontre peu de sympathie chez les habitants des États américains du Nord ayant des frontières communes avec le Bas-Canada: ces deux régions sont liées par des échanges économiques le long du Richelieu qui font de Saint-Denis un port actif. Elles sont également liées par des mouvements de population, beaucoup de Canadiens français émigrant vers le Sud pour travailler dans l'industrie forestière du lac Champlain. Malgré ces liens, c'est une fois encore cette région qui sert de couloir d'invasion à la guerre, ce qui permet aux vieilles familles seigneuriales de vivre à nouveau quelques heures de gloire militaire: le lieutenant-colonel Charles-Michel de Salaberry repousse les troupes américaines à Lacolle en 1812, puis à nouveau à Châteauguay en 1813. De Salaberry et les siens souhaitent ardemment défendre les vieilles valeurs aristocratiques et celles-ci, pour eux, passent maintenant par la fidélité à la Grande-Bretagne. Ils redoutent plus les conséquences sociales que les conséquences militaires d'une victoire américaine. Le clergé se fait le porte-parole des mêmes sentiments et il y ajoute une note religieuse: on doit soutenir l'ordre établi. Il ne se trouve qu'un seul prêtre, le futur évêque de Montréal, monseigneur Lartigue, pour y ajouter la notion neuve de l'obligation nationale. Quant aux marchands anglais du Québec, les liens qui les unissent à l'Empire sont de nature économique et ils ne sont pas prêts à les voir rompre au moment où les victoires britanniques dans le Haut-Canada leur ouvrent à nouveau les territoires à fourrure situés au sud des Grands Lacs et à l'ouest, en direction du Mississippi. Le vieux rêve d'expansion continentale des marchands reprend vie au moment même où la guerre stimule le commerce local dans la vallée du Saint-Laurent. Mais ce rêve est voué à l'échec, une fois de plus, car à la fin de la guerre, la Grande-Bretagne va remettre purement et simplement aux États-Unis les régions de l'Ouest qui ont été conquises. Le seul résultat de la guerre, c'est qu'elle confirme l'existence de deux entités séparées en Amérique du Nord. Malgré la séduction que doivent exercer sur elle plus tard les idées démocratiques et républicaines des États-Unis, la nouvelle classe moyenne est alors attachée à un destin différent, qui, pour le moment, ne peut être que britannique. Face à la menace militaire venue des États-Unis, beaucoup de voix se font entendre dans la classe moyenne pour exprimer un sentiment nationaliste.

La guerre a des conséquences financières sur la réalité politique du Bas-Canada. L'envoi de troupes britanniques supplémentaires a apporté à la colonie les subsides mis à la disposition du gouverneur en tant que chef militaire et politique; à la fin de la guerre, en 1814, le retrait de ces subsides accentue ses difficultés financières. L'Assemblée n'est pas longue à souligner cette faiblesse et à partir de 1817, elle harcèle sans cesse le gouverneur sur la question des dépenses publiques. Celui-ci, selon les dispositions prises par le gouvernement de l'Empire, tient les cordons de la bourse en ce qui concerne les fonds militaires, les biens des Jésuites, et les revenus de la Couronne provenant de certains domaines et des taxes à l'importation. Les taxes levées dans le cadre provincial sont au contraire gérées par l'Assemblée. Alors que ses recettes sont rarement en augmentation, les dépenses du gouverneur croissent: il doit payer les salaires des officiers civils et les dépenses du système judiciaire. En ce qui concerne les ressources de l'Assemblée, elles ne sont limitées que par la résistance du peuple à l'imposition.

La coopération entre le gouverneur et l'Assemblée est extrêmement limitée. Celle-ci n'accepte de payer certaines factures du gouverneur que si, en échange, celui-là accepte le contrôle étroit de ses dépenses. Si le gouverneur renâcle, l'Assemblée refuse purement et simplement de voter des fonds destinés à financer certains des projets qui tiennent à coeur à ses adversaires politiques à elle, lesquels sont de plus en plus étroitement liés au gouverneur au sein des Conseils législatif et exécutif: les routes, les canaux, les banques et les bureaux d'enregistrement n'ont qu'à attendre. Si le gouverneur accepte de lâcher du lest, comme il y est quelquefois amené par ses nécessités financières ou à cause de révélations sur les spéculations faites par des fonctionnaires sur les fonds publics, et s'il accepte que ses comptes soient épluchés, immanquablement l'Assemblée essaie de pousser son avantage plus loin. En votant séparément les différents chapitres des demandes budgétaires du gouverneur, elle gêne la marche de tout le système de gouvernement. Elle refuse toujours obstinément de souscrire à la demande du gouverneur pour que la liste civile, c'est-à-dire les salaires de certains officiers civils, soit votée à titre permanent et non à titre annuel. La lutte est égale: le pouvoir politique de l'Assemblée équilibre le pouvoir impérial du gouverneur. De temps à autre, un gouverneur bien disposé, tel que Sir John Sherbrooke en 1818, ou une commission d'enquête britannique comme le Canada Committee de 1828, parvient presque à trouver une solution grâce à sa volonté de conciliation; cependant, invariablement, il suffit d'un nouveau gouverneur, d'un secrétaire aux colonies hautain ou d'un changement dans le jeu politique de l'Assemblée, pour que la situation soit à nouveau bloquée. À la fin de la décennie 1820, le gouverneur, Sir George Ramsay, comte de Dalhousie, refuse d'entériner les mesures législatives prises par l'Assemblée pour financer les projets locaux, si celle-ci ne vote pas les crédits nécessaires au paiement des dépenses du gouverneur. Ne parvenant cependant pas à débloquer la situation en dépit de cette mesure, par deux fois, il dissout l'Assemblée, cependant que les parlementaires font parvenir à Londres une gigantesque pétition.

Derrière cette querelle et les principes constitutionnels qui sont brandis pour la justifier, se cache la lutte pour le pouvoir. Entre 1820 et 1830, cette lutte se polarise autour de deux groupes politiques adverses: d'un côté une alliance assez lâche regroupée sous le nom d'English Party; de l'autre, un groupe à la cohésion légèrement plus forte, rassemblé sous la bannière du Parti canadien. En réalité, aucun des deux partis n'est constitué sur une base ethnique aussi pure que son nom pourrait le laisser croire. L'English Party, composé en majorité de marchands, rassemble aussi des seigneurs francophones et des membres des conseils du gouverneur; tandis que le Parti canadien, bien qu'il soit constitué essentiellement de francophones membres de la classe moyenne, attire aussi quelques anglophones: journalistes, médecins et même quelques marchands. En réalité, les deux groupes se distinguent plus par les intérêts qu'ils représentent et par leurs attitudes politiques que par leur origine ethnique.

Les membres de ce qui allait devenir l'English Party avaient progressivement perdu le peu de base électorale dont ils disposaient dans les toutes premières chambres des dix dernières années du dix-huitième siècle. En compensation, ils essayèrent de s'attirer les bonnes grâces du gouverneur. Ils espéraient que des places dans ses conseils leur donneraient voix au chapitre dans les affaires de l'État. C'étaient leurs intérêts qui leur dictaient cette conduite et qui les poussaient à se faire entendre. Économiquement liés à la Grande-Bretagne et en concurrence avec les marchands américains pour le commerce dans l'Ouest, ils avaient besoin d'être soutenus par le gouvernement pour réaliser les réformes qu'ils souhaitaient: création de banques pour leur fournir du crédit, de canaux pour leur faciliter les transports, de bureaux d'enregistrement pour leurs transactions foncières et pour leurs initiatives financières. Au fond, l'English Party aimerait bien aussi abolir le régime seigneurial et tout le droit civil français; comme il ne parvient pas à faire prévaloir son point de vue à la Chambre, il est enclin à dénigrer celle-ci en la traitant de conservatrice et d'arriérée. En fait, en s'accrochant eux-mêmes aux situations de privilèges proches du gouverneur, ses membres deviennent eux aussi de plus en plus conservateurs. Lorsque, autour de 1825, ils réussissent enfin à faire achever la construction du canal Lachine par les fonds publics, ils se plaignent encore que les retards dus à des parlementaires obtus aient permis aux Américains de prendre l'avantage avec le canal Érié.

L'insatisfaction de l'English Party est telle qu'il se décide à agir en sous-main. Il propose dès 1822 d'unir les deux provinces du Bas-Canada et du Haut-Canada, mais le secret, bien gardé, ne transpire de Londres que longtemps après qu'il eut été déposé sur les bureaux du secrétariat aux Colonies. Selon l'English Party, le fait de donner un gouvernement unique aux deux colonies, de lever les restrictions électorales et de supprimer le français comme langue officielle, serait de nature à encourager l'expansion du commerce et de l'anglais. Cela libérerait Montréal de la chape seigneuriale et des politiciens arriérés du Canada français. En outre, et c'est là une question qui pourrait séduire le Haut-Canada, cela résoudrait l'irritante question du partage des droits de douane entre les deux colonies. Cette question constitue une pomme de discorde depuis les années 1790: le Bas-Canada perçoit les droits sur les denrées importées et en reverse au Haut-Canada une partie qui n'a cessé d'être sujette à discussions. Cependant, du vaste plan d'union élaboré par l'English Party, il ne sort qu'une solution temporaire au problème des douanes sous la forme du Canada Trade Act de 1822. Le reste de la proposition a pris la Grande-Bretagne trop par surprise et a déclenché trop de réactions hostiles chez les Canadiens français pour qu'elle puisse être mise en oeuvre. En léchant leurs plaies, les membres de l'English Party commencent de chuchoter entre eux qu'on pourrait envisager de n'annexer que la seule ville de Montréal au Haut-Canada. Comme les loyalistes avant eux, ce sont les commerçants anglais de Montréal qui ont constitué les premiers séparatistes du Canada.

L'opposition au projet d'union donne une cohésion nouvelle au Parti canadien, amène son chef Louis-Joseph Papineau sur le devant de la scène et élargit son audience. En fait, ce groupe a déjà fait sentir son existence aux élections de 1809 et 1810 où il s'est opposé au gouverneur Craig en faisant montre d'une grande capacité d'organisation dans les circonscriptions rurales. Il hésite entre différents chefs, depuis Pierre Bédard jusqu'à Joseph Stuart, en passant par Louis-Joseph Papineau, André Stuart, Augustin Cuvillier et Joseph-Rémi Vallières de Saint-Réal; ceux-ci appartiennent tous aux nouvelles professions libérales du Bas-Canada. Les membres de la région de Québec rivalisent avec ceux de Montréal dans la lutte pour le prestige et les places. À mesure que le parti devient plus puissant en Chambre — il passe de quatre-vingt pour cent des sièges en 1824 à plus de quatre-vingt-dix en 1827 — ses objectifs se font aussi de plus en plus clairs: il s'agit de chasser de leur poste les Anglais en place et de les remplacer par des Canadiens, de façon à contrôler les centres de décision. D'où l'âpreté des combats concernant les finances publiques : si l'Assemblée peut avoir la haute main sur les dépenses, elle peut aussi agir sur les nominations de ceux qui sont appelés à engager ces dépenses. C'est pour cela aussi que, très tôt, le parti a manifesté de l'intérêt pour la responsabilité ministérielle : si le gouverneur doit nommer ses conseillers parmi les gens ayant le soutien de la Chambre, il devra désigner des Canadiens. Enfin, le goût manifesté par le parti, après 1830, pour le principe américain du choix des fonctionnaires par élection repose sur sa conviction que ce principe assurerait l'élection de Canadiens.

Entre 1820 et 1830, le mécontentement populaire engendré par le projet d'union, les difficultés croissantes de l'agriculture et la personnalité charismatique de Papineau affermissent la base électorale du parti. Il s'introduit dans les discours du parti une note de défiance vis-à-vis des Anglais. Toutes les pétitions que Papineau et John Neilson portent à Londres en 1823 pour faire obstacle à l'Union insistent sur les différences culturelles, institutionnelles et économiques entre le Haut-Canada et le Bas-Canada. L'échec du projet d'union est peut-être la première victoire des nationalistes. C'est cette victoire qui, sans doute, donne à la Chambre la force de se montrer magnanime en reconnaissant ultérieurement le droit des Cantons de l'Est à être représentés à l'Assemblée. Elle vote également des fonds pour la construction du canal Lachine sur le Saint-Laurent, du canal Chambly sur le Richelieu, en faveur de l'ouverture de banques, de routes et pour le développement de l'enseignement. Il se peut que les dépenses affectées à l'enseignement en 1824 aient été accordées à l'Église — qui demandait depuis longtemps l'assistance de l'État — pour la récompenser d'avoir enfin montré sa couleur politique en s'opposant à l'Union. Le fait que les promoteurs du projet d'union aient envisagé que des prêtres soient nommés par le gouverneur avait suffi à faire sortir l'Église de sa réserve, mais n'avait pas suffi à la faire s'allier pour de bon avec le Parti canadien. En outre, en 1829, la Chambre révèle des tendances de plus en plus démocratiques et laïques dans ses projets de loi scolaire : elle prévoit que les écoles paroissiales seront administrées par des syndics élus localement. Cela ne plaît guère au clergé. Mais déjà le parti a pris conscience de sa force et il y a pris goût. Il commence à se présenter sous le nom de Parti patriote, affichant ainsi clairement ses prétentions nationalistes, et c'est dans cet état d'esprit qu'il va aborder l'une des décennies les plus mouvementées de l'histoire du Québec.

ORIENTATIONS BIBLIOGRAPHIQES

Bernard, Jean-Paul, Paul-André Linteau et Jean-Claude Robert, «La structure professionnelle de Montréal en 1825», *Revue d'histoire de l'Amérique française* 30, 1976, p. 383-415.

Creighton, Donald, *The Empire of the St. Lawrence*, Toronto, Macmillan, 1956.

Dubuc, Alfred, «Les classes sociales au Canada», *Annales. Économie, Sociétés, Civilisations*, 22ᵉ année, n° 4 (juillet-août 1967), p. 829-844.

Le Goff, T.J.A., «The Agricultural Crisis in Lower Canada, 1802-12: A Review of a Controversy», *Canadian Historical Review* 55, 1974, p. 1-13.

Manning, Helen Taft, *The Revolt of French Canada, 1800-1835: A Chapter in the History of the British Commonwealth*, Toronto, Macmillan, 1962.

Ouellet, Fernand, *Histoire économique et sociale du Québec, 1760-1850: structures et conjoncture*, Montréal, Fides, 1966.

———, *Le Bas-Canada, 1791-1840. Changements structuraux et crise*, Ottawa, Éditions de l'Université d'Ottawa, 1976.

———, «Le mythe de 'l'habitant sensible au marché': Commentaires sur la controverse Le Goff-Wallot et Paquet», *Recherches sociographiques* 17, 1976, p. 115-32.

Paquet, Gilles et Jean-Pierre Wallot, «Crise agricole et tensions socio-ethniques dans le Bas-Canada, 1802-1812: Éléments pour une réinterprétation», *Revue d'histoire de l'Amérique française* 26, 1972, p. 185-237.

Wallot, Jean-Pierre, «La religion catholique et les Canadiens au début du XIXème siècle», *in Un Québec qui bougeait. Trame socio-politique au tournant du XIXème siècle*, Montréal, Boréal Express, «Collection 1760», 1973, p. 183-224.

... leurs camarades mal armés et mal organisés...
Les Insurgés de Beauharnois par Jane Ellice.
Archives publiques du Canada C-13392

V POUR QUI SONNE LE GLAS

En l'espace d'une seule décennie, le Québec va faire l'expérience du caractère à la fois libéral et impérialiste de ses liens avec la Grande-Bretagne, et du caractère désespéré de la cause nationaliste. Entre le Canada Committee qui, en 1828, apporte son soutien aux nombreuses doléances des colons et le rapport Durham qui, en 1839, propose l'union du Haut et du Bas-Canada, les groupes politiques du Québec jouent l'avant-dernier acte d'un long drame ; les protagonistes de cette pièce sont une assemblée élue par le peuple et un groupe de privilégiés détenteurs d'office. Le libéralisme de cette époque et la ressemblance de la pièce qui se joue au Bas-Canada avec celle qui se déroule dans le Haut-Canada, les colonies maritimes de la Nouvelle-Écosse et du Nouveau-Brunswick, et même en Grande-Bretagne et dans certaines parties du continent européen, vont permettre au dernier acte, qui doit donner lieu à l'établissement du gouvernement responsable, de se dérouler de manière relativement paisible dans la décennie 1840. Mais comme tous les drames, celui-ci dissimule une autre réalité. Les effets des ébranlements sociaux et économiques qui se sont manifestés plus tôt dans le siècle continuent de se faire sentir, et ils seront même aggravés par les conditions locales et internationales qui caractérisent l'économie de cette décade. L'ensemble de ces facteurs donneront à la pièce un tour inattendu, quand les membres des professions libérales se donneront des allures de militaires et mettront en scène un bref soulèvement destiné à faire valoir leurs droits à la direction de la société. C'est leur inadaptation à la pièce tout autant que la présence des troupes impériales qui leur vaudra la défaite.

Dès la fin des années 1820, le gouvernement britannique a admis le fait que le gouverneur et l'assemblée du Bas-Canada ne peuvent plus se supporter. L'obstination politique et financière des deux camps a pratiquement bloqué toute l'administration de la colonie. Des problèmes similaires se faisant jour au Haut-Canada et des changements dans le système électoral de la Grande-Bretagne elle-même étant en perspective, le Canada Committee du parlement britannique est chargé d'entendre les griefs des colonies. Les doléances du Bas-Canada tels qu'elles sont transmises à Londres par des pétitions ou par des envoyés spéciaux de l'assemblée sont claires: Lord Dalhousie qui occupe le poste de gouverneur depuis 1819 est impossible; le Conseil législatif dans sa composition actuelle est insupportable; les obstacles mis à l'accomplissement de la volonté de la Chambre en matière financière sont intolérables.

Dans son rapport de 1828, le comité reconnaît le bien-fondé d'un grand nombre de ces griefs. Bien que son seul effet concret soit le rappel de Dalhousie la même année, le comité émet un certain nombre d'autres recommandations destinées à rappeler aux éléments modérés qu'il existe encore des voies constitutionnelles vers la réforme. C'est ainsi que le comité regrette la présence d'un trop grand nombre de gens en poste au Conseil législatif et suggère que cet organisme soit rendu d'une façon ou d'une autre plus indépendant, plus représentatif des intérêts de la colonie. De même, le comité considère que l'Assemblée, dont les effectifs doivent bientôt passer des cinquante sièges de 1792 à quatre-vingt-quatre, est l'organisme le plus approprié pour gérer les finances publiques; c'est elle qui doit présider aux recettes et aux dépenses. En même temps, le comité plaide pour le maintien dans la colonie des différences de coutumes entre Français et Anglais; les Canadiens français doivent continuer de pouvoir pratiquer leur religion et jouir de leurs lois; s'ils le désirent, ils doivent même avoir le droit d'étendre le régime seigneurial à de nouveaux territoires, à l'exception toutefois de ceux des Cantons de l'Est. Cependant, les Anglais ont tout autant le droit de jouir de leur propre système de propriété foncière. En conséquence, on devrait donc faciliter le passage de la tenure seigneuriale à la franche tenure. Fidèle à ses principes libéraux, le comité est persuadé que la bonne volonté, la tolérance et l'impartialité sont de nature à rendre opérante une constitution qui est bonne dans ses fondements.

Malheureusement, ces qualités-là se rencontrent de plus en plus rarement dans le Bas-Canada du début des années 1830. En nommant quelques Canadiens français de plus au Conseil législatif, les gouverneurs parviennent bien à faire passer la plupart des lois en 1830 et 1831. Mais la Chambre est de plus en plus méfiante et regarde d'un oeil désapprobateur ceux de ses membres qui acceptent d'être nommés au Conseil. Elle repousse une proposition de compromis de la part de Londres lui donnant le pouvoir sur la plupart des finances de la colonie — et même sur les fonds des Jésuites — afin de pouvoir continuer à voter la liste civile année par année plutôt que pour la durée de la vie du souverain ainsi qu'il a été proposé. L'orateur de la Chambre, Louis-Joseph Papineau, est bien trop habile pour tomber dans le piège que lui tend Lord Aylmer, gouverneur de 1831 à 1835: se faire nommer au Conseil exécutif. Papineau est déjà arrivé à la conclusion qu'Aylmer fait partie des gens qui pillent la colonie. De son côté, le gouverneur commence de se dire que seule l'union du Haut-Canada et du Bas-Canada peut empêcher Papineau et ses partisans ultra-libéraux du Parti patriote d'étendre leur influence.

Aylmer n'est pas le seul que cet ultra-libéralisme préoccupe. Le clergé et un grand nombre de modérés regardent avec inquiétude un projet de loi d'inspiration radicale que l'Assemblée a voté en 1832: la Loi des fabriques. Cette loi institue le contrôle des laïcs sur l'enseignement et sur les finances des conseils paroissiaux par l'intermédiaire de marguilliers élus par le peuple et aux pouvoirs définis par la loi. Le savoir-faire politique du Parti patriote lui permet d'escompter qu'il fera élire comme marguilliers ses propres candidats (notaires, médecins, arpenteurs ou marchands généraux); cela lui permettrait de faire contrepoids au pouvoir et au prestige du curé dans la paroisse. Le clergé n'est pas long à percevoir la menace et il fait usage de son influence auprès du Conseil législatif pour faire repousser cette loi. De fait, certains membres de la Chambre ne l'apprécient pas non plus. Un petit groupe de parlementaires modérés, parmi lesquels se trouve John Neilson, qui représente la ville de Québec n'est pas d'accord avec la position radicale de la majorité, qu'il considère comme trop démocratique et trop anticléricale. Neilson, qui a été élu pour la première fois en 1818, a porté à Londres des pétitions de la colonie en 1823 et en 1828; comme membre du Parti canadien, il a toujours soutenu Papineau, mais après 1832, les chemins des deux hommes se séparent.

Dans une large mesure, Français et Anglais aussi vont diverger après les élections de cette même année. Dans l'une des circonscriptions montréalaises, le résultat est tellement disputé qu'il faut faire appel à la troupe pour maintenir l'ordre entre les équipes rivales prêtes à en venir aux mains. Dans la mêlée, trois Canadiens français sont tués. Tandis que les cloches des églises sonnent le glas de la réforme, les soldats sont mis hors de cause par une enquête du gouvernement, et une enquête de la Chambre fait état de son scepticisme. Des affrontements armés sont maintenant possibles.

Louis-Joseph Papineau joue sur cette possibilité, bien qu'il n'ait jamais osé la regarder en face. C'est un politicien représentatif de la deuxième génération des nouvelles classes moyennes; en 1832, il a quarante-six ans et la moitié de sa vie s'est déjà déroulée à la Chambre. Son père le destinait à une carrière ecclésiastique, mais il s'en est détourné, sous l'influence de la formation qu'il a reçue très tôt dans les classiques du libéralisme. Il n'a jamais pratiqué le droit, dans lequel il a une formation rudimentaire (comme le cas est assez fréquent à l'époque); au lieu de cela, sa tournure d'esprit plutôt littéraire, ses talents d'orateur et un esprit de contradiction assez prononcé, l'ont orienté vers la politique. Parmi ses premiers électeurs, en 1809, se trouvait sa mère: les femmes ont joui des droits électoraux jusqu'en 1834. En 1815, il est devenu «orateur» de la Chambre, poste qui à l'époque conférait le prestige et le pouvoir d'un chef de la majorité. Par la suite, Papineau a éliminé tous les candidats à sa succession comme orateur. Il a empoché le salaire de mille livres qui, en 1817, est affecté à ce poste. Il a abandonné le soin de sa seigneurie de Petite-Nation à son frère cadet, sans se soucier de l'endettement croissant de ses habitants, et il s'est mis à rêver avec nostalgie de la vie à la campagne. Il a encaissé ses droits seigneuriaux, réalisé des profits sur le commerce du bois sur l'Outaouais et vit sur un grand pied à Montréal tout en se plaignant d'être pauvre.

Il se peut que, juste après 1830, Papineau ait été à la recherche d'une nouvelle carrière, car, à un moment donné, il commence à s'imaginer dans la peau du président d'une république canadienne-française. Il en a l'étoffe, la base électorale et l'expérience; il est motivé par un mélange d'ambition et d'altruisme. Il adore sentir autour de lui l'adulation de ses partisans à la Chambre et encore plus celle des foules des campagnes électorales. Semblable à tous les libéraux du dix-neuvième siècle, il croit sincèrement que le peuple a le droit de contrôler les rouages du gouvernement, mais il pense aussi que les gens qui doivent exercer ce pouvoir doivent être des hommes tels que lui, appartenant à la nouvelle classe moyenne aptes à exercer des responsabilités. La conquête de ce pouvoir nécessite cependant qu'on ajoute au credo libéral quelques ingrédients typiquement canadiens-français. À cette fin, Papineau glorifie le régime seigneurial et met même une sourdine à son propre scepticisme pour rendre un hommage national au clergé. Il déclare être un Patriote malgré lui, poussé contre son gré dans des escarmouches politiques et plus tard militaires. Mais il n'ignore pas les tractations financières de son ami, le libraire montréalais Édouard Fabre, qui réunit et gère des fonds destinés à des usages patriotiques; il apparaît que dès 1834 des projets pour organiser et financer un soulèvement armé existaient. Mais lorsque le soulèvement armé a effectivement lieu à la fin de 1837, Papineau s'avère un piètre rebelle. Son départ pour l'exil, juste après le début de la violence, va faire voler en éclat ses ambitions politiques.

Sans la fascination que Papineau a exercée sur toute une génération, cette révolte aurait pu ne pas se produire. Il est le premier chef charismatique qu'ait connu le nationalisme québécois. Il possède un immense charme personnel et s'exprime avec beaucoup de passion. À travers lui, les mots de «nationalité» et de «Canadiens français», inventions des années 1820, deviennent des réalités concrètes et il les montre en proie à des marchands avides, des hauts fonctionnaires condescendants et des gouverneurs tendancieux. Son ascendant sur le peuple est dû, en grande partie, à la façon qu'il a de faire des pieds de nez aux Anglais et de tirer les oreilles au clergé. Mais en même temps, il sait tirer parti de l'irrévérence des habitants envers les gens haut placés et de leur peur du changement, pour en faire la synthèse et les transformer en un système de défense de la langue, de la religion et des lois du Canada français. Il ne saurait pas dire avec précision ce qui représente exactement cette défense, mais les foules qui l'écoutent, sont prêtes à le suivre n'importe où. En une période qui connaît des grandes difficultés économiques, des transformations institutionnelles, et des tiraillements politiques, la fascination exercée par Papineau repose sur un mélange enivrant où se mêle la logique démocratique, le mécontentement populaire, la rhétorique libérale, l'esprit d'insoumission des habitants et la vision nationaliste.

En comparaison, le Parti patriote apparaît beaucoup plus prosaïque. Il n'a jamais été aussi uni que Papineau l'aurait souhaité bien que la plupart de ses membres soient issus des pléthoriques classes moyennes. Les parlementaires se disputent les postes importants du parti; ils représentent des intérêts régionaux, économiques et idéologiques différents. Souvent leur seul point d'accord, c'est leur hostilité vis-à-vis du gouverneur et de ses conseils. Le grand nombre de journaux prétendant représenter le point de vue patriote accentue la désunion: *La Minerve* est le plus cohérent, *The Vindicator* reflète un point de vue irlandais plus virulent, *Le Canadien* apporte la position plus modérée de la ville de Québec, *Le Libéral* présente le point de vue libéral de manière plus doctrinaire, tandis que dans *L'Écho du pays* s'exprime une position rurale catholique. Aux yeux des gens de l'époque, comme plus tard aux yeux des historiens, le programme du parti apparaît assez flou, pour ne pas dire purement négatif: il prône le refus des dépenses publiques au nom de principes libéraux aussi bien que nationalistes; pour lui, le gouvernement ne devrait pas favoriser une certaine classe, notamment en raison du fait que les institutions voulues par cette classe sont de nature à conduire ultérieurement à l'assimilation. Et cependant, de temps à autre, certains membres du Parti patriote expriment le désir de voir construire des canaux sur le Richelieu pour encourager le commerce nord-sud, des manufactures locales pour réduire la dépendance vis-à-vis des importations britanniques, le désir aussi de voir s'instaurer un libre-échange avec les États-Unis pour remplacer le régime préférentiel avec la Grande-Bretagne, et même préconisent l'accumulation de capital local par l'intermédiaire d'une Banque du peuple. Mais jamais le parti ne sut définir de manière claire des objectifs précis et encore moins se mettre d'accord sur eux.

Il est beaucoup plus facile de faire l'unité du parti sur quelques slogans infaillibles. Le thème du contrôle des finances par l'Assemblée a très bien marché entre 1820 et 1830 mais, peu à peu, il perd du terrain lorsqu'il s'avéra que ni la Chambre ni le gouverneur ne lâchent suffisamment de lest pour qu'aucune des deux parties puisse s'estimer satisfaite. Le thème de l'hostilité des Anglais à l'égard des Français est plus facilement modulable; on peut l'associer à une demande de réformes en faisant valoir qu'un Conseil législatif à prédominance anglaise fait échec à toute demande émanant d'une Chambre majoritairement française. Une des plus sûres façons de changer les choses est de rendre le Conseil électif, et en 1832 cette demande est devenue le cri de ralliement du parti, convaincu que, aussi bien à la ville qu'à la campagne, ses succès électoraux au Conseil seront égaux à ce qu'ils sont en Chambre. Et même il pourrait peut-être abolir purement et simplement le Conseil ainsi que le suggère en 1835, John Roebuck, l'allié du Parti patriote à la Chambre des communes de Grande-Bretagne. Mais d'ores et déjà, un autre slogan commence à séduire certains membres du parti: celui de l'indépendance.

Si les slogans servent de point de ralliement, ils servent aussi de repoussoir. Dès le début des années 1830, certains adhérents du Parti patriote ont commencé de renâcler devant les tendances sécularisantes manifestées par la Loi des fabriques qui est proposée. D'autres manifestent des doutes quant à la sagesse de réformes institutionnelles aussi radicales que l'établissement d'institutions totalement électives. D'autres encore, et en particulier ceux de la région de Québec, où les tarifs préférentiels britanniques lient étroitement l'industrie du bois au marché de l'Empire, ne veulent pas entendre parler d'indépendance. D'autres enfin ne partagent tout simplement pas la conviction de Papineau, telle qu'il l'exprime à sa femme en 1835. Pour lui, le but ultime de l'Angleterre est de priver les Canadiens français de leur identité nationale en attaquant leur religion, leur droit, leurs coutumes, et leur langue. Les slogans ont autant le pouvoir de diviser que celui d'unir.

L'English Party, si méprisé, ne se comporte pas d'une manière très différente. Beaucoup plus qu'une quelconque nécessité interne, c'est l'hostilité des Patriotes qui donne une cohésion à ce regroupement assez lâche. Sans aucun doute, son programme économique est resté clair et cohérent depuis la fin du dix-huitième siècle: il s'agit d'obtenir l'aide de l'État pour élaborer un empire commercial reliant l'intérieur du continent nord-américain au marché de l'empire britannique via le Saint-Laurent; et certains de ses membres ne cachent pas que les institutions canadiennes-françaises leur paraissent faire obstacle à ce projet. Mais il y en a d'autres qui tirent profit de ces institutions. Le petit nombre d'entre eux qui jouit de situations de pouvoir met à s'y accrocher autant d'obstination que les Patriotes à les convoiter. Eux aussi avancent des arguments constitutionnels et patriotiques pour plaider leur cause: ne pas être fermes sur la question du Conseil législatif, c'est s'engager sur le chemin du républicanisme américain tant redouté. Mais justement, c'est hélas ce que menacent de faire certains de leurs compatriotes: au cas où la Grande-Bretagne accéderait aux demandes des Patriotes, les Anglais de la colonie demanderont l'indépendance eux-mêmes. Certains prennent même ouvertement parti pour la violence: des bandes de jeunes gens commencent à s'armer et à exhiber leurs promesses militaires dans les rues de Montréal. À Québec cependant, se font entendre des voix plus modérées: là, les adhérents de l'English Party refusent de croire l'assertion du *Herald* de Montréal selon laquelle la coloration étrangère (c'est-à-dire française) du Bas-Canada est une tache sur l'honneur national de l'Angleterre.

Quelles que soient les différences d'opinion entre les deux groupes politiques du Bas-Canada, c'est en fait la situation économique désespérée de la grande masse de la population qui va amener les visions nationales divergentes des deux blocs à s'affronter directement. Aussi loin que le souvenir de la plupart des habitants remonte, ils ne se rappellent que de détresse: mauvaises récoltes en 1805, 1812, 1816, 1818, 1828, 1833, et 1836; récessions entre 1819 et 1821, entre 1825 et 1828, entre 1833 et 1834, puis à nouveau en 1837, tout concourt à rendre leurs vies misérables. Il est impossible d'échapper à cette misère, car il n'y a pas assez de terres arables pour une population en augmentation. La pauvreté résultant du surpeuplement et du trop petit nombre des terres est encore accrue par les seigneurs et le clergé qui exigent des paiements de plus en plus importants pour les services qu'ils fournissent. Les habitants en sont mécontents, mais ils réservent leur colère pour les immigrants anglais qui affluent dans les campagnes à la recherche d'emplois et de terres. Le fait que le gouvernement britannique réserve d'immenses territoires dans les Cantons de l'Est à ces nouveaux venus, par l'intermédiaire de la British American Land Company, créée en 1832, ne fait qu'aggraver la situation. Tandis que des agriculteurs canadiens-français au désespoir commencent à s'installer illégalement dans les Cantons de l'Est, l'Assemblée soumet une pétition au Roi pour s'opposer à cette compagnie, et le Conseil législatif prépare des résolutions en sa faveur. En 1837, dans tout le monde occidental, les mauvaises moissons font baisser les récoltes et monter les prix au point que les familles d'agriculteurs du Bas-Canada peuvent à peine se nourrir et encore moins se procurer des semences pour l'année suivante. Par ailleurs, lorsqu'en 1837, les banques britanniques et américaines se trouvent au bord de la faillite et suspendent les paiements, les conséquences sur le crédit se font sentir violemment dans toute l'économie du Bas-Canada. Rien de plus facile que de mettre dans le même sac le radicalisme politique et les catastrophes économiques pour en rechercher la cause ailleurs, c'est-à-dire chez les Anglais.

Les chefs des Patriotes savent fort bien que les Anglais ont peu de responsabilité dans les problèmes de l'agriculture. En temps que parlementaires, ils ont souvent déploré l'état de l'agriculture et ils ont créé des comités d'enquête qui, généralement, ont attribué les difficultés du monde rural à des techniques agricoles inadaptées, accusation souvent reprise depuis par les livres d'histoire. Mais on dit rarement ce que les agriculteurs du Bas-Canada devraient faire. Sans aucun doute, l'assolement, la jachère, l'usage efficace d'engrais, et le drainage sont des techniques connues, même si elles ne sont pas toujours pratiquées; mais pour réussir, toutes ces techniques présupposent des terres de qualité, une agriculture commerciale et un accès facile aux marchés. Aucune de ces conditions ne sont réunies au Bas-Canada dans les années 1830. Comme tous les autres agriculteurs de l'Est de l'Amérique du Nord, ceux du Bas-Canada ont eu tendance à exiger du sol ce qu'il était capable de produire facilement et cela aussi longtemps qu'ils l'ont pu. Quand la terre était épuisée, ils en labouraient une nouvelle, soit en s'attaquant à leurs propres forêts, soit en émigrant vers de nouveaux territoires. Lorsque ces façons de faire se sont avérées impossibles, comme cela est devenu de plus en plus fréquent à la fin des années 1820, ils ont changé de production en passant du blé aux légumes et aux tubercules qui offraient de meilleures garanties de subsistance à leurs familles. Il n'y a guère de variantes selon les groupes ethniques: la productivité des agriculteurs anglais du Bas-Canada n'est guère supérieure à celle des habitants. Si le Haut-Canada produit du blé de meilleure qualité, c'est uniquement parce que la terre est moins épuisée. Ce n'est que bien plus tard dans le cours du dix-neuvième siècle que l'agriculture du Québec va trouver son rythme, lorsqu'une demande urbaine en augmentation permettra aux agriculteurs d'utiliser des terres de qualité médiocre pour la seule culture auxquelles elles sont adaptées: comme pâturages à vaches.

Cependant, au fur et à mesure que la décennie avance la situation économique s'aggrave et le paysage politique s'obscurcit. En 1834, un comité constitué d'extrémistes du Parti patriote rédige quatre-vingt-douze résolutions qui forment la base de leur programme électoral. Ils y accusent le gouverneur, Lord Aylmer, d'agir à l'encontre des intérêts à la fois de la Grande-Bretagne et de la colonie; ils accusent le Conseil législatif d'être servilement dévoué au gouverneur, de barrer la route aux projets de lois de la Chambre et d'être de nature antidémocratique; ils condamnent l'administration judiciaire de la colonie qui tolère l'existence de procédures confuses menées dans deux langues et quelquefois dans plusieurs systèmes juridiques, ce au prix de dépenses énormes. Le ton et le contenu de leurs résolutions font écho à la fois à des modèles français et américains et à leurs propres demandes précédentes. Ils réitèrent aussi leur préférence bien connue pour des institutions électives à tous les niveaux.

Si les Quatre-vingt-douze Résolutions étaient destinées à séparer à l'intérieur du Parti patriote les radicaux des modérés, en dissension depuis 1832, elles y ont réussi. Il se peut même que certains des modérés se sentent d'accord avec le gouverneur quand il qualifie les résolutions de «griefs injustifiés». En tout cas, il s'en trouve vingt-quatre pour voter contre les Résolutions quand elles sont débattues en Chambre. Puis sur ces vingt-quatre, dix-sept décident de ne pas se risquer dans la campagne électorale suivante et quittent purement et simplement la scène politique. En ce qui les concerne, ils ressentent péniblement l'accusation de républicanisme et de déloyauté, qui vient si facilement aux lèvres des membres de l'English

Party. Quant aux radicaux, ils considèrent que le prodigieux soutien populaire qu'ils ont recueilli dans les campagnes à la suite de l'envoi des Résolutions à Londres justifie leur position. L'un des rares prêtres à adhérer à cette position, l'abbé Étienne Chartier, proclame que les intentions révolutionnaires des Résolutions sont parfaitement claires: ou bien l'Angleterre fait des concessions, ou bien la colonie prend les armes. La population a-t-elle cela à l'esprit lorsqu'elle se rend aux urnes pour les dernières élections d'avant la Rébellion? En tout cas, la réélection de Papineau à Montréal à la fin de l'automne de 1834 donne lieu à un long combat de rues; ailleurs, dans la Province, les Patriotes radicaux battent à plate couture les modérés; malgré son prestige, John Neilson est défait à Québec. Le gouverneur, de plus en plus mal à l'aise, envoie à Londres un rapport soulignant le «caractère nationaliste» de ces élections; il y explique que jamais auparavant il n'a vu les préoccupations nationalistes s'exprimer aussi ouvertement.

Le rapport d'Aylmer influence sans aucun doute la façon dont son successeur va aborder la question. Lord Gosford est envoyé par le gouvernement britannique pour gouverner les deux colonies de la manière la plus modérée possible et pour faire une enquête sur l'état d'instabilité politique chronique qui semble y régner. Gosford essaie de comprendre les griefs exprimés par les Quatre-vingt-douze Résolutions tout en s'efforçant de présenter la réponse britannique adéquate; faisant preuve de bonne volonté, il entreprend de résoudre un problème qui lui paraît avant tout de nature ethnique. Il se comporte même de manière si généreuse vis-à-vis de Papineau et de son groupe que beaucoup d'Anglais du Bas-Canada commencent à se plaindre. Ceux-ci n'ont pas lieu d'être inquiets, car Gosford a dans ses bagages des instructions secrètes: être aimable, mais aussi être intransigeant dans le maintien de certains principes constitutionnels. Pas question d'un Conseil législatif élu, encore moins d'un pouvoir de la Chambre sur les terres de la Couronne; plus question non plus de faire davantage de concessions dans la guerre des finances entre le gouverneur et la Chambre. Les instructions secrètes de Gosford filtrent d'une façon ou d'une autre dans le Haut-Canada, et Papineau en est informé par l'un de ses collègues radicaux, William Lyon Mackenzie, qui s'est employé dans sa province à reproduire l'esprit et quelquefois la lettre des Quatre-vingt-douze Résolutions quand il a rédigé en 1835 son Seventh Report on Grievances.

Tandis que Gosford prépare son rapport pour le gouvernement britannique, la Chambre du Bas-Canada résiste. Après avoir vu la moitié de ses projets de loi disparaître au Conseil législatif ou en ressortir méconnaissables, tandis que ce même conseil consacre de longs mois à rédiger de misérables projets de loi de son cru (l'un d'eux est destiné à interdire les charivaris), l'Assemblée décide que toute coopération est devenue impossible. Une fois de plus, c'est la question financière qui met le feu aux poudres: à compter de 1836, la Chambre décide de voter les subsides pour six mois seulement. Pariant sur le fait que le gouverneur n'osera pas puiser dans les finances de la province sans la ratification constitutionnelle nécessaire, l'Assemblée espère ainsi s'assurer le pouvoir sur l'ensemble des recettes de la colonie. Au bout de six mois, le gouverneur et le Conseil n'ayant toujours pas cédé, la Chambre se met en grève en ajournant la session. Elle escompte que les électeurs ne réagiront pas trop violemment à l'absence de fonds pour les travaux publics et même pour les écoles.

Pendant ce temps, Gosford travaille à la rédaction de son rapport. Comme on pouvait s'y attendre, il ne donne pas son aval à un Conseil législatif élu bien qu'il pense qu'il faut y nommer quelques chefs patriotes. Il n'admet pas non plus un quelconque contrôle local sur le gouverneur: il faut maintenir les liens avec la Grande-Bretagne et faire en sorte que le gouverneur soit responsable seulement devant Londres. Il faut aussi que la Couronne garde son indépendance financière, même si cela doit signifier que la liste civile sera votée seulement pour sept ans et non pour la vie du souverain; en échange, on pourrait laisser la Chambre disposer de toutes les autres recettes de la province. On pourrait même admettre qu'elle légifère sur les terres de la Couronne à condition que cela n'interfère pas avec les prérogatives de l'exécutif concernant la gestion de ces terres. L'ensemble de ces propositions, qui ne contient rien que les Patriotes n'aient déjà vu et repoussé des années auparavant, est respectueusement présenté au gouvernement de Sa Majesté au début de mars 1837.

Mais le gouvernement britannique a épuisé les ressources de sa patience. Quatre jours après avoir reçu les recommandations de Gosford, Lord John Russell, porte-parole du gouvernement à la Chambre des communes britannique, a rédigé dix brèves résolutions; il ne s'est pas écoulé trois jours que le Parlement les a approuvées. En réponse aux demandes des Patriotes et à la tentative de conciliation de Gosford, les résolutions de Russell répondent par un refus: il n'y aura pas de Conseil exécutif responsable, une exigence que les Patriotes viennent d'emprunter aux radicaux du Haut-Canada; il n'y aura pas de Conseil législatif élu; la liste civile devra être votée pour un délai raisonnable par la Chambre; la British American Land Company restera au Bas-Canada; si le gouverneur ne parvient pas à faire voter les subsides par la Chambre, il sera dorénavant couvert par l'autorité britannique pour disposer de ceux-ci; qui plus est, si les choses ne s'arrangent pas dans les colonies, le gouvernement de la Grande-Bretagne imposera une union du Haut et du Bas-Canada.

Dix ans plus tôt, les résolutions de Russell auraient semblé relativement modérées. En 1837, elles paraissent incendiaires. À l'Assemblée, les Canadiens français n'ont plus aucune confiance dans le gouverneur et ils rejettent purement et simplement une concession de dernière minute de Gosford qui, pendant l'été, offre de suspendre les résolutions si l'Assemblée vote les subsides. Gosford répond en dissolvant l'Assemblée; celle-ci va être la dernière du Bas-Canada. Tandis que les parlementaires rentrent dans leur circonscription pour faire savoir que le sort en est jeté, la population anglaise fait le compte des soldats britanniques de la colonie et regarde d'un oeil bienveillant les jeunes gens du Doric Club, une organisation paramilitaire de Montréal. Quant à la population, elle est profondément marquée par la crise agricole, l'immigration, le choléra et la propagande politique. Sir Robert Peel, leader de l'opposition conservatrice à la Chambre des communes britannique, n'a pas tort de suggérer qu'une armée devrait accompagner au Canada les résolutions Russell.

Pendant tout l'été et l'automne de 1837, on sent grandir l'agitation. C'est sans difficulté qu'une série de réunions de masse sont organisées dans les régions les plus peuplées du Bas-Canada par le Comité central permanent des Patriotes, cercle de débats politiques fondé à Montréal en 1834. Les passions des Patriotes et du peuple s'y échauffent. Papineau se plaît à croire que ces assemblées sont de simples exercices de mobilisation populaire, préambules à un vaste congrès constitutionnel prévu pour le mois de décembre suivant. Mais le langage qui y est utilisé montre qu'il en va autrement. Les agriculteurs sont mécontents. À Saint-Ours, au nord de Saint-Denis sur le Richelieu, les Patriotes leur expliquent que la Grande-Bretagne est un agresseur auquel il faut s'opposer par le boycottage économique et le commerce clandestin avec les États-Unis; à Saint-Marc, de l'autre côté de la rivière, plus au sud, on leur annonce qu'ils doivent se préparer à combattre; à Montréal, Papineau rappelle aux foules que les Anglais ont utilisé la violence dans le passé pour défendre leurs droits. Certains jeunes gens le prendront suffisamment au sérieux pour constituer un groupe armé rival du Doric Club, les Fils de la liberté. Ce groupe organise des parades autour de la maison de Papineau, faisant ainsi savoir à qui veut le comprendre que son but est la révolution, avec Papineau à sa tête. Au nord de la ville, se rassemblent des foules comportant jusqu'à quatre mille personnes; ils écoutent Papineau justifier la révolte américaine contre l'Angleterre; lorsqu'ils se dispersent, les auditeurs, qui reconnaissent leurs propres peurs dans le discours des Patriotes, partent houspiller leurs voisins anglais. Dans la région du Richelieu encore, à Saint-Charles, Papineau formule des résolutions dans le style enflammé des révolutions française et américaine; des bonnets révolutionnaires français sont brandis ostensiblement, et les habitants applaudissent à la suggestion qu'on leur fait de fondre leurs cuillers pour fabriquer des balles.

Le congrès prévu pour décembre était la dernière tentative de règlement pacifique. S'il ne réussissait pas, le Bas-Canada pouvait se trouver dans la situation de suivre l'exemple américain et de conquérir son indépendance par la lutte armée. Mais peut-être n'était-il pas destiné à réussir: en décembre, le fleuve serait gelé, facilitant ainsi toute sorte de mouvements plus rapides que la rédaction de résolutions et l'invention de constitutions. Et surtout, les Patriotes radicaux étant désormais divisés, peut-être une révolte armée serait-elle plus propice à recréer leur unité qu'un congrès. D'un côté, il y a des gens comme Étienne Parent de Québec, qui se sert du *Canadien* pour dire que la révolution est une folie. De l'autre, se trouvent des esprits beaucoup plus radicaux qui espèrent que la révolution les débarrassera des seigneurs et du clergé. Au centre, hésitant, se tient Papineau. Quant à Lord Gosford, chargé en tant que gouverneur de faire respecter la paix, il observe.

La question de savoir si le congrès aurait reconstitué l'unité des Patriotes ou s'il aurait pu mener à une solution pacifique du conflit en cours est une question qui perd vite de son actualité quand la violence se déchaîne au début de novembre 1837. Le 6 novembre, à Montréal, les Fils de la liberté et le Doric Club descendent dans la rue et se bagarrent aux bureaux du *Vindicator* et à la résidence de Papineau. Gosford fait venir des troupes britanniques d'autres colonies. Il prépare aussi des mandats d'arrêt contre Papineau et les autres chefs patriotes, mais il ne les émet pas avant que Papineau, informé, ne quitte précipitamment Montréal. Pensant que Papineau, qui a été vu pour la dernière fois prenant la direction de Saint-Hyacinthe, est parti organiser le soulèvement, Gosford donne l'ordre de l'arrêter.

Sous la pression des événements, qu'ils soient prêts ou non

à se battre, les Patriotes sont maintenant obligés de montrer leur force. Conduits par Wolfred Nelson, les habitants et les citadins de Saint-Denis battent un détachement de soldats britanniques le 23 novembre. Dans l'euphorie, ils essaient de se convaincre que Papineau ne s'est pas enfui, mais que, tout simplement, sa présence a été requise ailleurs. Malheureusement, deux jours plus tard, à Saint-Charles, un peu plus au sud sur le Richelieu, Thomas Storrow Brown, qui vient juste d'être baptisé «général», suit l'exemple de Papineau en plein milieu d'une bataille. La défaite sape le moral des rebelles qui se retranchent à Saint-Mathias; le premier décembre, les troupes anglaises profitent de l'avantage pour attaquer et détruire Saint-Denis. Les rebelles qui ont franchi la frontière américaine font une nouvelle tentative de rassemblement le 6 décembre, mais sont immédiatement repoussés par des volontaires anglais. Une semaine plus tard, les soldats britanniques mettent un terme brutal à la Rébellion en détruisant le village de Saint-Eustache, au nord de Montréal. Cinq à six mille Patriotes s'y sont rassemblés depuis la mi-novembre, mais le nombre de combattants effectifs n'excède pas cinq à six cents hommes. Une fois de plus, les chefs patriotes se sont éclipsés dès les premiers accrochages, laissant leurs camarades mal armés et mal organisés affronter deux mille soldats gouvernementaux. Le 14 décembre, la révolte, qui a duré trois semaines, est terminée.

Parmi les rebelles qui prennent à la hâte le chemin des États-Unis, se trouve un groupe de radicaux qui méditent non seulement une revanche mais aussi une révolution sociale. Mettant Papineau au rancart, ils décident d'utiliser une société secrète, les Frères chasseurs, se recrutant vraisemblablement dans tout le Bas-Canada, pour rallumer la révolte en organisant des soulèvements tout le long du Richelieu et en attaquant simultanément Montréal, Sorel et Québec. Une fois vainqueurs, ces révoltés auraient créé une république indépendante et démocratique, avec suffrage universel, séparation de l'Église et de l'État et abolition du régime seigneurial et du droit civil français. Mais après la défaite cuisante de la fin de 1837, la révolte ne soulève pas beaucoup d'enthousiasme populaire et la révolution encore moins. Ce n'est qu'en évoquant le nom de Papineau qu'ils peuvent espérer susciter encore quelque lueur d'intérêt. À aucun moment, ni en février ni en novembre 1838, les minuscules forces d'invasion n'ont réussi à ébranler même un tant soit peu la défense du Bas-Canada. En tant que soulèvement, la révolte du Bas-Canada, tout comme son pendant du Haut-Canada, est un fiasco complet.

Les considérations numériques expliquent largement cet échec. Sur une population proche de quatre cent cinquante mille Canadiens français au Bas-Canada, la Rébellion n'a mobilisé qu'environ cinq ou six mille personnes en 1837, et peut-être un peu plus l'année suivante. Même si l'on estime que les familles des rebelles ont participé au soulèvement — il semble que ce fut le cas pour un certain nombre de femmes — cela ne fait qu'une petite partie de la population. Cela concerne même si peu de personnes que les historiens sont capables de les compter. Fernand Ouellet a dénombré cent quatre-vingt-six membres des professions libérales (soixante-seize notaires, soixante-sept médecins et quarante-trois avocats), trois cent quatre-vingt-huit petits commerçants, sept ou huit cents artisans et ouvriers de Montréal, et quelques milliers d'agriculteurs, boutiquiers et ouvriers agricoles des régions du nord et du sud de Montréal. Ces chiffres sont passionnants pour l'analyse socio-économique. Ils permettent à Fernand Ouellet de confirmer son hypothèse sur la nature conservatrice de la Rébellion en étudiant les intérêts des professions libérales en particulier. Mais ce sont aussi des chiffres ridiculement petits: ne sont concernés ni tous les groupes sociaux, ni la totalité d'un groupe pris en particulier. Il y a surtout une forte concentration sur la région de Montréal. Dans l'Outaouais par exemple, les bûcherons poursuivent leur querelle entre Irlandais et Français, dans une superbe indifférence aux événements du Bas et du Haut-Canada. La portée de la Rébellion est fortement limitée aussi bien par la géographie que par l'économie et l'idéologie.

La défaite s'explique aussi en partie par le manque de chefs. Le clergé en tant que catégorie sociale a vu d'un mauvais oeil le caractère de plus en plus insurrectionnel pris par les événements à la fin des années 1830. En 1837 et 1838, monseigneur Lartigue, évêque de Montréal, a fait connaître clairement sa position: les bons citoyens ne se révoltent pas contre l'autorité établie et ceux qui osent le faire doivent être privés de sacrements. Cependant, un certain nombre de curés de paroisses étaient divisés entre les principes de leur évêque et leurs paroissiens, angoissés par leur situation économique mais politiquement sensibilisés. Deux d'entre eux ont pris les armes avec les Patriotes. Plus grave était le manque de savoir-faire militaire, voire de bravoure, des instigateurs de la Rébellion. Seul le docteur Wolfred Nelson semble avoir eu quelques notions de stratégie militaire; les autres croyaient qu'ils suffisaient de discours et de gestes grandiloquents — pain quotidien de la politique — pour se transformer en chefs révolutionnaires. Quand cela ne marchait pas, ils prenaient la fuite. Les habitants avaient donc le choix entre observer les engagements et attendre de voir dans quel sens le vent soufflerait, ou s'engager dans les combats en choisissant des chefs parmi eux. La plupart ont choisi la première éventualité, mais ceux qui se sont engagés activement dans les combats ont fourni trop de chefs. Ainsi la Rébellion fut victime de l'hostilité du clergé, de l'incompétence des classes moyennes, et du comportement à la fois hésitant et impatient des habitants.

Si réduite, si limitée, si mal organisée et si mal conduite qu'elle ait été, la Rébellion laisse néanmoins dans son sillage un certain nombre de rêves brisés. Ceux qui sont les plus affectés à titre personnel sont bien entendu les douze accusés qui sont pendus, les cinquante-huit qui sont déportés en Australie et ceux, en nombre inconnu, qui choisissent l'exil aux États-Unis. D'un point de vue plus collectif, c'est une fin brutale pour le rêve de la classe moyenne. Dès qu'elle sort du domaine purement politique, cette classe perd pied. Si elle envisageait sérieusement l'indépendance — et il semble que cette hypothèse n'ait été qu'une adjonction de dernière minute à un programme incohérent — il fallait qu'elle utilise des moyens politiques et non des moyens militaires. Les rêves, plus confus dans leur formulation, des habitants sont eux aussi en miettes: leurs terres et celles de leurs enfants ne sont ni plus ni moins abondantes ou fertiles après la révolte qu'avant; les Anglais, les immigrants, les seigneurs et le clergé sont toujours là, peut-être plus puissants encore qu'avant que la Rébellion n'échoue. Moins identifiable cependant, un coup a aussi été porté à l'espérance vague de voir le Richelieu devenir un jour une grande voie commerciale, notamment pour le blé, entre le Bas-Canada et les États-Unis.

Les nombreuses voies d'émigration qui partent de cette région après 1840 témoignent de ce désespoir. Peut-être trop d'espoirs avaient-ils été placés dans une seule et aussi petite révolte. La terre dont étaient partis les événements ne pouvait tout simplement pas les nourrir.

Bien que les Britanniques aient réprimé par la force les révoltes du Bas et du Haut-Canada, ils recherchent néanmoins une solution politique aux problèmes des deux colonies. Pour ce faire, le gouvernement britannique dépêche un aristocrate libéral, Lord Durham, pour enquêter sur la situation canadienne. Engagé dans le commerce et connu pour ses idées politiques libérales, Durham est un homme d'affaires moderne aux idées racistes. Avant même de mettre le pied au Québec, il a trouvé une solution aux maux canadiens: c'est de fédérer toutes les colonies britanniques d'Amérique du Nord. Il arrive en tant que commandant suprême, son autorité couvrant à la fois la loi martiale qui a été proclamée en décembre 1837 et le conseil spécial qui est appelé à gouverner en l'absence de constitution. Arrivé à la fin de mai 1838, il repart à peine cinq mois plus tard, ayant passé dans la colonie juste assez de temps pour faire quelques enquêtes, se renforcer dans quelques idées préconçues et rédiger un rapport.

À la suite de cette visite éclair au sein des deux Canada, les penchants de Durham et son expérience le conduisent à imaginer pour la solution des problèmes canadiens une ordonnance des plus étranges, mélange de libéralisme et d'impérialisme. Au Haut-Canada, ses penchants politiques l'amènent à collaborer avec les réformistes. Leur idée d'un exécutif responsable devant la Chambre le séduit; selon lui, c'est précisément le modèle déjà imaginé par les réformateurs britanniques des années 1830. Certes, il n'est pas facile de concilier ce projet avec le fait que le gouverneur soit responsable uniquement vis-à-vis de Londres, ainsi que Durham le découvrira au moment de la publication de son rapport; mais il est convaincu que la responsabilité ministérielle réglerait le problème commun à toutes les colonies. À son avis, ce problème réside dans «un vice dans la forme gouvernementale... de combiner des institutions en apparence démocratiques avec l'absence complète de l'autorité efficace du peuple sur ses gouvernants».

Cependant, quelque chose trouble Durham, en ce qui concerne le Bas-Canada. Ses activités commerciales l'amènent à se ranger du côté de la classe commerçante de Québec et Montréal. Il ne peut donc se résoudre à croire que là, c'est cette classe qui tient le rôle du méchant dans une pièce dans elle, oppose une Assemblée de Français libéraux et démocrates à des Anglais conservateurs et réactionnaires détenant les places dans les conseils. Pour lui, cette querelle politique masque le vrai enjeu qui est «deux nations en guerre au sein d'un même État». Assez fin pour reconnaître que «ce n'est nulle part une vertu du peuple anglais de tolérer des coutumes ou des lois qui lui sont étrangères», Durham charge néanmoins les Canadiens français des plus graves défauts: ils sont incultes, rétrogrades, dépourvus d'histoire et de littérature, s'accrochent à des préjugés archaïques, des coutumes archaïques et des lois archaïques. Ils sont voués à rester dans un état d'infériorité, à devenir «des hommes de peine [au service des] industriels anglais». Il n'est pas question qu'ils continuent d'exister en tant qu'entité nationale distincte face à l'immigration anglaise et au progrès anglais. Bref, la Grande-Bretagne est dans l'erreur depuis la Conquête en encourageant l'idée qu'il y a un avenir pour le fait français en Amérique du Nord.

Pour Durham, la solution la plus charitable que le gouvernement impérial peut offrir maintenant aux Canadiens français, c'est l'assimilation. Ni d'un coup, ni brutalement — Durham malgré tout est un libéral; il a déjà exprimé sa sympathie pour les peuples européens combattant pour garder leur nationalité — mais l'assimilation quand même. Le moyen en serait l'union du Haut et du Bas-Canada, qui donnerait à la province unifiée un exécutif responsable devant l'assemblée élue démocratiquement. Un trait de génie, pense Durham, qui résoudrait les problèmes politiques et nationaux de ces colonies au moyen d'une réorganisation administrative simple. Cela fait, l'aristocrate homme d'affaires, l'impérialiste libéral des charbonnages du comté de Durham dans le Nord de l'Angleterre commence de rêver à sa façon: quand les Canadiens français seront rattachés au Haut-Canada par des liens politiques et économiques, ils comprendront la supériorité des Anglais dans leur façon de traiter les problèmes et les avantages qu'ils pourront eux-mêmes en retirer. L'immigration, qui fera bientôt d'eux une minorité, poussera les Canadiens français à choisir d'eux-mêmes la voie de l'assimilation.

Hélas, pauvre Durham! Sa vision assimilatrice était aussi irréalisable que la vision indépendantiste des Patriotes.

ORIENTATIONS BIBLIOGRAPHIQUES

Archives publiques du Canada, *British Colonial Office Papers, Copies of Correspondence from Canada, 1830-1835*, Séries « Q », vol. 195-222.

Bernard, Jean-Paul, *Les Rébellions de 1837-1838*, Montréal, Boréal Express, 1983.

Creighton, Donald, *The Empire of the St. Lawrence*, Toronto, Macmillan, 1956.

Durham, John George Lambton, *Le Rapport de Durham*, Montréal, Éditions du Québec, 1948.

Jones, Robert Leslie, « Agriculture in Lower Canada, 1792-1815 », *Canadian Historical Review* 27, 1946, p. 33-51.

Lewis, Frank et Marvin McInnis, « The Efficiency of the French-Canadian Farmer in the Nineteenth Century », *Journal of Economic History* 40, 1980, p. 497-514.

Manning, Helen Taft, *The Revolt of French Canada, 1800-1835: A Chapter in the History of the British Commonwealth*, Toronto, Macmillan, 1962.

Ouellet, Fernand, *Histoire économique et sociale du Québec, 1760-1850: structures et conjoncture*, Montréal, Fides, 1966.

_____ , «Les insurrections de 1837-1838: un phénomène social», *Histoire sociale/Social History* 2, 1968, p. 54-82.

_____ , *Le Bas-Canada, 1791-1840. Changements structuraux et crise.* Ottawa, Éditions de l'Université d'Ottawa, 1976.

_____ , dir., *Papineau: textes choisis et présentés par Fernand Ouellet*, Québec, Les Presses de l'université Laval, 1958.

Ouellet, Fernand et Jean Hamelin, «La crise agricole dans le Bas-Canada, 1802-1837», *Rapport annuel*, Société historique du Canada, 1962, p. 17-33.

(...) le marché (...) des planches (...) connaît une expansion extra-ordinaire.
Chargement de planches dans le port de Québec, au milieu du siècle.
Archives publiques du Canada C-90136

VI S'ALLIER POUR SURVIVRE

Avec le rapport Durham qui fait peser sur leurs têtes la menace de l'assimilation, les Canadiens français de 1840 ont toutes les raisons d'être moroses. Rien autour d'eux n'est de nature à les réjouir. L'échec du soulèvement a entraîné l'exil des chefs politiques (notamment Papineau); les terres et les propriétés agricoles de la région du Richelieu où ont eu lieu la majorité des combats ont été dévastées; la déception et le désespoir règnent chez les partisans des Patriotes, et l'apathie même chez ceux qui se sont le moins engagés. Un conseil spécial désigné par la Couronne se met en devoir d'exécuter les ordres du gouverneur. En novembre 1840, il approuve l'Acte d'Union qui impose l'union du Bas et du Haut-Canada, lesquels doivent être dorénavant connus sous les noms de Canada-Est et Canada-Ouest. L'Acte réinstaure des institutions représentatives dans la colonie, sous forme d'une nouvelle Chambre d'assemblée unique, mais il prévoit aussi une représentation égale des deux provinces, bien que le Bas-Canada compte près de deux cent mille habitants de plus que le Haut-Canada. En outre, il impose une liste civile fixe aux provinces, ainsi qu'un conseil exécutif et un conseil législatif non soumis à la ratification électorale; il proscrit également la langue française et, comme il consolide en un seul fonds les revenus et les dépenses des deux provinces, il charge ainsi le Bas-Canada de la dette publique du Haut-Canada qui est plus élevée. En 1840, la situation politique du Bas-Canada s'annonce décidément lugubre.

Pas de consolations à attendre ni du côté spirituel, ni du côté temporel. Le nouvel évêque de Montréal, Ignace Bourget, commence à instruire le dossier de l'indifférence religieuse et de la désobéissance caractérisée fort répandues chez beaucoup de présumés croyants. Les collèges qui sont censés former des prêtres produisent en fait trop souvent des aspirants aux professions libérales — notaires, médecins, avocats — et plus que la société ne peut en absorber. Les écoles primaires touchent une fraction infime d'une population largement illettrée. Comme la Chambre n'a pas siégé depuis le soulèvement, la dernière loi scolaire remonte à 1836; depuis lors, il n'y a plus d'argent pour payer les maîtres. Les quelques écoles qui restent ouvertes reposent sur la bonne volonté de l'institutrice, qui est souvent plus grande que son savoir. La situation économique ne donne pas davantage de raisons de se réjouir. Trois années de mauvaises récoltes sont là pour rappeler, s'il en était besoin, que l'agriculture en général, et les terres seigneuriales en particulier, ne peuvent plus suffire à faire vivre les quatre-vingts pour cent de la population qui vivent dans les campagnes. L'activité urbaine — négoce, commerce, importation — s'est presque arrêtée; ainsi que Durham l'a remarqué, le seul avantage des Canadiens français, bien mince, c'est d'être dans une situation un peu moins mauvaise que celle des immigrants qu'ils méprisent et redoutent. L'année 1840 est vraiment une année sinistre.

Cependant, les quatorze années qui vont suivre apporteront un démenti à ces sombres perspectives de 1840: leur révolte écrasée, condamnés à l'assimilation en tant que race «inférieure», les Canadiens français connaissent soudain une explosion d'énergie, d'enthousiasme, de ténacité et de vitalité. Ils vont revigorer et transformer leurs institutions politiques, et mettre ainsi en échec le projet assimilateur de l'Union. C'est ainsi qu'ils réussissent à faire passer l'exécutif sous le contrôle de l'Assemblée, résolvant de cette façon le problème le plus irritant de la période d'avant le soulèvement; ils obtiendront pendant une brève période (de 1855 à 1867), un Conseil législatif élu. Ils secouent leur léthargie religieuse, et impriment forme et contenu à la foi et à l'Église. Ils organisent un système scolaire et des institutions municipales. Reprenant les fondements de leur droit civil à la lumière de la Coutume de Paris, ils l'amendent en fonction du Code Napoléon. Ils produisent une génération d'historiens, de romanciers et même de philosophes ou de gens qui se veulent tels; ils forment des cercles nationaux, culturels, éducatifs et politiques. Ils expérimentent de nouvelles techniques agricoles, organisent la colonisation de certaines régions des Cantons de l'Est, et ouvrent des bureaux d'enregistrement. Ils donnent le feu vert à la canalisation du Saint-Laurent et le feu rouge au régime seigneurial, aboli en 1854. Et, n'en déplaise à Durham, la plus grande partie de tout cela se fait en français.

C'est peut-être même grâce à lui que toute cette activité se déploie. L'effervescence des années 1840 est difficilement explicable. Il se peut que Durham ait joué à la fois le rôle du méchant et celui du catalyseur. C'est probablement en réaction à ses propos ironiques sur l'absence d'une histoire des Canadiens français que François-Xavier Garneau entreprend son *Histoire du Canada*. Il se peut que la Rébellion elle-même ait constitué à la fois une ligne de partage et une leçon. Le libéralisme, dont la vogue se répand à travers tout le monde occidental, a certainement joué un rôle dans ce regain d'activité au moment même où une nouvelle classe moyenne ayant des ambitions intellectuelles et politiques prend corps. Au Québec, une nouvelle génération de cette classe — dont certains membres ont à peine été touchés par le soulèvement — va accéder à des positions en vue dans le cadre d'un échiquier politique redistribué. Dans les décennies à venir, un certain nombre d'entre eux donneront une version québécoise du débat en cours, en Europe, entre liberté et autorité. Cette ardeur peut aussi s'expliquer par le contexte de paix politique et de prospérité économique qui ne prendra fin que juste avant 1850.

Le fait que le Canada français se soit enfin accommodé de la présence britannique illustre cette ardeur et peut même l'expliquer partiellement. Au bout de quatre-vingts ans et de pas mal de refus d'accepter le réel de part et d'autre, il faut bien se rendre à l'évidence: les Britanniques sont là pour rester. Ce nouvel état d'esprit se traduit par une redistribution des cartes politiques; entre 1840 et 1854, les Canadiens français vont expérimenter toutes les formes possibles d'alliances, soit entre eux, soit entre certains de leurs groupes et des groupes de Canadiens anglais ayant les mêmes aspirations, à l'intérieur de ce qui est maintenant la province du Canada-Uni. C'est après avoir fait l'essai de plusieurs types d'alliances sur les questions constitutionnelles qu'ils s'arrêtent finalement au principe du gouvernement responsable devant la Chambre. Entre-temps, ils auront à faire l'essai des alliances religieuses, culturelles et économiques les plus diverses. Il leur sera même donné de voir de vieux conservateurs anglais et de jeunes radicaux français s'unir quelque temps pour rejeter tout lien avec la Grande-Bretagne. L'effervescence de cette période est due sans aucun doute à une redistribution incessante des rôles.

En parallèle, les discussions sur la place du nationalisme dans la vie de la société jouent un grand rôle: elles sont tantôt ouvertes, tantôt sous-jacentes. Le courant nationaliste qui mettait l'accent sur l'identité territoriale et culturelle aspirait à l'indépendance (dont les théoriciens politiques du dix-neuvième siècle font le fondement de la nationalité), et qui tendait à rejeter sur «l'autre» la responsabilité de tous les problèmes, petits et grands, s'est brutalement arrêté avec l'échec de la Rébellion. Au cours de la décennie, il y a bien quelques résurgences de ce courant, notamment quand Papineau revient d'exil en 1845 et quand il réapparaît sur la scène politique en 1847. Mais le plus souvent c'est un éventail très divers de voix nationalistes qui s'expriment à l'occasion des alliances qui s'échafaudent. Tantôt des voix fournissent des arguments en faveur de ces alliances, tantôt elles en mettent en doute le bien-fondé. La plupart du temps, elles font valoir que les Canadiens français sont les artisans de leurs propres problèmes, petits et grands, et qu'ils ne peuvent donc les résoudre que par leur volonté commune. En somme, le nationalisme quitte les projecteurs de la vie politique pour prendre toutes les nuances d'une réalité culturelle changeante.

De toutes les alliances politiques auxquelles les Canadiens français ont participé, la plus connue, car le succès, l'histoire et même une statue sur la colline parlementaire l'ont consacrée, a été l'alliance des réformateurs du Bas et du Haut-Canada, alliance mise sur pied pour donner à l'Union la forme qui leur convenait. Pourtant, en 1840, personne n'aurait pu prédire que le Bas-Canadien Louis-Hippolyte LaFontaine et le Haut-Canadien Robert Baldwin formeraient une alliance, ni même qu'ils réussiraient à rassembler en un parti un tant soit peu identifiable leurs partisans disséminés et indécis. En 1840, LaFontaine lui-même n'avait guère de programme politique; son opposition à l'Union n'était rien de plus que la réaction normale d'un député qui avait appartenu au Parti patriote depuis 1830. En outre, le fait qu'il ait été absent du pays pendant la période agitée de 1837 et 1838 modérait son opposition. Les talents de persuasion de Francis Hincks, homme d'affaires du Haut-Canada allié aux réformistes de Baldwin, que LaFontaine connaissait depuis 1835, firent le reste. Bien qu'il n'eût pas alors encore arrêté sa ligne de conduite dans la formulation précise de la responsabilité ministérielle, LaFontaine avait cependant perçu, dès 1840, la nécessité de travailler dans le cadre de l'Union.

C'est pourquoi, quand il prépare les premières élections de 1841, LaFontaine va veiller à exprimer à la fois son opposition à l'Union et les espoirs qu'il met en elle. Ainsi qu'il le dit à ses électeurs, l'Union n'est pas équitable: elle a été imposée sans l'approbation du peuple; elle consacre l'usage de l'anglais comme seule langue officielle de l'Assemblée; elle fait porter au Bas-Canada le poids des dettes du Haut-Canada et assure une représentation égale à des provinces dont les populations sont inégales. C'était une nécessité politique de condamner ces aspects injustes de l'Union et, en les condamnant, LaFontaine, qui est de Montréal, espère polariser toute l'opposition à l'Union et éviter ainsi une résurgence des vieilles rivalités régionales existant au sein du Parti patriote. À Québec, John Neilson, de *La Gazette de Québec*, qui a fait partie des Patriotes mais qui n'est ni radical, ni révolté, compte redorer le blason de sa carrière politique terni par sa participation au conseil spécial tant abhorré qui a été mis en place après la Rébellion pour exécuter les ordres du gouverneur. Il organise localement des pétitions massives contre l'Union, amenant prêtres et patriotes à exprimer ensemble leurs craintes pour la survie des institutions canadiennes. Percevant que ces pétitions sont populaires, LaFontaine fait de même dans le district de Montréal. Cependant, contrairement à Neilson, il n'envoie pas ces pétitions à Londres; au contraire, il fait valoir à ses électeurs qu'il n'y a pas d'autre choix que de travailler à l'intérieur de la nouvelle constitution et qu'il n'y a rien de mieux à attendre de la Grande-Bretagne; en tout cas, même si quelque chose de mieux se présente, il faut que les Canadiens français puissent se faire entendre au gouvernement en attendant. Il se pourrait même que l'Union leur permette de mieux se faire entendre: en s'unissant aux réformistes du Haut-Canada, les Canadiens français pourraient être plus forts et obtenir des concessions du gouverneur et de ses conseillers; ceux-ci, selon les termes de l'Union, et en dépit des recommandations de Durham, vont continuer d'agir comme avant la Rébellion.

En fait, certains de ces dirigeants se comporteront avec encore moins de scrupules que ceux qui les ont précédés. Lors des premières élections, le premier des gouverneurs de l'Union, Lord Sydenham, téléguidé par Durham et le *Colonial Office* de Londres, manipule les circonscriptions électorales et LaFontaine est battu. À cette occasion, les alliances caractéristiques de cette période font, pour la première fois, sentir leurs effets: Robert Baldwin, le leader des réformistes haut-canadiens, nommé par Sydenham au Conseil exécutif pour les besoins de l'«harmonie», c'est-à-dire pour équilibrer les groupes opposés en nommant des membres de chacun de ces groupes au Conseil démissionne de son poste pour protester contre l'absence de Canadiens français auprès du gouverneur. Baldwin, qui a été élu dans trois circonscriptions différentes du Canada-Ouest, offre l'une de ces circonscriptions à LaFontaine. L'élection partielle se fait sans problème et LaFontaine entre à la Chambre du Canada uni en 1842 comme élu de Toronto. Il fait son premier discours en français. Le français ne sera reconnu officiellement qu'en 1849, année où Lord Elgin prononcera en français le discours d'ouverture de l'Assemblée; mais LaFontaine avait d'ores et déjà donné le coup de grâce à l'une des visées assimilatrices de l'Union.

Sir Charles Bagot, le second gouverneur de l'Union, plus affable et plus diplomate que Sydenham, reconnaît qu'il est impossible d'écarter les Canadiens français des conseils du gouvernement. Il estime aussi que le Conseil exécutif doit refléter la majorité de la Chambre plutôt que de permettre d'équilibrer les intérêts divergents. Il offre donc à LaFontaine le poste de procureur général du Canada-Est, ce qui lui confère automatiquement une place au Conseil exécutif. LaFontaine n'accepte qu'à la condition d'obtenir des postes pour ses collègues de Montréal et de Québec, Augustin-Norbert Morin et Étienne Parent, ce dernier comme greffier du Conseil, ainsi que pour son allié du Haut-Canada, Robert Baldwin. Ce faisant, il confirme l'alliance et rend à Baldwin le service que celui-ci lui a rendu précédemment; il lui trouve une circonscription facile, celle de Rimouski, après que Baldwin eut perdu l'élection partielle dont il a besoin une fois nommé à des fonctions officielles. Les amitiés politiques s'avèrent donc payantes. Dès lors, Parent se met à philosopher sur les relations entre les institutions britanniques et la survie des Canadiens français, tandis que LaFontaine persuade ses partisans que la nationalité l'a emporté sur l'Union. De Québec, John Neilson, sceptique ou peut-être jaloux, — il a été rejoint par Denis-Benjamin Viger — juge que l'accession de LaFontaine à des fonctions officielles a été obtenue grâce au compromis qu'il a conclu avec un radical anglophone du Canada-Ouest. Le gouverneur Bagot écoute poliment et souvent favorablement le point de vue de ses conseillers. Bien sûr, il n'est pas obligé de prendre leurs avis pour des conseils, encore moins de les suivre, mais ni LaFontaine, ni Baldwin ne lui en demandent tant.

Ce sera pourtant sur ce point précis — le gouverneur doit-il ou non suivre les avis de ses conseillers — auquel s'ajoutera la question plus sournoise du patronage, que le Conseil et le gouverneur suivant, Sir Charles Metcalfe, arriveront à l'impasse. En 1843, LaFontaine et Baldwin, procureurs généraux respectivement du Canada-Est et du Canada-Ouest (à elles seules, leurs fonctions manifestent la voie fédérale dans laquelle allait s'engager l'Union, en dépit de son nom) insistent pour que le gouverneur Metcalfe nomme à un certain emploi public le candidat de leur choix. Le gouverneur n'est pas d'accord: il ne va pas laisser des «rebelles» et des «républicains» s'emparer de son privilège de nomination des emplois publics. En fait, Metcalfe a des instructions de Londres pour ne pas céder davantage que Bagot sur les nominations et sur l'influence des conseillers qui prétendent représenter la majorité à l'Assemblée. En outre, il déteste la politique de partis qui commence à s'instaurer dans le Canada-Uni car elle menace de nuire à l'image qu'il désire donner d'un gouverneur au-dessus des partis. Pire, elle menace de saper son autorité. Comment un gouverneur pourrait-il avoir de l'autorité, s'il devait obéir aux instructions de Londres et céder aux impertinences des coloniaux? En ce qui concerne ces derniers, Metcalfe est tout à fait prêt à admettre qu'ils ont quelques bonnes raisons de se plaindre; il est même prêt à leur donner quelques satisfactions. Il suggère à Londres de faire quelques concessions: beaucoup de blessures d'amour-propre des Canadiens français pourraient être pansées s'il y avait une amnistie pour les Patriotes exilés et déportés, si la politique d'assimilation était abandonnée, si l'Assemblée pouvait avoir droit de regard sur la liste civile et si la capitale était transférée de Kingston à Montréal. Mais Londres ne veut rien entendre. Aussi, lorsque Metcalfe procède à une nomination à un poste mineur sans consulter le Conseil exécutif, il n'a aucune compensation à offrir à celui-ci. Il refuse de revenir sur sa nomination et le Conseil refuse d'avaliser celle-ci. LaFontaine et Baldwin démissionnent.

Ils affirment que s'ils agissent ainsi, c'est pour des raisons de principe, mais le patronage et son pouvoir sont aussi en cause. Les principes, comme le patronage, sont étroitement liés à la question de la responsabilité ministérielle qui commence à se dessiner. Les principes exigent que le gouverneur choisisse ses conseillers dans la majorité d'une Assemblée élue et qu'il suive leurs avis. Mais pour l'obliger à le faire, il faut que les conseillers disposent d'une majorité à l'Assemblée; cela suppose que les partis politiques sont soigneusement noyautés, ce à quoi le patronage peut servir efficacement. En distribuant des postes en différents points du pays, le leader politique se constitue un réseau de fidélités qui jouera avec succès le jour de l'élection. C'est ce que le gouverneur sait très bien, et que LaFontaine apprend rapidement: s'il parvenait à avoir la haute main sur les emplois publics, il serait capable de donner corps à son rêve d'un parti politique unissant tous les Canadiens français et un groupe de sympathisants du Canada-Ouest; il en résulterait des victoires électorales ininterrompues et cela lui donnerait une base d'influence solide sur le gouverneur. En outre, ces emplois résoudraient le principal problème de la classe moyenne québécoise: toutes ses compétences trouveraient à s'employer dans la fonction publique. Si tous ne peuvent pas espérer se caser au Conseil législatif, comme magistrats ou comme juges de paix, les autres peuvent très bien devenir secrétaires dans les tribunaux ou dans les bureaux d'enregistrement nouvellement ouverts, commissaires fonciers, arpenteurs, inspecteurs des ports ou même receveurs des postes de Sa Majesté dans les auberges qui font office de bureaux de poste. Les possibilités d'emploi sont variées et presque sans borne; comme la reconnaissance qui résulterait de ces créations d'emploi. Si LaFontaine parvenait à tenir entre ses mains cette manne, il pourrait à la fois cimenter les alliances qui se dessinaient chez les Canadiens français et montrer, une fois de plus, que l'Union était bénéfique à la nation.

Tout le monde n'est pas d'accord avec la stratégie et les idées de LaFontaine. Le gouverneur a quelques solides alliés chez les Canadiens français dans sa lutte contre la course indécente aux emplois et contre la proposition que cette course soit entre les mains de quelqu'un d'autre que lui. Viger, Neilson et leurs partisans à Québec, pensent que LaFontaine outrage la Couronne en prétendant au droit de nomination: selon eux, en assumant l'autorité du gouverneur, en réalité, il sape celle-ci. Ils suspectent aussi LaFontaine de vouloir consolider sa propre situation politique. Si LaFontaine obtient ce qu'il demande, tout le système de gouvernement dégénère en une véritable course aux emplois; ce sera pire que le système américain des «dépouilles», dans lequel les nominations sont utilisées pour les besoins des partis, car celles-ci se feront au nom de la noble (et selon eux, déraisonnable) idée de la responsabi-

lité ministérielle. Ce n'est d'ailleurs pas nécessaire. Les Canadiens français n'ont qu'à rester dans les bonnes grâces du
gouverneur, et tous les besoins de la nation finiront par être
reconnus. D'ailleurs, Metcalfe ne prépare-t-il pas une amnistie,
peut-être même le retour des exilés, et peut-être même le paiement d'un arriéré de salaire à Papineau comme «orateur» de
la Chambre avant la Rébellion?

Les deux opinions vont mesurer leur influence respective
les années suivantes. Le conflit de Metcalfe avec son Conseil,
qui a amené LaFontaine et Baldwin à démissionner, conduit
d'abord à tenter vainement de trouver des conseillers plus
accommodants, puis, en 1844, à des élections. Dans le Canada-
Est, celles-ci donnent à LaFontaine la quasi-totalité des élus
canadiens-français, mais en même temps elles réduisent la
représentation de ses alliés réformistes du Canada-Ouest à
l'état de minorité. En conséquence de ce dernier fait, le gouverneur constitue son Conseil exécutif sans tenir compte de
Baldwin. En signe de protestation, LaFontaine refuse alors d'y
siéger. L'alliance passe avant tout. Cependant, un certain
nombre de Canadiens français restent perplexes: ils détiennent la majorité des sièges du Bas-Canada à la Chambre et
néanmoins ils n'ont pas de postes au Conseil exécutif à cause
de l'étrange relation de LaFontaine avec les réformistes du
Canada-Ouest. Les partisans de LaFontaine commencent eux-
mêmes à s'interroger. Ils mettent même à l'épreuve sa patience
et son habileté politique par leurs protestations, quand ils
voient des personnalités électoralement non représentatives,
comme Denis-Benjamin Viger et Denis-Benjamin Papineau,
prendre leurs places dans un Conseil exécutif qui comporte
également des conservateurs modérés du Canada-Ouest. La-
Fontaine s'accroche au principe de la responsabilité ministérielle appuyée par une alliance d'élus ayant les mêmes idées
politiques. Au Québec, ses partisans insatisfaits et ses adversaires pensent à rechercher un autre type d'alliance: la «double majorité». Ce système permettrait à chacune des deux composantes du Canada-Uni d'avoir sa place aux Conseils du
gouverneur, quelle que soit la couleur politique de ses élus. Une
présence auprès du gouverneur serait ainsi toujours assurée;
les Canadiens français seraient toujours du côté de l'autorité.
Mais comme il n'est pas possible d'influer sur l'autorité du
gouverneur et encore moins de l'exercer soi-même, car le gouverneur n'est pas tenu de suivre les avis de ses conseillers,
LaFontaine ne veut pas entendre parler de ce système. Cependant, c'est une étrange situation de se retrouver dans l'opposition
alors qu'on détient vingt-neuf des quarante-deux sièges du

Canada-Est à l'Assemblée; LaFontaine essaie de sortir de cette impasse en recherchant des alliances ailleurs. S'il ne peut pas contrecarrer directement la thèse nationaliste de la «double majorité» de Viger, il est néanmoins capable de la saper en attirant à lui un élément de la vie nationale avec laquelle il faut de plus en plus compter au sein du Canada français.

Cette composante, c'est l'Église. Entre 1840 et 1850, son principal pilier est monseigneur Ignace Bourget, évêque de Montréal. Si le premier gouverneur de l'Union le considérait comme un homme de peu de talent (il avait émis des objections à sa nomination comme évêque), le dernier gouverneur de la décennie n'a fait que des éloges de cet ardent défenseur de la fidélité à la Grande-Bretagne. Gouverneurs comme évêque ont parcouru beaucoup de chemin en peu d'années. Bourget a médité les enseignements de l'histoire: si l'Église a survécu depuis la Conquête, c'est parce qu'elle s'est tenue proche des autorités britanniques et leur a été utile. Maintenant que cette autorité est peu à peu grignotée par le cours des événements politiques. Bourget qui possède autant de sens politique que LaFontaine oriente sa boussole sur les nouveaux centres de pouvoir.

Mais pour ce faire, il faut tout d'abord que Bourget redonne du tonus à son Église. Le catholicisme, en 1840, note-t-il avec tristesse en amassant les témoignages de l'indifférence religieuse, est tiède: il y a beaucoup trop de catholiques qui ne pratiquent pas, trop d'apostats, d'ivrognes et de gens vivant en concubinage. On ne peut pas s'attendre à ce qu'un tel ramassis d'individus résiste efficacement au projet d'assimilation de l'Union et moins encore à ce qu'il fasse échec à l'intense propagande protestante qui s'abat sur les campagnes. Tout ce monde a besoin d'une inspiration, d'une organisation, d'une direction. Tout cela, Bourget peut l'offrir et ce qui lui manque, il l'importe de France. Ces produits d'importation sont d'un type particulier: des prédicateurs et des enseignants imprégnés de catholicisme populaire et de philosophie conservatrice. Parmi eux, le plus remarquable est un ancien évêque français, monseigneur de Forbin-Janson, dont la particule aristocratique va tout à fait de pair avec la philosophie royaliste et les extraordinaires talents de prédicateur. Pendant plus d'un an, il sillonne les paroisses du Québec, insufflant la ferveur religieuse aux foules immenses qu'il rassemble. Avec Bourget, il organise des retraites religieuses qui rencontrent un immense succès. Après quoi, Bourget entreprend de consolider cette nouvelle ferveur: toujours de France, il fait venir de nouveaux ordres religieux pour combler les vides dans les rangs du clergé diocésain de Montréal: Oblats, Jésuites, Clercs de Saint-Viateur, Dames du Sacré-Coeur, Soeurs du Bon-Pasteur, Pères, Frères, Soeurs de Sainte-Croix. Il préside aussi à la fondation de deux communautés canadiennes d'hommes et à celle de la Saint-Vincent-de-Paul, Société charitable animée par des laïques. Et c'est avec plaisir qu'il voit les Canadiennes déployer un zèle encore plus grand au niveau de l'organisation. Elles créent quatre nouveaux ordres religieux pendant la décade: les Soeurs de Charité de la Providence, les Soeurs des Saints Noms de Jésus et Marie, les Soeurs de la Miséricorde et les Soeurs de Sainte-Anne. Dans le même temps, un autre ordre, établi au dix-huitième siècle, les Soeurs Grises, se scinde en quatre communautés et se développent dans différentes parties de la province.

La ferveur religieuse n'est pas la seule raison qui explique cette formidable recrudescence des activités collectives religieuses. La raison principale, c'est que les communautés ne manquent pas de travail. Alors que les curés de paroisse, en nombre toujours très insuffisant, doivent faire tous les métiers pour satisfaire aux besoins spirituels et matériels de leurs paroissiens, les communautés, elles, se spécialisent. Les unes soulagent les curés de certaines charges devenues trop lourdes pour eux. Il y a tant de femmes restées veuves à la suite des épidémies de choléra, tant de victimes d'incendies laissées sans toit, et tant de déshérités dont le prêtre n'a pas le temps de s'occuper personnellement. Les obligations morales de ce dernier ne sont pas moins lourdes: il faut qu'il fasse l'enseignement religieux, qu'il offre des bonnes lectures pour concurrencer «les brochures immorables» qui circulent et qu'il persuade les gens de ce qu'il vaut mieux aller à la ligue antialcoolique qu'au théâtre. Rien d'étonnant dans ces conditions, à ce qu'il voit avec plaisir une partie de ses charges charitables assumées par d'autres. Les ordres masculins font surtout de l'enseignement; la plupart des communautés féminines s'occupent de bonnes oeuvres. Pauvres, malheureux, déshérités, vieillards et malades trouvent auprès des membres de ces nouvelles congrégations réconfort et soutien. À partir de 1840, et de plus en plus au cours du dix-neuvième siècle, les communautés religieuses vont de cette façon fournir des emplois, d'une part aux hommes, réduisant ainsi le nombre d'aspirants aux professions libérales, d'autre part aux femmes en leur offrant un autre choix que la seule forme de travail par laquelle la plupart d'entre elles gagnent leur vie: la maternité.

Bourget s'intéresse tout particulièrement à l'éducation, et c'est cette préoccupation qui l'amène peu à peu à rencontrer les politiciens. Toutes les communautés religieuses qu'il a fait venir de France sont des ordres enseignants; quelques-unes, notamment les communautés de femmes, ont trouvé leur vocation dans l'enseignement élémentaire, mais la plupart sont venues renforcer l'encadrement des collèges classiques, ces écoles secondaires et post-secondaires privées pour les garçons, gérées par l'Église; en un cours de huit ans, ces institutions forment leurs élèves essentiellement à la littérature et à la philosophie classiques de la Grèce, de Rome et de la France. Bourget espère que leur présence insufflera plus de ferveur religieuse aux élèves et suscitera ainsi davantage de vocations. Il en sera effectivement ainsi pendant et après sa longue carrière comme évêque de Montréal (1840-1876). Beaucoup des anciens élèves qui ne deviendront pas prêtres entreront en politique et maintiendront ainsi leurs liens avec leurs camarades de collèges. Ce type de liens n'est évidemment pas une nouveauté des années 1840: beaucoup des amis politiques de LaFontaine sont déjà très proches non seulement de l'état-major de Bourget, mais également des religieux de Québec. Ces liens se resserrent encore quand Bourget apporte son soutien à un journal destiné à promouvoir la religion dans la vie publique: *Les Mélanges religieux* ne se cantonneront pas aux seules affaires religieuses; dans le débat sur les affaires publiques, ils feront entendre au milieu du concert de la presse locale la voix officieuse de l'évêque. Ils vont aussi verser dans ce débat deux idées explosives, sur lesquelles le Canada français vivra pendant de nombreuses années: la première est le lien entre la religion et la langue en tant que pilier de la nation canadienne-française; l'autre, importée directement d'Europe par le moyen d'articles de la presse catholique, conservatrice, et même royaliste, est celle du lien entre la théologie catholique, la philosophie conservatrice et l'action politique.

Ce qui a amené Bourget, ses idées et son journal dans le camp de LaFontaine, c'est tout naturellement l'enseignement. Depuis les années 1820, la Chambre a manifesté un intérêt sporadique pour les écoles primaires, tantôt pour éviter que le système scolaire ne se développe sous les auspices de l'Institution royale, organisme protestant créé en 1801, tantôt pour brider le pouvoir des curés dans les écoles paroissiales. Mais cet intérêt a toujours été étroitement dépendant des bonnes ou mauvaises relations existant entre la Chambre et le Conseil. Après 1836, aucune loi scolaire n'a été votée si bien qu'il n'y a eu ni subventions, ni coordination. Les choses vont changer dans la décennie 1840. Dans la fièvre d'administration de cette période, caractérisée par le dédoublement administratif, le

Canada va rapidement se doter de deux surintendants à l'Éducation. Celui du Canada-Est, Jean-Baptiste Meilleur, comme son pendant du Canada-Ouest, Egerton Ryerson, luttera contre vents et marées pour organiser un enseignement élémentaire destiné à l'ensemble des enfants du peuple. Son organisation, son financement, son contrôle et son administration poseront des problèmes immenses. Il faut trouver et former des maîtres, définir des programmes, construire des écoles, et cela avec l'hostilité de la population à toute forme de taxation. Meilleur doit en outre compter avec le souhait du rapport Durham de voir les écoles servir de moyen d'assimilation. Toutes ces difficultés combinées conduiront à une intervention croissante de l'État et du clergé.

En 1845, en vertu du principe qu'enseignement et religion sont inséparables, *Les Mélanges religieux* attaquent un projet de loi déposé par le conseiller exécutif D.-B. Papineau, appartenant au groupe Viger-Neilson, adversaires politiques de LaFontaine; à leur avis, cette loi réduirait trop les pouvoirs du clergé sur les écoles. Elle prévoyait que les commissaires élus localement continueraient d'administrer celles-ci, comme cela était déjà prévu dans une loi scolaire datant de 1841. La seule concession faite à l'intérêt grandissant des membres du clergé pour le problème scolaire était de leur reconnaître le statut de «visiteurs» dans les écoles; ils auraient le droit officieux d'y superviser l'enseignement religieux, mais sans que cela soit reconnu officiellement. C'était trop peu pour un clergé qui se colletait dans les paroisses avec les élites laïques et qui, en même temps, essayait de ranimer les sentiments religieux du peuple. Il trouve des alliés en LaFontaine et Morin, désireux de trouver un terrain favorable pour rallier leurs partisans de la Chambre contre le groupe minoritaire au pouvoir. Ensemble, ils parviennent à faire passer des amendements qui théoriquement centralisent les pouvoirs entre les mains du surintendant, mais qui, en pratique, accroissent le pouvoir local des prêtres en leur permettant d'être élus comme commissaires scolaires. Un an plus tard, les prêtres obtiennent le droit de veto pour ce qui concerne le recrutement des maîtres dans leurs paroisses. Bourget n'oubliera jamais l'aide de LaFontaine.

Cette alliance en cours d'élaboration tiendra même lorsque cette aide ne produira pas les effets escomptés. En 1846, Bourget revendique pour l'Église la propriété légitime des biens des Jésuites. Confisqués par les autorités britanniques à l'époque de la Conquête, ils ne devaient revenir totalement à la Couronne qu'au décès du dernier Jésuite demeurant au Canada, en 1800. En 1832, ces biens avaient été placés sous l'autorité de la

Chambre du Bas-Canada. Bourget estime que, du moment que leurs revenus étaient destinés à servir à l'enseignement et puisque l'Église est l'institution enseignante par excellence, ces biens doivent lui revenir. Le groupe de Viger, alors au pouvoir, à qui la demande en est faite, refuse. Bourget se tourne donc de nouveau vers LaFontaine et de nouveau, obtient son aide. Cette fois, la coalition naissante ne rassemble pas suffisamment de voix pour remporter la victoire; mais dans la controverse publique, l'ensemble des journaux favorables à LaFontaine — *La Minerve, Le Journal de Québec, La Revue Canadienne* — se rangent aux côtés des *Mélanges religieux* de monseigneur Bourget et se posent ainsi en défenseurs de la foi. À partir de ce jour, *Les Mélanges* et *La Minerve* vont faire échange de bons procédés, notamment en période électorale.

Au milieu de la décennie cependant, d'autres voix se feront entendre dans la province. Certaines ajoutent des arguments culturels pour justifier ces alliances; d'autres contestent le bien-fondé de ces mêmes alliances et de leur prétexte: la question scolaire; d'autres enfin reflètent le caractère fluctuant des priorités idéologiques de l'époque. Toutes contribuent à l'effervescence de la période.

C'est ainsi que l'idéologie nationaliste en pleine fermentation s'enrichit d'un apport historique aux implications contemporaines évidentes. C'est entre 1845 et 1848 que François-Xavier Garneau publie son *Histoire du Canada* en trois volumes. Bien avant que la devise «*Je me souviens*» n'orne l'emblème du Québec, Garneau explique à ses lecteurs qu'ils forment un peuple spécifique dont le passé a constitué une lutte permanente. Étant donné les brimades et les humiliations auxquelles les Canadiens français se trouvent soumis dans le présent, il suggère implicitement qu'il est peu vraisemblable qu'il en aille autrement dans l'avenir. Pour Garneau, le régime français a donné l'exemple même d'un peuple qui a surmonté les difficultés et qui s'est engagé résolument dans la colonisation, l'exploration, les expéditions militaires, et la lutte contre les Indiens, les Américains et les Anglais; les premiers colons ont fait tout cela dans un état d'esprit propre au Nouveau Monde, dans un élan de liberté, dans un esprit d'aventure libéré des pesanteurs monarchiques et théologiques du Moyen Âge qui pesaient encore sur l'Europe. Garneau est un libéral anticlérical imprégné de la philosophie du siècle des Lumières, et il est fasciné par la Révolution française. Il est tout prêt à admettre, du moins en théorie, la légitimité de la révolte populaire comme moyen de s'opposer au comportement politique illégitime des classes dirigeantes. Au Canada, la Conquête a donné à ce comportement illégitime la coloration d'un affrontement entre deux races. Garneau conclut un avertissement: si la Grande-Gretagne tempère de sagesse et de libéralisme ses visées assimilatrices, notamment celles prévues par l'Union, et si les Canadiens résistent en tant que peuple, alors tout se passera bien; sinon, tout peut arriver.

Pas toujours rigoureuse, la synthèse que fait Garneau de toutes les idées ayant marqué le monde occidental pendant les cent cinquante années précédentes est caractéristique de la nouvelle classe moyenne canadienne-française. Sa situation ne l'est pas moins: en tant qu'employé du parlement du Canada-Uni, il dépend du bon vouloir du gouvernement; en tant qu'écrivain, il dépend des critiques. Comme les autres artistes canadiens du dix-neuvième siècle, et même du vingtième siècle dans certains cas, il faut qu'il soit reconnu outre-Atlantique pour avoir l'assurance de toucher un vaste public au pays. Son *Histoire*, de ce fait, emprunte les cadres de pensée européens et l'image qu'il présente des grandes figures ecclésiastiques du passé n'est pas toujours flatteuse. Le peu de sympathie dont Garneau fait preuve à l'égard du clergé contraste avec l'ambiance de renouveau religieux caractéristique de l'époque au Canada. Sensible au reproche qui lui en est fait, Garneau donne une tonalité différente à son troisième volume; celui-ci paraît juste au moment où les alliances politiques, ethniques, et religieuses tissées par LaFontaine portent leurs fruits et où il obtient la responsabilité ministérielle: Garneau affirme maintenant que, pour survivre, la nation canadienne-française a besoin des trois piliers que constituent la religion, les lois et la langue. Qui plus est, il suggère qu'une Grande-Bretagne éclairée par les luttes des Canadiens français pourrait même contribuer à cette survie; peut-être même les deux choses vont-elles de pair: peut-être la survie de la Grande-Bretagne elle-même en Amérique du Nord dépend-elle de la survie du Canada français. En reliant ensemble les alliances idéologiques et politiques des années 1840, non seulement Garneau les légitime-t-il, mais il fournit au nationalisme un apport culturel qui ne va cesser d'influencer les nationalistes et les historiens des temps à venir.

Journaliste et politicien, Étienne Parent qui se veut aussi philosophe considère qu'il manque un ingrédient à cette recette si on désire maintenir la nationalité canadienne-française: le dynamisme social et économique des classes moyennes. Bien qu'il soit beaucoup plus critique que Garneau envers ses contemporains, lui aussi fournit des arguments en faveur des alliances qui s'élaborent dans les années 1840. Pour lui, au rôle de direction que les Canadiens français ont confié au clergé et aux hommes politiques depuis la Conquête et qu'ils coulent maintenant harmonieusement dans les institutions libérales de la Grande-Bretagne, doit s'ajouter le rôle de phare économique et social dévolu à la classe moyenne. Mais cela suppose un changement dans les mentalités, et là Parent affirme hautement que les Canadiens français sont les auteurs de leurs propres malheurs. S'ils avaient moins d'aversion pour les travaux manuels, ils ne se précipiteraient pas en masse vers les professions libérales et ne passeraient pas leur temps, en raison de la saturation de ces professions, à rechercher des emplois de fonctionnaires. S'ils n'enseignaient pas à leurs enfants le mépris de l'industrie, ces enfants ne deviendraient pas des employés subalternes des Canadiens anglais; si seulement ils pouvaient surmonter leur aversion, ils pourraient facilement coopérer et même rivaliser avec les industriels, les hommes d'affaires et les exploitants des ressources naturelles du Québec. La survie de l'ensemble des Canadiens français ne pourrait être assurée que s'ils savaient faire preuve d'autant d'esprit pratique et de capacité d'adaptation que les politiciens et les hommes d'Église.

En 1844, les idées de Parent trouvent un auditoire attentif à l'Institut canadien où il est toujours recherché comme orateur. Fondé en 1844 par quelque deux cents jeunes Montréalais, conçu comme un organisme d'enseignement parallèle aux écoles primaires et aux collèges classiques, l'Institut partage l'intérêt et les critiques de Parent vis-à-vis de l'enseignement de l'époque. Mais il ne partage pas son admiration pour la complicité existant entre les prêtres de Bourget et les politiciens de LaFontaine. En fait, l'Institut canadien va servir de base dans les années à venir à des expériences d'alliances mettant en jeu des composantes sensiblement différentes, par exemple, en 1847, l'influence de Papineau, revenu d'exil, en 1849, les tories de Montréal et au début de la décennie 1850, les Clear Grits du Canada-Ouest.

En attendant, il se peut bien que l'Institut se voie comme la composante populaire et sociale de la recette mise au point par Parent pour préserver la nationalité canadienne-française. En fait, l'Institut est un cercle culturel pour adultes, avec une bibliothèque, une salle de lecture et un programme organisé, des débats et des conférences portant sur les problèmes intellectuels, économiques et politiques de l'actualité, aussi bien européenne que nord-américaine. Les jeunes gens qu'il attire appartiennent à une nouvelle génération de la classe moyenne: trop jeunes pour avoir connu la fin tumultueuse de la décennie précédente, ils se dirigent cependant comme leurs aînés vers les professions libérales et vers les emplois publics. La critique constante qu'ils font de leur formation prouve cependant qu'ils sont peu satisfaits de leur choix : « Tout ce qu'on nous a appris, c'est le latin et le grec, la philosophie, l'histoire, la littérature » se lamentent-ils. « Dans la rue, nous entendons parler de politique, de commerce, d'impôts, de droit et même de sport, de mode et de théâtre. Que savons-nous sur tout cela ? » Rien ne nous révèle ce qu'ils se sont appris mutuellement sur la mode et le théâtre, mais en politique et en économie, ils se comportent en élèves assidus. Ils s'enseignent même tant de choses qu'ils commencent à remettre en question bon nombre des idées et des institutions de leur propre société. On voit apparaître dans les salles de cours de l'Institut et dans les colonnes de « L'Avenir » — le journal de plus en plus radical que publient certains d'entre eux et que tous lisent — des arguments en faveur d'écoles laïques gérées par l'État. Comme cela avait été le cas pour certains des patriotes radicaux de la décennie 1830, ils regardent vers les États-Unis qui leur fournissent un modèle prometteur de prospérité industrielle. Montréal a besoin d'écoles de commerce et il faut fournir à ses travailleurs une formation pratique allant plus loin que les rudiments de l'écriture et du calcul. Il faut coloniser les Cantons de l'Est, mais pas dans le cadre du régime seigneurial. Peut-être d'ailleurs pourrait-on supprimer carrément le régime seigneurial ; et peut-être, après tout, le système de dîmes n'est-il pas non plus une bonne chose... Plus les membres de l'Institut débattent de questions comme l'enseignement, le progrès, la science, l'industrie, ou la séparation de l'Église et de l'État, plus certains d'entre eux s'intéressent au modèle républicain des États-Unis et aux idées révolutionnaires européennes.

C'est dans ce contexte qu'en 1845, surgit quelqu'un à qui ces deux types de réalité sont familières. Grâce à une amnistie que le gouverneur Metcalfe a fini par lui obtenir, Louis-Joseph Papineau rentre de son exil parisien. Personne ne sait exactement quelles sont ses intentions politiques. LaFontaine le redoute à cause de l'aura qu'il conserve dans l'imagination populaire ; D.-B. Viger et D.-B. Papineau, respectivement ses cousin et frère, espèrent qu'il viendra renforcer leurs rangs : après tout, Papineau doit son retour au gouverneur ; il lui en aura sans doute quelque reconnaissance. En outre, sa présence à ses côtés rendrait service à Viger dans les élections qui doivent se tenir ; en effet, en dépit des arguments qu'il donne pour justifier son appartenance au Conseil exécutif, Viger ressent son manque de soutien parlementaire. Mais Papineau reste sur la réserve. Ce n'est qu'en 1847 qu'il décide de faire sa rentrée politique, mais il ne s'allie à aucun camp. Il retourne à l'Assemblée après les élections de l'hiver 1847-1848 en frappant un grand coup: il exige le rejet de l'Union et l'annexion aux États-Unis. Son programme surprend tout le monde, mais il réjouit tout particulièrement les jeunes radicaux de *L'Avenir* et de l'Institut canadien. Louis-Antoine Dessaulles, Joseph Doutre, Antoine-Aimé et Éric Dorion, Gustave Papineau, qui ont tous entre vingt et trente ans, saluent l'arrivée au milieu d'eux du radical vieillissant. Ne tient-il pas le langage du nationalisme libéral européen: une nationalité à part doit avoir un État à part? Ne se fait-il pas le héraut de la civilisation contemporaine: le commerce, l'industrie et la prospérité américaines sont des gages infaillibles de progrès. Ne s'inquiète-t-il pas aussi du pouvoir grandissant des prêtres? Bien sûr dans les années 1830, Papineau avait qualifié l'Église d'institution nationale nécessaire, mais cela n'impliquait pas que les prêtres devaient se mêler directement de la vie politique dans les années 1840. Là encore, les jeunes radicaux applaudissent.

Ce n'est évidemment pas le point de vue de l'Église. Plus Papineau et *L'Avenir* font de bruit, plus le clergé se rapproche de LaFontaine. Dans le débat public qui les oppose à *L'Avenir*, *Les Mélanges religieux* accueillent avec plaisir le soutien que leur apportent les journaux du camp LaFontaine. En 1847, le rédacteur des *Mélanges* n'est autre qu'Hector Langevin, un étudiant en droit qui faisait partie du cabinet de A.-N. Morin, l'allié de LaFontaine à Montréal. Il va sans dire que tous ces gens s'épaulent lors des élections de 1847-1848, et que beaucoup de prêtres font connaître leurs opinions politiques en chaire. La seule conséquence de l'alliance de Papineau avec les jeunes radicaux ou rouges est de renforcer celle de Bourget et de LaFontaine.

Il en résulte une nette victoire du groupe LaFontaine. Comme dans le Canada-Ouest, la victoire des réformistes est également nette, le décor est maintenant dressé pour le dernier assaut en vue du gouvernement responsable. Le gouverneur n'a d'autre choix que de prendre LaFontaine, Baldwin et quelques-uns de leurs alliés au Conseil exécutif, en tant que représentants du groupe majoritaire en Chambre, et de se déclarer prêt à recevoir leurs avis et à les suivre. Le nouveau gouverneur, Lord Elgin, remplit la première condition, et les tout nouveaux «ministres» du Conseil s'occupent de la seconde en préparant une loi destinée à indemniser les gens qui ont été spoliés pendant la répression des «troubles» de 1837 et 1838.

Tandis qu'Elgin médite la réponse qu'il doit rendre à cette

proposition bien audacieuse, un autre groupe, habitué à se tenir près du centre du pouvoir politique et qui se sent maintenant mis à l'écart, l'observe avec attention: les milieux d'affaires anglais voient d'un mauvais oeil les événements politiques et économiques de la décennie. À certains égards, l'effort d'adaptation qui leur est demandé est plus grand que celui qu'on exige des Canadiens français menacés d'assimilation. Après tout, les Canadiens français ont cinquante ans d'expérience parlementaire; ils savent utiliser les instruments politiques à leur profit. Tandis que le pouvoir politique des milieux d'affaires, lui, a toujours dépendu de leur pouvoir économique. Dans la décennie 1840, au moment où la Grande-Bretagne s'est engagée dans le libre-échange qui allait enlever aux marchands leur régime préférentiel sur les marchés britanniques, les fondements de ce pouvoir économique se sont effondrés. On pourrait raisonnablement soutenir que l'obtention du principe du gouvernement responsable est moins le résultat des efforts politiques que la conséquence de l'indifférence économique de la Grande-Bretagne. En tout cas, le principe philosophique sur lequel la Grande-Bretagne s'était fondée pour refuser en 1839 celui du gouvernement responsable recommandé par Durham — l'indivisibilité de la souveraineté — avait fondu comme neige au soleil dix ans plus tard sous l'effet du libre-échange.

La dureté des temps et la nouvelle orientation de la politique économique britannique mettent également un terme au rêve d'un empire entretenu depuis plusieurs générations par les hommes d'affaires canadiens. Certes, ils ont maintenant leurs canaux et une grande voie d'accès, politiquement unifiée, vers le centre du continent: c'est un des apports de l'Union; la Grande-Bretagne a fourni des prêts ainsi que la main-d'oeuvre, des pauvres Irlandais, nécessaire à la construction du réseau de canalisation du Saint-Laurent. D'autre part, l'afflux massif de nouveaux immigrants dans le Canada-Ouest ouvre à l'économie à la fois des ressources et un marché à exploiter. Mais le succès dépend de la rapidité, de la géographie, de la coopération des États-Unis et des tarifs préférentiels britanniques dans les années 1840, toutes ces conditions vont faire défaut aux hommes d'affaires: les canaux du Saint-Laurent sont à peine mis en service vers la fin de la décade, que déjà les chemins de fer américains et le vieux canal Érié, dont ils suivent le tracé, drainent non seulement les produits du Midwest américain mais également ceux du Canada-Ouest vers le port de New York libre de glace toute l'année. En 1845 et en 1846, le gouvernement américain facilite également cette tendance avec les lois de Drawback qui permettent aux importations tout d'abord, puis aux exportations, de transiter sous douane, par les États-Unis, sans payer de droits pendant leur transfert entre le Canada et les marchés européens.

La politique de libre-échange, instaurée par la Grande-Bretagne en 1842, mais qui ne fait sentir pleinement ses effets qu'en 1849, favorise encore la filière américaine. Aux premiers bruits de libre-échange, les marchands canadiens s'affolent. Ils proclament qu'il est vital pour eux d'accéder aux marchés britanniques avec plus de facilité que les autres producteurs de produits alimentaires et de bois. D'ailleurs, disent-ils, cela est sans doute vital également pour l'empire britannique. Dans les années 1840, la Grande-Bretagne n'en est plus aussi persuadée: les besoins de son industrie en matières premières et en marchés potentiels excèdent largement ce que les colonies peuvent lui offrir, et à son avis la seule façon de pénétrer sur des marchés extérieurs à l'Empire, c'est d'accepter en contrepartie des matières premières venues librement, sans droit de douane, d'ailleurs que de l'Empire. Un geste est fait en faveur du Canada en 1843: le Canada Corn Act autorise le blé américain à être moulu au Canada et à être considéré sur les marchés britanniques comme farine canadienne, sujets de ce fait à des droits de douane inférieurs à ceux dont ce même produit venu des États-Unis serait frappé. Cette mesure fait la joie des minotiers, des transporteurs et des spéculateurs de Montréal jusqu'à ce que les lois américaines de Drawback viennent couper leurs approvisionnements. Puis, en 1846, le gouvernement britannique abroge purement et simplement toutes ses Corn Laws, supprimant ainsi tous les droits d'importation sur toutes les céréales d'où qu'elles viennent. Dans le même temps, il sape la position privilégiée du bois canadien en réduisant les droits de douane sur les bois d'autres provenances. Ces deux coups sont rudes pour les marchands de Montréal et Québec. Enfin, en 1849, le système économique impérial va être totalement démantelé par une mesure dont l'importance est, il est vrai, plus symbolique que réelle pour le Canada: les Lois de navigation britanniques, en fonction desquelles le commerce à l'intérieur de l'Empire devait s'effectuer avec des bateaux de l'Empire, sont abrogées. Pour beaucoup de marchands canadiens, c'est l'Empire lui-même qui s'achève. Alors, pourquoi ne pas souscrire à la responsabilité ministérielle? Aussi, lorsque le nouveau gouverneur annonce, en français, qu'il approuve le paiement de dommages à d'anciens rebelles, les marchands se disent qu'il ne leur reste plus qu'à mettre le feu au Parlement. Et c'est ce qu'ils font.

Néanmoins, en dépit des récriminations des marchands, la

période est loin d'être désastreuse économiquement. Le commerce du blé connaît des augmentations de prix sur les marchés internationaux jusqu'en 1847 et à nouveau après 1850. Le commerce du Saint-Laurent se déplace à l'ouest, ce qui a des effets bénéfiques sur Montréal. L'exploitation forestière conquiert de nouveaux territoires dans la région du Saguenay et dans l'Outaouais. Le marché américain des planches, prometteur à partir de la décennie précédente, connaît une expansion extraordinaire dans la décennie 1850. L'agriculture locale, qui a encore besoin cependant de l'apport du Canada-Ouest, réussit à nourrir les travailleurs de l'industrie forestière ainsi que ceux qui sont employés à la construction des canaux. Elle se relève peu à peu de la crise du début du siècle; dans les années 1850, elle produit même quelques denrées exportables, l'exportation étant stimulée par la voie commerciale nord-sud. Déjà, un nouveau moyen de transport destiné à favoriser cette voie fait son apparition discrète à travers le pays: le premier chemin de fer du Québec remontait en fait à 1836; il reliait le Saint-Laurent, depuis le sud de Montréal à Saint-Jean sur le Richelieu. Dans les années 1850, la fièvre des chemins de fer s'empare des milieux d'affaires de Montréal, qui recommencent à rêver de relier le Midwest américain à leur empire commercial. L'une des raisons de la permanence de ce rêve réside dans la spécialisation commerciale des différentes communautés ethniques: les ex-Américains dominent le commerce nord-sud, les Canadiens français celui de la vallée du Saint-Laurent et à l'ouest les Anglais ont la maîtrise des liens avec l'Empire. Tous ont dû faire face à la crise qui s'est abattue à la fin des années 1840. Mauvaises récoltes, chute des cours internationaux, stagnation du commerce, faillites, arrivée d'immigrants malades, exode d'une population poussée par la pauvreté caractérisent les années 1847, 1848 et 1849. Mais tout cela a été temporaire et la nouvelle décade va ouvrir une période d'activité et de prospérité sans précédent dans l'économie canadienne.

Pourquoi alors des marchands canadiens descendent-ils dans la rue à Montréal au printemps de 1849? Qu'est-ce qui les pousse, quelques mois plus tard, à s'unir momentanément avec les jeunes radicaux de *L'Avenir* pour demander l'annexion aux États-Unis? Lord Elgin souligne l'incongruité de cette alliance en désignant ses membres respectivement comme les «vieux tories» et les «jeune France»: les uns se lamentent sur le préjudice économique qu'ils ont subi tandis que les autres se présentent comme les hérauts d'un nouvel ordre social. En fait, les marchands sont moins atteints dans leur portefeuille que dans leur dignité; leur insatisfaction, comme l'alliance, ne durera que le temps de la crise économique. Il en ira de même du sentiment annexionniste; Louis-Antoine Dessaulles de l'Institut Canadien est le seul qui continue de porter le flambeau de l'utopie américaine. En réalité, ce qui gêne les marchands, c'est ce que signifient politiquement les mutations économiques et législatives des années 1840. Après avoir patiemment recherché les faveurs du gouverneur pendant un demi-siècle et avoir acquis peu à peu, dans les conseils, des positions clés, d'où ils peuvent montrer publiquement leur puissance politique et économique, les voilà maintenant mis au rancart sans cérémonie. Sous la direction de Sydenham, le Conseil législatif perd sa prééminence au bénéfice du Conseil exécutif. Ses membres doivent même subir un ultime affront en 1855, date à laquelle le Conseil devint électif. En même temps, au fur et à mesure que le Conseil exécutif voit son importance grandir, les gouverneurs de la décennie 1840-1850 tendent à le remplir de parlementaires, et qui plus est, de parlementaires francophones. Comme les milieux d'affaires ont rarement réussi à faire élire beaucoup de leurs membres à la Chambre, ils se trouvent de plus en plus coupés des postes de pouvoir politique. Il n'est donc pas étonnant qu'ils aient mis le feu au Parlement en 1849. Déjà, ils étaient moins attachés aux institutions britanniques que ne l'étaient beaucoup de Canadiens français.

Certains marchands entretiennent cependant une relation étroite avec une institution spécifiquement canadienne-française: à la fin des années 1840, de nombreuses seigneuries appartiennent à des Anglais. Ces Anglais, comme leurs homologues canadiens-français et l'Église ont à subir les attaques de plus en plus nombreuses de leurs anciens alliés radicaux. Par une ironie du sort, les rouges de *L'Avenir* et de l'Institut Canadien reprennent la revendication qui a autrefois été celle des marchands anglais du Québec; ils utilisent même certains de leurs arguments pour dénoncer le régime seigneurial: c'est un obstacle au progrès; il nuit à l'initiative privée et à l'esprit d'entreprise; il paralyse l'agriculture et l'industrie. À la liste de ces défauts, ils ajoutent une perspective idéologique: le régime seigneurial n'est pas démocratique, car il met le seigneur et l'habitant dans un rapport hiérarchique, le seigneur se donnant l'allure d'un petit dieu et exploitant les habitants qui dépendent de lui. De cette exploitation, ils donnent des quantités d'exemples: les droits seigneuriaux n'arrêtent pas de monter, les seigneurs profitant des changements de censitaires pour augmenter les redevances; certaines obligations, comme celle faite à l'habitant de moudre son grain au moulin seigneurial, augmentent le profit des seigneurs; et pourtant, ceux-ci négligent l'entretien de leurs moulins et des autres installations qu'ils ont l'obligation de fournir. C'est l'Institut Canadien qui prend la tête de la campagne qui s'organise de 1848 à 1854 en faveur de l'abolition du régime seigneurial. Il appelle à des rassemblements et organise des pétitions; il utilise largement les colonnes de *L'Avenir*, et demande aux censitaires de se rassembler dans ses salles de conférences. Ce faisant d'ailleurs, il perd le soutien de Louis-Joseph Papineau qui, dans sa seigneurie de la Petite-Nation, se livre à tous les méfaits dénoncés par l'Institut. Mais il reçoit en contrepartie le soutien de la Chambre et, en 1850, des résolutions sont présentées en vue d'abolir le système. En 1854, la campagne de l'Institut pour l'abolition du régime seigneurial aboutit enfin, bien que la procédure proposée ne lui convienne guère: les seigneurs seront indemnisés pour la perte de leurs propriétés et de leurs prérogatives; les censitaires, avec l'aide de l'État, rachèteront progressivement les terres aux seigneurs et les verront commuées en franche tenure. Il se trouvera de nombreuses personnes qui continueront de payer le rachat de leurs droits seigneuriaux jusque très avant dans le vingtième siècle.

En même temps que le régime seigneurial, certaines personnalités de la décennie 1840-1850 disparaissent de la scène pendant celle qui suit. Cependant certains modes de comportement politique, eux, se perpétuent. LaFontaine, Baldwin, Viger et Papineau s'effacent au début des années 1850. Seuls restent en scène monseigneur Bourget et l'Institut canadien qui vont continuer de se combattre jusqu'après 1870. Mais les lignes de clivage politique subsistent, comme subsistent la justification et la critique nationalistes. De même, la question fondamentale soulevée par cette période demeure: quel modus vivendi le Québec peut-il trouver avec le reste de l'Amérique du Nord britannique? L'assimilation n'est plus à l'ordre du jour, en grande partie grâce à la politique menée par LaFontaine et à l'accent mis sur l'obtention entière d'institutions politiques britanniques. Comme l'a suggéré l'historien Jacques Monet, les trois solutions possibles à cette question se dessinent entre 1840 et 1850 et continueront d'imprégner la vie politique du Québec: le fédéralisme, né des politiques d'alliance de LaFontaine; l'autonomie provinciale issue du groupe de Viger; le séparatisme issu de Papineau. Sans aucun doute, les partis politiques naissants sont une conséquence directe des alliances politiques mouvantes de cette période. D'un côté à la fois dans le Canada-Est et dans le Canada-Ouest, il y a l'alliance réformatrice de LaFontaine qui, progressivement, va se transformer en

Parti conservateur, les membres de son aile québécoise recevant le surnom de bleus; de l'autre côté, au début de la décennie de 1850, on trouve les diplômés politiques, plus radicaux, de l'Institut canadien et de *L'Avenir*, appelés rouges par opposition, et formant une alliance plus inconfortable avec les Clear Grits du Canada-Ouest. Les marchands et les hommes d'affaires vont eux-mêmes peu à peu réintégrer le giron politique au cours de la décennie en s'alliant au groupe le plus vaste et le plus conservateur. Opposés sur la question des canaux dans la décennie 1820-1830, les politiciens canadiens-français et les milieux d'affaires anglais vont unir leurs forces sur la question des chemins de fer dans la décennie 1850-1860. Ce n'est pas un hasard si George-Étienne Cartier, devenu parlementaire en 1848 et qui a été longtemps un protégé de LaFontaine, devient conseiller juridique du chemin de fer du Grand Tronc. Et c'est de la conjonction de ces deux forces que va sortir la Confédération.

ORIENTATIONS BIBLIOGRAPHIQUES

Bernard, Jean-Paul, *Les Rouges. Libéralisme, nationalisme et anticléricalisme au milieu du XIXème siècle*, Montréal, Les Presses de l'Université du Québec, 1971.

Careless, J.M.S., *The Union of the Canadas: The Growth of Canadian Institutions, 1841-1857*, Toronto, McClelland and Stewart, 1967.

Hardy, René, «L'activité sociale du curé de Notre-Dame de Québec: aperçu de l'influence du clergé au milieu du XIXème siècle», *Histoire sociale/Social History* 6, 1970, p. 5-32.

Monet, Jacques, «French-Canadian Nationalism and the Challenge of Ultramontanism», *Rapport annuel*, Société historique du Canada, 1966, p. 41-55.

———, *La première révolution tranquille. Le nationalisme canadien-français (1837-1850)*, Montréal, Fides, 1981.

Nish, Elizabeth, dir., *Racism or Responsible Government: The French Canadian Dilemma of the 1840s*, Toronto, Copp Clark, 1967.

Ormsby, William G., *The Emergence of the Federal Concept in Canada, 1839-1845*, Toronto, University of Toronto Press, 1969.

Pouliot, Léon, *Monseigneur Bourget et son temps*, Montréal, Éditions Beauchemin, 1955.

Robertson, Susan Mann (Trofimenkoff), «The Institut Canadien, an Essay in Cultural History», thèse de maîtrise non publiée, University of Western Ontario, 1965.

Tucker, Gilbert Norman, *The Canadian Commercial Revolution, 1845-1851*, New Haven, Yale University Press, 1936.

Tulchinsky, Gerald, *The River Barons, Montreal Businessmen and the Growth of Industry and Transportation 1837-53*, Toronto, University of Toronto Press, 1977.

Wallot, Jean-Pierre, «Le régime seigneurial et son abolition au Canada», *Canadian Historical Review* 50, 1969, p. 367-93.

(...) ils débordent sur les Cantons de l'Est.
Terre en défrichement à Brompton en 1865.
Archives publiques du Canada C85792

VII LE PARI CONFÉDÉRAL

La Confédération est la sixième formule qu'on ait essayée pour faire vivre ensemble sur le même territoire Français et Anglais, et jusqu'ici, c'est la plus durable. C'est aussi la seule formule sur laquelle les Canadiens français se sont prononcés; dans les tentatives précédentes, qu'il s'agisse de la Conquête avec son régime militaire en 1760, de la Proclamation royale de 1763, de l'Acte de Québec de 1774, de la Constitution de 1791 ou de l'Union de 1841, les Canadiens français n'avaient jamais été consultés, même pour la forme. En outre, toutes les autres solutions offrent l'alternative de l'assimilation ou de la séparation: Français et Anglais devaient vivre ensemble ou vivre séparés. Aucune de ces solutions n'avait marché. Cette fois-ci, les Canadiens français des années 1860-1870 auront leur mot à dire sur l'entreprise hasardeuse qui consistera à combiner les deux formules. Français et Anglais vivront ensemble sur le même territoire tout en étant séparés. À l'époque comme maintenant, cela représentait un pari considérable sur l'avenir. Les critiques faites par les générations suivantes à l'accord intervenu ne sont que l'écho des peurs qui s'exprimaient déjà à l'époque. Malgré cela, on prit le risque, en raison notamment du climat politique, économique et idéologique favorable qui caractérise les années 1850-1870. Les données qui ont rendu l'entreprise à la fois viable et pleine de dangers n'ont pas varié depuis lors.

Les Canadiens ne sont pas les seuls à faire des paris nationaux au milieu du dix-neuvième siècle. À leurs frontières, au sud, au début des années 1860, c'est la déchirante guerre civile dont sortira une nation américaine reconstruite sur la base du modèle conçu par certains éléments des États du Nord; de l'autre côté de l'Atlantique, la France fait l'essai d'une nouvelle révolution en 1848, d'une nouvelle république, puis d'un empire en 1852, pour revenir finalement à une république en 1870. Entre 1860 et 1870, l'Allemagne et l'Italie connaissent des processus d'unification et certains groupes dictent aux autres leur volonté et leur imposent la vision qu'ils ont de l'avenir du nouvel État. Hommes politiques, militaires et journalistes participent tous à l'organisation et à la définition des fondements idéologiques des nouveaux régimes nationaux. Tout cela est suivi par la presse canadienne, qui, grâce au télégraphe nouvellement installé à Halifax, est au courant des derniers développements de la politique et reproduit de larges extraits de journaux européens (grâce aux nouveaux navires à vapeur, ils ne mettent pas plus d'une semaine à parvenir); et quelquefois elle prend parti. L'élaboration de constitutions est à la mode et les Canadiens n'échappent pas à la règle. La seule différence avec ce qui se passe sur la scène internationale, c'est que les Canadiens ne recourent pas à la force. Ce sont les politiciens et leurs alliés du monde des affaires, et non l'armée, qui créeront la Confédération au milieu de la décennie 1860-1870. Ce n'est que plus tard que le peuple va pouvoir donner son avis en élisant des politiciens anciens à des fonctions nouvelles.

L'absence de recours à la force ne signifie pas qu'il n'y ait pas de soldats au Canada. Il y en a même partout et de toutes sortes. Certains existent réellement; d'autres seulement dans l'imagination des Canadiens peureux. Parmi ceux qui existent réellement, il y a les garnisons britanniques stationnées dans différentes villes du pays. Elles ne demandent qu'à partir et le gouvernement britannique ne demande qu'à les retirer. En vérité, depuis la décennie 1840, où son propre désengagement économique a coïncidé avec les rodomontades politiques de la colonie, la Grande-Bretagne n'a cessé d'encourager le Canada à assumer davantage lui-même sa défense. Plus gênants sont les soldats américains, qui profitent de la confusion militaire et politique de la guerre de Sécession pour faire des incursions éclair au Canada. Une poignée de soldats sudistes organisent un raid sur Saint-Alban, dans le Vermont, à partir d'une base située au Québec, et déclenchent une crise diplomatique qui implique la Grande-Bretagne, le Canada et les nordistes. Et puis il y a les Américains d'origine irlandaise, membres des Fenians qui espèrent par une série d'attaques surprises sur le Canada amener le gouvernement britannique à rendre justice à leur Irlande natale; personne ne sait comment réagiront les nombreux Irlandais qui se trouvaient au Canada. Mais surtout il y a les nombreux soldats imaginaires qui hantent l'esprit des Canadiens; que pourront faire les quelques soldats britanniques qui restent encore au Canada, que pourrait-on faire tout simplement en face de l'éventualité d'une victoire des nordistes, si jamais ceux-ci dans l'emportement de leur victoire se lancent dans les conquêtes? Certains suggèrent une union des colonies britanniques d'Amérique du Nord; elles pourraient renforcer mutuellement leur défense et en décharger la Grande-Bretagne. Pour les adversaires canadiens-français de la Confédération, cela est à la fois dangereux et tout à fait illusoire: la frontière est beaucoup trop longue et les dépenses seraient colossales.

Les dépenses du Canada ne sont déjà que trop importantes en effet. À eux deux, pendant la seule décade 1850-1860, le Canada-Est et le Canada-Ouest en sont arrivés à tripler leur dette publique. La plupart de ces dépenses ont été engagées pour l'aménagement des canaux et des chemins de fer, et, disent certains esprits chagrins, la plupart bénéficient au Canada-Ouest. De fait, c'est là qu'ont été effectués les principaux travaux de chemins de fer, bien qu'on ait aussi fait des aménagements dans le chenal du Saint-Laurent en aval de Montréal pour faciliter le passage des navires de haute mer. En amont de Montréal, le Grand Tronc s'enfonce au nord du fleuve et des lacs Ontario et Érié jusqu'à Sarnia; il répond aux exigences de la technique britannique la plus moderne et à celles du faible trafic canadien. C'est la version la plus récente et la plus coûteuse du vieux rêve des commerçants anglais de Montréal: le nouveau chemin de fer drainera le long du Saint-

Laurent les produits du Midwest américain, au grand bénéfice des transporteurs et des transitaires canadiens. Comme les rêves précédents, celui-ci est trop grand et vient trop tard. Même l'écartement des voies du Grand Tronc est plus grand que celui des lignes américaines, ce qui rend le transfert des produits à la frontière occidentale difficile et de ce fait coûteux. Avant même que la ligne ne soit achevée, le New York Central a déjà capté une grande part du marché du Midwest américain et l'a relié à New York. Le Grand Tronc a bien essayé de parer à cette concurrence en se construisant sa propre voie jusqu'au port américain de Portland, mais il traîne toujours derrière lui plus de dettes que de fret et sur une plus longue distance que ses concurrents américains. Néanmoins, l'expansion continue. De Lévis à Richmond, le Grand Tronc se dote d'une ligne indirecte vers Québec via les Cantons de l'Est; il construit aussi une nouvelle ligne de Lévis à Rivière-du-Loup.

Il n'était sans doute pas déraisonnable d'investir autant dans les chemins de fer: c'était la vague de prospérité des années 1850-1860. L'engagement de la Grande-Bretagne dans la guerre de Crimée et l'essor industriel américain avaient créé des besoins en blé et en bois sans précédent et le Canada n'arrivait jamais à transporter ses produits assez vite pour répondre à la demande internationale. En effet, il y avait beaucoup plus de lignes de chemin de fer dans le sens nord-sud que dans le sens est-ouest. En 1854, un traité de réciprocité vient ratifier la communauté d'intérêts nord-sud entre les États-Unis et le Canada; il prévoit la suppression des droits de douane sur les matières premières et la possibilité pour chaque pays d'utiliser librement les voies d'acheminement de l'autre pour exporter ses produits naturels hors de l'Amérique du Nord. La prospérité, les chemins de fer et les accords commerciaux sont à l'image des deux orientations du commerce extérieur du Canada à cette époque: vers le sud, en direction des États-Unis, et par l'Atlantique, en direction de la Grande-Bretagne. La prospérité va attirer, de la Grande-Bretagne en particulier, des immigrants et des investissements par centaines de milliers.

Mais ces mêmes liens transatlantiques et nord-américains rendent les colonies canadiennes vulnérables. Quand, à partir de 1857, la Grande-Bretagne et les États-Unis sont assaillis par des difficultés financières, les répercussions s'en font sentir au Canada. Les investisseurs devinrent moins généreux et réclament le paiement de leurs prêts antérieurs. Le Grand Tronc ne peut ni achever ses lignes, ni rembourser ses dettes et ses difficultés se reflètent sur celles du gouvernement canadien. Le gouvernement a soutenu le Grand Tronc non seulement financièrement, mais également politiquement. Nombre de ses membres sont impliqués dans le chemin de fer et ont guidé ses intérêts au milieu des écueils parlementaires. Parmi eux se trouvent deux personnages clés du Canada-Est qui, plus tard, deviendront des «pères» de la Confédération: Alexander Tilloch Galt des Cantons de l'Est et George-Étienne Cartier de Montréal. À la fin des années 1850, ces deux personnages imaginent une solution audacieuse à la faillite imminente du Grand Tronc et aux problèmes qui en résulteront pour le gouvernement canadien: le salut ne réside pas dans la réduction des dépenses, encore moins dans une déclaration de faillite, mais bien plutôt dans l'expansion; si les colonies britanniques d'Amérique du Nord s'unissaient, elles pourraient fournir au réseau sous-utilisé des transports canadiens l'apport de leurs marchés, de leurs populations et de leurs territoires. Le développement du commerce et du trafic soulageraient de leur fardeau financier à la fois le chemin de fer et le gouvernement: la dette serait plus importante, mais elle serait répartie entre un plus grand nombre de personnes. Et, bien sûr, il faudrait construire de nouvelles voies de chemin de fer vers l'est et peut-être vers l'ouest...

Au début de la décennie 1860, les deux principaux partenaires commerciaux du Canada se mettant à tirer à hue et à dia, le gouvernement trouve l'idée de plus en plus intéressante. Les sources britanniques de crédit, atteintes par les crises financières des années 1857-1862, se tarissent, ce qui a pour cause de mettre le Grand Tronc sur le pavé et de causer de nombreuses faillites de banques au Canada. Les droits de douane ayant toujours été la principale ressource financière du gouvernement, le déclin du commerce se traduit pour lui par une perte de recettes, ce qui entraîne une augmentation de la dette publique. Pour rétablir la situation financière, les puissants actionnaires britanniques du Grand Tronc qui détiennent la majeure partie de cette dette, tels les frères Baring, se mettent à pousser dans le sens de l'audacieux projet canadien d'unir toutes les colonies britanniques d'Amérique du Nord. Or dans le même temps, l'économie canadienne est soumise à une pression en sens contraire, venue du sud, dont les conséquences seront finalement positives, mais qui vont en fin de compte pousser également à cette union. Entre 1861 et 1865, la guerre de Sécession provoque une telle demande de produits agricoles que l'agriculture du Québec elle-même, malgré son apathie, en ressent les effets bénéfiques. Pour les mêmes raisons, les manufactures américaines ont tellement à faire pour subvenir aux besoins du marché local qu'elles exportent peu au Canada;

les industries canadiennes, dont beaucoup sont situées au Québec, prennent alors la place laissée vacante. Le textile, le cuir, les chaussures et les vêtements fabriqués au Québec trouvent un marché tout prêt à les recevoir au Canada-Est et au Canada-Ouest. Mais que se passera-t-il une fois la guerre terminée? Déjà les Américains menacent de mettre un terme au traité de réciprocité et leurs manufactures essaieront sans doute de reconquérir les marchés canadiens. L'agriculture et l'industrie canadiennes sauront-elles faire face aux changements de l'après-guerre? Peut-être devraient-elles aussi se mettre en quête de nouveaux marchés et peut-être même se protéger par une union des colonies britanniques d'Amérique du Nord.

Avec la promesse de prospérité économique, le rêve confédéral commence à prendre de la substance. Des industries nouvelles seront susceptibles de fournir des emplois au nombre grandissant de Canadiens français qui sont obligés d'aller chercher du travail à l'extérieur du Québec et plus particulièrement aux États-Unis; en outre, elles développeront sans aucun doute le marché urbain des produits agricoles, du bois de construction et du bois de chauffage. Peut-être même attireront-elles des capitaux, bien que, de toute évidence, le Québec manque cruellement des ressources énergétiques qui font tourner les industries de l'Angleterre et des États-Unis: le charbon, la vapeur et le fer. Ce n'est qu'à la toute fin du siècle que l'énergie hydro-électrique fera son apparition et, en attendant, le Québec n'a à offrir que l'énergie moins puissante de ses cours d'eau pour faire tourner les roues de ses petites usines. Mais le Québec dispose de ressources humaines en grande quantité; ce n'est donc pas par hasard qu'on y voit fleurir des industries légères qui utilisent l'énergie hydraulique en même temps qu'une main-d'oeuvre bon marché et très souvent féminine. Pour les créateurs de ces industries, la Confédération est de nature à ouvrir de nouveaux marchés et à protéger leurs intérêts en imposant des droits de douane sur les textiles, les chaussures et les vêtements qui leur font concurrence.

Parallèlement, pendant toute la période 1850-1870, une main-d'oeuvre agricole pléthorique quitte les campagnes québécoises. Les jeunes gens affluent vers les villes par milliers: certains quittent des fermes modernisées, la proximité des marchés en a rendu la mécanisation possible et donc les enfants inutiles, mais la plupart fuient des fermes de type traditionnel incapables de nourrir leur progéniture. Souvent, les jeunes hommes font un détour par les chantiers forestiers. Ils suivent la progression de l'industrie du bois qui pénètre de plus en plus loin dans l'Outaouais et, au-delà du Saguenay, dans la région du Lac-Saint-Jean. Ils passent par des villes nouvelles comme Chicoutimi où ils font leur apprentissage dans les scieries et dans les usines de portes et fenêtres, de bardeaux et de mobilier, les premiers sous-produits de l'industrie forestière; puis ils vont vendre leurs compétences dans les grands centres urbains du Québec et de la Nouvelle-Angleterre. Là, ils rejoignent les jeunes filles, qui les y ont précédés. Ces jeunes femmes n'ont aucune perspective d'emploi ni de mariage dans leur contexte rural, et elles sont parties chercher l'un et l'autre dans les villes; dans les années 1860, elles représentent déjà la majorité des jeunes de Montréal et de Québec, où elles offrent aux industries toutes neuves une main-d'oeuvre serviable et aux familles des classes moyennes et supérieures des domestiques dociles. Elles préfigurent le modèle d'urbanisation qui va caractériser le reste du dix-neuvième siècle.

Il reste quand même des gens pour continuer de tenter leur chance dans de nouvelles entreprises agricoles. Aiguillonnés par les rêves colonisateurs du clergé et des politiciens locaux, à titre individuel ou en groupes organisés, de nouveaux colons venus de régions rurales plus anciennes tentent l'aventure: ils montent au nord de Trois-Rivières, défrichent de nouvelles terres sur la rive sud du lac Saint-Jean, peuplent le comté de Beauce en suivant la rivière Chaudière vers le sud et débordent sur les Cantons de l'Est. Cette dernière migration modifie la composition ethnique des Cantons de l'Est, la partie nord devenant presque totalement canadienne-française et la partie sud voyant sa population francophone atteindre le quart du total. Mais le paysage économique général ne se modifie pas: sans un chantier forestier, ou mieux encore une route ou une voie de chemin de fer à proximité,, il n'y a pas de débouché pour les produits de l'agriculture. Comme signe de la munificence des nouveaux gouvernements provinciaux de la Confédération, les politiciens ne vont pas tarder à promettre l'ouverture de voies de toute sorte pour servir à la colonisation, mais en attendant, les Canadiens français arrivent pauvres, demeurent pauvres et, pour certains d'entre eux, repartent pauvres.

À certains égards, les politiciens sont aussi isolés dans leur rêve d'une confédération comme moteur du progrès politique que les colons qui émigrent à la recherche de moyens de subsistance aux confins du bouclier canadien. Les politiciens ne constituent qu'une fraction infime de la population; ils sont coupés de leurs électeurs par des barrières de classe et d'éducation, et coupés les uns des autres par le sectarisme et les divergences d'intérêts. Mais ils possèdent des talents d'organisateurs et disposaient de moyens de communication. Ce sont eux seuls qui vont occuper le terrain de manoeuvre de la Confédération, mais il ne leur est pas difficile de faire croire que l'entreprise intéresse la nation tout entière. Peu d'ouvriers ou d'agriculteurs, et encore moins de domestiques, ont quoi que ce soit à dire sur les nouveaux arrangements politiques et il n'y a d'ailleurs que quelques adversaires du projet pour souligner ce fait.

À elles seules, les difficultés politiques grandissantes de l'Union justifient presque une nouvelle constitution. Les groupes politiques et les alliances se cristallisent et se dissolvent au gré des problèmes et des personnalités. Dans la mesure où ces liens sont clairs, on peut dire que le programme des partis politiques fait converger les bleus du Canada-Est, conduits par George-Étienne Cartier (les héritiers des alliances politiques et religieuses conservatrices de LaFontaine, auxquels s'ajoutent les milieux commerciaux anglais de Montréal) avec les conservateurs du Canada-Ouest, conduits par John A. Macdonald (ce qu'il reste de tories et des alliances de Baldwin dans l'est de l'Ontario). Par son habileté à manoeuvrer, ce groupe parvient en général à s'assurer une majorité de voix au Parlement de l'Union. En face, on trouve l'association beaucoup plus fragile des rouges, c'est-à-dire des radicaux d'Antoine-Aimé Dorion, du Canada-Est, et des Grits, réformateurs conduits par George Brown, du Canada-Ouest. Une des difficultés majeures de ces alliances peu solides, c'est que par une bizarrerie de la vie politique, sortent toujours des urnes une large majorité de bleus au Canada-Est et une majorité réformiste au Canada-Ouest. La vieille idée de la «double majorité» de Viger n'intéresse plus personne, car elle est incompatible avec un régime de partis; cependant, tout le monde se plaint, et particulièrement les réformistes du Canada-Ouest, qui grommellent contre la *French domination* et se plaignent de ce que des lois sont imposées à une moitié du Canada-Uni par une majorité de l'autre moitié. Et quand ces derniers se penchent sur les chiffres, ils sont encore plus mécontents: la population du Canada-Ouest a dépassé celle du Canada-Est dès 1851, mais les deux sections du Canada continuent d'être représentées par un nombre égal de sièges à l'assemblée commune. Un oeil fixé sur la réforme du système électoral et l'autre sur la possibilité d'adjoindre au Haut-Canada des territoires de l'Ouest, les réformistes adoptent alors le slogan: *Rep. by Pop*[1]!

---

1 N.d.t.: *Representation by population*, c'est-à-dire représentation proportionnelle à la population ou *per capita*.

Au début des années 1860, ces difficultés sont devenues telles qu'elles empêchent le système politique de fonctionner. Celui-ci est tellement écartelé entre les quatre groupes qu'aucun gouvernement ne réussit à garder la majorité plus de quelques mois. En 1863 par exemple, les cartes sont distribuées de telle façon qu'aucun camp ne peut l'emporter sur l'autre quelle que soit la combinaison : il y a autant de bleus et de conservateurs que de réformistes et de rouges, et autant de bleus et de rouges que de réformistes et de conservateurs. La situation apparaît aussi déconcertante aux yeux des politiciens de l'époque qu'elle apparaîtra à ceux des étudiants d'histoire à venir. Il semble ne pas y avoir d'issue à cette impasse, à moins, bien sûr, qu'on tente une alliance politique encore plus vaste, qui unirait tout en séparant. Une union fédérale pourrait être la réponse aux problèmes politiques du Canada, tout comme à ses problèmes militaires, financiers et économiques. L'idée par elle-même n'est pas neuve; Durham l'avait déjà caressée lorsqu'il avait traversé l'Atlantique en 1838 pour venir faire son enquête sur le soulèvement; Joseph Howe, parlementaire en vue de Nouvelle-Écosse, l'avait avancée lorsque, en 1848, sa province était devenue la première des colonies britanniques d'Amérique du Nord à accéder à la responsabilité ministérielle. *Le Canadien* en a fait mention en 1847, Joseph-Charles Taché l'a discutée dans une brochure de 1858, de même que Joseph-Édouard Cauchon dans *Le Journal de Québec*. Cartier et Galt semblent en avoir été convaincus à peu près en même temps; Macdonald met plus longtemps à en accepter l'idée, car il attend qu'une ouverture dans l'impasse politique en rende le risque acceptable. Cette ouverture se fait en 1864 : George Brown, ravalant son orgueil et l'antipathie profonde qu'il porte à Cartier et Macdonald, propose le soutien de son groupe réformiste aux bleus et aux conservateurs à condition que tous oeuvrent à la construction d'une fédération. Apparemment, personne ne fait d'offre à Dorion et à ses rouges, et ceux-ci restent dans l'opposition en compagnie de quelques partisans de la Réforme impénitents qui s'interrogent amèrement sur les mobiles de Brown; inutile de dire qu'ultérieurement les rouges seront les principaux adversaires de la Confédération...

La nouvelle coalition n'est pas plutôt installée qu'elle élabore des projets précis de fédération et prévoit un calendrier pour les mettre en place. En septembre 1864, à Charlottetown, les Canadiens persuadent les représentants des Maritimes, où un projet d'union régionale est en cours de discussion, de participer au grand projet. En octobre, des représentants des cinq colonies britanniques d'Amérique du Nord (le Canada-Uni, la Nouvelle-Écosse, le Nouveau-Brunswick, l'Île-du-Prince-Édouard et Terre-Neuve) se réunissent à Québec pour élaborer la nouvelle constitution. Il est prévu qu'ultérieurement chaque assemblée provinciale discutera les propositions faites à la Conférence de Québec en vue de l'établissement de la fédération, les adoptera vraisemblablement, puis que Londres les entérinera. Avec un peu de chance, pensent les conférenciers, une année y suffira. En fait, c'est trois ans qui seront nécessaires, essentiellement à cause du fait que deux des colonies atlantiques se retirent du projet et qu'une troisième, le Nouveau-Brunswick, favorable à la Confédération, a l'imprudence d'organiser des élections sur ce thème : celles-ci aboutissent à la défaite de son gouvernement. Le temps d'avoir un autre vote, soigneusement organisé cette fois-ci pour assurer la victoire au nouveau projet et de mettre sur pied, à Londres, une conférence au protocole solennel, et on est déjà en 1867. Après cela, le gouvernement britannique donne promptement son accord (il y met en fait moins de temps qu'à discuter d'une taxe sur les chiens) et, à la fin de mars, l'Acte de l'Amérique du Nord britannique prend force de loi avec approbation royale et entre en vigueur le 1er juillet.

La Confédération unit et sépare à la fois les membres qui la constituent. Le Dominion du Canada nouvellement formé est conçu comme une fédération de quatre provinces, avec un Parlement central constitué d'une Chambre des communes élue et d'un Sénat nommé. Les membres de ces deux assemblées doivent venir de toutes les régions du nouvel État. En même temps, chacune des colonies qui se fédèrent garde son existence propre de province et son Parlement provincial. La répartition des pouvoirs et des champs d'activité entre le niveau fédéral et le niveau provincial est prévue explicitement : le commerce et l'industrie, la défense, la monnaie, les impôts et le droit criminel sont du ressort du gouvernement fédéral ; la propriété et les droits civils, les contributions directes, les écoles, les hôpitaux et les terres publiques relèvent des provinces. Au gouvernement fédéral reviennent les questions d'intérêt général ainsi que tout ce qui n'est pas explicitement mentionné comme relevant de la juridiction provinciale.

Les rouges sont consternés par la rapidité avec laquelle ces propositions, puis l'Acte de l'Amérique du Nord britannique ont été adoptés. Leur opposition, telle qu'elle s'exprime dans des opuscules et dans la presse, dans des réunions publiques et à l'Assemblée du Canada-Uni, est plus véhémente que le soutien orchestré par George-Étienne Cartier et les bleus ;

mais en fin de compte, elle sera moins efficace parce que Cartier, lui, a aussi les moyens d'orchestrer les élections. Mais tant que dure le débat public, l'opposition rouge sert de révélateur à la nature et aux dangers de la Confédération telle qu'elle est proposée.

Les rouges n'ont jamais partagé la crainte des États-Unis qui est l'une des raisons d'être de la Confédération. Au contraire, ils ont une admiration sans borne pour les institutions démocratiques américaines et pour l'activité économique de ce pays. Il s'en trouve même pour se demander si le statut d'État souverain à l'intérieur des États-Unis n'aurait pas été préférable pour le Québec au grand point d'interrogation que constitue la Confédération. Ils font valoir qu'en tout état de cause la Confédération ne peut s'engager dans la voie du progrès dont les Américains donnent l'exemple qu'en adoptant des institutions démocratiques. Pour eux, la cause de la guerre de Sécession n'était pas une mauvaise constitution, c'était le choc inévitable entre un Nord «progressiste» et un Sud «obscurantiste». La proposition confédérale consistant à éviter les problèmes américains en inversant la répartition des pouvoirs et en en donnant plus au gouvernement central qu'aux provinces, n'est une garantie ni de paix, ni de stabilité, ni de progrès. Elle est encore moins susceptible d'assurer la défense du pays contre une éventuelle invasion américaine. Si une puissante armée venue du Nord décidait d'envahir le Canada, il n'y aurait pratiquement rien à faire. Les rouges, en bons libéraux du dix-neuvième siècle qu'ils sont, croient que la paix passe plus par le commerce et l'industrie, et par la bonne volonté des nations, que par de grosses dépenses militaires.

De manière générale d'ailleurs, ce sont les dépenses gouvernementales qui inquiètent les rouges. Ils ont en mémoire l'histoire financière du Canada-Uni et ils pensent qu'elle augure mal de l'avenir: le Canada-Est a payé plus que sa part de la dette qui s'est accumulée; quelle part devra-t-il payer des dépenses en constante augmentation qu'entraîneront l'expansion vers l'Atlantique et les mirages du Pacifique? Et pour quel bénéfice? Cartier et ses alliés du monde des affaires pouvaient bien faire miroiter la perspective d'une augmentation du commerce entre les colonies unies et des investissements internationaux qui entraîneraient un retour à la prospérité du début de la décennie 1850. Mais si cela ne se produisait pas? Les rouges sont sceptiques et inquiets. Pour eux, il est absurde de penser que les charges financières du Canada pourraient être réduites si on les répartissait entre un plus grand nombre de participants. À l'opposé de la Confédération, la seule solution acceptable pour eux, c'est que les deux membres de l'Union actuelle retrouvent leur autonomie, ou à la rigueur se constituent en une mini-fédération pour régler les quelques affaires qu'elles ont en commun.

Les rouges soupçonnent la grande fédération de n'être qu'une machine de guerre au service des industriels du chemin de fer et des appuis politiques qu'ils comptent parmi les bleus du Canada-Est et les conservateurs du Canada-Ouest. Les chemins de fer, et notamment le Grand Tronc, ont été si étroitement mêlés à la vie politique canadienne pendant la précédente décade qu'ils ont peu de raisons de penser qu'il en serait autrement au sein d'un pays élargi. Les rouges n'ont cessé de dénoncer cette collusion depuis qu'ils sont entrés à l'Assemblée canadienne au début de la décennie 1850. Pour l'heure, ils se demandent combien d'agents du Grand Tronc hantent les couloirs de la Conférence de Québec. Et en effet, certains de ceux-ci siègent à la table même de la Conférence, dont deux des six délégués du Canada-Est: Alexander Tilloch Galt et George-Étienne Cartier. L'une des résolutions de la Conférence prévoit l'achèvement, aux frais de l'État, d'un chemin de fer intercolonial, reliant l'extrémité est du Grand Tronc depuis Rivière-du-Loup, à la Nouvelle-Écosse, en passant par le Nouveau-Brunswick. Même la minuscule île du Prince-Édouard voudrait son chemin de fer. Tout le monde est de la partie et les rouges se demandent si cela n'est pas une mise en scène dont les compagnies ferroviaires tirent les ficelles.

Au scepticisme radical des rouges à l'égard de la Confédération s'ajoute une objection de principe à certaines de ses dispositions: ils trouvent antidémocratique un Sénat dont les membres seraient nommés à vie par le gouvernement; de plus, le système est un anachronisme, comme le gouvernement de l'Union l'a d'ailleurs reconnu en rendant électif le Conseil législatif au milieu de la décennie précédente, et ils regrettent ce fâcheux retour sur le passé. Outre le danger de voir le parti majoritaire au nouveau gouvernement fédéral truffer le Sénat d'hommes à lui, il y a le principe de la souveraineté populaire, dont on débat beaucoup en Europe et qu'on pratique aux États-Unis: c'est le peuple et non des intermédiaires quels qu'ils soient qui devrait choisir son gouvernement. C'est le peuple aussi qui devrait se prononcer sur l'adoption d'une nouvelle constitution. En conséquence, les rouges exigent un plébiscite, ou à tout le moins des élections, avant que la Confédération ne soit mise en vigueur.

Les fondateurs de la Confédération ne prendront en compte aucune des exigences démocratiques des rouges. À leurs yeux, l'idée de souveraineté populaire que ceux-ci réclament n'est pas seulement étrangère, elle est effrayante; elle est synonyme de gouvernement de la populace. Or c'est justement pour parer à ce danger qu'ils ont mis sur pied le nouveau Sénat, dernier recours et digne visage de la démocratie parlementaire. Ce qui préoccupe les «pères» de la Confédération, ce n'est pas la nature du Sénat, mais le nombre de ses membres et leur répartition géographique. Ils vont se disputer pendant des semaines sur ce chapitre à la Conférence de Québec, et ils seront même sur le point d'abandonner le projet tout entier pour quelques sièges de sénateurs de plus ou de moins. Ils n'ont l'intention de consulter le peuple à aucun stade de leurs délibérations. Le peuple s'exprimera plus tard: quand tous les détails seront réglés et que le projet dans son ensemble aura reçu l'approbation du parlement britannique, le peuple pourra élire ses représentants afin qu'ils oeuvrent dans le cadre de la nouvelle constitution. Conformément aux pratiques et aux principes politiques britanniques, le nouveau Canada, comme l'ancien, sera une démocratie représentative comportant des institutions conçues pour servir de garde-fous au danger potentiel que comportait l'ébauche de démocratie qu'il constitue.

À l'arsenal de flèches qu'ils décochent à l'encontre de la Confédération, les rouges ajoutent, en dernier recours, un argument nationaliste. Quelle sera la place des Canadiens français dans cette nouvelle fédération qui, en fait, est une union législative? Selon eux, le gouvernement central aura tous les pouvoirs et les provinces aucun; ils ne lui disputent pas son rôle prépondérant en matière d'industrie et de commerce, de finances et de défense; mais ils constatent qu'il s'arroge aussi une foule de domaines apparemment sans importance. Le droit criminel, les mariages, les divorces, et les contributions indirectes seront de son ressort; il aura le pouvoir de nommer les juges et de rejeter les lois des provinces; il garde tous les pouvoirs qui ne sont pas explicitement conférés à l'une ou l'autre des juridictions. Enfin c'est lui qui allouera aux provinces des petites sommes pour mener leurs petites affaires; non seulement les provinces ne feront pas grand-chose, mais en outre elles le feront sous la dépendance financière du gouvernement fédéral. Dans cette structure fédérale omniprésente, le Québec se voit limité à soixante-cinq représentants. Ainsi, pensent les rouges, le projet de Durham qui voulait éliminer les Canadiens français va donc se réaliser par-delà sa tombe. Au niveau du pouvoir central, les Canadiens français seront à tout jamais en situation minoritaire; bref, la Confédération constitue un péril national.

Ils en tirent un chapelet de sombres prédictions : les politiciens canadiens-français, minoritaires à la nouvelle Chambre des Communes ne tarderont pas à sacrifier leur identité à des avantages personnels. Et c'est en anglais qu'ils le feront, car la langue française ne pourra jamais survivre en situation minoritaire au parlement fédéral ; qui plus est, dès que se présentera une crise nationale ou religieuse, les Canadiens anglais, oubliant leurs différends politiques, s'uniront pour défendre les intérêts de leur race ; là encore, les Canadiens français succomberont sous le poids du nombre. Et, s'il le souhaite, le gouvernement fédéral pourra même forcer les Canadiens français à prendre les armes contre leur propre volonté. Que pourrait faire un gouvernement provincial sans pouvoirs, même s'il avait une majorité canadienne-française au Québec, pour parer à ces sombres perspectives ? Quasiment rien, répondent les rouges. Dans l'avenir, nombre de nationalistes — dont le rouge n'est pas la couleur dominante — vont puiser dans le catalogue des périls nationaux dressés par les rouges maintes raisons de se plaindre de la Confédération.

L'opposition des rouges ne réussit pas à enrayer l'avènement de la Confédération ni même à en faire amender les projets. Cependant, elle donne un peu de répit à certains, dans la mesure où, lors du vote pris en 1865 à la Chambre canadienne sur les résolutions de la Conférence de Québec, un écart de quatre voix seulement sépare les partisans canadiens-français de la Confédération de ses adversaires de même sang. Mais les résolutions sont adoptées par l'Assemblée dans son ensemble par quatre-vingt-onze voix contre trente-trois, onze opposants canadiens-anglais joignant leur vote à ceux des vingt-deux rouges. Ces derniers eux-mêmes ne sont pas d'accord sur la solution de remplacement. Un certain nombre d'entre eux se retirent de la bataille quand, au début du printemps 1867, les six évêques du Québec font savoir, après beaucoup d'atermoiements, qu'ils avalisent le nouvel arrangement : l'approbation du clergé suit l'approbation royale. Aux élections fédérales de l'automne suivant, le clergé et les bleus utilisent leur grand savoir-faire en matières électorales pour évacuer la représentation rouge de la nouvelle Chambre des communes. Des campagnes orchestrées par la presse, les prêtres et les politiciens n'ont pas de difficulté à marquer les rouges du sceau de l'anticléricalisme et de l'annexionnisme, deux phobies populaires des années 1860-1870 ; ainsi, leur chef de file, Antoine-Aimé Dorion, n'est réélu à Hochelaga qu'avec vingt-trois voix de majorité. Bien que la répartition des voix marque un écart beaucoup moins grand que la répartition des sièges (les bleus avec cinquante-quatre pour cent des voix recueillent quarante-sept sièges à la nouvelle Chambre fédérale, tandis que les rouges avec quarante-cinq pour cent des voix n'obtiennent que dix-sept sièges), les rouges sont maintenant divisés quant à savoir s'ils doivent continuer le combat ou accepter le fait accompli.

En dépit de leur enthousiasme de libéraux du dix-neuvième siècle, ou peut-être à cause de lui, les rouges ne tiennent pas compte d'un élément qui est déterminant dans la réussite de la Confédération: derrière les risques — dont tout le monde est conscient — il y a la volonté de réussir, et encore plus, l'intérêt pour ce qui est organisation et gestion. La dernière partie du dix-neuvième siècle est saisie d'une passion organisatrice dont les objets sont l'économie, la politique et même la nation, qu'il s'agisse de la nation canadienne-française ou de la nouvelle nationalité promise par la Confédération. Cette fièvre administrative est servie par le développement sans précédent de tous les réseaux de communication imaginables: la Confédération va sortir victorieuse sur tous les fronts, et dans tous les domaines de l'idéologie aux chemins de fer, elle inscrira d'un bout à l'autre du territoire son message d'assimilation-séparation.

Face aux incertitudes économiques, la Confédération promet d'organiser, de diriger et de rendre viable une économie basée sur le commerce et ceci à la dimension de la moitié nord du continent nord-américain. Elle a pour conséquence la création de liens économiques organiques entre les colonies britanniques de l'Amérique du Nord qui n'en ont pas connus jusque-là; pour ce faire, elle abolit les droits de douane et construit des liaisons ferroviaires entre les colonies. Elle promet la prospérité pour tous en échange de la centralisation des décisions: le nouveau gouvernement fédéral dirigera le commerce entre les provinces, mais en revanche pour les appâter, il leur promet une reprise de leurs dettes et des versements de subventions annuelles. De même, le gouvernement central est en mesure d'allécher ou de mettre en garde, à sa guise, les partenaires commerciaux du nouvel État par une habile utilisation des tarifs douaniers: l'offre qu'il a faite à plusieurs reprises pendant toute la fin du dix-neuvième siècle aux Américains d'abolir tous les droits de douane est susceptible de convaincre ceux-ci de reprendre le traité de réciprocité; si cette offre n'était pas acceptée, des droits élevés pourraient servir de moyen de rétorsion et en même temps affirmeraient l'indépendance commerciale du Canada vis-à-vis des États-Unis et de la Grande-Bretagne. Les droits de douane fournissent au gouvernement fédéral des revenus qu'il utilise essentiellement pour construire des chemins de fer et pour subventionner les provinces; plus tard, ils serviront à protéger les industries canadiennes et inciteront les industries américaines à installer des filiales au Canada. Au niveau du symbole, c'est sans doute le régime douanier et le chemin de fer qui expriment le plus clairement le message du nouvel État aux yeux du monde: le Canada est bien portant, stable et digne de confiance. Les effets ne se font pas attendre et répondent aux espoirs des promoteurs de la Confédération. Les investissements internationaux affluent, confirmés par divers moyens de communication: les agents canadiens à Londres, la poste impériale et bientôt le télégraphe transatlantique, tout récemment inventé.

C'est George-Étienne Cartier qui fait le lien entre l'économie et l'organisation politique confédérale. Cet avocat montréalais qui est l'un des directeurs de la société du Grand Tronc entretient avec les élites francophones et anglophones de la métropole commerciale canadienne des relations d'ordre juridique, économique et mondaines. Parlementaire depuis 1848, c'est l'homme politique le plus important du Québec et peut-être de tout le Canada; il a tissé des alliances dans tout le pays avec des gens qui partagent les mêmes valeurs conservatrices que lui, le même respect pour la propriété privée, la même défiance vis-à-vis des pratiques politiques américaines, la même horreur du suffrage universel et qui, comme lui, en ont assez de la confusion qui a marqué la vie politique de l'Union. Pour eux, la Confédération a le mérite de clarifier la vie politique et d'affermir ses valeurs; une habile division des pouvoirs entre le parlement central et les parlements des provinces devrait permettre la mise en commun des intérêts politiques et économiques généraux et laisser à chaque province la responsabilité des questions politiques et culturelles qui lui sont propres. Cartier est convaincu que là où des interférences entre ces deux domaines interviendront, les ministres québécois appartenant au gouvernement fédéral sauront intervenir pour défendre leurs droits. Il n'en utilise pas moins un argument de type séparatiste pour convaincre les Canadiens français du caractère bénéfique de la Confédération: s'ils possèdent un parlement qui leur soit propre à Québec, celui-ci protégera les institutions qu'ils ont en propre par rapport aux autres provinces, la langue française, la religion catholique et le droit civil. Même si des sièges sont réservés aux anglophones québécois au nouveau parlement provincial ceux-ci y seront toujours minoritaires; le Québec pourra mener ses affaires à sa guise. L'essor de l'agriculture, du commerce et des chemins de fer offre leur chance aux Québécois. Et Cartier brandit une menace: si les Québécois ne prennent pas eux-mêmes en main leur organisation, minoritaires à Ottawa mais majoritaires au Québec, ce sont les Américains qui organiseront le pays; bref, ils ont le choix entre la Confédération ou l'annexion.

Les moyens ne manquent pas à Cartier pour faire passer son message politique: son réseau d'influences recouvre celui qu'a établi LaFontaine entre 1840 et 1850, et il en a une maîtrise telle que ses trois collègues canadiens-français à la Conférence de Québec osent à peine ouvrir la bouche. La façon dont les élections elles-mêmes se déroulent fournit un atout supplémentaire pour tenir en main l'électorat: elles ne se font toujours pas au scrutin secret et, pour voter comme pour être élu, il faut maintenant remplir certaines conditions additionnelles touchant à la propriété. Leurs talents d'organisateurs assurent la victoire à Cartier et à ses amis et en leur permettant de siéger aux deux niveaux fédéral et provincial, la nouvelle fédération offre une prime aux politiciens. Quant à ces derniers, ils étendent le patronage et le système de faveurs gouvernementales jusqu'aux circonscriptions les plus retirées et cultivent soigneusement les curés et les élites locales des plus petites villes; entre leurs visites, c'est la presse qui maintient les liens, et aussi le sermon du dimanche dans l'église paroissiale. Cartier n'a jamais été entièrement convaincu des avantages de l'alliance avec le clergé et il n'est pas insensible aux reproches faits par les rouges quant à la trop grande influence politique de l'Église. En plus, lui et monseigneur Bourget ont rarement la même façon de voir, dans les affaires temporelles comme dans les affaires spirituelles. Il n'en demeure pas moins que l'emprise sur le clergé constitue le moyen le plus commode et le plus sûr pour les politiciens de garder le contact avec leurs électeurs.

Quant à ces électeurs, beaucoup sont conscients de ce que, sur le plan national, la Confédération représente une double gageure: une Amérique du Nord britannique est peut-être aussi difficile à réaliser comme nation originale qu'une nation canadienne-française. Mais n'est-ce pas justement là ce que promet la Confédération: on crée une nouvelle entité nationale tout en préservant l'identité du Canada français. Pour donner corps à cette promesse ou pour la ridiculiser, partisans comme adversaires de la Confédération vont mobiliser tous les agents de médiation culturelle et même en inventer pour les besoins de la cause. Aux partisans de la Confédération, l'antiaméricanisme sert de cheval de bataille et certains rêvent de voir les catholiques francophones un jour majoritaires dans le nouvel État. Chez les adversaires de la Confédération, au contraire, ils n'y voient que la situation minoritaire; pour justifier leurs craintes, ils citent en exemple les projets d'expansion vers l'ouest qui risquent, disent-ils, de noyer les Canadiens français dans une masse anglophone. Les deux attitudes opposées des Québécois vis-à-vis de la Confédération, la défiance des rouges comme l'espoir exprimé par Cartier représentent des efforts d'élaboration de la nation canadienne-française, de même que le conservatisme et le rejet du modèle fédéral américain visent à élaborer une nation canadienne. Ces deux positions trouvent des alliés chez les agents de médiation culturelle, que ce soit les journaux, les associations littéraires et intellectuelles comme l'Institut Canadien, les fêtes populaires organisées par la Société Saint-Jean-Baptiste, les écoles, des lettres, des poèmes, des chansons et des romans, ou pour finir à l'intérieur des familles elles-mêmes.

Une idée a facilité la tâche d'encadrement intellectuel de tous ces agents culturels, c'est celle de la division sexuelle des rôles. Née dans un monde occidental en voie d'industrialisation, avec les ramifications que ce phénomène comporte et normalement associée à la famille, la théorie de la différenciation des rôles ou des mondes à part se décèle facilement dans les structures économiques, politiques et nationales qui ont permis à la Confédération d'être viable. D'après cette conception, les entreprises humaines se répartissent selon leurs fonctions, complémentaires mais séparées, entre deux mondes attribués aux hommes ou aux femmes selon leur sexe. Qu'elle soit un préalable idéologique à l'industrialisation avec son principe de spécialisation des tâches ou qu'elle serve de justification au processus ou à ses conséquences qui ôtent à la cellule familiale sa fonction de production pour la confier à des usines standardisées et lointaines, cette notion a dicté leurs règles de conduite aux familles bourgeoises de plus en plus nombreuses. L'homme quitte son foyer pour se livrer à des activités économiques dans un lieu de travail public; la femme reste à la maison et s'occupe de la vie privée de la famille et de ses besoins affectifs. À l'homme, le calcul et le raisonnement, à la femme, les sentiments et la culture. Il construit l'État, elle règne sur une famille. À lui de créer, à elle d'entretenir...

Cette notion de la répartition des tâches selon le sexe est familière aux Canadiens. Les sermons des décennies 1850 et 1860 reprenaient le thème de la différenciation des rôles et ajoutaient une justification théologique au discours laïque et historique. Dans les années 1870, la question devient encore plus populaire et «la question des femmes» constitue le sujet de nombreuses discussions. D'autres domaines d'expérience s'y prêtent également comme en font foi le nombre grandissant de Canadiens français à la recherche de tout ce qui les lie tout en les distinguant de leurs compatriotes anglophones. Les différences de langue et de religion sont manifestes, mais la recherche ne s'arrête pas là. Il y a des traits culturels particuliers à chacun des deux peuples. Et, chose étrange, ces traits particuliers ressemblent à ceux que l'on assigne aux deux sexes: les Canadiens français ont des fonctions à remplir, fonction culturelle, sentimentale, artistique, nourricière et civilisatrice, mais ils le font dans un pays dominé par les activités commerciales, des Canadiens anglais, activités économiques, rationnelles et matérielles. Pour les artisans de la Confédération, la complémentarité de ces fonctions est tout aussi importante que leurs différences; il leur a donc été facile de concevoir le modèle de deux mondes d'activités politiques, économiques, constitutionnelles et nationales où chacun aurait sa spécialité et dont l'ensemble tirerait profit. Ce n'est que beaucoup plus tard que l'historien Lionel Groulx parlera dédaigneusement de la Confédération comme d'un mariage mixte, ce qui en justifiera l'annulation; plus tard encore, l'homme politique René Lévesque reprendra l'image de l'incompatibilité d'humeurs pour parler en faveur de la séparation. À l'époque de la Confédération, il s'agit pour le Québec de trouver un consensus idéologique dans un de ces deux mondes et de le développer. Un certain clergé catholique, d'un type bien particulier, va s'y employer sans relâche.

ORIENTATIONS BIBLIOGRAPHIQUES

Bernard, Jean-Paul, *Les Rouges. Libéralisme, nationalisme et anticléricalisme au milieu du XIXème siècle*, Montréal, Les Presses de l'Université du Québec, 1971.

Bonenfant, Jean-Charles, *La naissance de la Confédération*, Montréal, Leméac, 1969.

Careless, J.M.S., *The Union of the Canadas: The Growth of Canadian Institutions, 1841-1857*, Toronto, McClelland and Stewart, 1967.

Cornell, Paul G., *The Alignment of Political Groups in Canada, 1841-1867*, Toronto, University of Toronto Press, 1962.

———, *La Grande Coalition*, Ottawa, Société historique du Canada, 1966.

Creighton, Donald, *The Road to Confederation: The Emergence of Canada, 1863-1867*, Toronto, Macmillan, 1964.

Cross, D. Suzanne, « La majorité oubliée : le rôle des femmes à Montréal au XIXème siècle », *in Les femmes dans la société québécoise : Aspects historiques*, sous la direction de Marie Lavigne et Yolande Pinard, Montréal, Boréal Express, 1977, p. 32-59.

Faucher, Albert, *Québec en Amérique au XIXème siècle*, Montréal, Fides, 1973.

Groulx, Lionel Adolphe, *La Confédération canadienne : ses origines*, Montréal, *Le Devoir*, 1918.

Hamelin, Jean et Yves Roby, *Histoire économique du Québec, 1851-1896*, Montréal, Fides, 1971.

Harris, R. Cole et John Warkentin, *Canada Before Confederation : A Study in Historical Geography*, Toronto, Oxford University Press, 1974.

Ullmann, Walter, « The Quebec Bishops and Confederation », *Canadian Historical Review* 44, 1963, p. 213-34.

Waite, P.B., *The Life and Times of Confederation, 1864-1867 : Politics, Newspapers and the Union of British North America*, Toronto, University of Toronto Press, 1962.

Young, Brian, *George-Étienne Cartier, bourgeois montréalais*. Montréal, Boréal Express, 1982.

Par l'intermédiaire des communautés religieuses, le catholicisme offre aux femmes une vocation autre que la maternité.
L'Hôtel-Dieu de Québec vers 1870.
Archives publiques du Canada C35634

VIII
OFFENSIVE CLÉRICALE

Au cours du dernier tiers du dix-neuvième siècle, le clergé contribue tout autant que le chemin de fer à l'unité nationale.

Au Québec, les réseaux dont il dispose sont même plus efficaces que ceux du chemin de fer, en dépit de l'ardeur des promoteurs du rail. Quelques prêtres vont jusqu'à mobiliser le cheval-vapeur pour leur cause en poussant à la construction de voies ferrées qui ouvriraient des percées pour la colonisation, au moment où les hommes politiques cherchent à tout prix à développer les échanges commerciaux et à gagner des électeurs. Il faut pour cela que le clergé exerce une influence politique et certains de ses membres utilisent avec habileté à cette fin le fait qu'ils sont de plus en plus nombreux à des postes clés. Le clergé se lance aussi dans une grande campagne de justification idéologique de son action en puisant, en Europe, aux sources de l'ultramontanisme et, au Québec, aux sources du nationalisme. Son rêve est de rassembler sous sa houlette l'ensemble des Canadiens français. C'est à lui qu'il appartiendrait alors de conduire les destinées des Canadiens français sur des chemins différents plus nobles que ceux des Canadiens anglais. Un vaste réseau d'agents de transmission — les uns directs, les autres occultes — permet au message de pénétrer dans les régions les plus reculées du pays. On s'étonne qu'en dépit de ce réseau, la vision nationale inspirée par les ultramontains ne se soit jamais concrétisée. Au même moment en effet, la plupart des Québécois choisissent la voie du rail et ses promesses de prospérité nord-américaines. Néanmoins, le long du parcours, c'est avec reconnaissance, avec amusement, quelquefois avec mauvaise humeur, qu'ils assistent aux affrontements du clergé pour le salut de leurs âmes nationales.

Comme toutes les idéologies, la doctrine ultramontaine fait appel à des composantes sociales, culturelles et intellectuelles. Au dix-neuvième siècle, certains groupes conservateurs d'Europe prennent l'habitude de tourner leur regard «par-delà les montagnes», c'est-à-dire à Rome, en direction du pape, de l'autre côté des Alpes. Comme ils redoutent le ferment révolutionnaire qui agite la rue et les esprits, certains porte-parole du catholicisme se tournent vers le Vatican pour en recevoir conseils et soutien dans ce monde chamboulé par les libres-penseurs, les libéraux, les socialistes et les anarchistes. Toutes les valeurs auxquelles ils sont attachés, hiérarchie, ordre, privilèges et obligations des classes supérieures, — le fameux «noblesse oblige» —, respect dû par la classe ouvrière à l'autocratie sont en péril. Ils conçoivent alors, avec le soutien du pape, la doctrine de l'intégrisme, antidote puissant et dogmatique à toutes les valeurs intellectuelles, sociales ou politiques autres que les leurs. L'élaboration de l'idéologie ultramontaine permet à ses tenants d'interpréter le monde qui les entoure, d'affronter les nombreux changements qui marquent le dix-neuvième siècle et même d'imaginer qu'ils pourraient orienter en leur faveur quelques-unes de ces mutations. Comme toutes les idéologies, celle des ultramontains est le reflet de la position sociale et des aspirations des groupes sociaux mêmes qu'elle légitime.

Au Québec, au cours de la deuxième moitié du dix-neuvième siècle, c'est une des activités préférées des évêques que de tourner leurs regards «par-delà les montagnes». Mais le plus zélé et le plus constant est monseigneur Ignace Bourget, évêque de Montréal de 1840 à 1876, suivi plus tard par un penseur plus jeune et plus dogmatique, monseigneur Louis-François Laflèche. Celui-ci, qui occupe depuis le début des années 1860 un rang important dans le diocèse du Trois-Rivières, en devient l'évêque en 1870 et le reste jusqu'en 1898. Bourget passe même beaucoup de temps sur place à Rome. Il fait huit voyages au siège de la papauté durant son mandat et il en ramène le costume romain et la liturgie romaine qu'il impose à ses prêtres de Montréal; toutes les communautés religieuses qu'il fait venir de France doivent leur fondation à Rome. Il tient le langage de l'infaillibilité pontificale et du *Syllabus* bien avant que l'un et l'autre n'aient été proclamés à Rome et avant même que Laflèche n'ait présenté une version canadienne systématique des idéaux ultramontains dans ses *Quelques considérations sur les rapports de la société civile avec la religion et la famille* écrits en 1866. Lui et Laflèche soutiennent les efforts du pape pour maintenir son pouvoir temporel dans les États pontificaux. Ils approuvent même l'envoi d'un petit contingent de soldats canadiens-français, les zouaves, en Italie. Ceux-ci doivent prêter assistance au pape dans ses tribulations militaires contre les insurgés nationalistes italiens décidés à unifier l'Italie et à cantonner le chef du catholicisme dans le domaine spirituel. Cependant l'intérêt que porte monseigneur Bourget aux affaires de Rome dépasse les questions d'esthétique et de dogme. C'est aussi une question de pouvoir. En investissant le clergé du Québec de la dimension internationale et prestigieuse que lui confère Rome, Bourget cherche à accroître son importance au sein de la société québécoise. À vrai dire, le recours à l'Europe et à l'autorité intellectuelle de l'Église arrange bien le clergé québécois qui justifie aussi son intervention dans les affaires civiles et ses prétentions à parler au nom de la nation. Quant à cette dernière, elle est, elle aussi, en mesure de tirer parti de cette autorité intellectuelle et de se distinguer ainsi des autres au sein de la Confédération nouvellement créée. Sans aucun doute, l'idéologie ultramontaine peut être très utile dans le contexte québécois.

C'est la politique européenne qui a engendré l'idéologie ultramontaine; ce sont les craintes des Canadiens qui l'ont importée au Québec. Tout au long du dix-neuvième siècle, les débats entre intellectuels et les soulèvements populaires reprennent la question majeure posée par la Révolution française, celle du conflit entre liberté et autorité. Les Européens comme les Canadiens que les bouleversements scandalisent imputent ceux-ci à la Révolution qui a déboulonné l'Église et secoué l'autorité morale de la religion en 1790. Et ils sont épouvantés par la conséquence logique de ce rejet et par le caractère qu'a pris le mouvement de l'unité italienne au milieu du dix-neuvième siècle: le pape est menacé de perdre son autorité politique sur une grande partie de l'Italie centrale et Rome ne serait plus une capitale spirituelle mais une capitale temporelle. Comment le pape pourrait-il maintenir son autorité morale et l'indépendance de l'Église s'il était privé de son pouvoir temporel? Et si l'évêque de Rome n'avait plus de pouvoir temporel, comment la société laïque pourrait-elle ne pas sombrer dans l'immoralité? Ceux qui recommandent la séparation du spirituel et du temporel sont manifestement dans l'erreur, car c'est saper l'autorité morale du pape et les bases morales de la société. C'est d'ailleurs ce que déclare celui-ci, en termes dépourvus d'ambiguïté dans son *Syllabus* de 1864, destiné plus particulièrement au clergé catholique. Le Souverain Pontife y critique toutes les sortes d'erreurs idéologiques, depuis les idées libérales en faveur de la séparation de l'Église et de l'État jusqu'à des conceptions hérétiques, telles que la nécessité pour le Souverain Pontife d'accepter progrès, libéralisme et civilisation modernes. Il insiste en cours de route sur la préséance de l'autorité ecclésiastique sur l'autorité civile et sur la justification de l'Église à défendre par la force son pouvoir temporel. Il refuse même à ses opposants le droit d'exprimer leurs opinions: les libéraux, les socialistes et les communistes, les membres des sociétés secrètes et des sociétés d'études bibliques, et même les tenants du catholicisme libéral, tous se livrent à un mauvais usage de la liberté de parole, ce qui conduit inexorablement à la corruption des esprits et des moeurs. Ceux qui s'opposent au pape sont consternés, mais pour ceux qui sont d'accord avec lui, Dieu s'exprime par sa bouche. L'Église ne va pas tarder à confirmer cette opinion en proclamant l'infaillibilité pontificale. Le pape ne peut pas se tromper.

Une telle façon de voir conforte l'Église du Québec qui a peur et se sent un peu assiégée. En effet, au moment même où monseigneur Bourget met sur pied la longue campagne qu'il va mener pour revigorer le catholicisme au Québec, il lui faut répondre aux attaques de groupes de libéraux. Bien organisés, d'abord en associations d'intellectuels, puis en partis politiques, ceux-ci estiment que le clergé doit s'en tenir aux affaires spirituelles ou même, pour certains penseurs plus radicaux, qu'il doit disparaître complètement. Plus tard, il devra encore se défendre contre d'autres hommes politiques, des conservateurs cette fois, qui ont des opinions bien arrêtées sur la position subalterne que devait occuper l'Église, institution parmi d'autres sous la tutelle de l'État. Et qui plus est, ce même État commence à s'intéresser à des problèmes dont Bourget estime qu'ils dépendent exclusivement de lui. En 1867, le nouveau gouvernement provincial a osé créer un ministère de l'Éducation, et il a bien fallu au prélat huit ans et tout le poids de son influence politique grandissante pour le faire supprimer. Des laïcs, surtout des femmes de la haute société, entreprennent de leur côté des oeuvres sociales et charitables qui ne rentrent pas dans le cadre prévu par le clergé et ne dépendent pas des communautés religieuses. Bourget admet bien qu'il y a une tâche à réaliser; n'est-il pas l'évêque de la première ville au Canada à s'industrialiser? Et il ne refuse pas non plus aux laïcs un rôle dans les oeuvres charitables de l'Église. Mais il leur fait clairement savoir que les ordres doivent venir de l'Église et que la hiérarchie va de haut en bas.

En 1866, Mgr Laflèche réussit à faire la synthèse des conclusions européennes et des craintes canadiennes, et en tire une formulation de l'idéologie ultramontaine cohérente bien adaptée au Québec. Ses *Quelques considérations...* appartiennent au fond commun de beaucoup de Québécois, prêtres et laïcs, et on les retrouve, avec des variantes, dans la presse et les prédications de l'époque. C'est lui qui soutient avec le plus de force la thèse de la subordination de l'État au pouvoir spirituel de l'Église. Pour lui, tout découle logiquement de la place de Dieu dans l'univers. Son Dieu est le créateur, le guide et le protecteur de l'homme, omniprésent depuis le début des temps et tout au long de l'histoire. C'est Dieu qui assigne leur mission et leur rôle aux familles, aux nations et aux États, et si ceux-ci désobéissent, ils le font à leurs risques et périls. Dieu assure sa présence dans une institution, l'Église, et s'exprime par l'intermédiaire du pape. Il délègue son autorité au père de famille et au chef de l'État. Ainsi Laflèche estime que ces trois institutions humaines, l'Église, la famille et l'État sont d'origine divine, bien que, par leurs fonctions, certaines soient plus divines que d'autres. La mission de l'Église qui est d'enseigner la loi divine la rapproche de la source de cette loi. Celle de la famille est de transmettre la loi divine de génération en génération et elle la rattache à l'Église pour la connaissance mais directement à Dieu pour la pérennité. Au bas de l'échelle, la mission de l'État consiste à assurer la sécurité de la société et de la protéger du désordre. Étant donnée l'origine divine des trois institutions, Laflèche les voit toutes trois subordonnées à la volonté de Dieu. Mais puisque c'est l'Église qui exprime cette volonté, elle se trouve nécessairement au-dessus des deux autres.

La conception que se fait Laflèche de la nation renforce la situation de l'Église et donc le rôle du prêtre dans la société. Tout d'abord, la nation, du fait qu'elle s'exprime à travers la famille, qui transmet la langue, les traditions, et la foi, a pour Laflèche, un statut quasi divin. Mais puisque la foi est l'élément le plus important de la nationalité, la nation doit être supervisée par l'Église; pour cela, il faut que l'enseignement soit sous la coupe de l'Église qui seule peut assurer la transmission de la foi. En outre, l'État se doit d'accorder son soutien à l'Église, puisqu'il n'existe que dans la mesure où la foi se trouve solidement ancrée dans la nation. L'État a donc des devoirs vis-à-vis de la religion et, ne pas les reconnaître, ce serait agir contre l'intérêt de la nation. Mais en revanche, l'État a besoin de l'aide de l'Église, non seulement pour définir ces devoirs, mais aussi pour veiller à ce que les gens placés à la tête du gouvernement pour les remplir soient bien les meilleurs. Il faut donc que l'Église ait son mot à dire dans le choix des gouvernements. C'est par l'intermédiaire de ses prêtres qu'elle doit aider les électeurs à choisir les bons candidats. En entretenant, peut-être à dessein, la confusion entre la nation comme entité culturelle et la nation comme État politique, Laflèche réussit à étayer son plaidoyer en faveur du rôle dominant des prêtres.

Une dernière touche, toute canadienne, s'ajoute à la doctrine ultramontaine de Laflèche: Dieu et l'histoire a confié à la nation canadienne-française une mission à accomplir en Amérique du Nord. À l'instar de Cartier et de Champlain aux jours de la Nouvelle-France, elle a le devoir de continuer cet apostolat en évangélisant les païens d'aujourd'hui et de demain. Et elle doit y déployer tout le courage et la ténacité que lui ont légués les colons des premiers jours. Mais cette propagation de la foi ne peut reposer que sur une Église elle-même renforcée. Il est nécessaire que les Canadiens français eux-mêmes assurent leur unité avant de répandre le message chrétien. Ils doivent donc lutter contre tout ce qui menace non seulement la foi catholique, essence de la nation, mais aussi la nation elle-même. Une fois de plus, qui, mieux que le clergé, pourrait définir ces menaces? Pour que les Canadiens français comprennent bien la mission dont Dieu les a investis et soient bien conscients de tous les périls qui les entourent, Laflèche leur enjoint de suivre les prescriptions de leurs prêtres.

Mais il ne suffit pas qu'un évêque écrive un livre pour rassembler les Canadiens français derrière de telles conceptions. Bien que les ultramontains aient des arguments-chocs — Dieu est des leurs et ceux qui en doutent sont marqués au fer rouge comme ennemis de la nation — toute cette campagne en faveur de l'unité de pensée se heurte à une résistance importante, à laquelle même des ecclésiastiques prennent part. Ceux des évêques et des prêtres qui sont plus tolérants que leurs confrères Bourget et Laflèche s'inquiètent du tort que cette attitude doctrinaire peut faire au catholicisme. Ils ne sont évidemment pas hostiles à l'influence croissante du clergé au Québec; ils s'en réjouissent même. Les principes ultramontains resteront assez indifférents au peuple; mais l'idée que les prêtres doivent avoir un rôle prépondérant pénètre, elle, dans presque tous les foyers grâce à la propagande que lui font bon nombre de prêtres et de religieuses. À travers leurs sermons, la presse, dans les écoles, dans les processions, à l'intérieur des organismes de colonisation, par les oeuvres sociales, par les lois et la politique, bref, par des moyens multiples, le clergé réussit à atteindre presque tout le monde. Et en fin de compte, tout le monde doit, bon gré mal gré, transiger avec le clergé.

Les efforts de monseigneur Bourget pour susciter la ferveur religieuse dans la décennie 1840 portent leurs fruits plus tard. Le nombre des prêtres se multiplie, les jeunes gens trouvent dans l'exercice du ministère à la fois une vocation et un emploi. Alors qu'il y avait moins de cinq cents prêtres au Québec en 1840, ils sont plus de deux mille en 1900. Par comparaison, la population totale du Québec ne fait que doubler pendant la même période. On passe d'un prêtre pour deux mille catholiques en 1840 à un prêtre pour cinq cents en 1880 et ce changement est encore plus notable si on parle de répartition géographique. Dans les années 1840, il y avait de nombreuses paroisses qui avaient rarement la visite d'un prêtre et se contentaient des visites semestrielles d'un missionnaire (ce qui convenait d'ailleurs parfaitement à certains, qui protestèrent énergiquement contre l'installation permanente et coûteuse d'un curé résident). Dans les années 1880, par contre, l'Église s'organise de manière plus systématique: on découpe le territoire en un plus grand nombre de diocèses et on y répartit les prêtres de manière plus régulière. Dans le peuple, l'hostilité d'autrefois a fait place à la fierté: c'est à qui aura la plus belle église et le plus grand presbytère. Presque toutes les familles sont personnellement liées au clergé soit par un fils, un neveu ou un cousin, soit par un voisin. Dans une société où les études préparant aux professions libérales sont encore peu organisées et n'offrent pas de garantie d'emploi à leurs nombreux postulants, la préparation à la prêtrise assure aux futurs prêtres non seulement une éducation et un emploi, mais aussi un certain rang et la possibilité de s'élever dans la société. Il se peut même que l'idéologie ultramontaine ait rehaussé le statut des prêtres. En tout cas, ils sont de plus en plus nombreux à pouvoir faire bénéficier leurs paroissiens de leur supériorité intellectuelle, de leur soutien spirituel et matériel, et de leurs réseaux d'information.

La chaire et la presse sont des tribunes essentielles de ces réseaux. L'une et l'autre permettent aux Québécois d'établir des relations avec des mondes plus vastes que la paroisse et même le pays. Dans certaines paroisses rurales, les sermons constituent la seule source d'information des gens sur le monde extérieur. Évidemment, cette information est soigneusement filtrée par le prêtre pour le bien de sa communauté rurale. En exerçant sa surveillance sur les nouvelles civiles et religieuses, le curé de campagne confond facilement les deux domaines. Du perron de l'église qui sert de lieu de rassemblement avant et après la messe, il contrôle même les nouvelles locales. Il lui arrive d'y lire des extraits de *La Gazette des campagnes*, journal créé par le clergé au début des années 1860 pour soutenir le collège agricole de Sainte-Anne-de-la-Pocatière. Ses auditeurs ne peuvent pas manquer de constater que le progrès et le choléra se ressemblent, l'un étant aussi dangereux pour l'âme que l'autre pour le corps. Les journaux des villes répandent le même message mais de manière plus nuancée. À Montréal, le journal modéré des années 1840, *Les Mélanges religieux*, disparaît en 1852, mais en 1867, *Le Nouveau Monde* reprend l'idéologie ultramontaine. Et à Québec, *La Vérité* s'en fait l'organe le plus véhément dans les années 1880. Mais les journaux ultramontains ne dominent cependant jamais la presse québécoise. La politique rapporte toujours plus que la religion et les journaux, pour la plupart, se trouvent à la solde des bleus ou des rouges. *Le Pays* par exemple, qui appartient à ces derniers, a pris conscience des sophismes ultramontains propagés par certains membres du clergé dès le début des années 1850 et ne cesse pas de sonner l'alarme jusqu'à ce qu'il disparaisse en 1871, victime, en partie, de l'offensive cléricale. Mais dès le milieu des années 1880, un nouveau journal montréalais à grand tirage, *La Presse*, se met à privilégier les nouvelles locales, politiques et même les faits divers, et n'a pas de peine à mieux se vendre que les prêches de la presse cléricale.

Avec les écoles, le clergé dispose d'un outil encore plus puissant d'action et de domination sociales. L'abolition en 1875 du ministère de l'Éducation est symptomatique du pouvoir grandissant des prêtres. De 1875 à 1964, date du rétablissement du ministère, en matière d'enseignement, l'État s'incline devant l'autorité religieuse. Un Conseil provincial de l'instruction publique administre les écoles par l'intermédiaire de deux comités, l'un catholique et l'autre protestant. Comme les évêques jouent un rôle prédominant dans le comité catholique, même les enseignants laïcs, toujours majoritaires bien que leur majorité diminue dans les écoles primaires, sont obligés d'appliquer des programmes et une discipline conçus par des prêtres. Sans répandre directement les idées ultramontaines, les écoles ne manquent pas d'imprégner les jeunes Canadiens français du sentiment de l'importance de la religion. Les quelques jeunes gens qui continuent leurs études dans les collèges classiques privés et les quelques jeunes filles (encore moins nombreuses) qui restent au couvent pour poursuivre leurs études secondaires reçoivent le même message et à plus haute dose encore. Dans ces institutions, les enseignants sont tous des prêtres et des religieuses, appartenant pour la plupart à des ordres réguliers et tous en quête de nouvelles recrues. Neuf collèges nouveaux sont fondés à partir de 1850, ce qui donne une importance grandissante à la formation secondaire des garçons et au rôle des prêtres comme éducateurs. Quelques-uns de ces collèges innovent en créant des programmes d'études industrielles et commerciales, d'autres conservent une stricte formation classique. Dans leur choix soigneux des lectures complémentaires, ces derniers montrent un net penchant pour les écrivains conservateurs de la France contemporaine. Dans la décennie 1890, dans un de ces collèges au moins, les lauréats reçoivent la collection complète et reliée de *La Vérité*. Cette formation donne une solide conviction catholique. Même si tous ne deviennent pas prêtres ni ultramontains, tous ont des camarades de classe prêtres et ultramontains. Les quelques esprits forts sur lesquels le discours du clergé n'a pas prise — des anciens élèves du collège Saint-Hyacinthe pour la plupart — y acquièrent un tel sens de la diplomatie qu'ils sont tolérés. Quant aux filles, l'enseignement qu'elles reçoivent au couvent est à la fois moins doctrinaire et moins approfondi, car il ne conduit pas à des études plus poussées. Seuls les jeunes gens sortis d'un collège classique peuvent entrer à l'université Laval (dont le personnel est religieux) fondée à Québec en 1852, et qui possède une antenne à Montréal à partir de 1876. Les jeunes filles n'ont accès à aucune de ces institutions. Il ne leur a peut-être pas échappé, cependant, qu'il y a plus d'avantages matériels et sociaux à enseigner en tant que membre d'une congrégation religieuse qu'en tant que maîtresse d'école laïque.

Le clergé promène son message également dans les rues et dans les bois. Comme le calendrier comporte de nombreuses fêtes religieuses, tout est prétexte à processions et le clergé les organise avec empressement. Le désir de fournir des distractions au peuple tient sans doute un grand rôle dans ces festivités religieuses: les hommes politiques attirent toujours des foules énormes et les prêtres ne veulent pas être en reste. Il y a aussi peut-être une autre raison, celle-là liée au contexte de l'époque: les maladies du dix-neuvième siècle — le choléra, puis la variole — frappent de façon si inattendue, font tant de ravages et reparaissent si souvent que la pénitence et la prière publiques, seules, procurent une certaine consolation. Les fêtes organisées au moment de l'envoi des zouaves à Rome à la fin de la décennie 1860 ont été plus joyeuses et ont attiré aussi des foules importantes. Les efforts faits par les ultramontains pour assurer un soutien populaire à la cause papale se sont manifestés dans le soin apporté au choix des quatre cents volontaires partis pour défendre les territoires pontificaux contre les insurgés républicains de Garibaldi: ces jeunes gens viennent de tous les diocèses du Québec et de toutes les classes de la société. En Italie, ils n'ont pas à se servir de leurs armes. Néanmoins, on a fêté leur retour comme leur départ dans les paroisses et les diocèses, et ces festivités ont culminé avec les rassemblements monstres de Montréal: pour gonfler la foule des citadins, le Grand Tronc est allé jusqu'à offrir des tarifs spéciaux à bord de ses trains aux gens des campagnes. Après leur retour, les zouaves maintiennent leur popularité, et celle du Pape, en se regroupant en une association d'anciens zouaves: ils défilent pour les commémorations diverses et participent aux processions. Quelques zouaves reprennent même à leur compte le programme de colonisation que prônent aussi les prêtres et partent dans les régions perdues des Cantons de l'Est pour y fonder la colonie de Piopolis — ainsi nommée en l'honneur du pape Pie IX — près du lac Mégantic. Le clergé suit de près, inspirant et organisant les mouvements de colonisation de la fin du dix-neuvième siècle. Ni les pasteurs ni leurs ouailles n'y ont jamais été très nombreux, mais, par sa présence sur le terrain, le clergé concrétise sa volonté d'assurer une direction spirituelle aux affaires pratiques et de s'y engager véritablement. L'un des prêtres impliqués dans la colonisation des Laurentides, au nord-ouest de Montréal, le curé Antoine Labelle, devient même haut fonctionnaire civil: il est nommé sous-ministre de la Colonisation à la fin des années 1880, Honoré Mercier étant alors Premier ministre du Québec.

Mais c'est peut-être de manière moins spectaculaire et dans un domaine moins public que l'Église a le mieux réussi à se rendre indispensable dans la société du Québec. L'aide que les religieuses fournissent aux familles ne s'accompagne pas de discours idéologiques; ceux-ci d'ailleurs auraient probablement été inutiles, car les femmes savent d'où leur vient l'aide; les familles en parlent entre elles. Les religieuses sont mieux placées que les prêtres pour proposer leur secours: entre 1850 et 1900, leur nombre a décuplé. Au milieu du dix-neuvième siècle, les communautés religieuses ne comptent que six cents femmes, au début du vingtième, elles dépassent les six mille cinq cents. À une époque où le clergé de son côté fournit un prêtre pour cinq cents catholiques, les religieuses, elles, fournissent une soeur pour cent cinquante catholiques. Cet essor témoigne du développement du sentiment religieux dans la société québécoise d'alors. Certaines pratiques religieuses nouvelles, singulièrement le culte marial, sont tout spécialement destinées aux femmes. L'attrait de la religion est d'ailleurs confirmé par le grand nombre de jeunes filles qui entrent en religion pour un temps limité, et l'aspect «temporaire» de ces vocations leur donne peut-être encore de l'attrait. Ces jeunes filles, deux ou trois fois plus nombreuses que les vraies «soeurs», ramènent chez elles après quelques années de noviciat leur acquis religieux. L'essor des vocations religieuses reflète peut-être aussi le fait que les activités proposées aux femmes à la fin du dix-neuvième siècle sont de plus en plus réduites. Les femmes sont en effet strictement cantonnées à leurs fonctions maternelles que la théorie des mondes à part ne fait que légitimer. Dans un tel contexte, qui est d'ailleurs la norme dans tout le monde occidental, le catholicisme, par l'intermédiaire des communautés religieuses, offre une vocation aux femmes autre que la maternité. Bien sûr, les femmes ont toujours eu ce choix, mais ce n'est qu'à la fin du dix-neuvième siècle qu'il semble être devenu particulièrement attrayant. Pour les Québécoises, la vie religieuse est une solution de rechange aux perspectives étroites du mariage, du célibat ou de l'émigration. Ce n'est qu'au milieu du vingtième siècle, lorsque des domaines d'activité variés et attrayants s'ouvriront aux femmes que le nombre des religieuses se mettra à baisser.

À la fin du dix-neuvième siècle, des femmes animées d'un esprit religieux organisent des services sociaux. L'enseignement en est le plus visible. Les religieuses elles-mêmes ont reçu une éducation qu'elles n'auraient pas eue dans la société laïque, et elles transmettent cette formation aux jeunes de toute la province. Au Québec, l'enseignement primaire se féminise, situation à laquelle les religieuses contribuent sans l'avoir créée: leur présence renforce aussi les liens entre religion et enseignement. En outre, les «soeurs» dirigent des pensionnats destinés aux jeunes filles de la haute société qui se préparent au couvent ou à une vie de famille au sein de laquelle elles accompliront soigneusement les devoirs de leur religion. Henriette Dessaulles et Joséphine Marchand par exemple, bien qu'elles n'aient pas épargné leurs critiques envers la formation intellectuelle qu'elles ont reçue, ont compris toutes deux qu'il leur incombait de maintenir leur futur mari et leurs enfants dans le droit fil de la religion. Toutes les deux ont assimilé au cours de leurs études des notions très précises sur les rôles différents des hommes et des femmes, et elles vont répéter leur leçon tout au long de leur carrière de journalistes.

L'accroissement du nombre des pensionnats permet aux soeurs non seulement d'assurer l'éducation de plus d'élèves au primaire et au secondaire, mais aussi de rendre d'autres services. Vers 1900, deux cents pensionnats reçoivent onze pour cent des jeunes filles scolarisées. Par rapport à la décennie 1860, cela représente deux fois plus d'écoles et deux fois plus d'élèves. Cette augmentation manifeste l'esprit d'entreprise des soeurs, mais elle montre aussi l'importance de plus en plus grande que l'on attribue à l'enseignement destiné aux filles. Évidemment, plus les jeunes filles passent de temps en compagnie des soeurs, plus forte est la relation qu'elles établissent entre religion et vie quotidienne. Mais les écoles acceptent aussi des pensionnaires pour une période plus courte, ce qui leur permet de remplir une autre fonction. Bien des petites filles se retrouvent orphelines, ne serait-ce même que pour un temps limité, quand leur famille traverse une phase difficile. Un décès, le remariage du père ou de la mère, une période de chômage, voire même l'émigration conduisent souvent les jeunes filles au pensionnat. Leurs parents ou leur famille paient selon leurs moyens et les soeurs gardent les jeunes filles quelques mois ou quelques années. Ce genre de services, tout autant que l'éducation donnée, contribue à établir un lien apprécié et durable entre la religion et la famille.

Mais le rôle social des religieuses est très diversifié. On en trouve ailleurs que dans la salle de classe et le message qu'elles apportent aux familles et surtout aux femmes est le même: en cas de difficultés, l'Église est là, avec ses secours. Les difficultés ne manquent pas dans les quartiers ouvriers des villes d'un Québec en cours d'industrialisation, et les soeurs sont parmi les premières à aider les familles ouvrières. Elles font face aux problèmes dramatiques de la prostitution, de la criminalité, de la délinquance et des naissances illégitimes, et elles versent aussi un baume sur les misères les plus fréquentes des prolétaires. Un accouchement, une période de chômage, une maladie ou un décès, l'alcoolisme et la vieillesse peuvent détruire l'équilibre fragile de l'économie familiale. Pour survivre, une famille ouvrière a besoin de deux salaires au moins. Ceux qui apportent ces deux salaires varient selon la composition de la famille ou l'âge de ses membres: ce peut être le père et le fils, le père et la fille, le père et la mère. Mais quelle que soit la combinaison, le moindre accident est susceptible de la détruire. Alors, c'est souvent à la mère de se débrouiller seule en prenant de l'ouvrage à domicile, lavage ou couture, ou en se plaçant comme domestique, ce qui l'oblige à se séparer de ses enfants. Si dans le voisinage on trouve de la parenté qui ne soit pas dans une situation tout aussi difficile, le problème peut trouver sa solution dans le cadre de la famille, sinon on peut toujours compter sur les soeurs. Ou bien elles viennent aider la famille en difficulté à domicile, ou bien elles en accueillent les enfants dans leurs crèches ou leurs orphelinats. Les enfants n'y restent que le temps nécessaire pour permettre à leur famille de surmonter la crise, ou à la soeur aînée de s'occuper des petits, ou à un proche de les prendre en charge. Parfois les religieuses s'opposent au retour de l'enfant dans une famille connue pour son alcoolisme ou son impiété. Et toujours elles utilisent les ressources de l'institution pour donner à l'enfant une formation religieuse en même temps qu'une formation manuelle de base. Les parents ne sont pas à même de s'y opposer et la mère en est même la plupart du temps reconnaissante: au cours des conversations entre voisines, sur le perron, à la cuisine ou dans la rue, elle le répète vraisemblablement, et, sans le savoir, devient probablement une des meilleures propagandistes de monseigneur Bourget.

Cependant, ce dernier ne s'en remet pas au hasard, et dans le long combat qu'il a mené dès 1850 contre l'Institut canadien, il a eu recours à des hommes de loi pour défendre sa cause. Entre 1845 et 1865, à Montréal, quelque deux mille personnes ont manifesté assez d'intérêt pour les idées libérales pour adhérer à l'Institut canadien; un âge avancé, des contraintes professionnelles ou un soudain scrupule religieux ont été responsables du départ de certains membres, mais ils ont toujours été remplacés par un nouveau contingent de jeunes hommes passionnés par les débats d'idées en général et par la politique en particulier. Dans les années 1840, c'est dans leurs rangs que se sont recrutés les rouges, parmi lesquels celui qui deviendra chef, Antoine-Aimé Dorion; entre 1860 et 1870, ils ont produit les libéraux, au rang desquels se trouve leur futur chef, Wilfrid Laurier. Ils dévorent la presse internationale, et discutent entre eux des mérites comparés des systèmes américain, britannique et des autres pays d'Europe. À leurs banquets, ils lèvent leur verre au progrès et au peuple souverain; dans les assemblées, ils discutent des droits des femmes en politique. Ils n'aiment pas les prêtres qui se mêlent de politique, et n'apprécient pas l'idéologie ultramontaine qui pousse de plus en plus ceux-ci à ces activités publiques. À leurs yeux, la société n'a rien à gagner de la collusion des pouvoirs spirituel et temporel ni à Rome, ni au Canada où la coexistence de plusieurs religions rend une telle prétention non seulement irréaliste mais aussi insupportable. Ce sont des libres-penseurs, dans un contexte catholique de plus en plus conservateur, et ils bourrent la bibliothèque de l'Institut des classiques du libéralisme contemporain: Voltaire, Lamennais, Bentham, Mill, Thiers, Guizot, Blanc. Cela ne les gêne pas le moins du monde que la plupart de ces auteurs soient suspects aux yeux du clergé et que beaucoup d'entre eux soient même à l'index.

Il n'est point besoin de dire que, par contre, cela gêne beaucoup monseigneur Bourget. Dans la série de lettres pastorales qu'il a écrites en 1858, l'évêque de Montréal a mis ses ouailles en garde contre les idées libérales qui se répandaient dans la Province. Il s'en est pris en particulier aux salles de lectures de certaines associations dont les livres n'avaient pas reçu l'approbation du clergé. S'appuyant sur une stricte logique ultramontaine pour justifier son attitude (le prêtre, représentant du Christ, doit pouvoir exercer son influence dans tous les domaines de l'activité humaine et toute atteinte au pouvoir du prêtre constitue une attaque contre l'autorité divine) Bourget a enjoint l'Institut de purger sa bibliothèque. Si celui-ci refusait. Bourget l'accuserait d'être anticatholique et interdirait aux catholiques d'en faire partie. Cette menace a suffi pour faire fuir une centaine des sept cents adhérents que l'association comptait alors. Les autres ont déclaré qu'ils étaient assez compétents pour juger de la moralité des livres. Vers le milieu de la décennie 1860 cependant, à cause de la diminution de ses effectifs — due en partie à la tactique plus subtile de monseigneur Bourget qui, par ses prêtres, agit sur les épouses et les mères des membres actifs —, l'Institut cherche un compromis avec cet évêque intransigeant: il lui offre de choisir sur le catalogue qu'on lui montrera les livres qui ne lui conviennent pas, et l'Institut les enlèvera des rayons accessibles à tous pour les mettre sous clé. Silence de Bourget. En 1865, quelques catholiques de l'Institut, dont Wilfrid Laurier, expriment le souhait que le problème soit réglé. Ils font appel à Rome, la Rome du *Syllabus*, pour se plaindre du traitement injuste auquel l'évêque les soumet; ils demandent si, en tant que catholiques, ils peuvent faire partie d'une association littéraire qui compte des protestants dans ses rangs et des livres à l'index dans sa bibliothèque.

Les dix-huit signataires attendent pendant quatre ans la réponse de Rome. Seize d'entre eux sont des Montréalais éminents, juristes et médecins; les deux autres, de rang plus modeste, travaillent dans l'imprimerie. Quand enfin la réponse arrive, en 1869, l'un de ces typographes travaille pour le journal ultramontain *Le Nouveau Monde*; quant à l'autre, Joseph Guibord, il doit mourir quelques mois plus tard. Dans sa réponse, le pape met à l'index la publication annuelle de l'Institut et condamne l'association pour diffusion d'une doctrine pernicieuse. Tandis que l'Institut se prépare à faire appel à Rome, ce qui montre soit qu'il accepte sa direction spirituelle, soit que sa position devient de plus en plus inconfortable dans la société québécoise, Bourget s'appuie sur le décret pontifical pour refuser les sacrements à tous les membres de l'Institut. Joseph Guibord devient soudain une «cause célèbre»: comme il n'a pas renié son appartenance à l'Institut, l'Église refuse de l'inhumer en terre chrétienne dans la partie consacrée du cimetière.

Pendant que dure cette controverse sur la bibliothèque, l'évêque de Montréal et l'Institut canadien trouvent d'autres sujets de querelles. En 1864, Gonzalve Doutre — frère cadet du célèbre avocat de Montréal Joseph Doutre, le membre de l'Institut canadien qui va porter l'affaire Guibord dans tous les tribunaux du pays — expose ses vues sur le «principe des nationalités» à l'Institut canadien. Pour Doutre, les nations ne sont rien d'autre que l'ensemble des habitants d'un même pays. Elles n'ont rien de divin; elles se constituent simplement par le jeu des découvertes, de la science et de la civilisation. Elles ne sont pas cimentées par une religion, mais par la tolérance dont elles font preuve envers les individus de croyances différentes et par leur capacité à se gouverner de manière harmonieuse.

Rien ne pourrait être plus loin de l'idéologie ultramontaine, et monseigneur Bourget n'apprécie pas du tout cet exposé. Il n'est pas non plus du goût d'un certain nombre de rouges qui n'ont pas cessé de faire du nationalisme une de leurs idées force contre la Confédération. Monseigneur Bourget est coincé. Il lui est difficile de réfuter les idées de Doutre sans passer du côté des rouges, et même s'il partage les inquiétudes de ces derniers face aux menaces que la Confédération fait peser sur la nation canadienne-française, il lui est impossible de faire cause commune avec eux en raison de leur libéralisme.

Un autre problème, d'ordre plus pratique celui-là, dresse encore Bourget contre l'Institut. Quelques avocats, tous membres de l'Institut, négocient avec l'Université Victoria, qui est alors installée à Cobourg, en Ontario, pour que les cours de droit qu'ils assurent sous l'égide de l'Institut et dans ses locaux soient validés et permettent à ceux qui les suivent d'obtenir un diplôme de droit de l'université ontarienne. En 1867, ils obtiennent l'accord de cette université. Une trentaine d'étudiants, soit plus que ceux de Laval et de Victoria réunis, vont entreprendre dans un cadre laïque des études de droit qui seront validées par une université protestante. Là, monseigneur Bourget n'est pas seulement mécontent, il est pris de panique: le combat qu'il mène pour avoir à Montréal une université catholique qui ne dépendrait pas de Laval — combat qu'il perd d'ailleurs en 1876 — se présente mal, et voilà que l'Institut canadien semble vouloir constituer à Montréal le noyau d'une université laïque! On comprend qu'il s'en soit pris au cercueil du malheureux Joseph Guibord au cours de l'automne 1869...

Pendant six ans, ce cercueil donnera du fil à retordre à quelques-uns des juristes les plus brillants du Canada. La femme de Guibord s'oppose à la décision du curé d'enterrer son mari dans la section non bénite du cimetière, section réservée aux voleurs, aux assassins et aux nouveau-nés non baptisés. Elle attaque le curé en justice, avec le soutien de l'Institut canadien, qui argue du fait que le droit à la sépulture est un droit civil et que la condamnation de l'Institut par le pape, outre le fait qu'elle était en appel, ne comportait pas de point de droit qui interdise l'accès à la partie bénite du cimetière. Le curé a le soutien de monseigneur Bourget qui pèse de tout le poids de son autorité ultramontaine. Le problème est bien de savoir qui, des civils ou des hommes d'Église, a le plus d'autorité dans la société. Il ne se règle pas en un jour. Pendant que Guibord repose dans un caveau au cimetière protestant de Montréal, dans toutes les cours d'appel du pays, les avocats dissertent sur l'histoire du monde, l'histoire de l'Église et l'histoire du Canada pour finir par aboutir au Conseil privé à Londres. C'est de Londres que parvient la décision finale: oui, la sépulture constitue un droit civil et Guibord a le droit de trouver sa dernière demeure au-dessus de sa femme qui vient de mourir (la famille est trop pauvre pour s'offrir une concession double), dans la section consacrée du cimetière.

Il faudra s'y prendre à deux fois pour l'y conduire. Une première fois, une grande foule, sans doute rameutée par quelques mauvais coucheurs en soutane, va à la rencontre de «Joseph Doutre et son mort» et les empêche d'entrer dans le cimetière. Il est difficile de dire si ces gens sont venus par conviction religieuse ou seulement pour se divertir. À la deuxième tentative pour enterrer Guibord, monseigneur Bourget, qui se pose peut-être aussi la question, recommande le calme. Que les soldats britanniques utilisent donc la force, le béton et la ferraille, pour déposer Guibord *manu militari* dans la concession que lui accorde la loi et monseigneur Bourget mettra en oeuvre son ultime pouvoir ecclésiastique et déconsacrera cette partie du cimetière. Un plaisantin de Montréal demande si l'anathème sera lancé verticalement ou horizontalement, et comment les limites en seront fixées pour ne pas englober les voisins ou, ce qui serait pis encore, la pauvre madame Guibord qui gît en dessous! Sans aucun doute, c'est cette affaire, plutôt que l'anathème, qui causera la perte de l'Institut canadien incapable de survivre à une victoire purement juridique dans un contexte aussi hostile.

Le libéralisme politique du Québec souffre du même contexte. Mais au lieu de se laisser enterrer, lui se transforme. Selon la symbolique manichéenne du clergé, le ciel était bleu et l'enfer rouge. Pour y répondre, les libéraux donnent raison au clergé sur certains points, s'opposent à lui sur d'autres, se débarrassent de leur radicalisme rouge, attirent quelques bleus modérés et reparaissent sous les traits d'un Parti libéral viable. La preuve: moins de quinze ans après la fin de l'affaire Guibord et au grand dam des ultramontains, les libéraux dominent la vie politique du Québec, tant au niveau provincial que fédéral. Six ans plus tard, ils gouvernent l'ensemble du Canada par l'intermédiaire du Premier ministre, Wilfrid Laurier, Canadien français et ancien membre de l'Institut canadien. Mais ce sont les ultramontains qui, pour avoir pris leur idéologie trop au sérieux et avoir joué avec le feu de la politique, portent largement la responsabilité de ce changement.

Les partisans de l'ultramontanisme, membres du clergé et laïcs confondus, pensaient que la vérité politique comme la vérité spirituelle, idéologique et sociale ne pouvait se trouver que dans l'obéissance aux directives de l'Église. À partir de 1850, ils s'attachent donc au groupe politique qui, au Québec, accepte le mieux ce point de vue, à savoir les bleus. Ils espèrent ainsi faire des débats politiques et des élections des fers de lance de la volonté divine. Mais ils trouvent souvent la tâche ardue, car leur intransigeance idéologique leur interdit les compromis indispensables à toute vie politique. Ils rendent la vie impossible à George-Étienne Cartier, qui sera le chef des bleus jusqu'à sa mort en 1873. Ils créent des problèmes là où il n'y en a pas et apportent des solutions dogmatiques simples à des questions compliquées.

Le «programme catholique» établi par les ultramontains en 1871 pour guider les «bons catholiques» dans leur vote est un exemple de cette intransigeance. Dans ce programme, les ultramontains font état de leur préférence marquée pour les bleus. Mais, comme même eux risquent de ne pas être suffisamment purs et durs, ils recommandent aux électeurs de sélectionner leurs candidats avec le plus grand soin, en fonction de leur conformité aux options ultramontaines. Les «bons» candidats sont ceux qui expriment leur désir de suivre l'avis des évêques et des prêtres et qui soumettent à la volonté de l'Église les lois concernant le mariage, l'enseignement, la création de paroisses nouvelles et la tenue des registres civils. Avec ce critère en tête, les électeurs peuvent facilement faire leur choix quand deux conservateurs, ou un libéral et un conservateur s'affrontent. Entre deux libéraux, les électeurs choisiront celui dont les promesses sont les plus proches de ce programme. Mais au cas où ils devraient choisir entre un libéral qui reconnaît le programme et un conservateur qui le refuse, alors il faudrait tout simplement qu'ils s'abstiennent. Les évêques Bourget et Laflèche montrent clairement qu'ils soutiennent le programme, mais trois autres évêques, monseigneur Taschereau de Québec, monseigneur Langevin de Rimouski et monseigneur Larocque de Saint-Hyacinthe prennent soin d'informer leurs prêtres du fait que l'épiscopat n'a pas été consulté pour son élaboration. De nombreux conservateurs s'inquiètent aussi: Cartier, Hector Langevin et Joseph Cauchon, tous leaders conservateurs et modérés, tremblent lorsqu'ils se rendent compte que leur victoire aux élections pourrait être compromise par cette attitude provocante des ultramontains. En fait, ni leurs craintes, ni les espérances des ultramontains ne se réaliseront car la plupart des candidats refuseront d'avoir quoi que ce soit à voir avec le programme.

Les ultramontains, cependant, croient tenir une occasion

idéale quand, en 1871, le gouvernement du Nouveau-Brunswick promulgue une loi qui met fin au financement des écoles catholiques par cette province. Les droits religieux et linguistiques des Canadiens français installés ailleurs qu'au Québec sont menacés. Les ultramontains comptent sur l'influence considérable de Cartier au gouvernement fédéral pour qu'il obtienne qu'Ottawa désavoue la législation du Nouveau-Brunswick. Ils déclarent qu'il ne doit pas y avoir de compromis. En droit, pourtant, l'Acte de l'Amérique du Nord britannique se borne à garantir le droit à l'enseignement des minorités reconnues avant la Confédération, et les écoles acadiennes du Nouveau-Brunswick n'ont jamais été reconnues officiellement. Par ailleurs, le pouvoir que détient le fédéral de désavouer une décision des provinces pourrait se révéler une arme dangereuse. À supposer que quelqu'un la retourne contre le Québec, que diraient alors les ultramontains? Et si ce pouvoir s'exerçait dans cette affaire, cela ne supposerait-il pas que le gouvernement fédéral a le dernier mot en matière d'enseignement? Les ultramontains peuvent-ils accepter cette prépondérance? Cartier, Langevin et Jean-Charles Chapais, ministres du gouvernement Macdonald hésitent à recourir à un tel pouvoir. Alors, du haut de leurs chaires, dans leur presse, les ultramontains les désignent comme des traîtres et la querelle se poursuit au cours des élections fédérales de 1872. Une fois de plus, le clergé est divisé: l'évêque de Rimouski, monseigneur Langevin, frère du ministre Hector Langevin et l'archevêque de Québec, monseigneur Taschereau interdisent à leurs prêtres de faire la moindre déclaration en public. Pendant ce temps monseigneur Bourget, monseigneur Laflèche et les ultramontains se trouvent de curieux alliés chez d'anciens rouges ravis de démontrer le bien-fondé de leurs prédictions sur la Confédération. Fardés en nationalistes libéraux et tentant même de former un Parti national, ces rouges s'unissent aux ultramontains. Cette alliance crée quelques surprises aux élections. Elle réussit même à faire battre Cartier dans sa circonscription de Montréal-Est.

Trois ans plus tard, en 1875, les politiciens accusent ouvertement les prêtres d'exercer une trop grande influence sur les élections. Pourtant, la plupart d'entre eux sont les premiers à se réclamer du soutien du clergé quand ils se présentent à leurs électeurs. Ils ne se rendent pas compte que, ce faisant, ils confèrent une certaine réalité aux prétentions politiques des ultramontains. Mais ce qui dérange tout particulièrement les politiciens libéraux, c'est évidemment le fait que c'est généralement aux conservateurs que va le soutien du clergé. Le gouvernement libéral qui dirige au fédéral de 1874 à 1878 ne parvient même pas à modifier l'opinion de quelques prêtres qui vont jusqu'à dire du Parti libéral qu'il est infâme, dangereux et ennemi de la religion. Certains poussent jusqu'à menacer leurs paroissiens du feu éternel s'ils votent libéral. Surmontant leurs différends pour un certain temps, les évêques s'unissent au cours de l'automne 1875, au moment du dernier acte de l'affaire Guibord, pour faire une déclaration collective sur le droit de l'Église à participer aux débats publics et pour condamner les catholiques libéraux. L'archevêque Taschereau, bien conscient du fait que ce n'est pas une condamnation qui fera disparaître ces derniers et qui, par tempérament, est plus tolérant, signe le document sans enthousiasme. Moins d'un an plus tard, il publie une déclaration à titre personnel où il met sur le même plan les deux partis politiques. Cette attitude conciliante ne réussit pas à empêcher les libéraux furieux de traîner le clergé en justice, persuadés qu'ils sont que la défaite qu'ils ont subie dans deux élections partielles a été due à l'influence du clergé sur les électeurs. Une de ces affaires — la victoire contestée d'Hector Langevin dans Charlevoix — donne un curieux aperçu des relations politiques à cette époque: Langevin s'était prévalu du soutien du clergé, et même de son lieu de parenté avec son frère, l'évêque de Rimouski. Depuis la mort de Cartier en 1873, Langevin tentait en dépit de grosses difficultés et contre des rivaux encore plus gros de regrouper autour de lui l'aile québécoise des conservateurs fédéraux. Cela explique qu'il ait toléré l'emprise des ultramontains, chose que ni Cartier, ni Joseph-Adolphe Chapleau, son rival dans la succession de Cartier, n'avaient pu supporter. L'élection de Langevin est contestée par les libéraux, mais leur plainte est rejetée par le juge Routhier, un ancien politicien ultramontain qui donne comme raison que l'État ne peut pas exercer son pouvoir sur le clergé: comme le droit de vote relève de la moralité, les prêtres ont le devoir d'intervenir. L'affaire ira en appel devant la toute nouvelle Cour suprême du Canada, et le juge Taschereau, frère de l'archevêque, renversera le premier jugement: le clergé a indûment exercé son influence et l'élection doit être annulée. Une odeur de chicane familiale plane sur l'affaire.

Ni l'Église, ni les politiciens ne savent comment s'en sortir. De Rome et des Cantons de l'Est arrivent deux tentatives, toutes deux en 1877, pour arrondir les angles. Le pape envoie un Irlandais, monseigneur George Conroy, pour faire enquête sur cette situation politico-religieuse si confuse. Celui-ci trouve regrettable l'ingérence du clergé dans la politique et pire encore le fait qu'elle divise les prêtres. Comment le catholicisme lui-même pourrait-il survivre dans un pays comme le Canada, où coexistent tant de religions différentes, si les prêtres n'abandonnent pas des pratiques si inconvenantes? Cette ingérence devrait cesser immédiatement. En même temps, Wilfrid Laurier, député fédéral libéral d'Arthabaskaville dans les Cantons de l'Est fait valoir que de toute façon il n'existe pas la moindre relation entre le libéralisme doctrinal rejeté par l'Église et le libéralisme politique que lui-même et son parti ont choisi. Les libéraux canadiens se situent dans la ligne du libéralisme britannique de Gladstone. Ils n'ont pas une once de zèle révolutionnaire. Ils ne sont ni annexionnistes, ni anticléricaux. La réaction ne tarde pas: Laurier est battu à une élection partielle à laquelle il a dû se soumettre parce qu'il avait accepté un poste dans le gouvernement d'Alexander Mackenzie; les ultramontains n'ont pas encore quitté le navire conservateur. Moins d'un mois plus tard, pourtant, Laurier trouve un siège libéral sûr, à Québec-Est, dans le diocèse de monseigneur Taschereau, où il est facilement réélu jusqu'à sa mort en 1919.

Malgré les critiques des juges, les réprimandes du pape et la désapprobation du public, l'idéologie ultramontaine se maintient encore. Assez forts pour compliquer la vie des conservateurs jusqu'au début des années 1880 et assez décidés pour se joindre aux anciens rouges quand une question de principe se pose, comme dans l'affaire Riel en 1885, les ultramontains font naître un tel malaise chez les modérés que ceux-ci se mettent à suivre Laurier quand il a débarrassé les libéraux de leur image rouge. Vers la fin de la décennie 1880, les Québécois votent libéral et les conservateurs n'ont plus qu'à se cacher. Non point que les libéraux victorieux en fin de compte aient jamais oublié le clergé; entre eux et lui s'établit un *modus vivendi* qui les maintient les uns et les autres au premier plan de l'actualité pendant une bonne partie du vingtième siècle. Ce n'est cependant pas en raison des prétentions politiques des ultramontains, qui ne sont qu'un petit groupe bruyant à l'intérieur du catholicisme canadien, mais à cause des services sociaux qu'elle rend, que l'Église continue de jouer un rôle éminent.

Ainsi, finalement, l'importance manifeste de la religion dans la société québécoise, depuis le dernier tiers du dix-neuvième siècle jusqu'aux années 1960, s'explique surtout peut-être par les écoles et la famille: au sein de cette dernière, les femmes jouent un rôle de première importance — non qu'elles aient davantage le sens de la religion, mais parce qu'elles ont plus de raisons d'éprouver de la gratitude envers le clergé et en particulier envers les religieuses. Ce sont surtout les femmes qui, après tout, devront supporter le choc de l'urbanisation et de l'industrialisation qui caractérisera la fin du dix-neuvième siècle.

ORIENTATIONS BIBLIOGRAPHIQUES

Bernard, Jean-Paul, *Les Rouges. Libéralisme, nationalisme et anticléricalisme au milieu du XIXème siècle*, Montréal, Les Presses de l'Université du Québec, 1971.

Bradbury, Bettina, «L'économie familiale et le travail dans une ville en voie d'industrialisation: Montréal dans les années 1870», *in Maîtresses de maison, maîtresses d'école. Femmes, famille et éducation dans l'histoire du Québec*, sous la direction de Nadia Fahmy-Eid et Micheline Dumont, Montréal, Boréal Express, 1983, p. 287-318.

_____ , «The Fragmented Family: The Family Life Cycle, Poverty and Death Among Mid-nineteenth Century Montreal Families», Communication présentée à l'assemblée annuelle de la Société historique du Canada, Montréal, 1980.

Danylewycz, Marta, «Taking the Veil in Montreal, 1840-1920: An Alternative to Marriage, Motherhood and Spinsterhood», thèse de doctorat non publiée, Université de Toronto, 1981.

Dumont-Johnson, Micheline. «Les communautés religieuses et la condition féminine», *Recherches sociographiques* 19, 1978, p. 79-102.

_____ , «Des garderies au XIXème siècle: les salles d'asile des Soeurs Grises à Montréal», *Revue d'histoire de l'Amérique française* 34, 1980, p. 27-55.

Fadette. Journal d'Henriette Dessaulles, 1874-1880, Montréal, Hurtubise, 1971.

Fahmy-Eid, Nadia, *Le clergé et le pouvoir politique au Québec: une analyse de l'idéologie ultramontaine au milieu du XIXème siècle*, Montréal, Hurtubise, 1978.

Hamelin, Jean, *Les premières années de la Confédération*, Ottawa, Commission du centenaire, 1967.

Hamelin, Jean, John Huot et Marcel Hamelin, «Aperçu sur la politique canadienne au XIXème siècle, *Culture*, 26, 1965, p. 150-89.

Hamelin, Louis-Edmond, «Évolution numérique séculaire du clergé catholique dans le Québec», *Recherches sociographiques* 2, 1961, p. 189-281.

Hamelin, Marcel, *Les premières années du parlementarisme québécois, 1867-1878*, Québec, Les Presses de l'université Laval, 1974.

Hardy, René, «L'ultramontanisme de Laflèche: genèse et postulats d'une idéologie», *Recherches sociographiques* 10, 1969, p. 197-206.

_____ , *Les Zouaves*, Montréal, Boréal Express, 1980.

Robertson, Susan Mann (Trofimenkoff), «The Institut Canadien, an Essay in Cultural History», thèse de maîtrise non publiée, University of Western Ontario, 1965.

Rumilly, Robert, *Mgr Laflèche et son temps*, Montréal, Éditions du Zodiaque, 1938.

(...) La promiscuité occasionnée par la concentration de centaines de milliers de gens.
La rue Champlain à Québec, vers 1870.
Archives publiques du Canada, PA119417

IX LES CANADIENS ERRANTS

Au clergé qui leur tient des discours sur la place et le rôle des Canadiens français, ceux-ci répondent d'une manière très caractéristique: ils plient bagage et s'en vont. Parfois leurs déplacements ne sont qu'une façon de s'adapter temporairement, au gré des saisons et des emplois offerts aux hommes ou aux femmes, aux maigres ressources du pays. Mais plus souvent, ces départs sont irréversibles: les Canadiens français migrent vers toutes les régions habitables du Québec, vers l'Ouest canadien ou américain, vers la Nouvelle-Angleterre et vers les villes. Et même dans leurs nouveaux lieux de séjours, ils ne restent pas en place. Ils acceptent des emplois saisonniers dans les chantiers forestiers ou les usines, ils se déplacent de ville en ville et, s'ils restent dans la même ville, ils changent sans cesse de logement. Où qu'ils aillent, ils sont poursuivis par les lamentations du clergé et des nationalistes qui leur reprochent de s'obstiner à rechercher la terre promise hors de leur paroisse rurale. Parfois, les mauvais augures ont raison: les réalités de la vie dans le monde industriel de Montréal au cours des années 1880 n'ont rien d'idyllique. Toutefois, la masse de la classe ouvrière des villes ne cesse de s'accroître, arrachant les gens à des conditions de vie qui sont probablement pires encore.

Comme maints autres Nord-Américains, les Canadiens français passent donc la deuxième moitié du dix-neuvième siècle à déménager, ce en quoi ils ressemblent beaucoup à leurs ancêtres de la Nouvelle-France et à leurs descendants du Québec. Cette mobilité géographique est facilement repérable: elle commence avec les engagés, les voyageurs, et même avec les missionnaires des dix-septième et dix-huitième siècles, se poursuit au dix-neuvième siècle avec le placement des jeunes filles dans des familles ou à l'usine, puis avec les mineurs de l'Abitibi dans les années vingt, pour finir avec les chantiers de la Baie James dans les années soixante-dix. Les missionnaires mis à part, la motivation de ces migrants est toujours la même: l'argent. Le pays n'a jamais cessé d'expédier ses filles et ses fils ailleurs à la poursuite d'un gagne-pain. Ils se déplacent dans la province au cours des mauvaises années du milieu de la décennie 1870, au cours des années prospères du début de la décennie 1880 et pendant les années médiocres qui suivent. Ils quittent la région de Québec et partent vers Montréal; ils abandonnent la vallée du Richelieu et les Laurentides, et s'acheminent vers les Cantons de l'Est, la Gaspésie, le Lac-Saint-Jean et ses environs, et la vallée des Outaouais. Ils revendiquent presque toutes les terres de la province, mais la terre ne veut pas d'eux. Alors ils quittent la province en beaucoup plus grand nombre. Plus de cinq cent mille personnes émigrent vers les États-Unis, allant grossir l'effectif tout aussi important de ceux qui sont déjà partis, individuellement, puis en foule, vers la Nouvelle-Angleterre avant 1870. Par contre, peu d'entre eux se rendent jusqu'au Manitoba et dans le Mid-

west américain, la distance et le manque d'argent étant sans
doute plus responsables de cet état de choses que les différences de civilisation. Qu'ils se fixent dans la province ou ailleurs, ils marquent une nette préférence pour les villes qui leur
offrent des emplois dans l'industrie. Leur nombre et leur désir
de travailler contribuent au développement de l'industrie légère
qui prend son essor en Nouvelle-Angleterre et dans le sud-
ouest du Québec. Bien avant que les économistes ne le remarquent, ces déplacements incessants montrent bien la nature
périphérique de l'économie québécoise. Les gens ne restent que
là où il y a assez de travail.

C'est le secteur agricole, qu'il soit prospère ou non, qui
fournit la plupart des migrants : quand techniques et produits
sont bien adaptés, on a moins besoin de main-d'oeuvre dans
l'agriculture ; par contre, quand l'agriculture stagne, il y a trop
de bouches à nourrir. Dans les deux cas, le premier recours,
c'est la migration temporaire. Une saison dans un camp de
bûcherons dans la vallée de l'Outaouais peut rapporter assez
d'argent pour régler les dépenses courantes d'une ferme ; six
mois de travail dans une briqueterie de Nouvelle-Angleterre
peuvent permettre de commencer à amasser un pécule en vue
de l'achat d'une deuxième ferme ou de finir de payer la première. Les jeunes femmes sont certainement à l'origine des
migrations plus durables, du fait que les emplois qu'elles
recherchent — travail domestique comme bonnes ou maîtresses
de maison — ne se prêtent pas à des interruptions saison-
nières. Dans tous les cas, le résultat est le même : l'exode rural
est continu, soit que l'agriculture évolue, soit qu'elle succombe
aux assauts du monde extérieur.

C'est l'évolution de l'agriculture elle-même qui est la plus
digne d'attention. Le dernier tiers du dix-neuvième siècle voit
l'augmentation des surfaces cultivées et un meilleur équilibre
entre élevage et culture. La productivité s'accroît aussi : une
même surface produit deux fois plus de blé, d'avoine, d'orge et
de pommes de terre qu'au milieu du siècle. Si l'exploitation de
terres nouvelles et la mise au point de techniques nouvelles
renforcent quelques-unes des productions de l'agriculture traditionnelle, la nouveauté essentielle de la fin du dix-neuvième
siècle réside dans le passage à la production laitière et à l'élevage de boucherie. Ce dernier a été stimulé entre 1860 et 1870
par la guerre de Sécession ; quant à la production laitière, elle
a été favorisée par la demande des villes qui n'a cessé d'augmenter à partir de 1870 et pendant une bonne partie du vingtième siècle. Cette évolution annonce aussi le début d'une spécialisation de l'agriculture par régions, au Canada et au

Québec. On réserve le blé aux terres nouvelles mises en culture toujours plus loin dans l'Ouest canadien; au Québec, élevage laitier et fromageries se regroupent autour des villes, et le long des lignes ferroviaires des Cantons de l'Est et de la plaine de Montréal. L'essor du réseau des communications — dont la principale composante est le chemin de fer — draine tout autant les hommes que les produits vers les villes.

Dans la seconde moitié du dix-neuvième siècle, la production de lait, de fromage et de beurre fournit donc une impulsion à l'agriculture du Québec et à sa population si mobile. La production de ces trois denrées exigeait de nouveaux fourrages, le foin et le sarrasin par exemple. Elles nécessitèrent aussi peu à peu des machines agricoles, les unes destinées au travail des champs, d'autres à la transformation des produits laitiers. Ces machines, en retour, contribuèrent à la réduction des effectifs d'ouvriers agricoles: ce qui rendit disponibles les jeunes gens qui allèrent s'embaucher dans les usines des villes. L'utilisation de machines dans la fabrication du fromage et du beurre a peut-être contribué à la masculinisation de ces tâches qui quittèrent la cuisine ou l'appentis et se virent confier à de petites usines. Ce processus élimina la petite unité économique que constituait la famille paysanne et priva de leur travail les jeunes femmes qui, dès lors, émigrèrent. À la fin du siècle, les fromageries produisent quatre-vingt millions de livres de fromage, soit quatre-vingts fois plus qu'en 1851. Ce développement et cette mécanisation demandent des capitaux; une denrée en quête de marché et des jeunes sans travail partent ensemble en chercher dans les villes.

La spécialisation et la mécanisation ne réussissent cependant pas à résoudre les problèmes de l'agriculture québécoise. De nombreuses régions ne conviennent pas à l'élevage des vaches laitières, d'autres sont inaccessibles. L'agriculture de subsistance se maintient, accompagnée comme toujours par la misère et scandée par le départ saisonnier des jeunes gens pour les camps de bûcherons. Et les régions de production laitière ont bien leurs problèmes elles aussi. La vente et la collecte de lait destiné au fromage et au beurre produits dans les fromageries sont presque impossibles s'il n'y a pas une bonne route ou une voie ferrée qui passe à proximité. Le terme de «fromagerie» ne recouvre la plupart du temps rien d'autre qu'une entreprise familiale qui, de temps à autre, embauche un ouvrier. Les «employés» de ce qu'on appelle un peu pompeusement des «usines» ne sont guère sensibles à l'innovation technique, et tant que l'État n'aura pas fixé de normes de qualité ni édicté de règlements sanitaires — ce qui ne sera fait qu'après 1890 — la piètre qualité des produits se soldera par de lourdes pertes. Le cheptel n'est pas en bonne santé et les vaches du Québec produisent deux fois moins de lait que les vaches européennes. Même la vente, là où les moyens de transport la rendent possible, ne va pas sans problème: en l'absence de toute réglementation, il arrive que le fromage bien lourd livré à la boutique de Montréal contienne un gros caillou; quant au beurre, mal lavé, il rancit avant d'atteindre les crémeries de Londres et les produits canadiens n'arrivent pas à concurrencer les produits scandinaves.

Si certains réagissent à l'évolution de l'agriculture en s'en allant, d'autres essayent de maîtriser le changement dans l'espoir de limiter l'exode rural. À la fin des années 1860, des agents gouvernementaux s'occupent sans relâche d'enseigner aux agriculteurs les nouvelles possibilités de commerce offertes par la production laitière. Des agronomes, dont le plus célèbre est Édouard Barnard, rédigent des articles, donnent des conférences et publient des journaux consacrés à l'agriculture. Ils mettent sur pied des sociétés agricoles subdivisées en cercles régionaux pour regrouper les agriculteurs. Cercles et sociétés se chargent d'organiser des foires, des expositions et des concours; ils font venir des conférenciers, et renseignent leurs adhérents sur les dernières méthodes de production et de commercialisation des produits laitiers. De plus, les agronomes apportent leur concours à l'installation de fermes modèles et incitent le gouvernement à créer un enseignement agricole au niveau primaire; ils recommandent le développement d'industries nouvelles comme celle du sucre de betterave; ils importent des animaux reproducteurs de races nouvelles; ils créent les premières écoles d'agriculture de la province, de celle de Sainte-Anne-de-la-Pocatière dès la fin des années 1850, jusqu'à l'école spécialisée en laiterie de Saint-Hyacinthe à la fin du siècle, en passant par des institutions dont l'existence sera plus brève, celles de Richmond, de Rougemont et de Compton dans les Cantons de l'Est, et celle d'Oka au nord-ouest de Montréal. À la fin des années 1880, le gouvernement provincial institue un ministère de l'Agriculture et de la Colonisation, bien distinct du ministère des Travaux publics, et met à sa tête le Premier ministre de la province, Honoré Mercier et un prêtre colonisateur, le curé Labelle. Ce ministère crée aussitôt un service d'inspection des laiteries et des fromageries; il établit un système de contrats gouvernementaux stipulant que les producteurs doivent livrer leur lait à une laiterie donnée, dans un délai donné. Les compagnies de transport s'adaptent elles aussi à l'évolution d'une industrie qui s'organise de plus en plus: vers 1885, des trains et des bateaux réfrigérés transportent plus de la moitié de la production en direction des marchés étrangers.

Mais les gens continuent néanmoins à partir, et cet exode contrarie à la fois les prêtres et les hommes politiques. Les batailles religieuses et politiques nécessitent des troupes nombreuses et les Canadiens français semblent décidés à déserter. On pense qu'on pourrait peut-être les retenir en leur promettant de nouvelles terres à l'intérieur de la province. Si le gouvernement construit des routes et facilite l'achat des terrains, le clergé promet de fournir l'encadrement: solution à une émigration économique, la colonisation apporterait peut-être une solution à l'errance des Canadiens français.

Ils sont quarante-cinq mille en tout à répondre à l'appel de la colonisation dans la deuxième moitié du dix-neuvième siècle. Le clergé a beau insister toujours davantage sur le tempérament rural des Canadiens français, ils sont moins de mille à s'installer chaque année dans les terres impossibles des Laurentides ou de la haute Mauricie, ou même sur les terres bien meilleures des Cantons de l'Est, du lac Saint-Jean ou du Témiscamingue. Les Canadiens français filent vers les villes et personne n'est en mesure de les arrêter. Quant à ceux qui relèvent le défi de coloniser les terres nouvelles, ils doivent s'attendre à peiner pendant trois ans, les reins cassés et le coeur brisé, pour défricher, construire leur maison et faire une première récolte. Ils dépendent totalement des marchands de bois, qui leur donnent des emplois temporaires et des prêtres qui leur remontent le moral. Le gouvernement et la route qu'il promet sont loin...

En fait, l'État s'intéresse bien davantage aux voies ferrées qu'aux routes de colonisation. Si les liaisons ferroviaires peuvent servir de voies pour la colonisation, tant mieux. Mais les voies ferrées qui ne servent qu'à transporter des colons et leurs effets personnels ne sont pas rentables, et même celles qui ont des visées plus larges. Au début de la décennie 1880, le gouvernement provincial est bien aise de se débarrasser du chemin de fer de la rive nord du Saint-Laurent, qui assure la liaison entre les régions particulièrement peuplées de Québec, Trois-Rivières, Montréal et Ottawa, en le vendant à perte au Canadien Pacifique. Mais la leçon ne sert à rien: la fièvre des chemins de fer accroît l'endettement de la province et des municipalités en moins de temps qu'il n'en faut à la voie ferrée pour atteindre la rive sud de la Gaspésie (à partir de la ligne désespérément peu rentable de l'Intercolonial); il pénètre dans les Laurentides au nord et à l'est de Montréal, et même, à la fin de la décennie 1880, relie le lac Saint-Jean à Québec. Presque toutes les petites villes de la rive sud essaient d'attirer les compagnies privées de chemin de fer en leur faisant des offres intéressantes, dans l'espoir que le passage d'une voie ferrée leur assurera une croissance industrielle en permanence. Et pendant ce temps, la mise en valeur de l'un des terroirs agricoles les plus prometteurs de la province, le Témiscamingue, attend la construction d'un chemin de fer transcontinental. Le Canadien Pacifique n'atteint Mattawa qu'au milieu de la décennie 1880, et là, les colons doivent se frayer leur chemin à pied et en faisant des portages pour atteindre la pointe sud du lac Témiscamingue. Il faudra attendre la fin du siècle pour qu'une voie de chemin de fer leur facilite le voyage. En 1900, près de cinq mille cinq cents kilomètres de voies ferrées — soit sept fois plus que trente ans auparavant — relient toutes les régions de la Province et facilitent les déplacements des Canadiens français. Néanmoins, ceux-ci se dirigent rarement vers les nouvelles terres de colonisation.

Malgré tous les discours gouvernementaux sur le développement de l'agriculture, le soutien officiel se réduit à peu de chose. Il semble que la part annuelle du budget de la province destiné à la colonisation n'ait jamais atteint les soixante-dix mille dollars. Cette somme permet tout juste au gouvernement de reconnaître l'existence des sociétés de colonisation, financées en grande partie par des donations privées, et de réglementer l'installation de certains groupes sur les terres nouvelles. L'État fournit bien des terres de la Couronne à très bas prix, ou gratuitement, aux futurs colons, et il va jusqu'à offrir des parcelles de cent acres aux familles de douze enfants, qui sont rares même à cette époque de forte natalité. Il essaya aussi de jouer les médiateurs entre les marchands de bois et les colons, qui se gênent les uns les autres, mais il n'y réussit guère. Pour les marchands de bois, l'installation de colons dans une zone donnée signifie qu'ils n'auront plus la possibilité d'exploiter le bois comme ils le veulent dans cette zone. Le colon a même la possibilité de faire son petit commerce à lui: il abat n'importe comment les arbres de sa concession, en vend le bois et s'en va ailleurs. En même temps, les marchands de bois proposent du travail en hiver dans leurs chantiers, et ils représentent un début de marché pour les produits agricoles des nouveaux colons. Par contre, le temps que le jeune homme passe à travailler dans les forêts, il ne l'a plus pour défricher son lot, et comme le camp de bûcherons constitue le seul débouché pour les produits de la terre, ce sont les marchands de bois qui font leur prix. De plus, il arrive qu'une fois habitué à faire le travail et à recevoir un salaire, le jeune homme suive l'exploitation forestière de plus en plus loin vers le nord et l'ouest: il y a des bûcherons canadiens-français dans les forêts du nord-ouest de l'Ontario et même du Michigan bien avant la fin du siècle. C'est seulement lors du développement de l'énergie hydro-électrique, tout à la fin du dix-neuvième siècle que les arbres de la forêt québécoise, ou ce qu'en ont laissé les colons et les marchands, vont finir par créer des emplois permanents dans l'industrie nouvelle de la fibre de bois et de la pâte à papier. Pendant ce temps, le gouvernement provincial tire le tiers de ses ressources de la vente des concessions de bois et des droits de coupe qu'il accorde aux marchands; aussi quand ceux-ci manifestent le désir de ne pas être dérangés par l'installation de nouveaux colons, leur désir est-il généralement exaucé.

La majorité des Canadiens français ont l'intuition ou l'expérience douloureuse des difficultés de la colonisation. Pas étonnant alors qu'ils choisissent plutôt la route de l'émigration. Ils savent bien que la colonisation est incapable de fournir des moyens d'existence corrects à tous ceux qui sont en quête de subsistance; les hommes politiques le reconnaissent implicitement en ne lui consacrant qu'un budget réduit et le clergé en fait inconsciemment l'aveu par ses exhortations mêmes. La solution des problèmes, c'est l'industrialisation; or jusqu'en 1880 et même après, la plus grande part de l'industrie se trouve ailleurs. Un courant de migration réussit quand même à entraîner de futurs agriculteurs vers les terres vierges récemment ouvertes des Prairies canadiennes, du Midwest américain ou vers les régions, moins éloignées, de l'est et du nord de l'Ontario. Néanmoins dans le dernier tiers du dix-neuvième siècle, émigrer signifie devenir ouvrier dans les usines de la Nouvelle-Angleterre. Par centaines de milliers, les Canadiens français quittent les paroisses rurales, celles qui s'adaptent à la nouvelle production laitière et encore plus celles qui passent de l'autosuffisance à la pauvreté. Que l'année soit bonne ou mauvaise, cela ne modifie pas beaucoup le nombre des émigrants; suivant les voies ferrées, les gens filent vers le sud, pour rejoindre leur parenté. Parfois, ils ont l'intention de revenir une saison ou quelques années plus tard; parfois leur départ est définitif. Jeunes et célibataires, ils vivent dans les foyers qui dépendent des usines de Fall River ou de Lowell, dans le Massachusetts; s'ils emmènent leur famille, ils habitent des logements dans des maisons de rapport à Woonsocket, Rhode Island. À l'occasion, ils reviennent, le temps d'une visite; mais même si on joue habilement de leur nostalgie — comme en 1874 quand la Société Saint-Jean Baptiste fait venir à Montréal, des trains spéciaux bourrés de Franco-Américains pour des fêtes populaires — cela ne suffit pas pour les retenir au Québec. Bien au contraire, quand ils retournent aux États-Unis, ils emmènent souvent avec eux des parents ou des voisins de paroisse.

Dans les usines américaines, les Canadiens français jouent le rôle peu enviable des «Chinois de la Nouvelle-Angleterre»: ils acceptent de travailler de longues heures, dans des emplois qui ne demandent pas de formation, pour de très bas salaires et dans de mauvaises conditions. Ils sont heureux quand toute leur famille réussit à travailler dans les filatures. Ils vont même jusqu'à mettre leur discipline familiale à la disposition de leurs employeurs et organisent leur vie en fonction des rythmes saisonniers du textile, de la brique ou de la peinture. Ils prennent les emplois et les logements des autochtones et disputent aux Irlandais le bas de l'échelle socio-économique. Et toujours il en arrive d'autres, ce qui témoigne du fait que leur situation au Québec est de plus en plus précaire. En 1900, ils constituent dix pour cent de la population de Nouvelle-Angleterre, avec plus de jeunes filles célibataires que de jeunes gens, comme dans les villes du Québec. Une fois émigrés, ils suivent l'emploi de ville en ville, toujours attirés par la perspective de l'argent à gagner.

Les observateurs, prêtres et laïcs, ont souvent de la peine à admettre que ce flot d'émigrants part pour de bon. Tout de suite, les plus pessimistes prédisent le pire. C'était sûrement le diable qui poussait les Canadiens français à la poursuite de l'or qui brillait dans les filatures de Nouvelle-Angleterre. À coup sûr, il fallait être possédé du démon pour vagabonder de la sorte sans dessein ni domicile fixe dans les États américains! Quant à ceux qui, partis pour un temps limité avec promesse de retour, ils ramènent des pièces qui tintent dans leurs poches et des enfants habitués à vivre en ville. Tout cela exerce un attrait irrésistible sur ceux qui sont restés au village et qui gagnent beaucoup moins en une année qu'une famille d'ouvriers en un mois. Convaincus que cet argent ne peut servir qu'à l'achat de produits de luxe, les curés de paroisse sont aux cent coups. Pourtant, ils réalisent peu à peu qu'ils seraient plus utiles en vivant au milieu des émigrés qu'en les critiquant de loin. Cette fois, contrairement à la tradition selon laquelle les prêtres orientent la colonisation, ce sont eux qui suivent les Canadiens français «dans leur exil». Ils les rejoignent dans les «petits Canadas» qui se constituent dans les centres industriels de la Nouvelle-Angleterre et donnent des structures religieuses et sociales à cette installation hors des frontières du Québec, dont ils sont forcés de reconnaître le caractère définitif. À la fin du siècle, ils finissent même par trouver un sens à cette installation: sans aucun doute, une population qui, en 1886, comporte sept cent cinquante mille personnes et qui, par la natalité, double tous les vingt-huit ans, sans compter le mouvement ininterrompu des immigrants qui continuent à arriver du Québec a une mission extraordinaire à jouer en Amérique. Peut-être, après tout, était-ce la main de la Providence qui envoyait au milieu des païens des groupes de catholiques unis, très attachés à leurs coutumes et à leurs traditions familiales.

Les laïcs s'expriment avec un peu plus de réalisme. Les milieux officiels s'élèvent rarement contre les déclarations du clergé qui dépeint l'émigration comme diabolique ou providentielle. Par contre, ils instaurent des commissions d'enquête pour déterminer les causes du départ de tant de monde. Le clergé, en ricanant, donne son explication: c'est l'amour du luxe qui est à la base de l'émigration. Quant à l'opposition, elle attribue ces départs au gouvernement: c'est l'inefficacité de ses politiques qui chasse du Québec les Canadiens français. On dit aussi que c'est la rumeur publique qui fait miroiter les attraits des États-Unis: les informations circulent très rapidement de bouche à oreille dans les zones rurales, même si elles ne sont pas toujours très dignes de foi. Cependant la plupart des critiques mettent le doigt sur les causes concrètes de l'émigration: il y a trop de monde sur une terre trop pauvre, produisant des récoltes trop maigres pour un marché inaccessible. Seul le développement de l'industrie pourrait endiguer le flot de l'émigration. Les politiciens québécois en viennent donc à soutenir pleinement les aspects protectionnistes de la «Politique nationale» de 1879. Au Québec, les industries du textile, de la confection, de la chaussure et du tabac sont les premières à bénéficier de l'augmentation des droits de douane sur les importations. D'autres encore parent d'une aura romantique l'expérience d'industrialisation de la Nouvelle-Angleterre et la proposent comme modèle au Québec. Honoré Beaugrand, un rouge invétéré qui est maire de Montréal au milieu des années 1880, fait paraître en 1876 un roman, *Jeanne la Fileuse* dans lequel il met l'accent sur la nécessité économique qui pousse les jeunes gens vers le sud. Pendant que les politiciens se taillent des places confortables dans la Confédération, les agriculteurs canadiens-français s'endettent et finissent par émigrer. Une fois habituées à travailler et à vivre dans les villes industrielles (et ce processus d'après Beaugrand ne prend que trois mois), les familles canadiennes connaissent la prospérité. Ce serait perdre son temps que d'essayer de les ramener au Québec. Et ce serait mensonge de dire que leur condition misérable aux États-Unis fait obstacle à leur retour.

L'industrialisation va de pair avec l'urbanisation, et là encore, en se déplaçant, les Canadiens français tracent la route urbaine, bien avant que leurs élites politiques ou spirituelles n'admettent leur exode. Les petites villes doivent leur existence à la mutation de l'agriculture dans les régions où l'industrie laitière est viable: les gens de la ville fournissent des services aux fermes. Mais sans chemin de fer, l'industrialisation reste peu probable. Sans chute d'eau et, plus tard, sans charbon pour fournir la force motrice des machines, pas de développement industriel. Il faut financer, transporter et construire. Et il faut de la main-d'oeuvre. En quittant leurs fermes à la recherche d'un emploi, de n'importe quel emploi, les Canadiens français remplissent les villes et rendent possible un type particulier d'industrialisation.

C'est pour Montréal que partent la majorité d'entre eux. Déjà métropole du Québec dans le domaine des transports, des services et des finances, Montréal a bien l'intention de devenir la métropole du Canada. Comme le terminus du nouveau chemin de fer transcontinental a déjà été implanté à Montréal au début de la décennie 1880, les chantiers et les ateliers du Canadien Pacifique s'ajoutent à ceux du Grand Tronc et, à la fin du siècle, à ceux de trois lignes américaines. Montréal devient alors le centre de fabrication et d'entretien de tout le matériel ferroviaire lourd du Canada. Le personnel des ateliers est constitué d'ouvriers qualifiés venus de Grande-Bretagne, auxquels des Canadiens français se joignent peu à peu. Le chemin de fer permet à Montréal de dominer l'arrière-pays en offrant aux ouvriers toute une variété d'emplois mais en laissant par contre peu de choix au marché des produits manufacturés. Au cours des trois dernières décennies du dix-neuvième, Montréal passe du rang de modeste ville commerçante au rang de grand centre industriel et de cent mille à presque trois cent mille habitants. Sa croissance est plus importante que celle du Québec ou du Canada dans leur ensemble et n'est dépassée que par celle de Toronto. L'expansion des industries, anciennes ou nouvelles, semble être la cause principale de sa croissance. L'afflux de Canadiens français fournit des «bras» — ceux des hommes, des femmes et des enfants — aux industries nouvelles ou à celles qui se développent, et fait de Montréal, à partir de 1870, une ville à majorité francophone. Les gens se regroupent selon leur classe sociale, leur origine ethnique et même selon leurs qualifications dans les différents quartiers de la ville et dans ses faubourgs industriels; après 1900, ceux-ci sont lentement absorbés par la métropole en expansion. Pour se déplacer de leur domicile à leur travail, ceux qui peuvent se le permettre utilisent les transports en commun, tirés par des chevaux entre 1870 et 1890, puis électriques à partir de 1890. La plupart des ouvriers cependant habitent assez près de leur usine ou de leur atelier pour y aller à pied. S'ils changent d'emploi, ils déménagent. Leurs déplacements, à l'intérieur de la ville et dans ses alentours, tracent le diagramme, tantôt optimiste, tantôt désespérant, de l'état de l'offre et de la demande.

Les secteurs industriels qui se développent alors au Québec sont en relation avec la mobilité de la population. Comme les familles d'agriculteurs changent de région ou se spécialisent dans des produits destinés au marché, elles ne peuvent plus produire tous les produits alimentaires ou vestimentaires dont elles ont besoin, et c'est encore plus vrai des familles installées en ville. Il n'est donc pas étonnant que la transformation de produits alimentaires soit devenue l'industrie numéro un, en valeur de production, au cours des trois dernières décennies du dix-neuvième siècle. La transformation des produits alimentaires par des procédés industriels réduit le rôle traditionnel des femmes dans l'économie familiale et oriente la main-d'oeuvre féminine excédentaire vers les tâches similaires qui s'accomplissent désormais en usine. La mécanisation de nombreux processus de fabrication qui, antérieurement, tenaient de l'artisanat a une conséquence importante: les usines n'ont plus besoin que de doigts agiles et de regards vigilants pour surveiller les machines. La mécanisation, et l'arrivée des femmes et des enfants dans le monde du travail, modifient aussi la nature de l'industrie de la chaussure; celle-ci reste tout de même au deuxième rang en termes de production entre 1870 et 1900. Au cours de la même période, l'industrie du bois et de ses dérivés se maintient à son rang, le troisième; il faut ajouter aussi que dans cette industrie seules les étapes terminales de la production (mobilier, portes et fenêtres) exigent des qualifications. Dans la confection, la mobilité de la population, qui disloque les familles rurales, entraîne la création d'emplois et crée des débouchés. Entre 1870 et 1900, ce secteur continue à occuper le quatrième rang. La production industrielle québécoise connaît alors une croissance fantastique même si le classement des diverses industries, lui, ne change pas. Des marchés avaient été créés de toutes pièces par la Confédération, et grâce aux barrières douanières, le Québec réussit à les conquérir et à les conserver. Ce sont encore des raisons politiques qui font venir du Cap-Breton du charbon subventionné pour les machines à vapeur des nouvelles usines de Montréal: la mécanisation et l'existence d'une population avide de travail y rendent rentable même l'importation de matières premières, comme le coton. Ces nouvelles usines de textiles comme les nouvelles manufactures de tabac employent de gros effectifs de femmes et d'enfants. Une seule industrie nouvelle, celle de la pâte à papier, est porteuse d'innovations techniques et laisse entrevoir les changements à venir au vingtième siècle en ce qui concerne la répartition des sexes dans l'emploi. Mais même cette industrie, qui dépend de l'énergie hydro-électrique et qui n'embauche que des hommes a besoin d'une main-d'oeuvre mobile, prête à suivre les emplois à Chicoutimi, Trois-Rivières ou Hull.

Pour les ouvriers, cette mobilité présente un inconvénient majeur. Guettant les offres d'emploi, toujours prêts à se déplacer, à placer tous les membres d'une famille dans la même usine, les ouvriers ne réussissent pas à faire d'économies. L'accumulation de capital, autre condition préalable à l'industrialisation, n'est donc accessible qu'à un petit nombre de personnes. Les propriétaires d'usine portent le plus souvent des noms de famille anglais et écossais. Derrière la plupart des entreprises, on trouve des capitaux empruntés aux Britanniques et, de plus en plus souvent aux Américains, et le savoir technique vient généralement de l'étranger. Quelques rares Canadiens français figurent toutefois parmi les industriels: Sénécal et Lacroix dans les chemins de fer, Rolland dans la fabrication du papier, Dubuc dans le bois, Boivin dans la chaussure et Parent dans les débuts de l'énergie hydro-électrique. Mais la plupart disparaîtront avec l'internationalisation des capitaux et des entreprises qui caractérise les commencements du vingtième siècle. Les Canadiens français resteront plus nombreux et pendant plus longtemps à la tête du commerce de détail, du secteur foncier et de l'immobilier. C'est cependant chez les ouvriers d'usine qu'ils sont les plus nombreux et ils le resteront.

Bien qu'elle attire beaucoup les Canadiens français en quête d'une situation nouvelle, la ville de Montréal n'est pas le seul et unique centre de développement industriel de la province. Sa taille, sa situation et l'avance prise dès les années 1850 dans son démarrage industriel lui valent une situation privilégiée, mais, dans les années 1880, d'autres villes prennent part à l'essor de l'industrie. Le textile en particulier gagne les villes de la plaine de Montréal et les Cantons de l'Est, et ses manufactures amènent de plus en plus de gens à Valley-field, Chambly, Saint-Jean, Magog, Coaticook et Sherbrooke. Les plus importantes restent cependant à Montréal ou à Hoche-laga, sa proche banlieue, et connaissent un essor assez grand, au cours des années 1880, pour commencer à fusionner, ten-dance qui deviendra une caractéristique de l'économie cana-dienne après 1900. La ville de Québec aussi attire du monde dans ses usines de chaussure, de plus en plus mécanisées. En 1881, il n'y a à Montréal que dix pour cent des quinze mille «installations industrielles» du Québec, pour reprendre la ter-minologie assez vague du recensement et en 1891, ce pourcen-tage n'est plus que de huit pour cent alors que le nombre des entreprises monte à vingt-trois mille. Dans les faits, l'industrie montréalaise emploie quarante pour cent des quatre-vingt-six mille ouvriers de l'industrie de la province en 1881. En 1891, ils sont cinq mille de plus à être employés dans l'industrie montréalaise, mais ils ne représentent plus que trente-trois pour cent de la main-d'oeuvre industrielle de la province. Si les chiffres témoignent de l'essor de l'industrie à l'échelle de toute la province, ils indiquent aussi qu'il y a une grande concentra-tion à Montréal: au cours de la décennie 1880, avec un peu moins du dixième des industries de la province, Montréal fait travailler un peu plus du tiers de sa main-d'oeuvre ouvrière.

Avant même de franchir les grilles des usines, les ouvriers, du fait de leurs effectifs, posent d'énormes problèmes à la ville. Comme toutes les autres villes occidentales en cours d'indus-trialisation, Montréal se trouve confrontée aux terribles consé-quences de la promiscuité occasionnée par la concentration de centaines de milliers de gens. On vit dans la crainte des incendies, car les logements des ouvriers sont en bois, maté-riau bon marché et vite assemblé, et chauffés par des poêles à bois. L'évacuation des eaux usées représente un problème quo-tidien et un danger périodique. Bien que l'eau courante ait été soi-disant installée dans tous les logements nouveaux édifiés après 1887, la plupart des appartements des ouvriers n'ont tou-jours qu'une toilette extérieure, même bien après la fin du dix-neuvième siècle. On jette tout simplement les détritus et les eaux usées par la fenêtre, ce qui ne va pas sans risques pour les passants obligés de porter une coiffe ou un couvre-chef. Il est de notoriété publique que l'eau de Montréal est de mau-vaise qualité. Un guide touristique de 1884 avertit les visiteurs «qu'ils feraient bien d'éviter de boire de l'eau en quantité à leur arrivée, car cette eau peut occasionner des dysenteries si on en boit beaucoup en période de chaleur». Ces conditions de vie ne créent évidemment pas une bonne résistance contre les maladies. Celles-ci sont fréquentes. Avant les décennies 1870 et 1880, la variole est endémique à Montréal; elle choisit soigneusement ses victimes parmi les Canadiens français de la classe ouvrière. Ils sont près de trois mille à succomber au cours de l'épidémie de 1885, ce qui suscite plus d'agitation que la pendaison de Louis Riel. Si la variole est la pire, beaucoup d'autres maladies contagieuses emportent jeunes et vieux sans discrimination. La tuberculose, la diphtérie, la scarlatine et la fièvre typhoïde semblent des maladies typiquement urbaines et, en dehors des épidémies de variole, elles causent la plupart des décès à la fin du dix-neuvième. Si on leur ajoute la mortalité infantile, notamment par les affections gastro-intestinales qui emportent les bambins en raison de la mauvaise qualité de l'eau et de celle pire encore du lait, les maladies font de Montréal un des lieux les plus insalubres du monde, un des endroits où l'on a le plus de chances de mourir.

Pour lutter contre ces fléaux, la ville doit prendre en charge des fonctions autrefois assumées par la famille. Au cours des années 1880, l'habitat, la santé, l'hygiène et les bonnes moeurs deviennent des problèmes d'intérêt public dans la plupart des grandes villes nord-américaines, mais dans le milieu canadien-français, c'est l'Église catholique qui sert d'intermédiaire. L'organisation de grands services sociaux dépasse cependant les possibilités de l'Église et ses attributions; ceux-ci relèvent donc de la responsabilité publique. Les transports, la voirie, les égouts, l'adduction d'eau, la lutte contre les incendies, la sécurité publique, l'éclairage des rues, le ramassage des ordures et même les divertissements populaires dans les trop rares parcs et les trop nombreuses tavernes, tout cela tombe sous le contrôle de plus en plus strict de fonctionnaires municipaux. Harcelés par les journalistes et les femmes de la haute société qui réclament une réforme de l'administration, les politiciens de la ville, se sentant menacés, sont obligés de prendre des mesures coûteuses, mais indispensables, pour rendre Montréal habitable. La plus grande partie des véritables services sociaux — hôpitaux et fondations charitables, assistance quotidienne aux pauvres, malades et vieillards — reste cependant du ressort des femmes, religieuses ou laïques. Cette répartition des tâches communautaires entre hommes et femmes, encouragée par l'organisation de l'Église catholique elle-même et par le concept des mondes à part, a peut-être occulté la nécessité d'une critique systématique de la société industrielle.

Pendant que les réformes suivent leur cours à l'extérieur des usines, à l'intérieur, les ouvriers doivent se faire aux exigences de l'ordre industriel. Il leur faut se soumettre au nouveau rythme du travail, si différent de celui de la production agricole ou artisanale. Les machines exigent une attention régulière et totale, et les propriétaires des manufactures ou leurs directeurs ont recours à divers moyens pour faire plier les ouvriers. Comme on leur donne des amendes s'ils arrivent en retard le matin, les ouvriers se précipitent à l'usine, à l'heure dite, en général à six ou sept heures. Des amendes tombent aussi en cas de distraction ou de mauvaise conduite. Un bruit, un rire, un sifflement, quelques mots échangés, c'en est assez pour qu'on vous retienne quelques sous sur une paye déjà bien mince. Même chose pour quelques bouffées de cigarette, une réplique un peu vive au contremaître ou une malfaçon dans une pièce, qu'elle provienne de la machine, de la matière première ou de l'ouvrier lui-même. L'embauche de familles entières facilite la discipline: s'ils sont dans le même atelier qu'eux, le père ou la fille aînée veillent à ce que les plus jeunes marchent droit. S'ils travaillent séparément, les parents les surveillent de loin: ils tiennent à savoir quand tous sont de retour à la maison, bien après six ou sept heures du soir, pourquoi la paye a subi une retenue. Quelquefois l'usage de la force aide le jeune à assimiler la leçon. La fabrique de cigares Fortier à Montréal est célèbre pour les coups qu'on y distribue aux employés, surtout aux enfants et aux jeunes femmes. Il s'y trouve même un «trou noir», pièce obscure et sans fenêtre, où on laisse les jeunes qui se sont «mal conduits», jusqu'à ce qu'ils promettent d'être plus sages. Lorsque, à la fin des années 1880, une commission royale enquête sur ces mauvais traitements, ni Fortier ni les quelques employés qui acceptent de témoigner ne manifestent de surprise, de regret ou de désir de vengeance. Une attitude paternaliste de la part du patron et la soumission de la part des ouvriers semblent normales.

Le bas niveau des salaires contribue aussi à la docilité des ouvriers. Les enfants gagnent un dollar par semaine et les parents entre quatre-vingt sous et un dollar vingt-cinq par jour. Ce qui permet tout juste à la famille de survivre et assure au patron des ouvriers réguliers et assidus. L'automne et l'hiver, les salaires baissent. Bien que les employeurs n'ignorent pas que chauffage et nourriture coûtent au contraire plus cher à ce moment-là de l'année, ils justifient cette baisse des salaires par le grand nombre de travailleurs en quête d'emploi. Inutile de dire que ceux qui ont un emploi acceptent la baisse et gardaient l'emploi. Le système de paiement à la pièce, plutôt qu'à l'heure ou à la semaine, le plus répandu dans les manufactures canadiennes à cette époque, garantit aux patrons des ouvriers rapides et réguliers. La pratique qui consiste à engager des familles entières leur permet aussi d'en moins payer chacun des membres: puisqu'ils travaillent tous, ils peuvent se soutenir. Puisqu'on embauche femmes et enfants à des salaires moindres, les hommes n'ont qu'à bien se tenir: on peut leur faire peur en menaçant de les remplacer par cette main-d'oeuvre au rabais. Dans l'industrie légère, comme les femmes constituent plus de la moitié des effectifs, la tactique se révèle efficace. Quand elle ne marche pas, les employeurs vont chercher de la main-d'oeuvre dans d'autres régions ou même à l'étranger; ils ramènent du Saguenay ou d'Europe des ouvriers sous contrat qui travaillent pour un temps limité et pour des salaires inférieurs à ceux de la main-d'oeuvre locale. Quant à la seule loi provinciale qui réglemente un tant soit peu les relations dans le monde du travail, la Loi des maîtres et des serviteurs, elle insiste surtout sur le fait que les «serviteurs» doivent bien se conduire. Tout employeur a le droit de renvoyer un ouvrier sans préavis; par contre, l'employé qui veut partir doit prévenir deux semaines à l'avance et il n'a pas toujours la certitude d'être payé pour ces deux semaines de travail. Une dernière raison contribue à rendre les ouvriers dociles, c'est le rythme des heures de travail: en travaillant dix ou douze heures par jour, soixante heures ou plus par semaine, avec des congés seulement le dimanche et quelques heures le samedi après-midi, les travailleurs n'ont ni le temps, ni l'envie de penser à autre chose qu'à travailler, manger et dormir.

Cette discipline porte ses fruits: elle maintient les ouvriers à leur poste, dans des conditions effroyables, et dans une totale insécurité. Il fait souvent trop chaud ou trop froid dans les manufactures; elles sont mal ventilées, chichement éclairées, empoisonnées par la poussière de coton ou par les émanations toxiques des produits chimiques. Certaines usines sont construites sur deux ou trois étages, et ne possèdent ni eau courante, ni toilettes, ni même sortie de secours. Souvent, les machines, qui ne sont pas munies de barrière de sécurité, broyent les doigts, les bras ou les jambes de leurs victimes qui demeurent invalides jusqu'à la fin de leurs jours. Les assurances, à supposer même que les gens aient les moyens de cotiser, n'existent pas; il n'y a pas non plus de pensions ni de vacances, mis à part les congés forcés dûs à la fermeture d'une usine. Les industries de Montréal fluctuent au gré du climat et des transports: on chôme beaucoup en hiver quand il y a surproduction, on ferme temporairement les usines pour résorber celle-ci. De ce fait, le salaire d'une seule personne ne réussit jamais à nourrir une famille. Dans les années 1880, avec l'insécurité de l'emploi, la hausse du coût de la vie en hiver et les augmentations de loyer, les gains de trois personnes réunis permettent à peine à une famille de dépasser le seuil de la pauvreté. Si quelques malheureux ouvriers se laissent aller à protester, ils n'avaient plus qu'à partir ailleurs ; il y a toujours un nouveau venu dans la ville prêt à prendre la place. Leur mobilité même contribue à rendre les ouvriers canadiens-français plus dociles, et leur masse en fait une main-d'oeuvre peu coûteuse.

Dans des conditions aussi difficiles, les tentatives des ouvriers pour défendre leurs droits revêtent une importance vitale et sont en même temps condamnées à l'échec. Les travailleurs de l'industrie n'ont jamais été assez nombreux à protester : il semble que moins de cinq pour cent soient syndiqués ; et ces derniers ne font qu'ajouter un risque de plus à leurs conditions de travail déjà si dangereuses. Maints employeurs obligent leurs futurs ouvriers à signer la promesse de ne pas se syndiquer. D'autres renvoient leurs ouvriers quand ils apprennent qu'ils appartiennent à un syndicat. Les enquêteurs de la commission royale qui étudie le monde du travail à la fin des années 1880 sont sympathiques aux syndicats et connaissent les idées des patrons. Quand ils posent à l'ouvrier la question : «Faites-vous partie d'une association de travailleurs?» avant même qu'il ait eu le temps de répondre, ils lui disent : «Il n'est pas nécessaire que vous répondiez à cette question-là.»

Les syndicats de métier, regroupant les travailleurs par secteur d'activité, ne sont pas une nouveauté des années 1880. Dès les années 1820, à Québec, les ouvriers typographes avaient formé un syndicat. Dans les années 1860, les cordonniers s'appuyèrent sur un syndicat pour essayer de repousser la mécanisation de leur profession et l'afflux de main-d'oeuvre non qualifiée consécutive. Dans les années 1850 et 1860, les débardeurs étaient partagés entre deux sociétés de secours mutuel, l'une irlandaise et l'autre canadienne-française ; ces organismes préfiguraient les syndicats, leur finalité étant de fournir une assistance pécuniaire aux familles en cas d'accident ou de décès. Quand les syndicats obtiennent un statut légal au Canada, avec la loi fédérale sur les syndicats de 1872, ils peuvent avoir des activités mieux reconnues : ils protègent leurs adhérents contre les employeurs, en demandant à ceux-ci des augmentations de salaire et la réduction des horaires de travail. Au cours des années 1880, ils éprouvent le besoin de se protéger contre les ouvriers non qualifiés ou ceux venus de l'étranger, qui sont perçus comme une menace pour les ouvriers qualifiés. Les syndicats tendent donc à attirer l'élite de la classe ouvrière, ceux qui bénéficient d'une meilleure instruction, d'une formation et d'un salaire plus élevés, et d'un niveau de vie plus proche de celui des classes moyennes. En 1886, ils sont assez nombreux pour se constituer en organisation nationale, le Congrès des métiers et du travail du Canada, et pour formuler des revendications à caractère politique.

Pourtant, dans la décennie 1880, la plupart des ouvriers sont encore non qualifiés. Les rares individus, auxquels la vie et le travail dans une ville industrielle laissent le temps et le courage de penser non seulement à leur propre protection mais aussi à celle des autres, doivent chercher une association autre que professionnelle. La Grande Association en 1867 et la Ligue Ouvrière en 1872 représentent les premières tentatives pour rassembler les travailleurs toutes catégories confondues. Mais c'est des États-Unis, dans les années 1880, qu'arrive le courant syndical le plus fort, avec les Chevaliers du travail. Cette organisation, qui ne refuse que les juristes, les banquiers et les vendeurs de whisky, attire tout particulièrement les ouvriers non qualifiés. Ce qui explique que les Chevaliers se répandent dans tout le Canada au cours de la décennie 1880 et surtout au Québec. Tout comme les syndicats mis sur pied par les différents corps de métier, ils visent à fournir à leurs membres une entraide, essaient d'améliorer leurs conditions de travail en exerçant une pression sur leurs employeurs et entreprennent peu à peu une action politique. Contrairement à celle des syndicats, leur attitude est empreinte d'idéalisme. Ils pensent que travailleurs et patrons sont liés par des intérêts communs, et préfèrent donc recourir à l'arbitrage plutôt qu'à la grève pour résoudre les différends. Ils réclament aussi des mesures législatives pour améliorer non seulement les conditions de travail, mais aussi la société dans son ensemble. Les Chevaliers sont partisans de l'égalité des salaires féminins, des coopératives et de la nationalisation des chemins de fer et des télécommunications, et prêchent pour la sobriété. Ce qui les rend bien plus radicaux que les syndicats sur le plan politique. Ils attachent une grande importance à l'éducation des travailleurs et leurs réunions ont souvent une atmosphère d'école. De plus, à la grande joie de leurs adhérents et à la grande crainte de leurs adversaires, ils ont le charme des sociétés secrètes. L'initiation des Chevaliers comporte des rites particuliers; ils s'engagent secrètement, et sous serment, mais à quoi donc? Nul ne le sait.

Ces deux types d'union ouvrière, malgré leurs différences de recrutement et d'idéologie, utilisent la même arme pour exprimer leur mécontentement. Quelque deux cents grèves jalonnent la scène industrielle québécoise au cours des trente dernières années du dix-neuvième siècle, dont soixante-dix entre 1880 et 1890. Les revendications, qu'elles soient mises de l'avant par un syndicat, une assemblée de Chevaliers du travail ou spontanément par un groupe de travailleurs mécontents, sont toujours les mêmes; en tête de la liste des doléances, les salaires, toujours trop bas ou inadéquats. On insiste beaucoup moins sur la réduction des horaires de travail, sur le droit d'appartenir à un syndicat, sur l'amélioration des conditions de travail, sur une plus grande justice dans la rétribution du travail, sur la réduction de la mécanisation ou la suppression des amendes. C'est que, tout simplement, les travailleurs manquent d'argent. S'ils manifestent, comme cela arrive souvent, sans s'organiser ni s'entendre, manufacture par manufacture et pour de brèves périodes, en règle générale, ils perdent. En cette période d'exode rural et de main-d'oeuvre non qualifiée, les industriels sont sûrs de finir par gagner face à une agitation syndicale sporadique, impliquant rarement plus de cent ouvriers à la fois.

Et pourtant même ces syndicats suscitent des craintes. Les propriétaires des manufactures, les journalistes, les hommes politiques et le clergé tremblent à l'idée que les ouvriers pourraient exiger une certaine protection. Il leur semble tout à fait raisonnable que l'État assure la protection des employeurs, par les droits de douane et en payant une partie du transport de la main-d'oeuvre sous contrat. Mais, que les ouvriers se mettent à réclamer à l'État une aide comparable, voilà qui ressemble à une véritable révolution. Peut-être est-ce en effet une révolution, car la notion d'égalité sociale impliquée dans les exigences des travailleurs, choque la plupart des esprits du dix-neuvième siècle. Même un esprit libéral comme monseigneur Taschereau, archevêque de Québec, qui, à peine dix ans auparavant, a tant souffert de l'intransigeance de monseigneur Bourget, est incapable de comprendre le mouvement syndical. Il ressent un malaise particulier devant les Chevaliers du travail. Leurs chefs venus de l'étranger, leurs rites secrets, la tolérance de leurs adhérents envers les autres religions, tout cela va contre sa sensibilité de catholique et de Canadien français. Leur idéalisme, leur réformisme et le monopole qu'ils prétendent exercer sur la main-d'oeuvre, tout cela va contre sa sensibilité de libéral. Un groupe de travailleurs n'a pas le droit d'exercer de pression sur d'autres travailleurs, et encore moins sur les patrons: pour lui, la liberté dans les relations de travail signifie l'instauration de contrats personnels entre travailleurs et employeurs. Peut-être aussi la sensibilité d'aristocrate de monseigneur Taschereau est-elle choquée par le fait que ce mouvement social ait été mis en place sans l'approbation de l'Église. De fait, il faudra encore vingt ans à l'Église pour qu'elle prenne les syndicats suffisamment au sérieux pour s'occuper activement de leur formation et de leur organisation. Mais à l'époque, ces mouvements ouvriers évoquent trop la nouvelle vague des révolutionnaires européens.

L'hostilité de monseigneur Taschereau envers les syndicats en général et les Chevaliers du travail en particulier ne se dément pas au cours de la décennie 1880. Il commence par faire des menaces voilées au syndicat qui lutte pour obtenir des augmentations de salaire: dans l'optique catholique, on n'a pas le droit de limiter le droit de l'individu à travailler pour quelque salaire que ce soit. La croissance des syndicats au cours de cette décennie indique bien que beaucoup de gens ne sont pas de son avis. Même sa menace d'excommunier les membres des Chevaliers ne servit pas à grand-chose. En 1885, il va encore plus loin, et brandissant un décret papal contre les sociétés secrètes, il condamne les Chevaliers du travail. Mais leurs effectifs ne cessent pas d'augmenter; en 1887, ils sont deux mille cinq cents, rien qu'à Montréal, quand monseigneur Taschereau, à regret semble-t-il, renonce à son combat et suspend la condamnation. Ses pairs, les évêques de Montréal et d'Ottawa n'ont prêté aucune attention à ses directives; ceux de l'Ontario n'ont pas caché leur désaccord, et un cardinal américain, ami des Chevaliers, parle haut et fort pour faire connaître au pape l'attitude déplacée de monseigneur Taschereau; il démontre que celui-ci dresse l'Église contre les ouvriers. Quatre ans plus tard, le pape exprime la même opinion. L'encyclique *Rerum Novarum* révèle la bienveillance nouvelle de l'Église à l'égard de la classe ouvrière. Pendant cette période, la décennie 1890, les Chevaliers du travail se gagnent de plus en plus d'adhésions au Québec; ils perdent cependant du terrain dans les rivalités intersyndicales pendant le Congrès national des métiers et du travail de 1902.

Entre-temps cependant, quelques responsables syndicaux se sont engagés en politique. À la fin de la décennie 1880, les premiers candidats de la classe ouvrière se présentent aux élections du Québec, aux niveaux fédéral et provincial. En ce qui touche à la politique fédérale, leur souci principal concerne les travailleurs sous contrat venus d'Europe. Ils font tant de bruit, en public, aux élections et aux sessions de la Commission royale sur le capital et le travail que le gouvernement conservateur de John A. Macdonald doit mettre fin à l'importation de travailleurs étrangers sous contrat. Cependant l'intrusion d'ouvriers dans la vie politique ne plaît pas à tout le monde. *La Minerve*, journal conservateur de Montréal, redoute que leur action politique ne conduise à des divisions de classe et ne nuise ainsi aux partis déjà constitués. Elle admet bien que le point de vue des travailleurs se fasse entendre si on en ressent le besoin ; à cette fin, les libéraux ou les conservateurs peuvent, à l'occasion, permettre à un travailleur manuel de se glisser dans le cercle parlementaire. C'est précisément ce qui arrive en 1888 lors d'une élection fédérale partielle tenue à Montréal-Est : les conservateurs, en ne se présentant pas, permettent l'élection du premier candidat ouvrier, Alphonse Lépine, Chevalier du travail et secrétaire du Conseil central des métiers et du travail de Montréal. À peine arrivé à la Chambre des communes, il se met du côté des conservateurs envers qui il éprouve une certaine gratitude et s'attire ainsi l'inimitié de ses collègues ouvriers du mouvement syndical. Ceux-ci proclament qu'au Parlement il ne parle jamais en faveur des travailleurs. Peut-être a-t-il déjà obtenu sa récompense : lors d'un banquet donné pour fêter son élection, le secrétaire d'État Joseph-Adolphe Chapleau fait l'éloge des Chevaliers du travail, de la Politique nationale, de l'enquête de la Commission royale, du Parti conservateur et du caractère pacifique des rapports de classe au Canada, tout cela du même souffle. De plus, ajoute ce fils de maçon devenu membre du cabinet, «le Canada a toujours offert un vaste champ à l'homme industrieux et honnête ; toutes les avenues conduisant aux positions les plus élevées y ont été ouvertes à tous». En moins de quatre ans, Chapleau fournira la preuve de ce qu'il a avancé : il devient lieutenant-gouverneur du Québec. Mais Alphonse Lépine disparaît de la scène politique lors de l'élection fédérale de 1896. Dans ces années, le lot de la classe ouvrière est plutôt l'errance que l'ascension sociale. Et les problèmes de cette classe sont la dernière préoccupation des hommes politiques, qu'ils soient du fédéral ou du provincial.

ORIENTATIONS BIBLIOGRAPHIQUES

Bélanger, Noël *et al*, *Les travailleurs québécois, 1851-1896*, Montréal, Les Presses de l'Université du Québec, 1973.

Bonville, Jean de, *Jean-Baptiste Gagnepetit : Les travailleurs montréalais à la fin du XIXème siècle*, Montréal, L'Aurore, 1975.

Bradbury, Bettina, «L'économie familiale et le travail dans une ville en voie d'industrialisation : Montréal dans les années 1870», *in Maîtresses de maison, maîtresses d'école. Femmes, famille et éducation dans l'histoire du Québec*, sous la direction de Nadia Fahmy-Eid et Micheline Dumont, Montréal, Boréal Express, 1983, p. 287-318.

Chapleau, Joseph-Adolphe, *Discours prononcé au banquet des ouvriers à Ottawa* (18 octobre 1888), brochure conservée aux Archives publiques du Canada.

Commission royale d'enquête sur les relations entre le capital et le travail, Ottawa, Imprimeur de la Reine, 1889.

Cross, D. Suzanne, «La majorité oubliée: le rôle des femmes à Montréal au XIXème siècle», in *Les femmes dans la société québécoise*, sous la direction de Marie Lavigne et Yolande Pinard, Montréal, Boréal Express, 1977, p. 32-59.

Early, Frances H., «Mobility Potential and the Quality of Life in Working-class Lowell, Massachusetts: The French-Canadians c. 1870», *Labour/Le Travailleur 2*, 1977, p. 214-28.

Faucher, Albert et Maurice Lamontagne, «History of Industrial Development», in *Essais sur le Québec contemporain*, sous la direction de Jean-C. Falardeau, Québec, Les Presses de l'université Laval, 1953, p. 23-37.

Genest, Jean-Guy, «La vie ouvrière au Québec, 1850-1900: la réaction syndicale», *Protée 2*, 1972, p. 51-69.

Hamelin, Jean, Paul Larocque et Jacques Rouillard, *Répertoire des grèves dans la province de Québec au XIXème siècle*, Montréal, Les Presses de l'École des hautes études commerciales, 1970.

Hamelin, Jean et Yves Roby, *Histoire économique du Québec, 1851-1896*, Montréal, Fides, 1971.

Hamon, Édouard, *Les Canadiens français de la Nouvelle-Angleterre*. Québec, N.S. Hardy, 1891.

Hareven, Tamara K., «Family Time and Industrial Time: Family and Work in a Planned Corporation Town, 1900-1924», *Journal of Urban History 1*, 1975, p. 365-89.

Harvey, Fernand, «Les enfants de la révolution industrielle au Québec», *Critère 25*, 1979, p. 257-70.

————— , *Révolution industrielle et travailleurs: une enquête sur les rapports entre le capital et le travail au Québec à la fin du 19ème siècle*, Montréal, Boréal Express, 1978.

Kennedy, Douglas Ross, *The Knights of Labour in Canada*, London, University of Western Ontario Press, 1956.

Paquet, Gilles, «L'émigration vers la Nouvelle-Angleterre», *Recherches sociographiques 5*, 1964, p. 319-70.

Silver, A.I., «French Canada and the Prairie Frontier, 1870-1890.» *Canadian Historical Review 50*, 1969, p. 11-36.

Trofimenkoff, Susan Mann, «Contraintes au silence... Les ouvrières vues par la Commission royale d'enquête sur les relations entre le capital et le travail», in *Travailleuses et féministes. Les femmes dans la société québécoise*, sous la direction de Marie Lavigne et Yolande Pinard, Montréal, Boréal Express, 1983, p. 85-98.

X FIN
D'EMPIRE

Durant les quinze dernières années du dix-neuvième siècle, beaucoup de projets politiques volent en éclats. Le rêve du Parti conservateur — qui comptait sur l'hégémonie qu'il exerçait au Québec sur les scènes fédérale et provinciale pour se perpétuer — est réduit à néant par les querelles québécoises intestines et les soulèvements des Métis dans l'Ouest. Les ultramontains qui prétendaient imposer l'autorité de la religion sur les affaires civiles doivent céder devant l'hostilité du monde politique et de la société en général. La Confédération elle-même paraît condamnée, aucun des deux espoirs qu'elle avait suscités, l'essor économique et l'émergence d'une nouvelle nationalité, ne s'étant matérialisé. Les plans soigneusement mis au point par le gouvernement fédéral pour centraliser les décisions ne résistent pas aux attaques des provinces. Quant à la vision ancienne d'une influence française sur tout le continent, faible rêve ranimé par quelques-uns des Canadiens français pères de la Confédération, elle sombre avec l'exécution de Louis Riel à Régina et avec la loi manitobaine sur les écoles catholiques. Les liens du Canada avec Rome et Londres, qui précédemment lui conféraient une certaine force, n'ont maintenant pour résultat que d'entretenir de l'animosité entre les différents groupes ethniques, car les recours au pape et à la reine suscitent l'hostilité réciproque des Canadiens français et des Canadiens anglais. Un autre empire, celui des hommes, commence à se lézarder: les femmes, en devenant journalistes, «dactylos» ou simplement en faisant de la bicyclette, lancent un défi à la domination des hommes dans le domaine public. Au milieu de tous ces rêves qui s'évanouissent, les hommes politiques et les intellectuels canadiens-français, tout comme leurs homologues canadiens-anglais, se mettent à faire le point sur la Confédération et sur la place que le Québec y occupe.

Le Parti conservateur est presque démantelé au Québec, quand le fantôme de Louis Riel le fait sombrer dans l'oubli électoral. Le parti lui-même d'ailleurs n'a jamais été rien d'autre qu'une alliance fragile entre les bleus du Québec, les tories de l'Ontario et quelques conservateurs d'autres provinces. Si

Les hommes politiques virevoltent entre Ottawa et Québec.
Archives publiques du Canada, C52177, C3844, C18857, PA27057

cette alliance a été assez forte pour lui assurer la victoire sur
la scène fédérale au cours de la décennie 1880, elle est incapable de résister à la montée des libéraux dans les provinces. À
la fin des années 1880, chaque province a son gouvernement
libéral qui exprime les griefs des régions contre le gouvernement central conservateur. Même les relations étroites qu'entretiennent depuis toujours les hommes politiques du fédéral et

du provincial — ils vont jusqu'à échanger leurs places s'ils peuvent y trouver quelque avantage — ne réussissent pas toujours à assurer aux conservateurs des victoires électorales aux deux niveaux de gouvernement. Il faut ajouter que depuis la mort de George-Étienne Cartier en 1873 et longtemps avant 1885, date à laquelle les conservateurs fédéraux se sont fait l'instrument du destin de Louis Riel, le Parti conservateur du Québec repose sur une alliance fragile entre des intérêts régionaux et idéologiques.

À la mort de Cartier, trois rivaux briguent sa succession à la tête de l'aile québécoise du Parti conservateur. La rivalité qui se développe entre Joseph-Adolphe Chapleau, Adolphe Caron et Hector Langevin vient du fait qu'ils ont à la fois des attaches régionales différentes et des personnalités opposées. Chapleau se targue de bien tenir la région de Montréal, Caron fait miroiter ses victoires électorales dans la région de Québec et Hector Langevin ses succès dans celle de Trois-Rivières. Chacun se sert des voix qu'il peut rassembler dans sa région pour réclamer une place de choix au gouvernement fédéral; chacun se trouve des mérites supérieurs à ceux des autres. Et pendant qu'ils se disputent, ils sont tous les trois en butte aux attaques de l'aile ultramontaine du parti. Chapleau est celui des trois que les ultramontains irritent le plus, Langevin celui qui s'en accommode le mieux. Chapleau brode ironiquement sur le surnom de «castors» qu'on a donné aux ultramontains: ce sont de sales bêtes qui utilisent de la boue pour leurs ouvrages destructeurs et qui ne sont vraiment utiles que lorsqu'on vend leur peau. Chapleau aimerait bien que les conservateurs aient la peau de ces castors-là. Il est même prêt à démanteler le parti pour les déloger. Au début des années 1880, il contacte les libéraux modérés que de nouveaux chefs de file politiques comme Honoré Mercier et Wilfrid Laurier cultivent de leur côté. Une alliance pourrait peut-être débarrasser les deux groupes de leur frange extrémiste: les conservateurs seraient débarrassés des ultramontains et les libéraux des rouges. Ni Caron ni Langevin n'y sont prêts; et, à cette époque, Mercier et Laurier non plus. En fait, les marchandages de Chapleau le font apparaître comme peu digne de confiance. En tout cas, la rivalité entre les trois personnages qui se disent les successeurs de Cartier et qui clament que les Canadiens français ne pourront se faire entendre dans la Confédération que s'ils s'unissent pour former un parti unique derrière un chef unique (pour chacun, il s'agit de lui-même évidemment) fut sans doute plus néfaste au Parti conservateur que la présence des ultramontains eux-mêmes.

Louis Riel joue bien sûr un rôle — ne serait-ce que par sa mort — dans le glissement des allégeances politiques des Québécois qui passent des conservateurs aux libéraux. Les réactions à l'annonce de sa pendaison en novembre 1885 contre les conservateurs du fédéral qui en sont responsables font ce que Chapleau n'avait pas réussi à réaliser: les ultramontains quittent le «parti de la corde» et réagissent avec colère à l'exécution de Riel. Ils préfèrent encore la compagnie politique d'anciens rouges qui répètent qu'ils «avaient bien dit» à quoi allait aboutir la Confédération, de libéraux qui flairent un thème de campagne électorale et de nationalistes déconcertés qui voient dans la pendaison du chef métis la fin de toute véritable installation des Canadiens français dans l'Ouest. En 1871, des réactions comparables contre les conservateurs avaient réuni les mêmes personnes sur le problème des écoles du Nouveau-Brunswick, mais à ce moment-là l'alliance avait été de courte durée parce qu'il lui avait manqué un chef; ce qui n'est pas le cas en 1885. Cela fait des années qu'Honoré Mercier, chef des libéraux du Québec, attend cette occasion; il affirme cependant qu'il est prêt à céder sa place de leader à Chapleau si celui-ci veut prendre la tête de l'opposition populaire qui s'élève au Québec contre la décision du gouvernement fédéral dans l'affaire Riel.

Mercier se cherche aussi une place un peu plus confortable au soleil de la politique. Il est originaire d'un comté rouge, la haute vallée du Richelieu, et ses premières sympathies politiques sont allées aux bleus de Cartier. Jeune avocat et journaliste au *Courrier de Saint-Hyacinthe* à l'époque de la Confédération, il a pourtant été plus séduit alors par les critiques des rouges contre le nouveau projet politique que par l'attitude des bleus. Mais le peu de succès des rouges aux élections le tracasse. En 1871, a lieu une première tentative pour adoucir l'image des rouges; il y prend part. En tant que secrétaire du Parti national (dont l'existence sera brève), il propose que les libéraux et les conservateurs dissidents qui forment le nouveau groupe renoncent à leurs précédentes allégeances de parti et ne déterminent leurs positions qu'en fonction de critères nationaux. La réussite électorale continuant néanmoins à lui échapper, il faut que Mercier se contente des couleurs libérales pour gagner un siège à la Chambre des communes en 1872. Sa carrière y sera aussi brève que la vie du Parti national. Il se lance avec tant de fougue dans les débats sur le problème des écoles au Nouveau-Brunswick et sur le scandale du Canadien Pacifique qu'aux élections de 1874 les libéraux choisissent un autre candidat pour sa circonscription de Rouville. Défait comme candidat libéral aux élections fédérales suivantes à Saint-Hyacinthe, il se tourne après 1878 vers la politique provinciale.

La scène politique y ressemble alors au vaudeville français de la fin du dix-neuvième siècle. Les hommes politiques virevoltent entre Ottawa et Québec; on les distingue à peine les uns des autres, et ils ont presque tous été compromis dans des histoires de chemin de fer. En 1878, le lieutenant-gouverneur, officiellement tenu à l'impartialité, mais qui en fait est redevable de sa nomination au gouvernement libéral de Mackenzie à Ottawa, entre en scène; il démet un gouvernement provincial conservateur et le remplace par un autre plus conforme à son goût de libéral. Mercier se trouve rapidement un siège au niveau provincial et passe même quelques mois comme ministre du cabinet libéral de Joly de Lotbinière. Mais ce dernier est incapable de conserver sa majorité, car Chapleau, coiffé maintenant d'une casquette provinciale, a réussi à attirer quelques membres du gouvernement du côté des conservateurs; cette attitude déchaîne la colère de Mercier et, en même temps, l'amène à envisager une alliance avec Chapleau. Comme il n'en sort rien de concret, Mercier doit se contenter d'attendre que le terme de Chapleau comme Premier ministre finisse, sachant bien qu'il finira alors par partir pour Ottawa. Ce qui arrive en 1882; l'année suivante Mercier enlève à Joly la direction du Parti libéral de la province. Au cours des années 1880, Mercier prononce des discours comparables à ceux de Laurier en 1877; il y refuse toute analogie entre le libéralisme canadien-français et les révolutionnaires d'Europe. Malgré tous ses efforts, il ne réussit cependant à regrouper autour de lui que quelque quinze représentants, sur les soixante-cinq que compte le parlement provincial. Mercier finit par croire qu'il va passer sa vie dans l'opposition.

C'est alors, en novembre 1885, que se dresse le fantôme de Louis Riel. Après bien des angoisses, les ministres fédéraux originaires du Québec ont approuvé la décision du gouvernement de ne pas amnistier Riel et de ne pas commuer sa peine. Le verdict de culpabilité et l'exécution du chef métis pour haute trahison ont suivi. Raisonnant en ministres fédéraux, Chapleau, Caron et Langevin ont peut-être fait leur le raisonnement de John A. Macdonald selon lequel les conservateurs auraient beaucoup plus à perdre en Ontario s'ils acquittaient Riel qu'au Québec s'ils le laissaient condamner. Ils ont peut-être imaginé que le peuple québécois se contenterait de réagir violemment immédiatement après la pendaison: pétitions, manifestations, grandes réunions orchestrées par des libéraux et des ultramontains célèbres, ce serait une explosion de courte

durée qui cesserait bientôt d'elle-même. Ils pouvaient même
trouver une excuse à leur attitude dans le fait que le soulèvement métis lui-même, au printemps 1885, avait été unanime-
ment critiqué au Québec. Quelques ultramontains avaient bien
attiré l'attention sur les doléances et les pétitions, restées sans
réponses, des Métis de l'Ouest, mais aucun d'entre eux n'avait
estimé que cela justifiait un soulèvement armé contre l'autorité
légale. En outre, il y avait des Canadiens français parmi les
soldats envoyés avec diligence dans l'Ouest, grâce au Canadien Pacifique nouvellement construit, pour mater la rébellion.
Pour eux, tout comme pour les futurs jurés des procès, rébellion
égalait trahison. Qu'arrive l'automne 1885, pourtant, et voilà
que beaucoup de catholiques canadiens-français reconnaissent
le chef métis comme un des leurs. Ils ne sont pas sûrs du tout
que Riel, dont ils admettent pourtant le fanatisme religieux, et
la santé mentale précaire, doive payer de sa vie le soulèvement : le gouvernement fédéral aussi est responsable par ses
erreurs multiples et son aveuglement. Les trois ministres québécois du gouvernement fédéral ne sont pas de cet avis et
Chapleau — la mort dans l'âme — soutient la pendaison. Les
mises en garde des trois ministres sur les ravages politiques
qui menacent le Canada s'il se laisse diviser par des problèmes
de race et de religion sont noyés sous un flot de manifestations
hostiles. Le chef d'orchestre en est Honoré Mercier ; il rassemble avec ardeur les manifestants venus de la gauche du Parti
libéral et de la droite du Parti conservateur pour en faire un
nouveau Parti national.

Mercier espère que la nouvelle alliance sera plus nationale
et moins partisane que celle qui l'a précédée quatorze ans plus
tôt. Il espère certainement aussi qu'elle le conduira au poste de
Premier ministre du Québec. C'est ce qui se produit, mais pas
pour longtemps. L'unité canadienne-française, que poursuivent
avec application les hommes politiques du Québec depuis les
années 1840, connaît un semblant d'existence au cours des
manifestations de masse organisées contre la pendaison de
Riel et pour l'entreprise de Mercier : celui-ci demande à la fois
l'abandon de toute politique partisane et l'union pour une
cause nationale. Il déclare que l'exécution de Riel est une véritable provocation vis-à-vis des Canadiens français ; si on l'a
pendu, affirme-t-il, c'est qu'il était l'un des nôtres. Les Canadiens français se doivent donc d'utiliser leurs institutions provinciales pour exprimer leur désaccord en tant que nation. Ils
doivent chasser les conservateurs du fédéral et du provincial.
Les électeurs, toutefois, sont plus modérés. Ni à ce moment-là,
ni après, ils ne votent en faveur de l'unité nationale dont

rêvent les chefs politiques. Aux élections provinciales de 1886, bien qu'on agite le cadave de Louis Riel sous le nez des élec- teurs, ceux-ci se contentent d'équilibrer le scrutin en élisant autant de libéraux (beaucoup portent les couleurs du Parti national) que de conservateurs. Cinq nationalistes conserva- teurs détiennent alors la balance du pouvoir et il faut quelques mois de tractations parlementaires pour que Mercier réussisse à faire admettre que son gouvernement sera national et non pas libéral. Début mars 1887, un léger déplacement s'opère dans la majorité législative et Mercier devint Premier ministre du Québec.

Bien que la formation du Parti national et du gouverne- ment de Mercier soit, en fait, favorable aux libéraux du Qué- bec, les libéraux fédéraux ressentent un certain malaise. Wil- frid Laurier partage le point de vue de ses collègues conser- vateurs du Québec qui siègent à Ottawa sur les conséquences néfastes que pourrait avoir un parti provincial qui prendrait appui sur les notions de race et de religion. Si les Français ou les Anglais reproduisaient cette attitude au niveau fédéral, les Canadiens français se trouveraient pour toujours dans une position minoritaire et paralysante. Ils feraient bien mieux de continuer à suivre la ligne de conduite tracée par LaFontaine et Cartier selon laquelle les partis politiques s'appuient davan- tage sur des alliances politiques que sur des antagonismes de races. C'est la seule façon d'assurer aux Canadiens français le droit d'avoir quelque chose à dire dans le gouvernement du pays. Laurier garde donc ses distances vis-à-vis du Parti national, mais il ne s'en éloigne pas beaucoup non plus. S'il l'emporte au niveau provincial, comme cela sera le cas, même si cela doit être avec une marge étroite, cette victoire lui four- nira une utile marge de manoeuvre pour battre les conserva- teurs au niveau fédéral. Pour lui, il s'agit seulement de bien jouer. Il assiste au grand rassemblement de Montréal la semaine qui suit l'exécution de Riel et déclare à la foule que lui aussi, s'il avait été sur les bords de la Saskatchewan, il aurait pris son fusil. Fort heureusement, tout ce qu'il peut faire des bancs de l'opposition fédérale, où il siège, c'est de lancer des invectives aux conservateurs en critiquant leur comportement imbécile et inhumain. Il peut même se permettre de railler les ministres du Québec pour leur lâcheté alors qu'il est de leur avis quant aux structures politiques nécessaires à un pays comme le Canada.

En même temps, Laurier cultive avec soin les relations politiques personnelles qu'il entretient à l'extérieur du Québec. Grâce au soutien des libéraux bien implantés en Ontario où le

Premier ministre Mowat se bat depuis des années en faveur des droits des provinces, Laurier prend la tête du Parti libéral fédéral en 1887. La présence à Ottawa, comme chef d'un parti politique, du seul homme politique du Québec à ne pas avoir été sali par l'affaire Riel, inflige un démenti à Chapleau qui se plaint en 1888 du manque d'influence des Canadiens français à Ottawa. En même temps que Laurier commence à sentir l'odeur du succès électoral, il est aussi de plus en plus reconnu comme l'héritier légitime de Cartier et rassemble dans le vaste giron libéral les modérés de toutes tendances. La mort de Louis Riel suscite certainement des réactions affectives assez vives pour modifier les résultats des élections de 1887: le nombre des sièges des libéraux fédéraux du Québec passe de treize à trente-deux pendant que celui des conservateurs diminue de cinquante et un à trente-trois. Mais le véritable changement se manifeste à l'élection fédérale suivante: en 1891, au Québec, ce sont les libéraux qui ont la majorité. C'est peut-être le décès de Macdonald, mort en 1891, qui a eu le plus d'importance dans la victoire finale des libéraux dans l'ensemble du dominion aux élections de 1896. En effet, malgré leurs recherches désespérées, les conservateurs n'ont pas réussi à se donner un nouveau chef de la carrure de Macdonald. Les libéraux, eux, en ont un chef, nettement désigné et bien préparé. Laurier attend. Il a bien retenu l'enseignement de Joseph-Israël Tarte, cet organisateur politique tout-puissant (celui-ci est alors en train de changer de camp politique en abandonnant les conservateurs pour les libéraux): on ne gagne pas des élections avec des prières. Mieux vaut un bon cadavre, en effet. Les libéraux en ont deux.

Des raisons plus terre-à-terre pourraient aussi expliquer le rôle de plus en plus important joué par les libéraux sur les scènes provinciale et fédérale à la fin de la décennie 1880. Les promesses faites par la Confédération de peupler le pays, de lui donner la prospérité et la puissance n'ont porté de fruits nulle part. Seuls les chemins de fer, qui traversent le pays et quadrillent le sud-ouest des deux provinces centrales, donnent quelque crédibilité au rêve de prospérité: les trains ont bien amené des industries dans quelques villes et ont consolidé le rang de métropoles de Montréal et de Toronto, mais ils ont aussi été la cause d'un endettement colossal. Et s'ils facilitent le transport des marchandises et des gens, ces derniers continuent à prendre le train pour filer vers le sud, vers les États-Unis. Quant aux timides tentatives faites pour rapatrier les Canadiens exilés ou pour les attirer vers le nord-ouest, elles n'ont pas eu le moindre résultat. L'immigration étrangère n'a jamais compensé l'émigration des Canadiens. Au début des années 1880, la Politique nationale a semblé relancer la production, mais la baisse des prix, des importations et plus tard des exportations, a sapé même cet espoir de sursis. D'autre part, l'industrialisation a engendré des problèmes sociaux et politiques dans le domaine des relations de travail, et certains Canadiens redoutent de voir leur rêve de prospérité nord-américaine se transformer en un cauchemar de lutte des classes à l'européenne. Le mécontentement des régions empoisonne aussi le pays, marqué par le soulèvement métis de 1885 dans l'Ouest et l'élection d'un gouvernement séparatiste en Nouvelle-Écosse en 1886. Les intellectuels se lamentent sur le sort du Canada et font même miroiter aux yeux des hommes politiques la solution impérialiste ou continentale. Dans ce contexte, l'évolution du comportement électoral n'est peut-être pas surprenante.

Et l'insistance de Mercier pour réaliser l'unité des Canadiens français non plus. Son cri de ralliement sert bien évidemment des desseins politiques : c'est le seul point qui puisse rassembler libéraux et ultramontains. Mais il correspond peut-être aussi à une nécessité psychologique à cette époque de migrations massives vers les villes et les États-Unis. Et, face à la montée du malaise canadien-anglais devant tout ce qui est français et catholique, cet appel à l'unité est peut-être un réflexe naturel de défense. Mais cet appel a précisément l'effet prévu par les politiciens fédéraux du Québec : il suscite les craintes de ceux qui vivent hors des frontières de la province, dans d'autres régions du pays. Et justement beaucoup de ces gens-là se trouvent liés au Parti conservateur. Il se peut que, voyant la désintégration de leur parti au Québec, lorsque les bleus ont cherché ailleurs un havre politique, les conservateurs aient poussé leur propre appel politico-religieux. Si le Parti conservateur veut survivre aux mutations électorales du Québec, il faut qu'il consolide sa position dans l'Ontario. Et la meilleure façon d'attirer les voix des électeurs conservateurs de l'Ontario n'est-elle pas de mettre l'accent sur l'anglais et le protestantisme ? Ainsi, les préjugés populaires se nourrissent les uns des autres, et les hommes politiques en tirent parti, parfois discrètement, parfois bruyamment.

Honoré Mercier a plaisir à jouer au chef national. Premier ministre du Québec, de 1887 à 1891, il a constamment rappelé au peuple les dangers qui pèsent sur le Canada français : à l'extérieur, l'opposition des anglophones et la division entre francophones à l'intérieur. Cette dernière situation lui est bien familière puisque c'est une coalition de forces très diverses qui l'a porté au pouvoir. Pour maintenir une certaine cohésion entre ces tendances variées, il faut un programme diversifié et des slogans unitaires. Mercier dispose des deux. Son programme électoral et le tourbillon d'activités dans lequel se lance son gouvernement montrent qu'il espère satisfaire tout le monde; ils apportent aussi un démenti à ses discours sur l'unité nationale. À l'adresse des libéraux, Mercier insiste sur la décentralisation, sur les mesures concrètes à prendre dans le domaine de l'enseignement et sur les économies à réaliser dans l'administration. Pour les nationalistes, il met l'accent sur l'autonomie de la province. Pour garder les ultramontains, il renouvelle son soutien au contrôle exercé par le clergé sur l'enseignement et il promet des mesures favorisant la colonisation et le rapatriement. Pour attirer les ouvriers, il propose des mesures législatives pour améliorer leurs conditions de travail. Enfin, il espère plaire aux électeurs anglophones en montrant son respect des droits des minorités. «Mettons fin à nos luttes fratricides et unissons-nous», clame-t-il dans ses déplacements. Il parcourt la province et le monde, se comportant tout autant en chef d'État au lac Saint-Jean, quand il inaugure la liaison ferroviaire avec Québec, qu'à New York ou à Paris, où il cherche à emprunter des capitaux pour financer les dépenses croissantes de son gouvernement. Mercier a le goût du pouvoir et en aime le faste.

En 1887, son triple intérêt pour l'argent, le pouvoir et la question de l'unité l'incite à organiser chez lui la première conférence interprovinciale du Canada. Il réunit à Québec pour une session de récriminations collectives contre le gouvernement fédéral les ministres mécontents de cinq des sept provinces (trois nouvelles provinces se sont ajoutées aux quatre premières: le Manitoba en 1870, la Colombie-Britannique en 1871 et l'Île-du-Prince-Édouard en 1873). Ils ont tous besoin de capitaux, car les provinces se sont tellement engagées dans la construction de voies ferrées que leur endettement dépasse considérablement les sommes misérables allouées par le fédéral. Ils veulent tous davantage de pouvoir et s'opposent énergiquement au droit fédéral de désaveu qui pèse sur toutes leurs activités. Et ils estiment tous que l'autonomie des provinces est précisément ce dont leur électorat et leur propre parti politique ont besoin. Ils sont tous mécontents: la Nouvelle-Écosse menace de quitter la Confédération, le Québec n'est pas satisfait de la conclusion de l'affaire Riel, l'Ontario est en pleine embrouille judiciaire avec le fédéral sur la question de la juridiction provinciale, et le Manitoba accepte mal le veto fédéral contre sa législation ferroviaire. Mercier obtient donc facilement de ses invités à Québec un appui enthousiaste à toutes ses propositions en faveur du droit des provinces. Après tout, déclare-t-il, ce sont les provinces qui ont créé le gouvernement fédéral, elles devraient donc avoir leur mot à dire sur son fonctionnement; par là, Mercier entend des pouvoirs concrets comme la nomination des sénateurs; il laisse aux nationalistes des générations suivantes le soin de mettre au point la théorie selon laquelle la Confédération est un pacte entre les provinces fédérées et les peuples fédérateurs, anglais et français.

Mercier vient à peine d'aider les autres provinces à tirer sur la longe de la Confédération qu'il soulève un autre problème, purement provincial celui-là. Cette affaire déchaîne pourtant les furies bien au-delà des frontières du Québec. La loi de 1888 sur les biens des Jésuites présente une proposition du gouvernement provincial destinée à régler un contentieux compliqué qui porte sur les revenus des terres ayant autrefois appartenu aux Jésuites de la Nouvelle-France. Cependant le remède est pire que le mal, car il va réveiller pour une génération — et dans tout le Canada — le vieux démon de la bigoterie. Depuis la suppression de l'ordre des Jésuites par le pape en 1773, leurs terres étaient devenues propriété de la Couronne et leurs revenus avaient été affectés d'abord par le gouverneur puis par l'Assemblée au financement de la charge éducative. Quand les Jésuites furent à nouveau autorisés par le pape et qu'ils réapparurent au Canada parmi les ordres religieux que monseigneur Bourget avait importés de Rome au cours des années 1840, ils firent valoir leurs titres sur leurs anciennes terres. Mais dans cette entreprise, ils se retrouvèrent en concurrence avec l'Église catholique elle-même qui faisait prévaloir ses droits sur l'enseignement. La querelle envenima les relations entre l'Église et l'État au Québec pendant près d'un demi-siècle et il fallut la coalition des libéraux et des ultramontains sous l'égide de Mercier à la fin des années 1880 pour susciter l'élan nécessaire à la recherche d'une solution. La loi de 1888 propose le rachat par la province de toutes les propriétés des Jésuites pour la somme de quatre cent mille dollars, à partager entre les divers groupes catholiques qui s'occupent d'enseignement. Pour apaiser les protestants, qui contestent l'attribution de capitaux provinciaux à des groupes catholiques, le gouvernement attribue soixante mille dollars supplémentaires au Comité protestant du Conseil de l'instruction publique. Les biens immobiliers doivent rester propriété de la Couronne. Pour donner satisfaction aux ultramontains et éviter des querelles intestines dans l'Église, c'est au pape qu'on fait appel pour distribuer les quatre cent mille dollars entre les différents demandeurs.

Ce règlement hérisse les protestants de l'Ontario. Qu'est-ce que le pape venait faire dans les affaires canadiennes? Que signifiait ce recours à une puissance étrangère? Qu'avait donc en tête le gouvernement du Québec? Venu au pouvoir dans le sillage d'un traître qui avait été pendu, il quémandait les bonnes grâces des Premiers ministres provinciaux et prétendait parler en faveur de minorités françaises minuscules vivant hors de ses frontières, et même les défendre. Les dessins humoristiques qui montraient Mercier en train de remplacer le nom de toutes les autres provinces par le nom du Québec disaient-ils donc la vérité? Et voilà maintenant que le pape, excusez du peu, entrait en scène sans doute dans quelque but abominable! À la Chambre des communes, une poignée d'apôtres de la bonne cause ou d'avocats du diable, selon le point de vue, se rangent derrière un député conservateur de l'Ontario, D'Alton McCarthy, pour réclamer du fédéral le désaveu de la loi sur les biens des Jésuites. Cette requête cache l'amertume de toutes sortes d'illusions brisées. Le Canada n'a donné le jour ni à la nouvelle conscience nationale, ni à la grande nation promises par la Confédération. Et on en fait porter la faute aux conservateurs qui se plient aux humeurs des Canadiens français. Tolérer sa langue et sa religion n'a conduit qu'à accroître les exigences du Québec. L'Ontario lui-même se laisse aller; il donne asile à des écoles catholiques séparées, il accepte la langue française dans ses écoles primaires, et tout cela parce que le Québec a crié un peu fort. Mais les Canadiens français, eux, ne font pas la moindre concession. Ils refusent l'assimilation et, avec leur «nationalité bâtarde», ils représentent le péril le plus grave qui menace la Confédération canadienne.

Les éclats de voix de McCarthy ne sont pas le fait d'un fanatique isolé. S'il ne réussit pas à persuader le gouvernement fédéral de désavouer la loi sur les biens des Jésuites, il réussit par contre à déchaîner l'opinion publique. En 1889, avec quelques orangistes de l'Ontario, il fonde la Equal Rights Association pour dénoncer le développement de la présence française au Canada. Le Canada sera-t-il français ou anglais, demande-t-il? Il faut régler le problème immédiatement, dans les urnes, sinon, dans une génération, il faudra sortir les baïonnettes. L'Association préconise qu'on supprime les écoles séparées et qu'on fasse de l'anglais la langue unique des écoles canadiennes. Au cours de la décennie 1890, les mêmes arguments sont repris par la Protestant Protective Association. Originaire des États-Unis, cette association recrute les Ontariens peureux qui voient surgir des ogres catholiques de tous les coins sombres et de tous les lieux publics.

On trouve même des intellectuels pour s'associer à ce concert raciste. Par exemple, quand Goldwin Smith envisage la réunion du Canada et des États-Unis, un de ses prétextes implicites, c'est que cela permettrait de noyer les Canadiens français dans une plus grande mer anglo-saxonne. Le Canada, déclare-t-il, est une entité contre nature, une absurdité géographique, économique et ethnique. C'est pure folie que «de vouloir fusionner ou même concilier une communauté française et papiste, et une communauté britannique et protestante». Un Ontario démocratique et un Québec clérical ne pourront jamais se fondre. En outre, Smith proclame que, vu leur incapacité à s'assimiler et leur refus de le faire, les Canadiens français méritent bien le sort que Durham leur a promis: ils resteront des ouvriers soumis aux ordres de leurs patrons anglais. Il y a aussi, un peu plus généreux mais tout aussi dédaigneux, les intellectuels de l'Imperial Federation League, organisation mise sur pied pour promouvoir l'union fédérale des divers éléments de l'empire britannique. George Parkin, George Grant et John Bourinot essaient tous de démontrer que les Canadiens français n'auront pas de peine à apporter leur soutien à la fédération impériale puisqu'ils ont la même origine normande que les Canadiens anglais et que la Conquête les a débarrassés du poids oppressant de l'absolutisme religieux et politique: les Canadiens français ont beau être hostiles au progrès, ils ne peuvent s'empêcher de voir les avantages que les institutions politiques britanniques leur ont généreusement apportés. En toute logique, ils devraient donc pouvoir faire un pas de plus dans l'évolution constitutionnelle du Canada, vers une intégration plus intime à l'empire britannique. Bourinot pense que c'est là leur seule chance de survie. À son avis, ils n'arriveraient pas à se maintenir s'ils faisaient partie des États-Unis et encore moins, s'ils constituaient «une nation française indépendante sur les rives du Saint-Laurent». On ne propose même pas la Confédération comme alternative, Bourinot et ses collègues semblant y avoir complètement renoncé. Honoré Mercier, quant à lui, ne voit dans une fédération de type impériale que le spectre de la conscription et des guerres impériales.

C'est dans ce contexte de méfiance et de suspicion, avec cette conception pessimiste de l'avenir du Canada, que le Manitoba porte un autre coup à l'égalité des droits des Canadiens français au sein de la Confédération. En 1890, le gouvernement libéral du Manitoba retire à la langue française son statut de langue officielle et cesse de subventionner les écoles catholiques, supprimant ainsi deux des droits garantis par le Manitoba Act, la loi fédérale qui a créé la province en 1870. Cette suppression est donc, à strictement parler, à la fois inconstitutionnelle et illégale, mais il faudra attendre quatre-vingt-dix ans pour que les tribunaux en conviennent. À la fin des années 1880, peu de gens s'honorent de ces scrupules constitutionnels! D'Alton McCarthy rôde dans cette province des Prairies et multiplie les discours incendiaires contre les méfaits du catholicisme et de la langue française. Le gouvernement du Manitoba lui-même, toujours contrarié par le fait que le gouvernement fédéral ait accordé un monopole ferroviaire au Canadien Pacifique, et à la recherche d'une bonne cause électorale, a peut-être vu là une façon de faire oublier que ses propres activités dans les chemins de fer avaient été douteuses aussi. Il a même certainement présumé que le nombre restreint des Canadiens français de la province — qui en vingt ans sont passés de presque cinquante pour cent de la population à un peu moins d'un dixième — ne leur permettrait pas de constituer une opposition vraiment sérieuse. Dans les faits, le problème des écoles du Manitoba va servir de détonateur aux animosités politiques, religieuses, raciales et linguistiques dans l'ensemble du pays et les attiser pendant des années.

Les catholiques du Manitoba déclenchent en effet une campagne d'opposition et ne lâchent pas prise pendant presque sept ans. En cours de route, ils trouvent des alliés temporaires au sein des deux partis fédéraux et dans les rangs du clergé et des hommes politiques du Québec en fonction du stade où se trouve leur campagne, et au gré des attaches politiques de leur allié du moment. Contraints d'accepter le fait que le français n'est plus reconnu comme langue officielle puisqu'ils n'ont pas de recours, hormis un désaveu peu probable de la part du fédéral, ils sont décidés à ne pas accepter la disparition de leurs écoles. Bien sûr, il leur reste la possibilité de financer leurs propres écoles, mais cela ne les exempte pas de la taxe scolaire provinciale, taxe qui ne sert qu'à financer les écoles non confessionnelles. Alors, arguant du fait qu'ils sont imposés deux fois pour jouir du droit à l'éducation garanti par la constitution et s'appuyant sur l'article 93 de l'Acte de l'Amérique du Nord britannique des catholiques du Manitoba en appellent au gouverneur général en conseil. Ils essaient trois possibilités d'appel: au fédéral pour qu'il désavoue la législation du Manitoba; aux tribunaux pour qu'ils le déclarent *ultra vires*, c'est-à-dire outrepassant les pouvoirs d'une législation provinciale; et encore au fédéral pour qu'il vienne directement à la rescousse d'une minorité lésée dans ses droits à l'enseignement.

Il faudra six ans de lutte pour que le gouvernement d'Ottawa accepte de suivre cette dernière voie. Pendant ces six années, il hésite et se pose des questions. Il temporise et laisse filer le délai d'un an au-delà duquel il ne peut exercer son droit de veto. Il choisit plutôt de financer la procédure menée par des catholiques du Manitoba qui se rend jusqu'à l'instance suprême du Conseil privé à Londres. Celui-ci statue finalement que la législation en matière scolaire relève du gouvernement du Manitoba. Ottawa fait valoir ses problèmes internes; quatre Premiers ministres ont essayé, sans succès, pendant quatre ans, de remplacer Macdonald, décédé en 1891. Quant il se trouve acculé au pied du mur par les catholiques du Manitoba qui réclament son intervention directe, il atermoie encore en demandant aux tribunaux s'il avait le droit (pourtant bien établi par l'Acte de l'Amérique du Nord britannique) d'agir de la sorte. Le tribunal suprême du Canada ne lui reconnaît pas ce droit, la cour d'appel de Londres le lui reconnaît. Et même alors, aux prises avec l'élection de 1896, les conservateurs ne réussissent pas à se décider. Ils demandent aux plaignants de présenter leur affaire pour obtenir réparation de la part du fédéral et prient le gouvernement du Manitoba de présenter son contre-argument. Ce n'est qu'à la toute dernière minute, début 1896, quand il leur faut présenter une sorte de solution à leur électorat, que les conservateurs prennent leur décision: une loi réparatrice obligera le Manitoba à réinstaurer le financement public des écoles catholiques.

Alors, la bagarre reprend, cette fois au sujet des droits provinciaux. Depuis les bancs de l'opposition à la Chambre des communes, Laurier mène l'attaque. Il sait bien que la frontière qu'il trace entre droits des provinces et droits des minorités est ténue, mais perçoit aussi avec acuité le désarroi des conservateurs. En pensant aux élections à venir, il s'oppose à la loi réparatrice. En observant avec attention le clergé catholique, à Québec et à l'extérieur du Québec, qui un an plus tôt, a envoyé des pétitions au gouvernement fédéral pour obtenir réparation, il promet «d'agir avec douceur» plutôt que par la force. D'après lui, le compromis et la tolérance sont les seules voies possibles pour sortir de l'imbroglio des passions populaires déchaînées par des querelles à la fois religieuses et linguistiques. En rattachant ces querelles aux luttes pour le pouvoir entre fédéral et provincial, on ne fait qu'attiser les deux. Si le gouvernement fédéral se met à rétablir des droits à l'éducation dans une province donnée, qu'est-ce qui pourra l'empêcher de s'en prendre à ces mêmes droits dans une autre province? Et comment vont réagir les autres provinces si le gouvernement fédéral réussit à faire voter la loi réparatrice? Est-ce que l'Ontario, par exemple, par dépit, s'en prendra elle aussi à ses écoles séparées?

Laurier n'ignore pas non plus les divisions de l'opinion au Québec, en dépit de ce qu'en disent les évêques, et il espère en tirer parti en 1896. Pendant toute la décennie, il a veillé à ne pas s'engager sur le problème du Manitoba. Bien qu'il y ait le soutien d'une majorité libérale fédérale, il n'y a plus à Québec de gouvernement provincial libéral depuis 1892, année de la chute des libéraux à la suite du scandale de 1891 dans les chemins de fer. Heureusement pour Laurier, l'odeur de scandale est tout aussi forte dans l'entourage des conservateurs fédéraux que dans celui des libéraux provinciaux. Hector Langevin aussi a été attaqué ouvertement en 1891 pour des tractations liées aux chemins de fer et au patronage. Tous deux ont d'ailleurs été blanchis par les tribunaux. Le seul autre homme fort des conservateurs au Québec, Joseph-Adolphe Chapleau, se tourne les pouces dans sa résidence de lieutenant-gouverneur près de Québec. Chapleau, avant d'accepter de faire partie du cabinet conservateur et, pensait-il, d'épargner au parti une défaite électorale certaine aux élections suivantes, a insisté pour que la loi réparatrice soit votée. Mais le projet de loi s'est éteint avec le parlement et Chapleau est resté tranquillement à Québec. Son silence facilite la progression des libéraux fédéraux. En juin 1896, l'électorat ne se départit pas de son calme et ne prête aucune attention au clergé qui le menace des pires choses si les libéraux gagnent; comme dans le reste du Canada, où quelques pasteurs protestants évoquent les châtiments du jugement dernier pour ceux qui voteront libéral, au Québec, la victoire va à Laurier.

Pour avoir été obtenues «avec douceur», les solutions au problème scolaire du Manitoba n'en sont pas nécessairement plus heureuses. Laurier prend soin de choisir des négociateurs que les évêques du Québec peuvent accepter pour mettre au point un compromis avec le gouvernement du Manitoba de Thomas Greenway. Mais cela ne garantit pas que le clergé en acceptera les conclusions. Le système de l'école publique unique doit être maintenu; les libéraux du Manitoba n'en démordront pas, quelle que soit leur satisfaction de voir des libéraux au pouvoir à Ottawa. Leur geste d'apaisement consistera à autoriser un enseignement religieux après les heures de classe si un certain nombre de parents le souhaitent. À cette même condition, on pourra engager des professeurs catholiques. Et si dix élèves dans un district scolaire quelconque parlent une autre langue que l'anglais, l'école devra leur fournir un enseignement bilingue, en anglais et dans leur langue maternelle. Ce compromis ne convient vraiment à personne; les catholiques du Québec ne sont pas satisfaits des maigres concessions obtenues; les protestants de l'Ontario sont mécontents car un renouveau de la présence catholique et française paraît envisageable dans l'Ouest, et les Manitobains prennent très mal ce qui, leur semble-t-il, transpose dans l'Ouest les antagonismes de l'Est du Canada. Pendant que les évêques du Québec donnent libre cours à leur mécontentement, un envoyé du pape, chargé une fois encore d'enquêter sur les chicanes du clergé catholique au Canada, reconnaît le bien-fondé de leur malaise, mais fait valoir que la voie du compromis est la seule possible pour la survie du catholicisme au Canada.

Au début du vingtième siècle, les «ombres» de la politique de «grand jour» de Laurier ne vont pas tarder à apparaître: la clause sur le bilinguisme fait des ravages au fur et à mesure qu'arrivent des immigrants de tous les coins de l'Europe; ils remplissent les écoles du Manitoba et exigent que l'enseignement soit assuré en anglais et dans toutes les langues possibles et imaginables. En 1916, le gouvernement du Manitoba abolira cette clause, purement et simplement. À ce moment-là, bien sûr, les Québécois auront d'autres raisons de mettre en doute la tolérance des Canadiens anglais, mais la leçon des années 1890 est tout aussi claire: les Canadiens français ne peuvent profiter pleinement de leurs droits religieux et linguistiques que dans la province de Québec. Ailleurs, ils ne constituent qu'une minorité, assujettie comme les autres aux sautes d'humeur de la majorité. Dans ce contexte, la minorité francophone qui réside à l'extérieur du Québec pourrait bien se faire assimiler. Le poids du nombre, le manque de protection légale et l'argument selon lequel la langue anglaise est nécessaire à l'unité nationale ne pourraient manquer d'entraîner leur disparition. Les Québécois ne peuvent réagir que d'une seule façon: rassembler leurs effectifs dans l'espace limité de leur province, légiférer pour assurer leur propre protection et faire valoir que la langue française est indispensable à leur survie en tant que nation. La nouvelle nationalité, promise en 1867, se dilue en deux nations qui ne sont même plus le Canada français et le Canada anglais, mais le Québec et le Canada anglais.

Face aux événements de la fin du dix-neuvième siècle, les intellectuels nationalistes prennent parti et depuis lors le débat sur la place du Québec dans la Confédération ne cessera pas d'occuper la presse, les hommes politiques et les historiens.

Peu de gens du vingtième siècle se réclameront de la solution de rattachement aux États-Unis proposée par Edmond de Nevers, mais en revanche, ils seront bien plus nombreux à épouser ouvertement la position de Jules-Paul Tardivel sur le séparatisme. Tout comme leurs homologues canadiens-anglais, les intellectuels québécois de la fin du siècle ne peuvent envisager d'avenir pour le Canada qu'ailleurs, dans l'indépendance, dans l'annexion ou dans une fédération impériale. Il n'y a que les politiciens fédéraux et peut-être les femmes (les féministes francophones et anglophones s'unissent sans difficulté mais pour peu de temps au sein du National Council of Women à partir du milieu des années 1890), qui semblent s'accommoder des problèmes politiques et sociaux auxquels le Canada est confronté *hic et nunc*. Les intellectuels, quant à eux, projettent dans des solutions politiques idéales leur perception nationaliste de la différence.

Le séparatisme de Tardivel est en réalité antérieur aux années 1890, mais le problème des écoles au Manitoba l'a affermi. Dans son journal ultramontain *La Vérité*, qu'il publie avec des moyens de fortune dans son propre domicile à Québec, Tardivel commence à parler de séparatisme en 1886, peu après l'affaire Riel. Dix ans plus tard, il déclare même à ses quelque trois mille lecteurs que son journal a été fondé en 1881 pour convaincre les élites canadiennes-françaises que la Providence voulait que le Québec constitue une nation autonome. En fait, il ne fait que réécrire son propre passé en fonction de sa réaction récente au problème des écoles du Manitoba. Après la crise, il estime qu'il n'y a que deux options possibles : l'assimilation ou la séparation. Tout compromis est impossible et Tardivel déteste Laurier parce que précisément celui-ci s'est efforcé au compromis. Il se peut que l'ultra-conservatisme de Tardivel en matière de politique et de religion ait donné une certaine coloration à son message séparatiste tel qu'il sera perçu par les générations de Québécois à venir : dans les années 1980, le séparatisme garde, pour certaines personnes, des connotations ultra-réactionnaires. Mais Tardivel n'aurait pas accepté cette étiquette, car il se considérait comme à l'écart de toutes les manoeuvres politiques et religieuses ; il aurait certainement apprécié davantage les opinions — plus favorables à son endroit — faisant de lui le fondateur du journalisme indépendant du Québec.

En 1895, Tardivel utilise un moyen surprenant pour explorer la voie séparatiste. Il écrit un roman, *Pour la Patrie*, dans lequel il déverse toutes les intrigues politiques et religieuses qu'il condamne dans ses écrits de journaliste. Il éprouve même le besoin de justifier cette forme littéraire; son roman, contrairement à la plupart des oeuvres de ce type, serait au service du bien, le récit d'un combat chrétien, un outil pour propager la mission civilisatrice française et catholique en Amérique du Nord. Il a bien raison de vouloir justifier son entreprise, car son roman est un tissu d'invraisemblances: Dieu et Satan interviennent directement pour accomplir miracles ou abominations; les morts reviennent du ciel et les femmes acquiescent au moindre désir de leur mari. Mais le roman, tout en se déroulant aux environs de 1945, constitue aussi un commentaire curieux aux événements de la politique de la fin du siècle: autour d'un débat sur l'avenir du Canada qui oblige à choisir entre fédération, union législative et séparation, Tardivel tisse une intrigue faite de ruses et d'actes héroïques aboutissant à la séparation du Québec, voulue par Dieu et pacifiquement accomplie. Chemin faisant, il fait montre de toutes les passions et de toutes les rancoeurs propres à un séparatiste ultramontain de la fin du dix-neuvième: il place le progrès entre les mains pécheresses des francs-maçons et peint les fédéralistes en ennemis du catholicisme; il fait venir d'Europe des sociétés secrètes qui, au nom du libéralisme, complotent la mort de la nation canadienne-française; il montre des politiciens complices que soutient une presse servile. Et il fait détruire les valeurs de la religion et de la famille par l'État qui impose un enseignement gratuit et obligatoire. Le seul moyen d'éviter ces calamités, selon Tardivel, c'est d'affirmer le lien intime entre religion et patriotisme, le caractère sacré des entreprises nationalistes, la nécessité du sacrifice, du dévouement et ne jamais cesser de lutter.

Tout autre est l'analyse faite par Edmond de Nevers des maux du Canada français et des remèdes à leur apporter. L'audience de de Nevers est encore plus restreinte que celle de Tardivel, car il a passé la plus grande partie de sa vie d'adulte à faire des études dans les universités de Paris et de Berlin pour échapper à «l'indolence intellectuelle» de son pays natal. En 1896, il publie à son compte et presque timidement *L'avenir du peuple canadien-français*; il l'envoie à quelques personnes choisies pour avoir leurs commentaires et en les priant instamment de n'en rien communiquer à la presse. Il en expédie même un exemplaire à Goldwin Smith, dont il partage les vues annexionnistes, avec cette dédicace sibylline: «De la part d'un Canadien français qui ferait un bien piètre ouvrier.»

Le Canada français qu'il dépeint est bien différent de la nation assiégée de Tardivel, constamment aux prises avec des forces mauvaises venues de l'extérieur et des traîtres collaborateurs à l'intérieur. Le Canadien français, d'après de Nevers, est apathique et refuse le progrès. Les gens partent au hasard, en direction de la ville et de l'usine; ils montrent combien ils sont décadents en se laissant leurrer par la pacotille matérialiste et anglophone de leur énorme voisin du sud. Les plus instruits, eux aussi, vont à la dérive dans le monde de la politique, en renonçant à leur passé de pionniers et à leur mission culturelle en Amérique du Nord, et leur curiosité intellectuelle se limite aux intrigues de politiciens rivalisant pour les postes à pouvoir. Selon lui, une poignée d'administrateurs compétents pourrait facilement accomplir la tâche des quelque trois cents personnes engagées directement dans le jeu politique ou attendant leur tour d'y entrer. Pendant ce temps-là, le Canada français manque d'ingénieurs, d'agronomes, de physiciens, de médecins, de chimistes et de professeurs bien formés. En effet, ces derniers devraient remplacer les séminaristes qui ne sont que des simples moniteurs; ainsi pourrait-on appliquer un patriotisme éclairé aux problèmes concrets de l'enseignement, de la colonisation, du rapatriement et de la mise en valeur des ressources naturelles. Où sont donc, demande-t-il, l'université de réputation internationale, le conservatoire de musique, la bibliothèque, l'école des beaux-arts et l'école polytechnique qu'une ville comme Montréal se devrait d'avoir? Il est grand temps que les Canadiens français reconnaissent leur ignorance et leur médiocrité et cessent de la cacher derrière leur réputation de jovialité et d'hospitalité. De Nevers prédit que, lors du jugement des peuples, on trouvera les Canadiens français coupables de négligence dans leur contribution intellectuelle et économique au progrès de l'humanité.

C'est peut-être à cause de cela que de Nevers prophétise que le sort ultime du Québec sera le rattachement aux États-Unis. On ne peut décider clairement s'il voit dans ce rattachement un champ plus vaste pour les aventures intellectuelles qu'il appelle de ses voeux, ou des circonstances plus favorables à l'exercice de la mission culturelle et linguistique qui est l'apanage des Canadiens français. À coup sûr il n'entrevoit pour le Québec aucun avenir au sein de l'empire britannique: pour lui, les Canadiens français seront toujours une épine dans l'unité anglo-saxonne. Un Canada indépendant de la Grande-Bretagne offrirait également peu de perspectives tant que les Canadiens anglais de cette génération refuseraient aussi obstinément de partager le pays à égalité avec les Canadiens français. Quant au séparatisme, de Nevers le refuse car il le trouve ridicule: un Québec indépendant ressemblerait à une de ces républiques sud-américaines où règnent l'avidité, l'ambition, la vanité, la corruption, la médiocrité et l'intolérance. Ce serait perdre son temps que de penser au séparatisme. Les Canadiens français feraient mieux de s'appliquer à développer leur potentiel intellectuel afin d'être capables de se joindre aux États-Unis au moment opportun, en alliés. La présence de nombreux effectifs de Canadiens français, dans les États du nord-est, a déjà ouvert la voie; l'intérêt passager de de Nevers pour le rapatriement se mue en admiration pour l'indépendance, l'énergie et la persévérance manifestées par les Franco-Américains. Ils n'ont pas quitté le pays, bien au contraire, ils l'ont étendu. Quand tout le continent serait américain, il y aurait tant de différences naturelles et culturelles que personne n'oserait imposer la moindre uniformité dans les us et coutumes et les langues.

L'ampleur de la déconvenue causée par la Confédération au cours de la décennie 1890 se mesure dans ces deux visions de l'avenir du Canada français; l'ardente vision de de Nevers, celle de Tardivel, basée sur la notion de Providence. Aucun des rêves de la décennie 1860 n'a pris corps et les craintes que les rouges avaient tant exprimées se sont matérialisés. Dans les deux Canada, le français et l'anglais, une sorte de séparatisme intellectuel reflète l'effondrement impérial et le manque d'enthousiasme vis-à-vis du présent. Même ces femmes si féminines, à qui de Nevers fait l'honneur de les considérer comme l'apanage du Canada français, voilà qu'elles enfourchent leurs bicyclettes et quittent sans la moindre hésitation le sanctuaire familial. Les hommes politiques libéraux sont les seuls à parier sur le Canada, et la prospérité économique d'après 1896 va mettre la chance de leur côté: le Québec entérine la ligne fédérale de Laurier et un an plus tard il donne le feu vert aux libéraux dans son parlement provincial. Ceux-ci donnent leur allégeance au Premier ministre canadien-français. Un nouvel empire politique est en gestation; cela est patent lorsque les libéraux provinciaux, à la demande de Laurier, rejettent un projet de création d'un ministère provincial de l'éducation. Un nouvel ordre économique se prépare aussi et le gouvernement provincial s'apprête à financer l'essor économique du Québec avec des capitaux étrangers. Si les Américains l'aident un peu et si les intellectuels lui fournissent quelques admonestations de temps à autre, le vingtième siècle pourrait être le siècle du Québec.

ORIENTATIONS BIBLIOGRAPHIQUES

Berger, Carl, *The Sense of Power: Studies in the Ideas of Canadian Imperialism, 1867-1914*, Toronto, University of Toronto Press, 1970.

Bourinot, Sir George, *Canadian Studies in Comparative Politics*, Montréal, Dawson Brothers, 1897.

————— , *Canada During the Victorian Era*, Ottawa, J. Durie and Sons, 1897.

Clark, Lovell, dir., *The Manitoba School Question: Majority Rule or Minority Rights ?*, Toronto, Copp Clark, 1968.

Clippingdale, Richard, *Laurier: His Life and World*, Toronto, McGraw-Hill Ryerson, 1979.

Cook, Ramsay, *L'autonomie provinciale, les droits des minorités et la théorie du pacte, 1867-1921*, Étude n° 4 de la Commission royale d'enquête sur le bilinguisme et le biculturalisme, Ottawa, Imprimeur de la Reine, 1969.

Crunican, Paul E., «Bishop Laflèche and the Mandement of 1896», *Historical Papers/Communications historiques*, Société historique du Canada, 1969, p. 52-61.

Désilets, Andrée, «La succession de Cartier, 1873-1981», *Historical Papers/Communications historiques*, Société historique du Canada, 1968, p. 49-64.

————— , *Hector-Louis Langevin: Un père de la Confédération canadienne (1826-1906)*, Québec, Les Presses de l'université Laval, 1969.

Flanagan, Thomas, *Louis «David» Riel: «Prophet of the New World»*, Toronto, University of Toronto Press, 1979.

Girard, Mathieu, «La pensée politique de Jules-Paul Tardivel», *Revue d'histoire de l'Amérique française* 21, 1967, p. 397-428.

Miller, J.R., *Equal Rights: The Jesuits' Estates Act Controversy*, Montréal, McGill-Queen's University Press, 1979.

Neatby, H. Blair, *Laurier and a Liberal Quebec: A Study in Political Management*, Toronto, McClelland and Stewart, 1973.

Neatby, H. Blair et John T. Saywell, «Chapleau and the Conservative Party in Québec», *Canadian Historical Review* 32, 1956, p. 1-22.

O'Sullivan, J.F., «D'Alton McCarthy and the Conservative Party, 1876-1896», thèse de maîtrise non publiée, Université de Toronto, 1949.

Parkin, Sir George Robert, *The Great Dominion*, London, Macmillan, 1895.

Rumilly, Robert, *Mgr Laflèche et son temps*, 2ᵉ éd., 2 vol., Montréal, Éditions du Zodiaque, 1938.

————— , *Honoré Mercier et son temps*, 2ᵉ éd., 2 vol., Montréal, Fides, 1975.

Silver, Arthur, *The French Canadian Idea of Confederation 1864-1900*, Toronto, University of Toronto Press, 1982.

Smith, Goldwin, *Canada and the Canadian Question*, Toronto, University of Toronto Press, 1971 (Hunter and Rose, 1891).

Les arbres plus chétifs vont modestement se transformer en pâte à papier, pour des millions de dollars.
L'usine de pâte à papier de La Tuque en 1916.
Archives publiques du Canada, PA110909

XI LE VINGTIÈME SIÈCLE APPARTIENT AU QUÉBEC

Le premier ministre libéral, Sir Wilfrid Laurier salue le vingtième siècle naissant au nom du Canada, avec la certitude qu'il apportera à cette nation de la moitié nord du continent, la croissance démographique, la prospérité et le rayonnement qui ont été ceux des États-Unis au dix-neuvième. Le premier ministre libéral du

Québec, Simon-Napoléon Parent, voit dans le siècle nouveau les promesses de développement économique pour sa province; il a la certitude que les investissements et l'enseignement entraîneront la province et son peuple vers la prospérité, et stopperont l'hémorragie de la population. Laurier espère renforcer la Confédération et mettre fin à la brouille entre Français et Anglais. Pourtant, presque tout ce à quoi il touche déclenche la mauvaise humeur des nationalistes du Québec. Parent et son successeur Lomer Gouin ont pour hypothèse qu'une conjoncture favorable et le libéralisme politique assureront la satisfaction du peuple; mais ils doivent, eux aussi, faire face à une critique nationaliste virulente pendant que, dans toute la province, des grèves témoignent du désenchantement populaire. Les nationalistes, eux, réclament à cor et à cri, l'autonomie pour le Canada, le Québec et l'économie; cependant ils se débrouillent le plus souvent mal dans leurs propres affaires et se trouvent souvent pris dans des traquenards politiques. Et même quand ils ne font que critiquer les événements du domaine social et culturel, ils se trouvent aux prises avec les féministes et le clergé. Malgré tout, ils accueillent le siècle nouveau avec enthousiasme et optimisme.

Du début du siècle jusqu'à son échec politique en 1911, Laurier ne cessera d'alimenter l'optimisme enflammé des journalistes et des politiciens du Canada. Au Canada et à l'étranger, il se fait le héraut de la prospérité que l'essor de l'économie mondiale du dix-neuvième siècle finissant doit apporter à sa nation nordique. Aux conférences coloniales qui se tiennent régulièrement à Londres, entouré de détachements de la gendarmerie canadienne et d'Indiens hauts en couleur, Laurier joue le maître de cérémonie dans de grands spectacles canadiens dont il est la vedette, lui, le premier Canadien français à être devenu Premier ministre de l'aîné des dominions créés par la Grande-Bretagne, lui que la reine Victoria a anobli en 1897: il tient des propos plaisants sur les Canadiens qui pourraient prendre place au parlement de Westminster, et il veille à ce que la presse britannique ne publie que des articles favorables au Canada. Une bonne presse fera venir des immigrants et des capitaux pour remplir les plaines et les trains du Canada. Laurier se fait même le propagandiste du projet abracadabrant qui lui tient à coeur, celui d'ajouter deux nouvelles lignes transcontinentales au Canadien Pacifique déjà en service: à Londres, il bat le rappel dans le monde des affaires en faisant miroiter sur le mode impérialiste l'idée que les produits de l'Empire pourraient faire le tour du monde grâce aux trains et aux bateaux à vapeur des compagnies de transport canadiennes en plein essor. Il fait parade de l'importance montante de son pays sur le plan international après l'intervention particulièrement remarquable des soldats canadiens dans la guerre des Boers. Et il suggère même que le Canada pourrait bien voler de ses propres ailes, notamment si la Grande-Bretagne continuait de prendre le parti des Américains, comme elle le faisait dans la querelle qui oppose le Canada et les États-Unis au sujet des frontières de l'Alaska. En attendant, à défaut d'indépendance, le Canada pourrait rehausser son prestige national, en s'offrant une marine à lui, même si, précise Laurier, cette marine restait à la disposition de la Grande-Bretagne en cas de besoin.

Pour Laurier, il va de soi que les Canadiens français le suivront de bonne grâce, attirés par cet « aimant du monde civilisé » que le Canada ne manquera pas de devenir au cours du siècle, et qu'ils contribueront à cette attraction ; ce sera en effet le cas pour beaucoup d'entre eux. Les libéraux de la province, qui ne vont pas souvent à l'encontre de leurs homologues du fédéral et qui, au cours du vingtième siècle, connaîtront le même succès électoral qu'eux, partagent l'euphorie de Laurier. Le mouvement nationaliste, encore à ses débuts, aussi en fait, bien qu'il soit souvent en désaccord sur les moyens. Laurier essaie de mobiliser les Canadiens français par divers moyens : une timide immigration de France, un chemin de fer transcontinental traversant le nord du Québec, son combat courageux d'ailleurs en faveur des écoles séparées des nouvelles provinces de l'Alberta et de la Saskatchewan, la construction aussi dans les chantiers navals du Québec d'une partie de sa marine — qualifiée de « pacotille » par ses adversaires conservateurs —; sans compter, bien entendu, son charisme propre, que l'on peut comparer à celui de Pierre Trudeau à la fin des années 1960. Mais cela ne réussit pas toujours.

Une des toutes premières difficultés surgit à la veille du siècle nouveau. L'engagement de la Grande-Bretagne dans la guerre des Boers, en 1899, soulève le problème de la participation du Canada. Une expédition britannique du même genre en Égypte au cours des années 1880 n'avait suscité que sarcasmes de la part de John A. Macdonald ; dix ans plus tard l'état de l'opinion, au Canada, a changé de manière spectaculaire. Laurier doit faire face à l'opposition de farouches impérialistes canadiens-anglais, certains parmi les membres de son parti. Ces impérialistes sont ravis de la dernière poussée de l'impérialisme britannique à la fin du siècle et, pour des raisons à la fois affectives et économiques, ils se sont rapprochés de la Grande-Bretagne. Certains d'entre eux espèrent même faire passer tout le Canada sous l'emprise politique, économique et militaire de l'Empire, au nom d'un passé commun, d'institutions sociales et politiques communes, de traditions littéraires et juridiques différentes des autres et bien meilleures évidemment; ils ont pour mission de propager la bonne parole et de faire connaître les hauts faits des Britanniques dans toutes les parties du globe. Dans le Canada anglais lui-même, tous les éléments culturels de la vie quotidienne — livres de classe, sermons, parades et festivités des jours fériés — véhiculent le message impérial. Une version canadienne du *God Save the Queen* a accompagné les nombreuses cérémonies qui ont célébré le jubilé de diamant de la reine Victoria en 1897: («*Far from the motherland/Nobly we'll fall or stand/By England's Queen*». «*Loin de la mère patrie/ Nous combattons et tomberons vaillamment/Pour la reine d'Angleterre.*»).

C'est dans cet état d'esprit que les Canadiens reçoivent une nouvelle inquiétante: les troupes britanniques ne réussissent pas à terminer la guerre qui oppose la colonie britannique du Cap à la république boer du Transvaal, à la pointe sud du continent africain. Depuis la création, au cours des années 1830, d'un Transvaal indépendant de la colonie du Cap, la Grande-Bretagne n'a jamais réussi à faire admettre sa souveraineté sur cette région. Dans les toutes dernières années du siècle, les Boers sont accusés de s'en prendre aux sujets britanniques qui quittent en grand nombre la colonie du Cap pour se rendre au Transvaal et dans l'État libre d'Orange, au nord. Adoptant, sans nuances, le point de vue britannique, la presse canadienne-anglaise se fait l'écho des explications «libérales» données par les Britanniques à leur enlisement et réclame à cor et à cri que le Canada envoie des soldats pour contribuer à la défense des droits des colons anglais. Ce que beaucoup de Canadiens ne comprennent pas, c'est que ces colons, à leur insu, ouvrent à travers le territoire des Boers la voie des mines d'or et de diamants aux puissants hommes d'affaires de la colonie du Cap, parmi lesquels se trouve Cecil Rhodes. Une personne cependant n'est pas dupe, c'est le jeune député libéral Henri Bourassa.

Petit-fils de Louis-Joseph Papineau, Bourassa a hérité de l'esprit frondeur de son grand-père, mais il y ajoute une bonne connaissance de l'histoire; il comprend à fond les principes et les pratiques constitutionnels britanniques, et il les apprécie. Par ailleurs, son catholicisme est proche de l'ultramontanisme. Comme beaucoup de porte-parole du nationalisme, il a reçu une éducation assez originale: il n'a jamais mis les pieds dans un collège classique. Son érudition et ses talents d'orateur sont étonnants et Laurier est favorablement impressionné par le jeune homme, jusqu'à ce qu'ils s'affrontent sur le problème de la participation du Canada à la guerre des Boers. Bourassa ne se trouve pas en Chambre le jour de l'été 1899 où, à l'unanimité, les députés expriment leur soutien à la Grande-Bretagne dans ses effort pour faire reconnaître les droits de ses sujets au Transvaal. En octobre 1899, le Parlement est en congé quand Laurier estime, le lendemain de la déclaration de guerre, qu'il suffit d'un arrêté ministériel pour lever les quelques milliers de volontaires qu'on enverra aux moindres frais en Afrique du Sud gonfler les rangs des troupes impériales. Quelques jours auparavant, il a pourtant déclaré qu'il était impossible d'envoyer des soldats canadiens, le rôle de ces derniers étant limité, par la loi sur la milice à la défense du Canada sur son propre territoire et que, puisque le parlement canadien ne siégeait pas il n'y avait pas moyen d'obtenir de financement pour quelque expédition que ce soit. Tout cela ne l'a pas empêché de changer d'avis, à la suite de la requête de la Grande-Bretagne, semble-t-il, et sous la pression de la fièvre impérialiste qui s'est emparé du Canada.

La décision de Laurier, comme tout ce qui touche à la guerre des Boers, déclenche la colère de Bourassa. Pour ce dernier, cette guerre n'est rien d'autre qu'une campagne coloniale, liée à des intérêts commerciaux, ultime manifestation de l'impérialisme rapace de la fin du dix-neuvième siècle; cette guerre n'a rien de libéral et, pour lui, Laurier fait fi de son propre libéralisme quand il soutient que c'est une guerre juste. Quant à la souveraineté britannique sur le Transvaal, elle n'a aucun fondement historique; et c'est un véritable scandale politique que la Grande-Bretagne demande l'aide de ses colonies pour cette guerre. Pour Bourassa, les liens à l'intérieur de l'Empire doivent être aussi souples qu'à l'intérieur de la fédération canadienne: ils doivent être caractérisés par l'autonomie et la décentralisation. Il ne faut pas que les liens qui unissaient le Canada à la Grande-Bretagne reposent sur les emballements des Canadiens anglais. Qui sait où pourrait conduire ce sentimentalisme aveugle, dit-il. Il est vague et insaisissable, mais en même temps assez fort pour transformer le Canada irrévocablement. Et voilà que Laurier crée un précédent qui pourrait entraîner le Canada dans les guerres impériales à venir. Il pourrait bien s'ensuivre un renforcement des liens impériaux. Avant de s'en rendre compte, ou d'avoir pu dire quoi que ce soit, les Canadiens pourraient bien se retrouver piégés dans une fédération impériale. Ils n'auront pas plus de poids alors que le parlement canadien n'en a eu lors de l'envoi des troupes en Afrique du Sud. Pour exprimer son désaccord, Bourassa démissionne de son siège à la Chambre des communes. Ses électeurs lui réitèrent leur soutien en le réélisant triomphalement à l'élection partielle qui suit cette démission.

Cette opposition rend Bourassa très populaire au Québec. Il ne reprendra jamais à son compte certaines réactions passionnelles à l'engagement du Canada, comme celle qui compare la situation des Boers à celle des Québécois écrasés sous le poids de l'empire britannique. Mais sa revendication raisonnée en faveur de l'autonomie du Canada, capte l'attention de la presse et celle du public.Cela ne change pas grand-chose au résultat québécois des élections fédérales de novembre 1900, car le prestige de Laurier et son sens de l'organisation réussissent à garder aux libéraux presque tous leurs sièges au Québec. En effet il n'y a pas de relève. Bourassa, lui-même, qui a été réélu, n'est pas encore prêt à se livrer aux alliances inattendues avec des conservateurs encore plus impérialisme qu'il nouera plus tard dans la décennie, lorsque le mouvement nationaliste sera devenu assez fort. En attendant, il est entouré de jeunes qui commentent longuement ses déclarations publiques, sont galvanisés par ses discours et se préparent à faire de lui un chef. Les conséquences immédiates de la controverse sont la création, en 1903, de la Ligue nationaliste et la fondation, en 1904, du journal *Le Nationaliste* dirigé par Olivar Asselin. La Ligue et le journal plaident tous les deux pour l'autonomie du Canada au sein de l'Empire, l'autonomie des provinces au sein de la Confédération et pour l'exploitation rationnelle des ressources canadiennes.

Si c'est la guerre contre les Boers qui a suscité la naissance d'un mouvement nationaliste au Québec, c'est l'afflux des immigrants qui lui donne une assise populaire. Que deviendront les Canadiens français au milieu des centaines de milliers de nouveaux venus qui arrivent chaque année par vagues, au début du siècle? À la fin de la grande vague de l'immigration, en 1914, on voit tout de suite que les anglophones y prédominent, venus surtout des États-Unis et de Grande-Bretagne. Les Canadiens français s'y attendaient, mais il avaient aussi compté sur des immigrants de France et de Belgique, et se posent des questions sur le peu de goût du gouvernement fédéral à en faire venir de ces pays. Alors que plus de deux cents chargés de missions du gouvernement canadien sillonnaient la Grande-Bretagne à la recherche d'émigrants potentiels, il n'y en avait que deux pour la France et la Belgique réunies. Les pays d'Europe continentale répugnent peut-être à laisser partir leurs ressortissants; néanmoins on ne réussira jamais à convaincre les Canadiens français que le ministre fédéral de l'Intérieur, responsable de l'immigration et dirigé par le Manitobain Clifford Sifton, a fait tout son possible pour faire venir des immigrants francophones. Au début du siècle, il en arrive moins de mille par an; et même lorsque, plus tard, ils seront deux mille par an, ils seront noyés dans la masse d'immigrants dont le nombre dépassera les quatre cent mille au cours de l'année record de 1913. Les chargés de mission assurent le gouvernement que davantage de francophones viendraient si le Canada ne se bornait pas à accueillir des gens du monde rural. Le ministère, à son tour, fait croire au gouvernement que ceux qui viennent sont bien accueillis : il y a à Montréal, Mattawa et Ville-Marie des fonctionnaires canadiens-français chargés de les acheminer vers l'Ouest ou le Témiscamingue ; on expédie même aux États-Unis, dans l'espoir d'encourager le retour des Canadiens français au Canada, des agents canadiens-français du gouvernement fédéral ; celui du Michigan utilise tous les procédés imaginables : il parle dans les réunions publiques et envoie des lettres, il distribue articles et brochures, et rivalise avec les magiciens et l'Armée du salut pour capter l'attention des foules du samedi soir, dans les villes américaines du Midwest. Les agents sont payés à la commission, mais on n'en connaît pas un seul qui ait fait fortune !

Les immigrants qui se remarquent le plus sont ceux qui ne parlent ni anglais ni français. Ils affluent dans les ports de Québec et de Montréal ; leurs langues et leurs costumes proclament qu'ils ne sont pas comme les autres. Ils traînent en ville, dans l'attente des trains qui les emporteront vers l'Ouest. À Québec et à Montréal, et tout au long du trajet, les résidents francophones et anglophones dévisagent les immigrants, qui le leur rendent bien ; tous essayent de masquer leur gêne. Ceux qui expriment leur crainte à voix haute sont peu nombreux. Mais elle transparaît dans les publications d'Olivar Asselin et d'Henri Bourassa qui commentent ce courant partant de Montréal vers l'Ouest, et dans celles de J.S. Woodsworth, pasteur méthodiste engagé dans les oeuvres de bienfaisance auprès des immigrants du district nord de Winnipeg. Ces gens à l'allure bizarre pourront-ils vraiment contribuer à la consolidation de la nation canadienne, qui était l'un des objectifs de la Ligue nationaliste ? Ne vont-ils pas plutôt bouleverser le fragile équilibre construit avec tant de peine au cours du siècle précédent entre Français et Anglais ? Et que sait-on de leur santé et de leur moralité ? La mémoire collective des Canadiens français est profondément marquée par les liens entre immigration et maladie. En outre, pourquoi ces immigrants reçoivent-ils un traitement de faveur de la part du gouvernement canadien ? Pourquoi paient-ils moins cher pour traverser l'Atlantique et le continent que les Canadiens français pour aller de Montréal dans l'Ouest ?

Asselin et les autres nationalistes apportent peu de réponses aux questions qu'ils posent, mais ils attendent que les représentants du gouvernement prennent au moins quelques mesures. Ils suspectent les chemins de fer de collusion avec le ministère de l'Intérieur et exigent que les provinces aient davantage leur mot à dire dans le domaine de l'immigration, qui après tout, soulignent-ils, relève à la fois du fédéral et du provincial. Ils avancent aussi qu'une meilleure implantation des Canadiens français dans l'Ouest canadien pourrait contribuer à l'assimilation des nouveaux venus en recréant dans ces régions la dualité du pays et de ses institutions. Mais leurs difficultés pécuniaires confinent les Canadiens français à l'Est. Ils n'ont les moyens que d'atteindre l'est de l'Ontario ou de descendre du nouveau National Transcontinental dans les gares du nord du Québec ou de l'Ontario. Quelques voix se font même entendre, surtout dans le clergé, pour vêtir cette pitoyable migration de la misère des couleurs du rêve : celui d'une présence canadienne-française qui, à travers les terres stériles du bouclier canadien, relierait le Québec à l'Ouest. Les nationalistes du début du vingtième siècle sont cependant beaucoup plus obstinés que le clergé de l'époque : ils réclament avec insistance, pour les Canadiens français, une part de l'aide pécuniaire que l'on accorde si généreusement aux nouveaux immigrants.

Les nationalistes ont des bonnes raisons de faire preuve d'obstination, car leur voix est enterrée par la masse des gens qui refusent la dualité du Canada, surtout dans l'Ouest. La colonisation rapide de l'Ouest canadien nécessite le découpage de deux nouvelles provinces et l'extension des frontières d'une troisième. La création de la Saskatchewan et de l'Alberta en 1905, ainsi que l'extension du Manitoba vers le nord jusqu'à la baie d'Hudson en 1912 posent une fois de plus le problème des écoles. Faudra-t-il instaurer le dualisme dans les institutions de ces nouvelles provinces ? La loi de 1875 sur les Territoires du Nord-Ouest stipulait que le groupe confessionnel minoritaire, catholique ou protestant, avait le droit d'administrer ses propres écoles, dont le financement serait prélevé sur la taxe scolaire publique au prorata de ses effectifs. Au cours des trente années qui s'étaient écoulées depuis l'adoption de cette loi pourtant, les écoles des Territoires s'étaient dirigées vers un système bien plus unifié du fait de l'instauration d'un programme et d'une administration communs d'une part, et des restrictions imposées à la fondation de nouvelles écoles catholiques et à l'enseignement religieux de l'autre. Le problème des écoles du Manitoba avait surgi entretemps, et il ne laissait pas le moindre doute quant à l'opposition des gens de l'Ouest aux écoles séparées. Et, quand est arrivée l'immigration de masse, l'hostilité a fait place à l'intransigeance : il faut à l'Ouest un système scolaire unifié pour pouvoir assimiler tous ces étrangers.

Ni le gouvernement fédéral libéral de 1905, ni le gouvernement conservateur de 1912, ne sont en mesure d'accéder aux demandes des Canadiens français: ceux-ci exigent le dualisme pour les écoles de l'Ouest et leur financement par la province, qu'elles soient publiques ou séparées. Dans les lois qui accordent leur autonomie à la Saskatchewan et à l'Alberta, Laurier tente en vain de reprendre les clauses de la loi sur les Territoires du Nord-Ouest de 1875 qui insistaient sur le droit des minorités à l'enseignement. Ses tentatives lui valent de perdre et ses partisans de l'Ouest qui lui reprochent ses sympathies pour l'Est, et ses partisans canadiens-français déconcertés par ses compromis de dernière minute. Et pourtant, l'intérêt que porte Laurier aux écoles séparées est aussi réel que le leur. Pour lui, l'enseignement de la religion dans les écoles constitue l'un des fondements de la stabilité d'une société. Contrairement à ses collègues libéraux de l'Ouest, il n'accorde aucun crédit au système éducatif et aux écoles «nationales» des Américains. Il est convaincu que, bien loin de créer une nation, c'est leur neutralité vis-à-vis de la religion qui est cause de tous les maux de la société américaine contemporaine. Néanmoins, tout ce qu'il réussit à imposer aux nouvelles provinces de l'Ouest, c'est le maintien des écoles confessionnelles déjà établies; dès lors, celles-ci dépendront de l'administration des gouvernements provinciaux nouvellement créés et seront soumises à leur contrôle. En 1912, le gouvernement fédéral conservateur de Robert Borden, harcelé par les nationalistes canadiens-français qui l'ont aidé à gagner le pouvoir en 1911, ne fait pas mieux. Le Manitoba ne veut pas entendre parler d'une législation scolaire autre que la sienne pour le territoire de Keewatin qu'on vient de lui adjoindre au nord, et sur ce point il a le soutien de Wilfrid Laurier, devenu chef de l'opposition fédérale. Borden penche aussi de ce côté-là, malgré les critiques sévères de ses alliés nationalistes. Dans le compromis qu'il imagine, il se borne à apporter quelques retouches mineures à l'accord original que Laurier et Greenway avaient signé en 1896. Mais en 1912, les nationalistes du Québec se trouvent confrontés à un problème scolaire, juste à leur porte, en Ontario. Plus grave encore, les nuages annonciateurs d'une guerre impériale s'amoncellent sur l'Atlantique...

Les signes avant-coureurs de cette tempête ont tout d'abord rapproché les nationalistes et les conservateurs. Bien que pour des raisons contraires, ils se sont opposés en 1910 au projet de Laurier de constituer une marine canadienne qui serait mise à la disposition de l'Amirauté britannique en cas d'urgence. Henri Bourassa s'est même senti tellement concerné par ce qu'il estimait être une nouvelle menace à l'autonomie du Canada, qu'il a lancé un journal, *Le Devoir*, pour s'attaquer à Laurier. Il craint que le Canada s'engage à l'avance et sans consultation préalable de la population, et se laisse embarquer dans un quelconque conflit international dont la Grande-Bretagne décidera que c'est un cas d'urgence. Bourassa est à nouveau hanté par le spectre d'un engagement automatique du Canada dans une guerre britannique. Laurier rétorque en s'abritant derrière les arguments légalistes selon lesquels le Canada, en tant que colonie, se trouve en guerre chaque fois que la Grande-Bretagne l'est elle-même. Sur quoi Bourassa réplique que jamais, depuis l'instauration du gouvernement responsable, l'autonomie canadienne n'a subi pareil affront. Pendant ce temps, en Ontario, les conservateurs rameutent l'opposition contre le projet de loi de Laurier sur la marine: une flotte canadienne serait si dérisoire et si longue à mettre sur pied qu'elle ne serait d'aucun secours pour la Grande-Bretagne. C'est de l'argent qu'il faut donner tout de suite en signe de solidarité envers l'Empire. Mais cet argument-là, le chef conservateur du Québec, Frédérick Debartzch Monk, ne peut décemment pas l'utiliser. Il tient des propos plus proches des idées nationalistes de Bourassa: l'argent nécessaire à la mise sur pied d'une marine canadienne, avance-t-il, serait mieux employé pour développer les transports intérieurs et d'ailleurs, le fait de proposer à la Grande-Bretagne cette petite flotte modifierait tellement les relations à l'intérieur de l'Empire qu'il faudrait que cela fasse au moins l'objet d'un plébiscite. En fait, Monk se demande bien pourquoi le Canada devrait participer si généreusement à la défense de l'Empire alors qu'il n'est jamais consulté sur sa politique. Quant à Olivar Asselin, plus nationaliste et plus autonomiste, il défend l'idée que si le Canada avait sa marine à lui, il assumerait les charges d'une vraie nation; il doit donc obtenir son indépendance et cesser de «traîner les chaînes du colonialisme».

Nationalistes et conservateurs, autonomistes et impérialistes, ont bien sûr tous découvert que le problème de la marine pourrait servir de cheval de bataille contre un gouvernement Laurier usé par le pouvoir. En 1910, après qu'un nationaliste eut réussi à battre un libéral dans une élection fédérale partielle, on les a vus subitement devenir amis. Des militants conservateurs assistent aux réunions des nationalistes. Là ils prennent la mesure des sentiments d'hostilité à l'égard de la marine, de l'Empire et de plus en plus souvent de la conscription à travers les discours et la réaction des foules. On dit même que des capitaux conservateurs financent *Le Devoir*. Quand Laurier organise des élections générales en septembre 1911, sur le thème de la réciprocité avec les États-Unis — il espère ainsi désamorcer le problème de la marine — les conservateurs et les nationalistes masquent leurs divergences sur l'économie et unissent leurs

forces en vue de la lutte électorale au Québec. Dans les circonscriptions où l'un des partis a des chances de gagner, l'autre ne
présente pas de candidat. En public, ils présentent une proposition commune, celle d'organiser un plébiscite sur la marine et
d'exiger que le Canada ait droit de parole sur la politique de
l'Empire s'il participe à sa défense. En privé, beaucoup de
conservateurs émettent des doutes sur le bien-fondé du premier
point, et beaucoup de nationalistes sur le deuxième point. Mais
chacun garde ses doutes par-devers soi jusqu'à ce que seize
sièges viennent s'ajouter aux onze que comptent déjà les conservateurs au Québec. Ces victoires combinées à la désaffection
encore plus forte à l'égard des libéraux en Ontario contribuent
au triomphe des conservateurs.

Mais quand ils siègent à la Chambre des communes à
Ottawa, les nationalistes réalisent que leur position est très particulière. Ils ne sont pas assez nombreux pour entraîner la moindre modification de la politique des conservateurs, et seuls les
plus conservateurs d'entre eux recueillent quelque profit du pouvoir. Ils avalent une couleuvre — l'annonce par le nouveau gouvernement qu'il va octroyer immédiatement une contribution
financière à l'amirauté britannique — et doivent se conformer
aux désirs de l'Ouest en ce qui concerne le système scolaire du
Keewatin. Ils vont même donner leur accord en 1914, à l'engagement canadien dans une guerre des Britanniques en Europe.
L'alliance, pour eux, est décidément un échec.

Pendant longtemps, Henri Bourassa accusera les députés
nationalistes de s'être fait acheter par les conservateurs. Mais où
était-il, lui, aux beaux jours de l'alliance? Il avait fait le choix de
ne pas se présenter, bien que son journal ait reproduit fidèlement
un chant de la campagne électorale qui faisait l'éloge de ses
qualités de chef sur l'air du *Ô Canada*. Et où était-il juste après
les élections? Il avait choisi de ne pas être présent dans les
consultations et avait disparu de Montréal. Il aurait pu avoir son
mot à dire dans le choix des ministres du Québec; s'il s'était
présenté, il aurait pu lui-même avoir un portefeuille de ministre.
Il aurait pu donner son avis sur la politique des conservateurs et
la politique canadienne, tout au long des années de la Première
Guerre mondiale, aurait pu alors suivre un cours différent. Mais
Bourassa est meilleur critique politique qu'homme d'action.

Bien sûr, il a déjà commencé de regarder vers la province. De
1908 à 1912, siégeant comme député indépendant de la circonscription de Saint-Hyacinthe, il s'est fait au Parlement le porte-
parole des critiques nationalistes. Ceux-ci dénoncent les conditions dans lesquelles se fait l'explosion économique et industrielle que le Québec, comme le reste du pays, a connue au début

du vingtième siècle. Aussi soucieux de l'autonomie économique du Québec que de l'autonomie politique du Canada, Bourassa accuse le gouvernement libéral de Lomer Gouin d'avoir vendu la province aux investisseurs étrangers.

Les gouvernements libéraux successifs du Québec, de 1897 jusqu'au milieu des années 1930, voient les choses sous un tout autre jour. Pour les Premiers ministres Félix-Gabriel Marchand, Simon-Napoléon Parent, Lomer Gouin et Alexandre Taschereau, le vingtième siècle a en lui les germes du développement industriel du Québec. Ils vont même jusqu'à utiliser un argument vaguement nationaliste pour se faire les hérauts de ce développement. Les industries nouvelles sont créatrices d'emplois au Québec, et les Canadiens français ne seront plus contraints d'émigrer à la recherche du travail. Pour cela, ils sont prêts à faciliter l'établissement des investisseurs et des sociétés étrangères désireux d'ouvrir boutique au Québec. En fait, leur conduite répond autant à la philosophie libérale qu'au sentiment nationaliste. Ils croient que le gouvernement ne joue qu'un rôle mineur dans la vie économique d'un peuple. Comme les libéraux du dix-neuvième siècle en d'autres pays, ils pensent que la collectivité tout entière bénéficie automatiquement de la somme des efforts individuels en vue du progrès économique, l'État se contentant d'assurer le maintien de l'ordre. À quoi il faut ajouter, dans la tradition canadienne, l'aide de l'État à la création d'une infrastructure économique. Au dix-neuvième, ce sont les chemins de fer qui ont bénéficié de cette aide; au début du vingtième, c'est le réseau routier. Personne — que ce soit du côté des libéraux, des conservateurs ou des nationalistes — ne conteste qu'il revient à la province de construire et d'entretenir les routes. Mais la hausse des coûts, surtout après l'arrivée des automobiles, exige des fonds plus importants. Pour obtenir des recettes supplémentaires le gouvernement du Québec, toujours réticent à l'imposition directe, a recours aux deux seuls moyens qui lui restent: il insiste pour obtenir plus de fonds du gouvernement fédéral soit comme en 1907 par l'augmentation des subventions, soit comme en 1913 par une modification du régime des subventions conditionnelles. D'autre part il augmente les ressources provinciales en vendant à des sociétés privées les droits d'exploitation de l'eau, du bois et des minerais des terres de la Couronne. Ce n'est que peu à peu, et seulement sous la pression des nationalistes que le gouvernement québécois en vient à remplacer ces ventes par des baux de location et en arrive même, en 1910, à réduire l'exportation du bois de pâte.

L'eau, le bois et les minerais seront une donnée importante de l'économie du Québec pendant tout le vingtième siècle. Leur action combinée contribue à la diversification industrielle du Québec: à côté des industries légères, grandes utilisatrices de main-d'oeuvre peu payée, qui se sont développées à la fin du dix-neuvième et maintenues au vingtième, les ressources naturelles entraînent en effet la création de nouvelles industries. Celles-ci intégreront encore davantage l'économie du Québec à celle de l'Amérique du Nord et la rendront encore plus semblable à celle de l'ensemble du Canada, caractérisée par l'exportation de matières premières brutes ou peu transformées destinées à l'industrie étrangère. Les avantages immédiats semblent évidents: des emplois en quantité pour une main-d'oeuvre masculine sans formation, et une telle abondance de ressources que, même à leur taux ridiculement bas, les droits imposés par le gouvernement remplissent les coffres de la province. Les inconvénients à long terme que seuls les nationalistes ont signalés, au cours des années 1910 d'abord puis à nouveau au cours des années 1920, sont les mêmes pour le Québec et le Canada: le sous-développement du secteur de la transformation et l'exploitation des richesses naturelles et même industrielles du pays par des sociétés étrangères, américaines pour la plupart. Pour apaiser les consciences, on pourrait dire, à la décharge des dirigeants d'alors, qu'il en avait toujours été ainsi de l'économie canadienne depuis les jours de la Nouvelle-France. Il reste que c'est une poignée d'intellectuels et de journalistes québécois qui les premiers ont mis le doigt sur l'étrangeté et les conséquences néfastes de ce système.

Ce n'est qu'à la toute fin du dix-neuvième siècle que les techniques ont permis de maîtriser les cours d'eau encore indomptés du Québec et ont ainsi fourni l'énergie nouvelle de la deuxième révolution industrielle. À la différence de la houille, qui alimentait les machines à vapeur de la première révolution industrielle, l'énergie hydro-électrique est potentiellement sans limites et bien plus facile à transporter. De plus, le Québec possède une pléthore de rivières qui dévalent du bouclier laurentien, alors qu'il a toujours dû faire venir sa houille, très difficile à transporter, des Maritimes. Le nombre même et le cours varié de ces rivières ont valu à l'énergie hydro-électrique québécoise de suivre son propre modèle de développement. Alors qu'en Ontario, le site colossal mais unique du Niagara avait imposé dès 1906 la création d'une commission unifiée et nationalisée pour l'exploitation de l'électricité, la dispersion des rivières du Québec et l'éloignement attirent au contraire des sociétés indépendantes qui alimentent les marchés régionaux selon des schémas divers. Chaque société achète ou loue au gouvernement le droit d'utiliser les chutes d'eau, et à des conditions toujours avantageuses.

Dès avant la fin du siècle, installée sur la rivière Saint-Maurice, en amont de Trois-Rivières, la Shawinigan Water and Power Company fournissait de l'énergie à l'industrie de la pâte à papier en plein essor. Peu à peu elle étendit ses lignes et sa clientèle des deux côtés du Saint-Laurent, de Montréal à Québec, et même jusqu'aux Cantons de l'Est, où elle électrifia les mines d'Asbestos et de Thetford-Mines. La compagnie joue le rôle d'un aimant, elle attire des industries en leur offrant des tarifs réduits si elles s'installent à proximité des rivières. Les industries québécoises de l'aluminium et du carbure se développent à Shawinigan avant la Première Guerre mondiale et leur expansion fantastique est due à l'énergie dont elles disposent. Des industries plus anciennes, le textile par exemple, subissent aussi la force d'attraction de la vallée du Saint-Maurice, qui dispose d'une main-d'oeuvre aussi peu coûteuse que l'énergie, et tout aussi docile. La Shawinigan ne se distingue bientôt plus de la ville du même nom; conçue comme une cité industrielle modèle, celle-ci compte onze mille habitants en 1915.

C'est à un autre type de demande que répond, à Montréal, une société beaucoup plus petite, la Montreal Light, Heat and Power. Fondée en 1901, elle utilise directement les eaux du Saint-Laurent, et détient en exclusivité le marché de la plus grande ville du Canada. Au lieu d'inciter d'autres sociétés à venir partager avec elles le réseau de ses clients, comme l'a fait la Shawinigan, la société montréalaise vise une situation de monopole. Les relations amicales qu'entretiennent les directeurs de la compagnie avec l'élite du monde politique et économique de l'époque lui facilitent la tâche. Il a suffi à la compagnie d'attendre que les Montréalais «voient» la lumière, au sens propre du terme. L'électrification s'est faite peu à peu, commençant par les réverbères et les tramways électriques au cours de la décennie 1890 pour se poursuivre par les commerces, les industries et finir par les maisons privées du haut en bas de l'échelle sociale, dans la première décennie du vingtième siècle. La société doit ses bénéfices plus à sa situation de monopole qu'à l'extension de ses opérations. Elle tient tellement à maintenir ses rivales potentielles à distance, qu'elle exerce des pressions d'ordre économique et politique et réussit à empêcher l'installation d'usines hydro-électriques au nord et à l'ouest de Montréal, sur la rivière des Outaouais et sur le Saint-Laurent. Il se peut que, selon les hypothèses de l'économiste John Dales, ces manoeuvres aient nui à l'essor de l'industrie sur l'île de Montréal et dans tout l'ouest du Québec.

Encore plus petite et encore d'un autre modèle, une troisième société fonctionne dans la région ouest des Cantons de l'Est. Depuis 1910, la Southern Canada Power Company fournit les régions agricoles du sud-ouest du Québec en électricité. Étant donné que son énergie ne provient que de petites rivières, elle n'a jamais cherché à attirer les industries grosses consommatrices d'énergie comme les usines d'aluminium, de produits chimiques ou de pâte à papier. Cela, en effet, l'aurait forcée à acheter à la Shawinigan un surplus d'électricité pour le revendre, avec un profit minimum, aux consommateurs de l'industrie lourde. Elle préfère se consacrer au marché domestique, bien plus lucratif. Pour cela elle a besoin d'un peuplement en plein essor, avec des besoins de consommation en perpétuelle augmentation. Or ce genre de population va de pair avec une certaine industrialisation, celle par exemple des petites industries utilisant plus de main-d'oeuvre que d'énergie. Cette population, qui est typiquement urbaine, va finir par exiger que la municipalité lui installe l'électricité, et si la compagnie d'électricité la pousse un peu, elle demandera des installations électriques domestiques toujours plus recherchées. Comme la compagnie Shawinigan, mais dans d'autres perspectives, la Southern Canada Power Company fait preuve de dynamisme et d'imagination pour faire venir des industries sur son territoire. Des villes comme Sherbrooke, Drummondville ou Saint-Hyacinthe n'attraperont vraiment le virus de l'électricité et de l'industrie que pendant la guerre de 1914-1918 ou même après, mais dès le début du siècle, Saint-Jean peut déjà servir de modèle avec ses conserveries, ses usines de transformation de produits alimentaires, ses fabriques de textile, ses ateliers de confection, sa métallurgie légère; l'énorme usine de machines à coudre Singer, ouverte en 1904, y emploie même un tiers de toute la main-d'oeuvre. L'électricité pourrait bien être une des causes majeures de l'urbanisation des Québécois: en 1911, presque la moitié des deux millions d'habitants de la province vit dans des villes.

Il y a des liens évidents entre l'électricité et les autres innovations importantes d'ordre économique qui marquent la première décennie du vingtième siècle. Le bois, qui a été la production de base de toute l'économie du dix-neuvième, offre un visage nouveau, en liaison, côté Québec, avec l'énergie hydro-électrique et, à l'autre bout de la chaîne, avec la demande insatiable des citadins et particulièrement des Américains pour le papier journal. Dédaignés et oubliés au dix-neuvième siècle pendant la course effrénée aux charpentes de chêne et aux planchers de pin, les arbres plus chétifs vont modestement se transformer en pâte à papier, pour des millions de dollars. Au cours des toutes premières années du siècle, les sociétés américaines, qui ont acheté ou loué des concessions forestières au gouvernement du Québec, se sont contentées d'exporter le bois brut, mais à partir de 1910, l'embargo sur l'exportation de bois des terres de la Couronne a réussi à inciter les industriels américains à installer des papeteries au Québec. Ces usines ont besoin de grandes quantités d'électricité pour chauffer les cuves où le bois est transformé en pâte, et aussi pour le presser et le sécher afin de le rendre transportable.

Les Canadiens ont été les pionniers de ces procédés et les ont mis au point. En 1897, Alfred Dubuc produisait de la pâte à papier dans son usine de Chicoutimi et même plus loin à l'intérieur du pays, à l'ouest du Lac-Saint-Jean, à Val-Jalbert, Saint-Amédée et Desbiens. Le transport de sa pâte à papier est assuré par route et par chemin de fer de sa compagnie jusqu'à Port Alfred sur la baie des Ha! Ha! d'où il l'exporte par bateau vers la Grande-Bretagne et les États-Unis. Tout près, William Price, qui appartient à la troisième génération d'une famille de forestiers du Saguenay, a ouvert des usines de papier à Jonquière en 1909 et à Kénogami en 1913. Ainsi a-t-il éliminé le problème de l'acheminement saisonnier par voie d'eau — fluviale ou maritime — d'une marchandise volumineuse, la pâte à papier séchée, en exportant par le train son papier beaucoup moins encombrant. Dubuc et Price tirent tous deux leur propre électricité des affluents du lac Saint-Jean et du Saguenay. La réduction des droits de douane américains sur le papier journal a donné l'idée aux producteurs américains de ce produit d'en procéder à la fabrication complète au Québec même; les bénéfices partirent donc aux États-Unis en même temps que le papier journal; au début des années de guerre, le papier d'origine canadienne couvre le quart des besoins américains; moins de quinze ans plus tard, il en représente les deux tiers.

Si l'électricité, la pâte à papier et le papier journal ont contribué à développer l'économie de certaines régions du Québec, le gros de l'activité économique et industrielle du Québec demeure concentré à Montréal. Comme au dix-neuvième siècle, la ville garde son rôle de centre commercial national : presque la moitié de toutes les exportations du Canada et plus du tiers de ses importations y transitent. Elle assure les moyens de transports, les services financiers et commerciaux de la moitié d'un continent en même temps que ceux d'une agglomération et d'une province. Avec l'essor surprenant des provinces de l'Ouest, au début du siècle, le rôle majeur de Montréal dans le système nerveux du commerce canadien se développe encore. Les industries légères, typiques des années 1880, doivent maintenant fournir les biens de consommation nécessaires aux fermiers de l'Ouest nouvellement installés. Sucre, chaussures, tabac, biscuits, robes, chemises, coiffures, bas, articles de nouveautés, de base ou de luxe, filent vers l'Ouest en chemin de fer en un flot incessant. Locomotives et voitures sont fabriquées et entretenues dans les énormes ateliers de mécanique de Montréal. À part les appareils électriques, aucune de ces industries n'est nouvelle, mais elles sont toutes florissantes grâce à l'explosion du marché, à la facilité des transports et aux droits de douane protectionnistes levés par le fédéral. L'expansion entraîne la modernisation car les entreprises électrifient leurs usines, s'associent en complexes géants, ou construisent de nouvelles usines plus grandes, loin du centre ville. Elles continuent à embaucher quantité de gens : plus de cinq mille par usine de coton, de tabac ou de sucre. Hommes, femmes et enfants (malgré des tentatives répétées pour limiter par législation l'embauche des jeunes de moins de quatorze ans) vont en masse travailler en usine, venant de la ville et même de plus en plus de la campagne, comme dans la décennie 1880. Les besoins de ces gens et ceux de leur parenté nouvellement installée dans les petites villes de la province ou les municipalités des environs de Montréal entraînent une formidable expansion du bâtiment. Maisons, appartements, usines, bureaux, églises, édifices municipaux, stations de distribution des eaux et écoles créent un paysage urbain aussi vite que les ouvriers et le climat le permettaient. Plus de gens vivent en ville, donc plus de gens travaillent dans les secteurs des manufactures et des services. Le nombre de femmes engagées officiellement dans la population active croît plus vite encore, et coiffant le tout, la valeur de la production augmentait à un taux encore plus rapide. C'est une période de prospérité, et Montréal en est le coeur.

La classe ouvrière des villes, pourtant, reste très loin du centre de cette prospérité prodigieuse qui caractérise la première décennie du siècle. En fait, les conditions de vie et de travail de la grande majorité des petites gens se détériorent et infligent un démenti au rêve libéral d'une richesse accessible à tous par l'essor de l'industrie. Le rêve, en fait, n'a jamais tenu compte de la répartition des bénéfices de ce développement économique. Libéraux et conservateurs croient pareillement à une structure sociale hiérarchique reflétant les mérites et les efforts individuels. Quelques-uns vont même jusqu'à avancer que la présence des pauvres est nécessaire pour que les riches puissent manifester des penchants charitables — tout aussi nécessaires. Il ne s'élève que très peu de voix et timides (et la plupart chez les nationalistes), pour dire que la classe ouvrière est anormalement malheureuse, bien plus qu'elle ne devrait l'être selon les critères que la religion reconnaît comme inhérents à la condition humaine.

Ceux que cette condition préoccupe, comme ceux auxquels

elle est indifférente, proposent la panacée de l'éducation, qui permettrait aux travailleurs, surtout aux hommes, d'améliorer leur sort. Le début du vingtième siècle va lancer toutes sortes de projets éducatifs et d'institutions, des écoles techniques aux écoles industrielles en passant par les cours du soir pour adultes et par un enseignement commercial supérieur pour l'élite; pour les filles, l'innovation, c'est l'enseignement ménager. Mais à part ce dernier, peu de ces réformes éducatives arrivent jusqu'aux jeunes des taudis de la ville. Ils ne vont pas à l'école plus de trois ou quatre ans: on a besoin des salaires des garçons pour arrondir le revenu familial, et les filles gardent les plus petits pour libérer leur mère qui peut alors partir de chez elle faire un travail rémunéré. De plus les études sont encore payantes, même si leur coût est minime; seuls les ultra-radicaux, vite réduits au silence, sont en faveur de l'école gratuite. Par son financement et ses structures mêmes, le système scolaire n'assure qu'un enseignement de piètre qualité aux enfants de la classe ouvrière montréalaise. Les catholiques et les protestants se répartissent les taxes scolaires, non pas proportionnellement au nombre d'élèves mais selon l'importance des contributions: comme les grandes firmes industrielles, dirigées le plus souvent par des protestants anglophones, fournissent la plus grande participation, c'est la Commission des écoles protestantes qui reçoit la plus grande part du gâteau, bien qu'il y ait moins de protestants que de catholiques dans les écoles de Montréal.

Mais l'école est sans doute le cadet des soucis d'une famille ouvrière du début du vingtième siècle. Le loyer d'un appartement de cinq pièces, dans la plupart des cas sans eau courante et sans toilette personnelle, dans une rue poussiéreuse ou boueuse près des écuries de louage, voilà qui constitue le premier souci familial. Tous les membres de la famille y participent. S'ils ne réussissent pas à réunir le montant du loyer, car le coût de la vie augmente plus vite que les salaires, ils cherchent un appartement plus misérable, plus petit ou ils prennent sur le deuxième poste essentiel d'un budget ouvrier: l'alimentation. Mais là aussi, l'augmentation du coût de la vie se fait sentir et laisse peu de marge de manoeuvre en termes de financement et de quantité de nourriture dans l'assiette. Le régime alimentaire alors comporte, de plus en plus, de pain et de pommes de terre. On ne peut donc s'étonner que la maladie frappe cruellement — surtout les bébés et les enfants, à une époque où la qualité du lait des laiteries de Montréal est souvent inférieure aux normes de qualité considérées comme propres à la consommation humaine. Qu'ils soient malades ou bien-portants, il faut encore habiller les membres de la famille et cette troisième tâche incombait surtout à la mère et aux filles qui cousent la plupart des vêtements. Même les épouses des travailleurs qualifiés, dont les revenus réguliers sont pourtant garantis, n'achètent que rarement des vêtements de confection. Mais on ne peut fabriquer soi-même bottes ou chaussures. Il faut donc de l'argent pour en acheter. Même chose pour le combustible, quatrième poste au maigre budget de la famille, qu'il fallait se procurer au moment de l'année où les ressources familiales sont encore plus réduites à cause du chômage saisonnier. Au Québec, la part du bois qui passe dans le chauffage excède de loin celles qui vont à la construction et à l'industrie du papier. S'il reste quelques sous pour les distractions de la famille, une fois réglées les dépenses minimum du logement, de l'alimentation, des vêtements et du chauffage, des centaines de tavernes, toujours à portée de la main, fournissent facilement évasion et consolation.

Dans ces conditions, le travail à l'usine, dont la nécessité est évidente, vaut peut-être encore mieux que la vie de famille. À coup sûr, beaucoup de jeunes femmes, au grand regret des dames plus favorisées des classes sociales moyenne ou supérieure, préfèrent le travail à l'usine au travail de domestique, leur seule alternative possible. Et à coup sûr aussi, la classe ouvrière accepte sans trop se plaindre les conditions de travail à l'usine. Comme dans les années 1880, elle travaille encore soixante heures par semaine, sans garantie de salaire régulier, dans des usines lugubres, le long du canal Lachine à Montréal. Même lorsque les femmes sont devenues plus nombreuses dans la main-d'oeuvre ouvrière, leurs salaires restaient deux fois moins élevés que ceux de leurs compagnons. Dans les industries qui les emploient, elles constituent la grande masse des gens payés à l'heure. Elles représentent aussi quarante pour cent de la main-d'oeuvre à domicile officiellement déclarée dans la confection, travail pour lequel elles sont payées à la pièce, et celles qui effectuent ce travail clandestinement sont plus nombreuses encore. Les accidents du travail sont si fréquents que le gouvernement libéral s'en émeut et fait passer en 1909 une loi sur les accidents du travail. Cette législation n'est cependant pas plus appliquée que celle sur le travail des enfants. Il en allait de même dans les autres parties d'Amérique du Nord qui connaissent la même explosion industrielle.

Les quelques ouvriers qui réagissent contre leurs conditions de travail et de vie se syndiquent et se mettent en grève. S'ils ont la chance d'être ouvriers qualifiés, employés par une des sociétés nationales de transport, ils peuvent réussir à attirer l'attention du gouvernement fédéral. C'est ce qui se produit en 1901 pour les préposés à l'entretien du Canadien Pacifique, pour les machinistes du Grand Tronc en 1905, pour les machinistes et le personnel roulant du Canadien Pacifique en 1908, pour les conducteurs et les mécaniciens du Grand Tronc en 1910. Parfois ces grèves d'ampleur nationale entraînent en retour la fermeture d'ateliers et d'usines, ce qui ajoute encore à l'insécurité dûe à la précarité des emplois. Malgré cette menace, pourtant, des ouvriers persistent à utiliser la seule arme dont ils disposent dans la lutte très inégale qu'ils livrent pour l'amélioration des salaires, la diminution des horaires de travail et, à l'occasion, la reconnaissance de leur syndicat : au printemps 1903, les dockers de Montréal ont empêché la réouverture du port ; à la fin du printemps 1904, des ouvriers du bâtiment ont ralenti leurs travaux de construction. Les ouvriers du textile essaient à plusieurs reprises, et de diverses manières, de protester contre les bas salaires et même les baisses de salaire, et faire reconnaître leur droit à constituer un syndicat. Presque toutes les manufactures de la province ont connu des interruptions de travail : Magog, Montmorency et Valleyfield en 1900 ; Valleyfield à nouveau en 1901 et 1907 ; Hochelaga, Saint-Henri, et encore une fois Valleyfield en 1908. On trouve des femmes parmi les grévistes engagés ; elles sont même majoritaires dans l'un des premiers syndicats : la Fédération des ouvriers du textile du Canada. En 1912, quatre mille cinq cents travailleuses de la confection de Montréal s'élèvent contre leurs conditions de travail. Quelquefois l'agitation ouvrière démarre directement à cause des employeurs : c'est le cas, à Québec, avec le lock-out de l'industrie de la chaussure à l'automne 1900 et une nouvelle fois en 1903. Quelquefois l'agitation fait surface dans des secteurs non industriels : les employés de la scierie de Buckingham se mettent en grève à l'automne 1906 ; en 1909, à Rivière-au-Renard, les pêcheurs manifestent contre la mainmise féodale des grandes entreprises de pêche sur les Gaspésiens. Rares sont les grèves qui réussissent puisque ni les syndicats, ni la classe ouvrière ne peuvent compter sur une solidarité comparable à celle de leurs adversaires. De plus, étant données les conditions de vie et de travail, et la facilité avec laquelle on les remplace, les ouvriers qui peuvent se permettre de faire grève restent peu nombreux.

Même si elles sont rares, ces manifestations publiques de mécontentement constituent la zone d'ombre du rêve. Les déclarations optimistes des hommes politiques fédéraux et provinciaux sur les perspectives radieuses du vingtième siècle ne tiennent pas compte des conditions de vie de la classe ouvrière. Celle-ci, à son tour, est bien loin de la guerre des Boers, du problème des écoles de l'Ouest et de la question des fonds fédéraux alloués aux provinces. Seule peut-être l'expansion physique est-elle à la hauteur du rêve; le développement immobilier dans les zones urbaines a permis l'édification de villes modèles et entraîné l'édification de petites fortunes dans la classe moyenne canadienne-française; les frontières du Québec remontent vers le nord en 1912 jusqu'à la baie d'Hudson et, vers l'est englobent l'Ungava et le Labrador, ce qui fait du Québec la province la plus étendue du Canada. Les différentes composantes de la société vivent des vies séparées et se recoupent rarement car chaque groupe présume que ses intérêts sont ceux de la collectivité tout entière. Même les nationalistes, que leur rôle de critiques aux niveaux fédéral et provincial prédispose à remplir une certaine fonction d'intégration, ont parfois été dupés. Ils ont bien vu les dangers de l'idéologie impérialiste dans l'ensemble du Canada, ils ont deviné les dangers de la colonisation économique au Québec. Mais avec toute leur «politicaillerie», ils ont sans doute porté un coup mortel à la vision qu'ils partageaient en fait avec Laurier, vision d'une nation anglaise et française, unie dans la dualité, de plus en plus autonome vis-à-vis de la Grande-Bretagne. Tout en suggérant que l'État provincial joue un rôle plus actif, ils ont limité leur action au combat intellectuel.

ORIENTATIONS BIBLIOGRAPHIQUES

Ames, Sir Herbert Brown, «*The City Below the Hill*»: *A Sociological Study of a Portion of the City of Montreal, Canada,* Montréal, Imprimerie Bishop, 1897.

Asselin, J.F. Olivar, *A Quebec View of Canadian Nationalism,* Montréal, Imprimerie Guertin, 1909.

Brandt, Gail Cuthbert, «Weaving It Together: Life Cycle and the Industrial Experience of Female Cotton Workers in Quebec, 1910-1950», *Labour/Le Travailleur* 7, 1981, p. 113-26.

Brown, Robert Craig et Ramsay Cook, *Canada, 1896-1921: A Nation Transformed,* Toronto, McClelland and Stewart, 1974.

Clippingdale, Richard, *Laurier: His Life and World,* Toronto, McGraw-Hill Ryerson, 1979.

Copp, Terry, «The Condition of the Working Class in Montreal, 1897-1920», *Historical Papers/Communications historiques,* Société historique du Canada, 1972, p. 157-80.

———, *Classe ouvrière et pauvreté. Les conditions de vie des travailleurs montréalais, 1897-1929,* Montréal, Boréal Express, 1978.

Corcoran, James I.W., «Henri Bourassa et la guerre sud-africaine», *Revue d'histoire de l'Amérique française* 18, 1964, p. 343-56; 19, 1965, p. 84-105; p. 229-37; p. 414-42.

Dales, John Harkness, *Hydroelectricity and Industrial Development: Quebec 1898-1940,* Cambridge, Massachusetts, Harvard University Press, 1957.

Hamelin, Jean et Jean-Paul Montminy, «Québec, 1896-1929: une deuxième phase d'industrialisation», *in Idéologies au Canada français, 1900-1929*, Québec, Les Presses de l'université Laval, 1974, p. 15-28.

Jamieson, Stuart Marshall, *Times of Trouble: Labour Unrest and Industrial Conflict in Canada, 1900-1966*, Ottawa, Task Force on Labour Relations, 1968.

Levitt, Joseph, dir., *Henri Bourassa on Imperialism and Biculturalism, 1900-1918*, Toronto, Copp Clark, 1970.

Linteau, Paul-André, *Maisonneuve ou Comment des promoteurs fabriquent une ville*, Montréal, Boréal Express, 1981.

Neatby, H. Blair, «Laurier and Imperialism», *Rapport annuel*, Société historique du Canada, 1955, p. 24-32.

Rouillard, Jacques, *Les travailleurs du coton au Québec, 1900-1915*, Montréal, Les Presses de l'Université du Québec, 1974.

Rumilly, Robert, *Henri Bourassa: la vie publique d'un grand Canadien*, Montréal, Éditions Chanteclerc, 1953.

Schull, Joseph, *Laurier*, Montréal, Éditions HMH, 1968.

(...) l'argument des nationalistes selon lequel la famille canadienne-française a quelque chose de spécial...
Un meunier et sa femme à Val-Jalbert en 1910.
Archives publiques du Canada, PA44855

XII FÉMINISME, NATIONALISME ET MÉFIANCE CLÉRICALE

Au début du siècle, trois groupes bien distincts de l'élite québécoise, les féministes, les nationalistes et le clergé, prennent conscience des ravages sociaux entraînés par l'industrialisation. Si au cours des années 1880, une situation similaire n'avait soulevé que quelques timides protestations, c'est maintenant une véritable vague d'indignation qui s'élève de toutes parts. En fait, la différence est plus quantitative que qualitative. Il est désormais impossible d'ignorer le phénomène, ne serait-ce qu'à cause de la masse des travailleurs de l'industrie, de l'expansion territoriale des villes et du développement considérable du commerce dans l'agglomération de Montréal. Le Québec connaît une mutation évidente et passe de l'économie agricole du dix-neuvième siècle à une économie industrielle. Certaines élites qui vivaient en ville depuis des générations semblent avoir eu plus de mal à s'y adapter que les nouveaux venus du monde rural. Les féministes, les nationalistes et le clergé se donnent pour tâche d'assurer la protection de la famille contre les fléaux de la ville, et se mettent à l'oeuvre en utilisant des méthodes diverses et des recettes variées. Parfois ils travaillent ensemble, parfois, ils s'opposent. Jusqu'à la Première Guerre mondiale au cours de laquelle les nationalistes et le clergé se liguent contre les féministes pour leur rappeler où se trouve leur place légitime dans la société, les trois groupes exécutent des figures complexes qui tantôt les rapprochent, tantôt les éloignent au gré de leurs affinités et de leurs intérêts propres.

Des trois, le féminisme est le plus récent sur la scène québécoise. Son apparition est à la fois un résultat et une illustration des bouleversements sociaux de l'époque. L'arrivée d'un grand nombre de femmes et d'enfants dans le monde du travail a ébranlé de nombreuses idées reçues sur les convenances sociales. Comment maintenir nettement les notions traditionnelles sur la place et le rôle spécifique des hommes et des femmes quand partout les usines poussent comme des champignons dans les petites villes comme dans les grandes? Comment assurer décemment la constitution des familles au moment où tant de jeunes femmes découvrent de nouvelles manières de gagner leur vie? À la fin du dix-neuvième siècle, elles ont été de plus en plus nombreuses à travailler comme vendeuses, surtout dans les grands magasins et dans les bureaux où on les associe à leurs machines à écrire au point qu'elles ont fini par en prendre le nom: «dactylos». Néanmoins, elles ne cessent pas pour autant d'être poursuivies par les idées reçues sur la séparation des rôles féminins et masculins. Dans les emplois de bureaux, les femmes remplacent les jeunes gens et, de ce fait, dévalorisent ces emplois. Le même phénomène s'était déjà produit longtemps auparavant dans l'enseignement primaire. Et à la fin du dix-neuvième siècle, quelques jeunes maîtresses d'école avaient même osé réclamer une meilleure formation dans les écoles normales ou les universités; quelques protestantes anglophones étaient même allées jusqu'à exiger l'accès des femmes aux carrières d'infir-

mières, de médecins, de professeurs et de juristes, mais leurs
exigences trouvèrent peu d'écho auprès des Canadiennes françaises auxquelles les voies d'accès à de nombreuses professions étaient fermées.

Journaux et associations féminines renseignent le public
sur les multiples changements qui concernent les femmes dans
la société. À la fin du dix-neuvième, presque tous les quotidiens des grandes villes avaient une journaliste qui tenait une
rubrique suivie ou publiait toute une page destinée aux femmes. Un journal des années 1890, *Le coin du feu*, édité par
Joséphine Marchand Dandurand, s'adressait exclusivement
aux femmes. La plupart des femmes journalistes cachaient
leur identité, comme si leur travail n'était pas convenable. Les
pages féminines elles-mêmes, séparées qu'elles étaient du reste
du journal, soulignaient la force du discours qui assignait aux
hommes et aux femmes des univers séparés; pourtant, au
milieu des patrons et des romans, des recettes et des conseils
pratiques, on trouvait des discussions sur le féminisme, sur le
mouvement des femmes au Canada anglais, aux États-Unis,
en France et en Grande-Bretagne. L'accès des femmes à l'enseignement supérieur, leur droit de vote étaient des sujets dans
l'air et on les retrouvait dans la presse. De plus, de nombreuses journalistes canadiennes-françaises étaient membres
du National Council of Women, fédération canadienne d'organisations féminines créée en 1893, ou se trouvaient proche de
ce conseil. Elles y discutaient de questions comme le travail
des femmes, l'éducation, la santé, les devoirs des femmes et
même parfois de leurs droits, et elles en faisaient part à leurs
lectrices. Les rencontres nationales et internationales instau-
rées par les organisations féminines, et la participation individuelle de Canadiennes françaises à des rassemblements tels
que les expositions universelles, celle de Chicago en 1893 ou
celle de Paris en 1900 ont fait connaître à la presse québécoise
l'insatisfaction de plus en plus grande des femmes dans tout le
monde occidental. Il suffit de l'explosion de nationalisme qui
accompagna la première décennie du vingtième siècle pour que
les Canadiennes françaises constituent leur propre organisation féministe.

Au début du vingtième siècle, le nationalisme a suivi un
cours comparable. Plus ancien que le féminisme, au moins au
Québec, il est resté encore plus isolé et individualiste que celui-
ci jusqu'au début de notre siècle. C'est le nationalisme qui
avait fourni son langage au discours révolutionnaire des années 1830 et à la politique de survivance des années 1840, mais
à partir de là, il avait pris des formes variées. Au cours des

années 1860, on le retrouvait et chez les partisans de la Confédération et chez ses détracteurs; quelques membres du clergé
avaient même essayé de l'accrocher à une de leurs étoiles
ultramontaines. Il avait trouvé son martyr en Louis Riel et
quelques journalistes s'en étaient servis pour prédire un destin
particulier au Canada français; mais il était toujours resté un
prétexte à discussions abstraites et à discours stéréotypés pour
les fêtes de la Saint-Jean-Baptiste. Comme le féminisme, il ne
pouvait devenir une force organisée, commencer à jouer un
rôle politique, que dans le cadre d'un mouvement mondial
d'opinion. Au début du vingtième siècle, l'optimisme dû aux
progrès économiques et le pessimisme résultant des embarras
de l'Empire ont donné naissance à une nouvelle forme de
nationalisme québécois; il devient plus ouvert, s'exprime plus
fort, il est plus sûr de lui et plus critique qu'auparavant.

Le clergé est le plus ancien des trois groupes de l'élite que
préoccupe l'état de la société au début du vingtième. C'est
aussi le groupe le plus expérimenté, habitué qu'il est à
manoeuvrer finement pour acquérir une position privilégiée
dans la société québécoise et s'y maintenir. Au début du dix-
neuvième, la religion n'avait pas suffi à lui garantir une position éminente dans la société; il y avait ajouté d'abord l'enseignement puis les oeuvres sociales, occupant ainsi un espace
laissé vacant par l'indifférence de l'État. Sa frange la plus
hardie était même allée jusqu'à réclamer pour lui un droit de
veto sur toutes les activités séculières, y compris celles de
l'État. Mais si les ultramontains ont fini par être cantonnés à
des activités purement intellectuelles, l'Église elle-même n'a
jamais eu l'intention de renoncer à ses droits acquis ni à son
statut; et elle a certainement assez de talent pour la négociation et de finesse politique pour se faire écouter. Ainsi, il semble que les évêques se soient entendus avec Laurier sur une
solution de compromis au problème des écoles du Manitoba: ils
atténueraient leurs critiques si Laurier veillait à ce que le gouvernement libéral du Québec renonce à son intention de créer
un ministère de l'Éducation. À l'aube du vingtième siècle, le
clergé était bien décidé à ne pas laisser des nouveaux venus
comme les féministes et les nationalistes empiéter sur ses prérogatives dans les domaines de l'enseignement et de l'assistance sociale.

En fait, ces trois groupes possèdent beaucoup de points
communs. Chacun se considère comme le gardien de l'ordre
social et chacun pose parfois des problèmes aux autres. L'influence du féminisme en particulier inquiète le clergé et les
nationalistes, et les féministes passent beaucoup de temps à

les rassurer. Les nationalistes quant à eux se prennent pour une avant-garde, toujours prêts à réagir à la moindre menace contre la nation. Tous estiment que c'est la famille qui court les plus grands dangers, et tous estiment être en droit d'assurer sa protection. Les féministes pensent qu'en tant que femmes, elles ont un point de vue privilégié: qui en sait plus que les mères sur l'habitat, la mortalité infantile, les parcs, les écoles et le coût de la vie? Elles relient donc leur désir de voir leur place reconnue dans la société à l'intérêt maternel qu'elles portent aux problèmes quotidiens des familles. De son côté, le clergé estime que, gardien des valeurs morales, il a beaucoup à offrir aux familles menacées par l'immoralité et la promiscuité des grandes villes anonymes. Les nationalistes pensent à leur tour que ce sont eux qui ont le plus à enseigner à la famille. Et pourtant, rares parmi ces protecteurs bien intentionnés sont ceux qui connaissent directement l'objet de leurs préoccupations. Leur classe sociale, leur éducation, leur place dans la société en font des élites, bien éloignées des familles pauvres des basses villes de Montréal ou de Québec. Ils se mettent à la tâche qu'ils se sont assignée avec l'obstination des gens qui ont une noble mission à accomplir.

Ils accordent tous une importance capitale à la sauvegarde de la famille car ils sont tous persuadés qu'elle assure les bases de la religion et de la morale. Pour eux, l'État n'est rien d'autre qu'une grande famille. Aucun d'entre eux ne peut imaginer une organisation sociale qui ne graviterait pas autour de la famille. Et tous reprennent à leur compte l'argument des nationalistes selon lequel la famille canadienne-française a quelque chose de spécial qui la rend supérieure à leurs voisins anglophones d'en face ou de l'autre bout du continent. C'est précisément là que se trouve le problème: l'industrialisation de Montréal ne présente pas beaucoup de différences avec celle de Chicago, de Toronto, de Londres ou de Paris: mêmes taudis, mêmes malades, même chômage. Dans les grandes villes nord-américaines, les problèmes privés des familles, exposés aux yeux de tous comme la lessive, sont identiques, sans distinction de culture ou de langue. On ne pouvait leur trouver de distinction que si l'on donnait des réponses spécifiques à ces problèmes. Aussi les féministes, les nationalistes et le clergé mettent-ils sur pied chacun des institutions destinées à régler les problèmes sociaux et familiaux qu'ils découvrent. Parfois, ils collaborent de plein gré, travaillant côte à côte au sein des mêmes associations, parfois ils ont du mal à se supporter et ne collaborent que contraints et forcés par les circonstances et l'ampleur de la tâche. Et tout aussi souvent, ils se font concurrence: l'intérêt que les féministes et les nationalistes manifestent à l'égard de l'enseignement dérange le clergé. La notion d'égalité des sexes qui sous-tend l'action des féministes gêne à la fois le clergé et les nationalistes; par contre, l'immixtion du clergé dans la justice sociale gêne les féministes et les nationalistes. Au cours des premières années du vingtième siècle, leur «pas-de-trois» est parfois un peu cahoteux mais il réussit malgré tout à soulager quelques misères, tout en donnant à la scène québécoise une coloration particulière.

En 1907, le comité des femmes de la Société Saint-Jean-Baptiste de Montréal crée officiellement une nouvelle organisation, la Fédération nationale Saint-Jean-Baptiste. Conçue sur le modèle du National Council of Women, la Fédération se veut un organisme de coordination entre les innombrables associations et clubs de femmes qui ont proliféré dans tout le Québec au cours des décennies 1890 et 1900. Si les femmes s'exprimaient d'une seule voix bien orchestrée, au lieu de chuchoter en mille endroits différents, elles pourraient se faire entendre de tous. En outre, la Fédération rassure, en fournissant une plate-forme officielle à des opinions qui, sans elle, pourraient passer pour des idiosyncrasies individuelles. Les relations familiales des fondatrices ont sans nul doute contribué à leur succès: issues de familles distinguées de la haute société, riches et engagées dans la politique, Marie Lacoste Gérin-Lajoie et Carolina Dessaulles Béique se sont mariées dans des familles du même milieu. L'intérêt qu'elles portent à l'enseignement et aux bonnes oeuvres est conforme à ce qu'on attend des jeunes femmes de leur milieu; la bienséance voudrait toutefois qu'elles accomplissent leurs bonnes oeuvres en relation avec l'Église. Mais elles regimbent déjà contre ce monopole: en 1907, quand Carolina Béique fonde une école laïque d'enseignement ménager à Montréal et envoie deux enseignantes se former en France, la soeur de Marie Gérin-Lajoie, Justine Lacoste Beaubien, l'imite en fondant l'hôpital Sainte-Justine pour les enfants malades la même année. Marie Gérin-Lajoie elle-même s'en est prise aux prérogatives masculines en faisant du droit: pour se distraire, après sa sortie du couvent où elle a été élevée et en attendant le mariage, elle s'est plongée dans les livres de droit de son père et a reçu un choc quand elle a découvert que le statut juridique des femmes du Québec fait d'elles des auxiliaires de leurs maris sans aucune autonomie personnelle, pécuniaire ou juridique. Elle a même envisagé de refuser une proposition de mariage afin de consacrer sa vie à l'amélioration de la condition féminine. Mais le prétendant, petit-fils d'Étienne Parent, qui a l'esprit libéral, a réussi à la convaincre qu'il la soutiendra dans ses activités féministes tant qu'elle ne négligera pas ses devoirs d'épouse. Elle a fini par rédiger en 1902 un manuel de droit, le *Traité de droit usuel*, tout en s'occupant de ses jeunes enfants. Sa connaissance du droit a profité au National Council of Women dans la section locale de Montréal dont elle s'occupe activement et à la jeune Fédération nationale Saint-Jean-Baptiste dont elle a guidé les premiers pas.

Le handicap de départ de la nouvelle organisation tient à la mauvaise image de marque du féminisme. Tout comme le terme de «libération des femmes» au cours des années 1970, le terme de «féminisme» véhicule alors dans tout le monde occidental une connotation péjorative et il répugne aux Canadiens français particulièrement. On accuse tout ce qui risque de faire sortir les femmes de leur sphère d'action de mettre la nation et la société en péril. Au début du vingtième siècle, les femmes qui cherchent à jouer un rôle utile dans la société en dehors de la famille et de l'Église semblent remettre en question les bases mêmes de la société canadienne-française. Il ne faut donc pas s'étonner de ce que les premières féministes se soient avancées à pas feutrés. En 1901, Joséphine Marchand Dandurand définit le féminisme si largement qu'on peut y inclure toutes les actions des femmes. Elle lui donne même une coloration de moralité à laquelle elle pense que personne n'objectera: le féminisme exige que les femmes riches aillent au secours des déshérités. Elle veille à ne pas s'attaquer aux stéréotypes de la division des rôles qui condamne les femmes de la haute société et de la bourgeoisie à l'inactivité ou aux mondanités. Elle est en faveur de l'accès des femmes à l'enseignement supérieur, mais justifie sa position en disant que leur rôle d'épouses et de mères (notamment vis-à-vis de leurs fils) y gagnera. Quant au droit de vote des femmes, Joséphine Dandurand ne l'estime pas nécessaire. Les femmes peuvent exercer leur devoir civique en accomplissant de bonnes oeuvres et en incitant leurs époux à bien voter. La prudence avec laquelle Joséphine Dandurand navigue autour des écueils du féminisme suffit à montrer que, comme les libéraux et les Chevaliers du travail avant elles, il est nécessaire aux féministes d'avancer sous couvert et en tenue camouflée sur un terrain miné pour essayer de garder leur avantage.

Dans la nouvelle fédération, le féminisme d'après Carolina Dessaulles Béique est un féminisme bien particulier. Au lieu d'être révolutionnaire comme le féminisme qui, en Europe ou en Amérique du Nord, éloigne les femmes de leurs foyers et les enlève à leur rôle traditionnel, la Fédération nationale Saint-

Jean-Baptiste préconise un féminisme chrétien qui ancre les femmes dans leurs devoirs et leurs obligations envers autrui. Marie Lacoste Gérin-Lajoie est plus précise mais tout aussi prudente: la nouvelle organisation doit être un centre où les femmes chrétiennes trouveront une aide pour elles-mêmes et des moyens de développer leur propre sens moral, leur vocation d'épouses, leurs devoirs maternels et de mener à bien leurs oeuvres philanthropiques ou religieuses. Les deux femmes, très au fait sans doute, de l'histoire de l'Institut canadien, cherchent à obtenir l'assentiment de l'évêque de Montréal à la nouvelle association. Celui-ci, monseigneur Paul Bruchési, propose lui-même cette définition du féminisme: «Le zèle de la femme pour toutes les nobles causes, dans la sphère que la Providence lui a assignée.» Il propose même quelques exemples: la tempérance, l'éducation des enfants, l'hygiène familiale, la mode et le travail des jeunes filles dans les manufactures. Dans tous ces domaines, il compte sur les laïques pour soutenir l'action déjà lancée par les communautés religieuses.

Dans l'ensemble, les entreprises de la Fédération resteront bien dans les normes prescrites. La majeure partie des associations affiliées sont en fait des associations charitables contrôlées par les religieuses. Reste à savoir si cette situation a suscité des difficultés internes ou si les soeurs étaient en réalité des féministes en costume religieux. Il ne fait aucun doute que la Fédération laïque a été en mesure de rassembler plus de capitaux que ses filiales dirigées par des soeurs. Le deuxième groupe par ordre d'importance est constitué par des associations professionnelles, qui comptent parmi les premières tentatives de femmes engagées dans les mêmes professions à s'organiser: regroupement d'employées de maison et de magasins, d'enseignantes, de femmes d'affaires et de travailleuses de l'industrie, tous trouvent aide et soutien dans le giron de la Fédération. Il semble que ces associations ont été tout autant des lieux de rencontre et d'échange que des organisations d'entraide pour des catégories professionnelles particulières. Par l'intermédiaire de la Fédération, les femmes des classes moyennes organisent des cours de commerce, de technique ou d'économie domestique, donnent des conférences littéraires et patronnent des soirées musicales. Pour les ouvrières d'usine, elles instaurent un fonds de maladie, des bureaux de recrutement, des foyers de résidence et même des maisons de campagnes où les travailleuses peuvent passer des vacances à bon compte. Bien que leurs préoccupations soient autant morales qu'économiques, elles sont très proches de celles des féministes occupées à des bonnes oeuvres dans les autres villes nord-américaines. Ces activités ont aussi probablement permis à de nombreuses bourgeoises de découvrir l'étendue de la pauvreté dans les villes. En 1913 cependant, la journaliste Henriette Dessaulles Saint-Jacques peut encore écrire dans *Le Devoir* sous son pseudonyme de Fadette: «Chères lectrices, vous ignorez probablement que tant de laideur pauvre existe!» Le troisième groupe d'associations affiliées à la Fédération, et le moins important, est bien loin de cette «laideur»: il s'agit d'associations culturelles, des cercles de lecture aux sociétés littéraires et aux associations musicales et artistiques.

La Fédération chapeaute tous les groupes, les relie en un réseau, et sa rencontre annuelle leur tient lieu de séminaire de formation. En 1909, par exemple, ses adhérentes ont discuté des problèmes de l'alcoolisme, de la mortalité infantile, de l'éducation des classes populaires, du logement des ouvriers et de l'introduction de cours d'économie domestique dans les écoles. En 1914, la Fédération se félicite particulièrement de la réussite de ses efforts dans le domaine public: d'après elle, on lui doit le doublement des retraites des enseignantes, la nomination d'une inspectrice des usines (en fait c'était le National Council of Women qui avait convaincu le gouvernement du Québec d'en nommer deux en 1898), une amélioration de l'éclairage des usines; elle a aussi obtenu des chaises pour les employées des magasins, une réduction du nombre des tavernes et se donne le crédit d'une amélioration de l'allaitement des nourrissons grâce à la création de dépôts de lait sain où l'on offre aussi des cours d'hygiène domestique et de puériculture. Quant aux nombreux cours d'enseignement ménager, donnés en anglais comme en français, ils ont pour but de remédier à l'état déplorable des connaissances en diététique et en économie domestique et, sait-on jamais, de former de meilleures domestiques — et en plus grand nombre — pour les élégantes demeures de la rue Sherbrooke!

Dans ces demeures, il y a d'autres jeunes femmes qui perdent leur temps dans une oisiveté stérile: parmi elles, se trouvent des filles de membres de la Fédération. Il faut qu'elles reçoivent une meilleure éducation si on veut qu'elles continuent les activités sociales de leurs mères. L'éducation secondaire donnée dans les couvents est certainement d'un bon niveau scolaire — bien que certaines en doutent — mais elle mène en fait à une impasse. C'est d'ailleurs délibéré: seules les jeunes filles obligées de gagner leur vie sont orientées vers l'École normale du couvent des Ursulines à Québec ou de la Congrégation de Notre-Dame à Montréal. Les jeunes filles qui ne se trouvent pas dans cette obligation retournent chez elles à dix-sept ou dix-huit ans pour se préparer au mariage. Comme l'entrée dans les universités se prépare dans les collèges classiques et qu'il n'y a pas de collèges classiques pour jeunes filles, l'accès à l'enseignement supérieur leur est bel et bien bouché. En 1900, l'université Laval a bien accepté que des femmes suivent des cours publics de rhétorique ou de littérature, mais elles n'ont pas l'autorisation de passer d'examen, et on n'attend d'elles aucun travail universitaire. Quant aux facultés de droit ou de médecine, il n'est pas question d'autoriser les femmes à y pénétrer, même comme auditrices libres. Aussi tout en encourageant une formation à l'économie domestique, la Fédération pousse-t-elle également à la création d'un collège classique pour jeunes filles.

L'École d'enseignement supérieur pour les filles, fondée en 1908 à Montréal, doit sa création à un mélange d'audace et de sagesse. Des femmes journalistes l'avaient réclamée au cours des années 1890; les féministes des dix premières années du siècle la réalisent en faisant jouer leur appartenance à la haute société et leur fortune auprès d'éléments compréhensifs de la Congrégation de Notre-Dame. Même l'évêque, hésitant, surmonte ses réticences quand il s'aperçoit que deux autres journalistes ont le projet de fonder un lycée laïque sur le modèle des lycées français. S'il faut vraiment que les jeunes filles accèdent à l'enseignement supérieur, ce dont monseigneur Bruchési n'est pas du tout convaincu, alors, que cela se fasse dans le cadre convenable des institutions religieuses. Mais qu'au moins cela se fasse sans bruit. La nouvelle école, dirigée par les soeurs de Notre-Dame, n'aura même pas le titre de collège — titre qui ne lui sera accordé qu'en 1926, quand elle deviendra le collège Marguerite-Bourgeoys. Il a été convenu que le collège serait autonome financièrement. Son financement proviendra des seuls droits payés par les élèves et de la communauté religieuse; ni l'Église ni l'État n'ont l'intention de cautionner l'audace de cette entreprise féminine. Laval lui a bien accordé l'affiliation, et les jeunes filles passent les mêmes examens que leurs confrères, mais l'université a fait parvenir par son vice-recteur un message qui montre bien aux enseignantes et aux élèves les limites qu'on leur impose: les filles ont l'autorisation de suivre les mêmes cours que leurs frères, mais il ne faudrait pas qu'elles imaginent que leur avenir en sera modifié pour autant. Elles seront des épouses soumises et charmantes, mais pas médecins, avocates, comptables ou pharmaciennes. En conséquence, l'École a ajouté des récitals de piano, des lectures de poésie et des thés mondains à son programme d'enseignement déjà chargé. Et elle cache son chagrin

lorsque Laval n'annonce pas officiellement la réussite universitaire de l'une de ses premières élèves : Marie Gérin-Lajoie,
fille de l'une des fondatrices de l'École, s'est classée première
de tous les élèves des collèges classiques de la province. Quand
cela se produit, l'École a déjà organisé des cercles d'étude pour
initier ses élèves aux aspects intellectuels et pratiques des problèmes sociaux contemporains. Dans les années 1920, quelques
diplômées se groupent autour de Marie Gérin-Lajoie pour créer
l'Institut Notre-Dame du Bon Conseil qui fournit un cadre
religieux à leur travail social ; d'autres restent dans la vie séculière et exercent leur militantisme au sein de la Fédération
nationale Saint-Jean-Baptiste.

Les nationalistes non plus ne perdent pas de vue la relation entre enseignement et problèmes sociaux. À la différence
des féministes, pourtant, ils abordent le problème de manière
plus intellectuelle. Pour eux, la nécessité d'un enseignement
pratique ou théorique ne se fait pas sentir seulement pour
quelques groupes particuliers, c'est au contraire la société dans
son ensemble qui a besoin de l'invention de formes nouvelles
— et laïques — d'enseignement des sciences, du commerce et
des techniques. Ce point de vue s'exprime dans les écrits
d'Eroll Bouchette publiés au cours des dix premières années du
siècle : *Emparons-nous de l'industrie, Études sociales et économiques sur le Canada, L'indépendance économique du Canada français.* Fasciné par les promesses et les réalisations de
développement économique du début du siècle, Bouchette souhaite que les Canadiens français y tiennent une place prépon-
dérante. Il comprend qu'il faut commencer par détruire le
vieux mythe de leur incapacité congénitale dans le domaine du
commerce et des affaires, et leur faire prendre conscience des
répercussions occasionnées par le nouvel ordre industriel en
Europe et aux États-Unis ; ainsi le Canada pourra-t-il tirer profit de ses avantages et s'éviter les problèmes.

Pareille entreprise appelle une certaine forme d'enseignement et de formation professionnelle, et une législation appro-
priée. Bouchette n'est pas du tout persuadé que les diplômés
des collèges classiques possèdent la formation nécessaire pour
relever le défi économique du siècle nouveau ; il a l'impression
que de nombreux collèges perpétuent au contraire l'inadaptation traditionnelle des Canadiens français au monde des affaires. Il repousse la théorie des caractéristiques nationales et
croit fermement que le savoir peut venir à bout de tous les
problèmes. S'inspirant de rapports contemporains sur l'enseignement industriel en Europe, Bouchette recommande que
gouvernement et employeurs coopèrent pour élaborer des pro-

grammes spécifiques destinés aux écoles et aux usines et visant à développer la compétence technique des travailleurs de l'industrie. Il en résulterait une main-d'oeuvre plus qualifiée et, en plus, une solidarité d'intérêts entre employeurs et employés; l'enseignement serait ainsi le garant de la paix sociale. L'université elle aussi, tout en poursuivant sa réflexion théorique, pourrait jouer un rôle en développant davantage les sciences physiques et les sciences de l'homme. L'École polytechnique de Montréal, institution moribonde datant de la fin des années 1870, devrait se battre pour attirer davantage d'étudiants; elle devrait avoir un bureau de recherche scientifique et industrielle qui contribuerait à la planification de l'économie par l'État. Il faudrait aussi réformer l'enseignement élémentaire sur le modèle français: les grandes classes prépareraient les jeunes à des métiers et les petites classes s'attaqueraient au problème honteux de l'analphabétisme qui, selon Bouchette, est alors plus aigu au Québec que dans les autres provinces du Canada; de plus, tout le système éducatif serait gratuit et dirigé par l'État qui en assurerait la coordination.

Les théories de Bouchette s'appuient sur des arguments nationalistes: les jeunes qui ne reçoivent pas un enseignement convenable s'ennuient, souffrent d'un handicap et se découragent; leur pauvreté les force alors à émigrer aux États-Unis où ils montrent enfin leur capacité d'adaptation à un travail industriel. Mais ils sont perdus pour le Canada. Dans une métaphore audacieuse, Bouchette compare l'enseignement, qui protège l'industrie, à une armée qui protège une frontière, ou à un parlement qui protège une constitution. Bref, l'enseignement n'est pas seulement la clé de l'industrialisation, mais aussi celle de la survie de la nation. Ces trois concepts, enseignement, industrie et survie de la nation, sont indissociables. En misant résolument sur l'industrie, les Canadiens français poursuivront la mission de leurs ancêtres. À la différence d'autres Nord-Américains venus dans le Nouveau Monde à la recherche de moyens d'existence, de conquêtes ou de liberté religieuse, les Canadiens français, eux, étaient arrivés avec une civilisation dans leurs poches. Il leur incombe donc de prendre la tête de l'essor économique en Amérique du Nord. Ne pas atteindre un but si noble, ce serait manquer à leur devoir patriotique; entreprendre un tel projet, cela reviendrait à accomplir le salut de tout un peuple. Cette thèse si manifestement nationaliste comporte cependant un argument de plus, explicable par le climat d'euphorie du siècle nouveau: Bouchette insiste sur la nécessaire coopération des Français et des Anglais dans l'essor industriel: ensemble, les deux peuples pourraient instaurer une communauté nord-américaine originale.

Les vues de Bouchette sont partagées par les adhérents de la Ligue nationaliste. Comme les féministes, ceux-ci connaissent les courants de l'opinion internationale et ils vont chercher certaines de leurs idées sociales chez les progressistes américains; comme ces derniers et comme la plupart de leurs contemporains, les nationalistes sont fascinés par l'essor économique manifeste des premières années du vingtième siècle. Mais ils ressentent de l'inquiétude vis-à-vis de ses conséquences possibles. Ils se posent des questions sur l'aptitude des hommes politiques à guider l'État; ils mettent en doute la rectitude morale et le comportement des classes supérieures qui sont censées servir de modèle à la société; ils s'inquiètent du manque de civisme de leurs contemporains, et trouvent détestable le matérialisme qui va de pair avec la prospérité. Ils n'avaient pas la moindre certitude sur la possibilité de survie d'une société française et catholique aux prises avec tant de problèmes.

La Ligue elle-même, qui a été fondée en 1903, est encore jeune quand deux nationalistes soulèvent un débat, relativement marginal, sur ses orientations politiques. Jules-Paul Tardivel qui n'en a jamais fait partie, et Henri Bourassa, son inspirateur, montrent que les différences d'opinion peuvent créer un clivage chez les nationalistes tout autant que l'estime mutuelle peut resserrer leurs rangs. Tardivel critique les membres de la Ligue, montréalais pour la plupart, en raison de leur nationalisme canadien qui va à l'encontre du nationalisme canadien-français. Il publie le programme de la Ligue dans *La Vérité*, mais accuse celle-ci de ne pas aller assez loin sur la question de l'autonomie de la province au sein de la Confédération. Selon lui, il faut déclarer nettement que les Canadiens français constituent une nation distincte à l'intérieur de la Confédération, avec ses aspirations patriotiques, ses idéaux, ses droits et ses devoirs spécifiques. Tardivel a précédemment fait valoir que l'effort accompli au cours de l'histoire pour sauvegarder la langue, les institutions et la nation canadiennes-françaises n'a pas de sens s'il n'aboutit pas à une nation indépendante. Avec le même objectif présent à l'esprit, Tardivel déclare maintenant que le même but exige que l'on protège les Canadiens français eux-mêmes, en utilisant l'agriculture, la colonisation, la lutte contre la mortalité infantile, et en érigeant des barrières contre l'infiltration des protestants, des Anglo-Saxons et des Américains.

Henri Bourassa, lui, prend la défense de la jeune Ligue,

sans pour autant nier les maux sociaux ou idéologiques qui guettent alors le Canada français. Il n'est pas prêt à admettre que le Québec à lui tout seul constitue le Canada français. Il n'est pas non plus persuadé que la Confédération est impossible. Il pense au contraire que le renforcement des minorités canadiennes-françaises à l'extérieur du Québec raffermirait la position même du Québec. Bourassa partage la passion de Tardivel pour le catholicisme, mais il comprend aussi le ton très modéré de la Ligue sur le sujet. Montréal n'est pas Québec: la presse populaire y expose déjà aux jeunes toutes les idées imaginables et la jeune génération de nationalistes n'est pas particulièrement religieuse. Mieux vaut la féliciter d'entreprendre une action sociale et politique pour le bien du Canada que la condamner pour quelque déviation idéologique! Pour Bourassa et la Ligue, ce sont la question de l'Empire et le problème social qui demeurent les plus importants.

En attirant l'attention des gens sur les problèmes sociaux, les nationalistes de toutes tendances mettent l'accent sur le pouvoir et les obligations du gouvernement du Québec. En cela ils vont plus loin que les féministes et le clergé pour lesquels les problèmes sociaux restent du ressort des intéressés eux-mêmes, même s'ils agissent dans le cadre d'organisations de plus en plus complexes. Les nationalistes craignent les fusions de plus en plus nombreuses entre les grandes firmes de la province: les bénéfices ainsi réalisés ne profitent sûrement pas aux Canadiens français! Ils n'approuvent pas non plus la coopération — visible ou occulte — de l'État avec les grandes entreprises: au lieu d'accorder d'énormes subsides à ces sociétés, l'État devrait en être actionnaire, ce qui lui donnerait un droit de regard sur l'exploitation économique de la province. Au contraire, le gouvernement semble pressé de concéder terres et forêts, rivières et mines — avec une ou deux lignes de chemins de fer par-dessus le marché — à des sociétés privées pour des sommes dérisoires; et la presse, qui est à la solde de l'un ou l'autre des partis politiques, annonce ces transactions à grand bruit comme si elles étaient normales. Le résultat de tout ça, selon les nationalistes, c'est que les Canadiens français sont en train de perdre tout pouvoir sur leurs ressources économiques. Aux ouvriers enfermés dans des usines sans âme, le gouvernement ne peut même plus proposer l'alternative de la colonisation car il a abandonné à de grandes compagnies, étrangères pour la plupart, le contrôle de ses terres et donc la possibilité de tout développement rationnel. D'ailleurs il partage l'hostilité des entreprises industrielles envers toute loi et même envers tout syndicat qui protégerait les ouvriers.

Les nationalistes redoutent que le Canada français, qui est devenu une minorité politique au dix-neuvième siècle, ne devienne aussi une minorité économique.

Quelques-unes des critiques des nationalistes réussissent à faire réagir le gouvernement. Le travail accompli par Bourassa de 1908 à 1912 à la Chambre provinciale y a sans doute contribué. Bien qu'il soit dans l'opposition et qui plus est, indépendant, ses partisans sont de plus en plus nombreux, et c'est un orateur redoutable. Toujours est-il qu'à partir de 1910 la province ne vend plus les droits d'exploitation des eaux, des forêts et des mines, mais accorde des baux à long terme; elle interdit l'exportation du bois de pâte coupé dans ses forêts; elle jette les bases timides d'une législation du travail; enfin elle se prépare à aider les colons en route pour l'Abitibi. Elle étudie même la réforme de certains points de son système d'éducation. On instaure des cours du soir et des écoles techniques dans les centres urbains, et on ajoute un enseignement agricole au programme des écoles rurales. Une école supérieure de commerce, les Hautes Études commerciales, est ouverte en 1907 avec le soutien du gouvernement pour orienter les diplômés des collèges classiques vers d'autres études que celles des lettres, du droit et de la médecine qui les attirent en masse. Entre 1910 et 1913, le gouvernement donne aussi son approbation, circonspecte, à l'enquête, qu'une commission royale fédérale entreprend sur l'enseignement industriel; il pose cependant comme condition que le pouvoir exclusif du gouvernement provincial dans le domaine de l'éducation ne soit pas mis en cause.

L'intérêt toujours plus vif que les féministes, les nationalistes et même l'État portent à l'enseignement ne peut manquer de susciter les réticences du clergé. Son prestige en effet repose en grande partie sur son oeuvre d'éducation. Tant que l'enseignement se bornait à l'enseignement primaire destiné au peuple et tant que l'enseignement d'élite n'était dispensé qu'à quelques rares bénéficiaires, l'Église et l'État pouvaient s'entendre pour que le clergé s'en charge en échange de coûts peu élevés. Mais l'importance accordée par le siècle nouveau à un enseignement plus poussé et plus pratique pousse désormais l'État à agir lui-même. Ainsi, les nouvelles écoles techniques n'ont pas été confiées au clergé. Les prêtres ont eu beau faire valoir que cela faisait des années qu'ils enseignaient le commerce dans seize des vingt et un collèges classiques de la province, ils n'ont pu empêcher les laïques de s'intéresser de plus en plus à l'enseignement. Beaucoup de prêtres mettent cela sur le compte de l'époque: la civilisation urbaine et industrielle ne respecte plus les fêtes religieuses, les bars sont plus nombreux que les églises et le peuple est de plus en plus coupé des prêtres. Si elle ne veut pas être condamnée à disparaître, l'Église doit réagir. Si personne ne se dresse pour défendre sa place légitime dans le nouvel ordre industriel, alors elle devra se défendre elle-même.

Bien que mise en oeuvre au début du siècle en vue de défendre les positions de pouvoir qu'il occupe dans la société, l'attitude défensive adoptée par le clergé possède aussi une face offensive. Elle s'appelle l'«Action catholique». Assez proche du mouvement social évangélique de certaines églises protestantes, l'Action catholique confère un ton moraliste aux gestes concrets que pose le clergé partout dans le monde. Ses partisans partaient du principe que les problèmes sociaux qui agitent tant les féministes que les nationalistes sont avant tout des problèmes religieux et moraux, qui exigent donc l'engagement de l'Église. Dans le contexte canadien-français, ils ajoutent le problème national à l'équation générale, ce qui les ramène à la nécessité d'engager les prêtres dans l'action sociale.

Et en effet, on trouve des prêtres partout, organisant et encourageant les diverses formes d'action catholique. À Laval en 1902, ils organisent la Société du bon parler français, pour protéger la langue française de la contamination due à un environnement technique et urbain. En 1904, dans les collèges classiques, ils rassemblent les jeunes gens pieux au sein de l'Association catholique de la jeunesse canadienne-française. Réseau de cercles d'étude et de groupes de discussions ayant des ramifications dans toute la province, cette organisation a pour but d'organiser l'action catholique dans les domaines public et privé. À partir de 1906, des prêtres encouragent localement les toutes nouvelles «caisses populaires», institutions d'épargne et de crédit qui resteront l'apanage du Canada français. En 1907, le diocèse de Québec accorde son soutien à un journal justement nommé *L'Action sociale* qui est tout aussi justement rebaptisé *L'Action catholique* huit ans plus tard. En 1910, d'autres prêtres encore réussissent à attirer le regard du monde catholique sur Montréal à l'occasion du Congrès eucharistique international. Orateur à ce congrès, Henri Bourassa s'en prend en public à un évêque britannique invité, qui a osé associer catholicisme et langue anglaise en Amérique du Nord. Pour être bien sûr qu'à défaut des évêques étrangers les étudiants des collèges, au moins, connaîtront leur histoire, les prêtres mettent l'histoire du Canada au programme. Parmi les enseignants qui travaillent fébrilement à la préparation de leur cours, sans manuels, figure l'abbé Lionel Groulx. Il enseigne alors à Valleyfield, mais occupera bientôt, à l'instigation d'Henri Bourassa, la première chaire d'histoire du Canada au campus montréalais de l'université Laval. Quelques années plus tard, ce sera lui, et non plus Bourassa, qui sera le chef incontesté d'une génération nouvelle de nationalistes d'inspiration religieuse. Entre-temps, des prêtres ont aussi façonné cette génération, grâce à l'École sociale populaire, fondée en 1911 pour diffuser les solutions catholiques aux problèmes sociaux. À l'occasion du grand Congrès de la langue française organisé par Laval en 1912, congrès qui attire des délégués de toute l'Amérique du Nord, les prêtres ne cachent pas non plus la relation qu'ils établissent entre la langue et le nationalisme. Les prêtres sont littéralement partout.

Ils vont jusqu'à se mêler d'économie. Évêques et curés de paroisses, surtout ceux qui vivent loin des grandes métropoles, se font les fervents propagandistes d'entreprises commerciales et des projets de développement routier et ferroviaire. Selon les cas, ils recommandent de construire une fromagerie ou une usine de pâte à papier, une fonderie ou une briqueterie, et ils font le siège des investisseurs pour trouver des capitaux. Dans les petites villes, ils servent d'intermédiaires entre les industriels et la population locale. À Québec en 1900, monseigneur Nazaire Bégin arbitre un conflit du travail entre les fabricants de chaussures et leurs quelque quatre mille ouvriers. L'intervention de l'archevêque indique nettement que l'Église reconnaît aux ouvriers le droit de se regrouper en syndicats.

Mais de quels syndicats s'agit-il? C'est là une autre question. Rares sont les membres du clergé qui apprécient les syndicats existants. Ils considèrent soit qu'ils sont trop peu respectueux de la liberté individuelle des ouvriers, soit qu'ils brandissent l'étendard de la lutte des classes et, par là, menacent de diviser la société. La plupart des syndicats ne tiennent pas compte des frontières ethniques et religieuses, et le clergé craint la disparition de la foi. De plus, les syndicats, dans leur majorité, sont affiliés à des fédérations internationales, ce qui introduit au Québec des façons de voir américaines. Il a des soupçons même à l'égard des premiers syndicats nationaux, du Québec pour la plupart, qui ont pourtant été rejetés du Congrès des métiers et du travail du Canada en 1902, justement parce qu'ils n'étaient pas affiliés à des syndicats internationaux. Bien que ces syndicats soient en faveur de la conciliation et même d'une certaine harmonie entre employeurs et employés, ce qui devrait leur faire trouver grâce aux yeux du clergé, leur existence même est un témoignage de la rivalité et de l'hostilité entre ouvriers que les prêtres trouvent si redoutable. De plus, ni les syndicats nationaux ni les syndicats internationaux n'acceptent l'intervention du clergé dans leurs affaires. Et pourtant leurs effectifs s'accroissent: en conséquence, si l'Église ne réussit pas à se faire une place à l'intérieur du mouvement syndical, de nombreux Canadiens français souffriront d'un divorce entre leur engagement au sein de la société et leur religion. L'Église souligne rapidement les maux qui résulteraient de ce divorce; elle est plus discrète sur la question des menaces pesant sur la situation du clergé lui-même.

C'est à Chicoutimi en 1907, que le clergé proclame son désir, non seulement d'être présent dans les syndicats, mais encore d'y jouer un rôle moteur. L'abbé Eugène Lapointe est déterminé à organiser la syndicalisation des ouvriers forestiers et de ceux de l'industrie de la région, mais il ne veut ni un syndicat à la solde des employeurs, ni un syndicat de l'industrie ou des métiers dirigé par des gens d'ailleurs. Il désire plutôt organiser les ouvriers sur une base confessionnelle, et souhaite que la doctrine sociale de l'Église inspire le syndicat qu'il met sur pied, la Fédération ouvrière de Chicoutimi. Son syndicat prônerait le respect des droits des travailleurs plutôt que la lutte des classes et ses objectifs ne se borneraient pas à l'obtention de biens matériels pour ses adhérents. Cependant, il faut convaincre les ouvriers. Ceux-ci se méfient de lui, d'une part parce qu'avec son syndicat il veut, à titre d'aumônier, imposer la tempérance, la pratique religieuse et même des retraites, et que de plus il est l'ami du plus gros employeur de la région, Alfred Dubuc. Peu à peu, il réussit tout de même à les convaincre: et c'est ainsi qu'en 1912, une organisation plus importante émerge des régions forestières du Saguenay-Lac-Saint-Jean: la Fédération ouvrière mutuelle du Nord. À partir de là, le mouvement va faire boule de neige, de nouveaux syndicats étant suscités par des prêtres, d'anciens syndicats nationaux se transformant en syndicats catholiques à Hull, Trois-Rivières, Sherbrooke ou Saint-Hyacinthe. Ces syndicats n'auront jamais l'importance ni le nombre d'adhérents des syndicats internationaux, mais ils se développeront suffisamment au cours de la Première Guerre mondiale pour constituer en 1921 la Confédération des travailleurs catholiques du Canada (C.T.C.C.). Dès lors et jusqu'à leur déconfessionnalisation sous le nom de Confédération des syndicats nationaux (C.S.N.) en 1960, les prêtres ne cesseront d'y jouer un rôle actif.

Des trois groupes qui sont à l'origine de l'action sociale au Québec au début de notre siècle, c'est le clergé qui a eu le rôle prépondérant. C'est sans aucun doute son ancienneté et le caractère officiel de son rôle dans la société québécoise qui lui a assuré cette importance. Il se peut aussi que l'alliance discrète des prêtres, qui sont des hommes, avec les nationalistes contre les féministes, ait contribué à cette prépondérance. Aucun lien formel n'unit clergé et nationalistes, mais ils se retrouvent souvent du même côté de la barrière dans les luttes sociales ou politiques. Ils collaborent au sein de journaux et de groupes d'action nationaliste et catholique. Parfois, ils ne font qu'un. Malgré tout le mérite qu'ils reconnaissent volontiers aux bonnes actions de certains groupes de femmes, ils ressentent un malaise devant la notion même de féminisme. Et à la différence des femmes, ils ont eux, les moyens de faire connaître leur point de vue par leurs prédications, leur presse et leur propagande.

Il arriva même parfois que les femmes fournissent elles-mêmes au chauvinisme mâle l'occasion de s'exprimer: ainsi en 1913, pendant que le monde entier suit le combat des féministes britanniques contre la police (elles font grève de la faim en prison pour obtenir, par le droit de vote, des droits égaux à ceux des hommes), des féministes canadiennes-françaises invitent l'abbé Louis Lalande à prendre la parole devant la Fédération nationale Saint-Jean-Baptiste sur le thème qui, précisément, a été à l'origine de la Fédération: les deux types de féminisme le bon et le mauvais. De peur que les Canadiennes françaises ne se laissent attirer par le mauvais, et ne se mettent à exiger leurs droits civiques, l'abbé Lalande part en guerre contre ce type de féminisme: il serait amer et aigre, aussi brutal et violent que les hommes qu'il amène à mépriser, et il ne pourrait entraîner que des exigences contre nature, la révolte contre l'autorité et, finalement, la rupture des foyers. En contrepartie, Lalande dépeint les bonnes oeuvres — surtout la sauvegarde de la moralité chez les jeunes ouvrières — qui sont accomplies grâce à la religion, à la dignité féminine, au respect de l'autorité et à la soumission devant les inégalités naturelles. Il aurait été difficile de marquer davantage le contraste, mais, si les adhérentes de la Fédération, qui savent bien que le National Council of Women a pris ouvertement fait et cause en faveur du vote des femmes en 1910, ont eu quelques doutes sur la véracité du tableau peint par l'abbé Lalande, elles n'en ont rien dit.

De même, la Fédération ne répond pas officiellement à l'attaque virulente faite par Henri Bourassa contre le féminisme dans *Le Devoir* au même printemps 1913. Pour Bourassa, rédacteur en chef ultracatholique du quotidien nationaliste de Montréal, le féminisme vient de l'étranger et possède des relents de protestantisme. Si on le laisse faire, il va empoisonner d'abord la famille canadienne-française, puis la civilisation canadienne-française. Pour lui, les femmes sont les garantes de tout ce qui constitue la supériorité culturelle des Canadiens français en Amérique du Nord. Elles détiennent la clé de la survie de la religion, de la moralité, de l'éducation et de la famille. Si elles ne suivent plus les règles prescrites, si elles cessent d'incarner l'idéal du Canada français, voire de toute l'humanité, elles entraînent avec elle la ruine de l'ordre social. En en appelant à la religion, à la logique, à la biologie et à la politique, au sens de la décence et du ridicule, Bourassa vitupère le féminisme avec une véhémence qui est plus l'expression de son imagination enflammée que de la réalité du féminisme canadien.

La réalité est pourtant beaucoup plus proche de l'image idéale que nationalistes et membres du clergé concoctent pour leur commodité personnelle. Les féministes canadiennes, tant françaises qu'anglaises, ne refusent pas la notion des univers séparés; elles admettent comme ayant existé de toute éternité les distinctions sociales qui viennent des différences sexuelles. Elles admettent aussi que c'est leur mission toute particulière d'être cultivées, de contribuer au progrès moral, de dispenser soins et réconfort. Bourassa n'a qu'à lire les colonnes de sa propre journaliste, Fadette, ou celles de Colette (Édouardine Lesage) dans *La Presse*, le journal rival du *Devoir*. En 1913, *La Presse* a consacré toute sa une à un portrait des trois types de femmes telles que le public les voit. Au centre de la page dominant la suffragette modérée qui se trompe en réclamant le droit de vote, mais à laquelle on laisse néanmoins le droit de s'exprimer et la suffragette déchaînée, une virago qui a perdu toute sa féminité — on trouve la vraie femme: dévouée exclusivement à sa mission de mère, ornement de sa famille, elle est l'objet de l'adoration de tous. Le Canada français, *La Presse* l'indique avec soulagement, n'a que des vraies femmes. Les féministes pensent la même chose. Si elles acceptent des tâches qui les éloignent de leur foyer, c'est pour assurer la protection de ce foyer. Elles se contentent d'élargir la zone d'influence de leur rôle maternel, pour le bien de la société. Leur entrée dans l'arène publique de l'éducation et des oeuvres sociales est l'expression d'une contestation latente à l'égard du gâchis du monde industriel instauré par les hommes, à l'égard des institutions religieuses et de leur aptitude à remédier à ce désordre, et même à l'égard du carcan idéologique que leur impose la division des rôles masculins et féminins, mais, peu de femmes le disent clairement. Seule la propension du clergé et des nationalistes à voir des dangers là où il n'y en a pas réussit à priver les Québécoises du droit de vote dans les élections provinciales jusqu'aux années quarante. Au cours de la deuxième décennie du vingtième siècle, il sera facile d'envoyer les femmes tricoter des chaussettes ou préparer des pansements pour les soldats envoyés outre-Atlantique. Les nationalistes et le clergé pour leur part — leur opinion sur la guerre de 1914-1918 sera moins arrêtée — se battront alors contre les «Prussiens» juste à leur porte.

ORIENTATIONS BIBLIOGRAPHIQUES

Babcock, Robert, «Samuel Gompers and the French-Canadian Worker, 1900-1914», *American Review of Canadian Studies* 3, 1973, p. 47-66.

Collectif Clio, *L'histoire des femmes au Québec depuis quatre siècles*, Montréal, Les Quinze, 1982.

Dandurand, Joséphine, *Nos travers*, Montréal, Beauchemin, 1901.

Danylewycz, Marta, «Une nouvelle complicité: féministes et religieuses à Montréal, 1890-1925», *in Travailleuses et féministes. Les femmes dans la société québécoise*, sous la direction de Marie Lavigne et Yolande Pinard, Montréal, Boréal Express, 1983, p. 245-270.

Drolet, Jean-Claude, «Mgr Eugène Lapointe, initiateur du syndicalisme catholique en Amérique du Nord», *Rapport de la Société canadienne d'histoire de l'Église catholique*, 1966, p. 47-56.

Dumont-Johnson, Micheline, «Histoire de la condition de la femme dans la province de Québec», *in Tradition culturelle et histoire politique de la femme au Canada*, Ottawa, Information Canada, 1975, p. 1-57.

———, «Les communautés religieuses et la condition féminine», *in Recherches sociographiques* 19, 1979, p. 79-102.

Fahmy-Eid, Nadia et Micheline Dumont, dir., *Maîtresses de maison, maîtresses d'école. Femmes, famille et éducation dans l'histoire du Québec*, Montréal, Boréal Express, 1983.

La Fédération nationale Saint-Jean-Baptiste célèbre le cinquantenaire de sa fondation, Numéro souvenir de *La Bonne Parole*, 1956-58.

Lavigne, Marie et Yolande Pinard, dir., *Travailleuses et féministes. Les femmes dans la société québécoise*, Montréal, Boréal Express, 1983.

———, *Les femmes dans la société québécoise: Aspects historiques*, Montréal, Boréal Express, 1977.

Levitt, Joseph, *Henri Bourassa and the Golden Calf: The Social Program of the Nationalists of Quebec (1900-1914)*, Ottawa, Les Éditions de l'Université d'Ottawa, 1972.

Levitt, Joseph, *Henri Bourassa, critique catholique*, Ottawa, Société historique du Canada, 1977.

Rouillard, Jacques, *Les syndicats nationaux au Québec de 1900 à 1930*, Québec, Les Presses de l'université Laval, 1979.

XIII LES PRUSSIENS SONT À NOS PORTES

Les nationalistes du Québec n'oublieront jamais la guerre de 1914-1918 et les politiciens libéraux ne se priveront pas de rappeler aux électeurs les ravages qu'elle a occasionnés. Pour beaucoup de nationalistes, c'est la guerre qui a fait que le Canada français est devenu le Québec. Beaucoup de libéraux, de leur côté, pensent que les maladresses que les conservateurs fédéraux ont multipliées pendant ces années ont fourni de quoi alimenter les batailles électorales des générations à venir. Pour certains Canadiens français, c'est la guerre qui a fait éclater au grand jour le problème majeur du Canada: l'existence de deux peuples et de deux cultures irréconciliables qui interprètent différemment les exigences impérialistes, l'importance du phénomène nationaliste et la portée du féminisme. Pour d'autres, les problèmes des années de guerre (les écoles de l'Ontario, la conscription et le droit de vote pour les femmes) ne sont rien d'autre que des crises ponctuelles qui n'ont pas été traitées avec les habitudes de compromis et de tolérance caractéristiques de la vie politique canadienne. Les divergences au sein de la communauté canadienne-française troublent les nationalistes autant que l'hostilité du Canada anglais, mais eux aussi semblent soulagés de voir la menace de séparatisme, un moment brandie à la fin de 1917, disparaître du devant de la scène aussi vite qu'elle y était apparue.

Au cours de l'été 1914, les gens n'ont certainement pas d'idées séparatistes en tête. Même l'idée, émise timidement, d'autonomie du Canada par rapport à la Grande-Bretagne est balayée par la vague d'enthousiasme que suscite l'aventure militaire en Europe. La déclaration de guerre de la Grande-Bretagne à l'Allemagne, début août, vient de mettre l'Empire tout entier sinon en état de conflit actif à proprement parler, du moins en situation de belligérance sur le plan juridique. En fait, personne ne perd de temps en finesses juridiques: aucun doute ne s'exprime sur le fait que le Canada doit soutenir la Grande-Bretagne et participer à son effort de guerre. Dans les

(...) Les appels au patriotisme...
Affiche de recrutement de la Première Guerre mondiale.
Archives publiques du Canada C116604

villes du Québec, des foules nombreuses expriment leur émotion avec autant de force que dans les autres villes du Canada.
Le gouvernement du Québec est aussi généreux que ceux des
autres provinces et offre lui aussi à la Grande-Bretagne ses
produits agricoles du Canada: quatre millions de tonnes de
fromage du Québec sont ainsi acheminées outre-Atlantique en
même temps que du saumon, du foin, du bétail, des pommes et
des pommes de terre que le Canada produit à profusion. Henri
Bourassa est le seul à parler des trains de marchandises supplémentaires qu'il faudra affréter pour le transport de tous ces
dons jusqu'aux ports canadiens, et à dire que, probablement,
beaucoup de ces marchandises pourriront sur les quais de

Liverpool avant d'être distribuées et consommées. D'ailleurs, tout en ne voyant aucune obligation constitutionnelle à ce que le Canada se laisse entraîner dans les guerres de la Grande-Bretagne, il reconnaît que le Canada est moralement concerné par les conséquences de la guerre sur les deux pays européens avec lesquels les Canadiens ont des liens historiques et affectifs.

Il était relativement facile de proposer l'aide et le soutien du Canada tant que nul ne savait ce que serait la guerre, son ampleur et ses exigences. Wilfrid Laurier, chef de l'opposition libérale à la Chambre des communes, offre un appui sans réserves au gouvernement conservateur de Robert Borden. Les libéraux ne soulèveront pas la moindre question, ne formuleront pas le moindre reproche tant qu'il y aura danger sur le front européen; amis et ennemis de la Grande-Bretagne apprendront que le Canada se trouve à ses côtés uni de coeur et d'esprit. Cette magnanimité proclamée avec tant d'éloquence ne durera point. Mais aux jours enthousiastes de l'été 1914, cette coopération politique permet au gouvernement canadien de faire adopter la Loi sur les mesures de guerre, qui impose de sévères contraintes à la vie des Canadiens et à l'activité économique. À Québec, le lieutenant-gouverneur met toutes les ressources de la province au service de la défense du Canada; Sir Lomer Gouin, Premier ministre, précise que les fonctionnaires du gouvernement de Québec qui s'enrôleront continueront à recevoir leur plein salaire. Les archevêques de Québec et de Montréal parlent du devoir sacré des Canadiens envers la Grande-Bretagne. C'est plus tardivement qu'on entendra des appels au nom des deux mères patries du Canada; durant les premiers mois, certains Canadiens français s'étaient même demandé gravement si la guerre n'était pas une punition divine contre une France qui s'était écartée de la voie de la vraie religion. Les maires de Québec et de Montréal unissent leurs voix pour prêter assistance à la Grande-Bretagne, et la grande presse les suit. Après tout, dit-on, la guerre ne durera que quelques mois; les quelques Canadiens susceptibles de partir outre-Atlantique — des volontaires, selon la déclaration rassurante du Premier ministre — seront de retour chez eux pour Noël après une excursion agréable en Europe.

À peine les bureaux de recrutement ouverts, quelques Canadiens français commencent cependant à se demander où se situe le vrai champ de bataille. C'est que certains chefs nationalistes se sont ralliés, non pas au corps expéditionnaire canadien — bien qu'on en retrouve là quelques-uns, comme Olivar Asselin qui, depuis qu'il a participé à la guerre hispano-américaine de la fin du siècle, s'enthousiasme pour les actions militaires — mais plutôt pour se porter au secours de leurs compatriotes francophones de l'Ontario. Et là-bas les Prussiens ne se trouvent pas sur l'autre rive de l'Atlantique mais de l'autre côté de la rue, et les tranchées sont tenues, non par des forces alliées, mais par des mères armées d'épingles à chapeau. Les métaphores militaires, dans le style ampoulé du journal *Le Droit*, fondé à Ottawa en 1913 pour être l'organe des Canadiens français, de plus en plus nombreux dans l'est de la province, révèlent à la fois l'ignorance de l'horreur de la guerre de tranchées qui se déroule en Europe et la gravité du problème scolaire en Ontario. L'interférence entre les exigences de la guerre et l'hostilité implacable des Anglais de l'Ontario contre tout ce qui est français refroidira l'enthousiasme canadien-français en faveur de l'effort de guerre et créera une nouvelle race de nationalistes.

C'est l'accroissement du nombre des Canadiens français en Ontario qui semble avoir déclenché en 1912 la querelle sur les écoles bilingues. À cette date, le dixième de la population de l'Ontario est francophone: de nouveaux habitants arrivent du Québec pour rejoindre les communautés bien établies du sud-ouest de l'Ontario, s'ajoutent aux colons plus récemment installés dans le nord, le long des voies du Transcontinental National, ou encore viennent grossir le nombre des Français de l'Outaouais et des comtés de l'est de l'Ontario. Leur venue complique la vie des catholiques anglophones, surtout dans les écoles, et suscite des craintes chez les protestants anglophones toujours méfiants vis-à-vis du catholicisme, surtout s'il est lié à la langue française. De plus, l'installation des Canadiens français dans trois régions différentes de la province complique la vie du gouvernement ontarien conservateur. Quand les Canadiens français semblent vouloir imiter leurs cousins québécois en organisant des groupes bien structurés, les Ontariens anglophones deviennent franchement hostiles. En 1910, par exemple, l'Association canadienne-française d'éducation d'Ontario tient son premier congrès à Ottawa. Mille deux cents délégués des régions francophones de la province y expriment leurs inquiétudes au sujet des vingt-cinq mille jeunes inscrits dans les écoles primaires bilingues de la province; ils désirent que leurs enfants reçoivent un enseignement de bonne qualité dispensé par des enseignants compétents dans des écoles légalement subventionnées.

Pendant ce temps-là, d'autres Ontariens se posent aussi des questions, mais pour des raisons bien différentes. Les écoles bilingues n'ont pas d'existence légale dans la province,

elles se sont simplement développées avec la population francophone. Elles sont d'habitude intégrées au système des écoles
catholiques séparées, garanti par la Constitution depuis 1867;
mais parfois, quand un district donné n'a pas son école sépa-
rée elles entrent dans le cadre des écoles publiques. Les administrateurs du ministère de l'Éducation font des cauchemars
devant la complexité des problèmes et à la pensée d'un troisième système à qui il faudrait ses locaux, ses enseignants, ses
inspecteurs et ses programmes. Où trouver des jeunes de dix-
sept ans capables de maîtriser tout le programme de l'enseignement primaire, dans les deux langues et assez souvent
dans une seule salle de classe, en échange du malheureux
salaire annuel de cent dollars proposé par la plupart des
conseils scolaires? Fallait-il donner le moindre encouragement
au français quand l'avenir de l'industrie de l'Ontario (et celui
des jeunes qui y travailleront) est de toute évidence anglophone? Tout comme pour les Manitobains de la fin du dix-
neuvième siècle, pour les Ontariens anglophones le progrès ne
parle qu'anglais.

Les nationalistes du Québec ont toujours eu peine à admettre que le problème scolaire se soit manifesté à cause des
doléances d'un évêque catholique. Les liens qui, depuis la fin
du siècle précédent, s'étaient tissés, surtout du fait de la logique des ultramontains, entre langue, religion et nationalité, ne
pouvaient pas résister aux querelles acides qui opposèrent
Français et Irlandais en Ontario. Le méchant était censé porter les couleurs des orangistes; et voilà que, lorsqu'il se montre
pour la première fois, il porte soutane! Monseigneur Fallon,
évêque de London, se plaint au gouvernement de l'Ontario et à
la presse de ce que les écoles bilingues de son diocèse forment
mal leurs élèves et que ceux-ci sont moins bons que ceux des
écoles séparées de langue anglaise. La controverse qui se
déchaîne publiquement à la suite des déclarations de monseigneur Fallon incite le gouvernement provincial à lancer une
enquête dans les écoles bilingues de la province et, après avoir
eu confirmation des faits, à prendre des mesures pour régler le
problème. En partant de l'hypothèse que l'usage d'une langue
unique réglerait tous les problèmes que le responsable de l'enquête, le docteur Merchant, avaient repérés dans certaines
écoles bilingues, le ministre de l'Éducation ajoute le règlement 17 à ses décrets sur les écoles primaires. Simple directive,
au début de son application en 1912, la nouvelle réglementation, légèrement amendée à cause de l'opposition des Franco-
Ontariens, prend force de loi en 1915. C'est alors que des
nationalistes du Québec attisent la discorde entre Ontariens

anglophones et Ontariens francophones et que toute la question scolaire se confond avec celle de l'effort de guerre du Canada.

Québécois et Franco-Ontariens estiment ensemble que le règlement 17 revient à condamner l'enseignement en français en Ontario. Ce règlement ranime toutes les anciennes terreurs d'assimilation, car il stipule que le français ne sera la langue d'enseignement que pendant les deux premières années du primaire; après quoi, les élèves devraient savoir assez d'anglais pour poursuivre leurs études dans cette langue, le français n'étant plus enseigné qu'une heure par jour. Le gouvernement de l'Ontario fait valoir, en pure perte et avec une certaine mollesse, que la loi ne s'appliquerait qu'aux écoles bilingues, figurant sur une liste refaite tous les ans où l'anglais était mal enseigné et dont les enseignants n'étaient pas suffisamment qualifiés. C'est en vain qu'il essaie d'établir une inspection chargée de vérifier l'application du règlement: personne, au ministère de l'Éducation ou à l'extérieur, ne sait comment celui-ci va s'appliquer ni ce qu'il vise vraiment. Les Canadiens français, toujours inquiets et de plus en plus sensibilisés au problème linguistique en ce début du vingtième siècle qui mêle les populations, sont persuadés que le règlement 17 annonce leur disparition.

Et tant que dura la guerre, rien ou presque ne vient calmer leurs appréhensions. Pendant que le gouvernement de l'Ontario menace de supprimer les allocations provinciales aux écoles qui n'appliqueraient pas le règlement 17, des protestants fanatiques de la province réclament des restrictions encore plus sévères. L'Ordre d'Orange, qui est pour la défense des principes britanniques et donc de la langue anglaise, pousse à la suppression des écoles bilingues. Ils accusent celles-ci de contribuer à l'infiltration des Canadiens français dans la province et pire encore, ils soupçonnent les Canadiens français de manquer de loyalisme, vu le petit nombre des leurs qui s'engagent. Tout aussi troublante pour les Canadiens français est leur querelle avec les autres catholiques: poussés par monseigneur Fallon, les catholiques anglophones, trois fois plus nombreux que les Français en Ontario, font valoir que toute cette controverse insensée à propos de la langue risque de compromettre le principe, beaucoup plus important à leurs yeux, de l'enseignement catholique. Si le gouvernement ontarien, lassé d'être harcelé par les Canadiens français, décidait d'abolir les écoles séparées elles-mêmes, qu'adviendrait-il des catholiques? Les deux groupes catholiques s'affrontent juridiquement à Ottawa, quand les sections anglaise et française du Conseil des écoles séparées d'Ottawa sont amenées à discuter du refus du groupe français majoritaire d'appliquer le règlement 17. Pendant que les juristes contestent la validité de la loi et des moyens adoptés par le gouvernement pour l'appliquer, les élèves francophones et leurs mères prennent la défense des écoles et des professeurs de leur choix. Un journal étudiant de l'université Laval déclare avec insolence que le danger véritable qui menace la civilisation française dans le monde ne se trouve plus dans les Flandres mais dans les écoles d'Ottawa.

Bien que la question scolaire soit de nature à les y pousser, les Canadiens français n'ont pas encore transformé en frontière les limites entre les deux provinces : ceux du Québec ne demandent pas mieux que d'accorder le soutien de leur idéologie et de leurs finances au journal *Le Droit* et à l'Association canadienne-française d'éducation d'Ontario, et les chefs de file franco-ontariens, qui sont tous récemment arrivés en Ontario, font appel au soutien des intellectuels et des nationalistes de leur province d'origine. Des représentants des nationalistes du Québec vont en Ontario et en rapportent des nouvelles du conflit à leurs collègues de Montréal et de Québec. Henri Bourassa est souvent invité à prendre la parole en Ontario. Sa logique et son pouvoir de persuasion réconfortent la minorité en lutte. Il considère les minorités francophones du reste du Canada comme les avant-postes du Québec. Les défendre contre une majorité sectaire, c'est assurer la survie du Québec. Son journal, *Le Devoir*, accorde donc une grande place aux événements de l'Ontario. Les associations nationalistes du Québec lancent des campagnes pour collecter des fonds destinés à aider les Ontariens dans le combat juridique qu'ils mènent pour leurs écoles contre le règlement 17. Les évêques du Québec encouragent les collectes et soutiennent celles que le clergé lance en chaire dans ses paroisses. La Commission des écoles catholiques de Montréal engage des crédits pour soutenir la campagne en faveur du bilinguisme en Ontario. Le gouvernement du Québec, avançant prudemment sur le terrain miné de l'ingérence dans les affaires d'une autre province, vote une motion où il exprime ses regrets à propos des divisions engendrées par la question du bilinguisme dans les écoles de l'Ontario. Il autorise aussi les municipalités de la province à contribuer pécuniairement à des causes patriotiques, nationales ou éducatives, cette dernière rubrique servant à couvrir la situation des Franco-Ontariens. Le monde des affaires paie son tribut à l'insatisfaction des Canadiens français quand les clients du Québec en viennent à refuser de faire des commandes à des sociétés de Toronto. Dans toute cette affaire, il est de plus en plus manifeste, bien que rarement admis, que le salut est dans le nombre. Les Canadiens français ne s'en tireront que là où ils feront masse, et cela n'est possible qu'au Québec.

Les hommes politiques du Québec qui font carrière au fédéral ne veulent pas en convenir, mais ils doivent, eux aussi, payer leur écot au problème scolaire. Comme certains des épisodes les plus spectaculaires de la lutte se déroulent à portée d'oreille de la colline parlementaire, ils ne peuvent pas nier le problème, même quand ils souhaiteraient s'en tenir au principe que les questions scolaires relèvent des provinces. Ce qui reste de l'alliance de 1911 entre les nationalistes et les conservateurs se démène avec assez d'ardeur pour que trois membres du cabinet, Pierre-Édouard Blondin, Thomas-Chase Casgrain et Esioff-Léon Patenaude demandent au Premier ministre Borden de soumettre au Conseil privé l'ensemble de la question du statut de la langue française au Canada. Borden leur oppose un refus en déclarant que l'Acte de l'Amérique du Nord britannique est très clair: la langue française existe de droit dans les débats parlementaires du fédéral et leur retranscription, dans ceux de la législature provinciale du Québec et auprès des tribunaux du fédéral et du Québec. Il se retient d'ajouter le «et nulle part ailleurs», que de nombreux conservateurs grommellent entre leurs dents. Il ne veut pas non plus, semblable en cela à la plupart des Canadiens anglais, admettre que l'usage de la langue française constitue un droit naturel et même un droit fondé sur des bases juridiques, qu'on pourrait interpréter pour justifier le besoin pour les Canadiens français de la Saskatchewan par exemple de faire leur scolarité en français pour pouvoir porter leurs litiges devant le tribunal fédéral de cette province dans leur langue. En réalité, les défenseurs des écoles bilingues de l'Ontario ne nient pas la nécessité d'apprendre l'anglais. Ils veulent simplement que leurs enfants étudient en français en même temps.

Mais cette opinion, lorsqu'elle s'exprime au parlement fédéral, se heurte à un mur d'hostilité. Borden refuse la pétition du sénateur Philippe Landry et de la plupart des évêques du Québec qui demandent le désaveu fédéral du règlement 17. Dans les coulisses, quelques-uns de ses collègues conservateurs se mettent à critiquer la participation des Canadiens français à l'effort de guerre. En mai 1916, les députés rejettent une résolution très alambiquée d'Ernest Lapointe, député libéral de Kamouraska, demandant que le gouvernement de l'Ontario n'empiète pas sur les privilèges linguistiques des écoliers francophones. Le chef des libéraux, Laurier, a grand-peine à faire obéir ses libéraux de l'Ontario, au moment où ceux de l'Ouest se dérobent et votent avec la majorité conservatrice. Derrière la défaite, qui pouvait se justifier par la non-ingérence du fédéral dans les problèmes des provinces, se profile le farouche sentiment exprimé par l'ancien député libéral de l'Ouest Clifford Sifton: l'agitation des Franco-Ontariens est criminelle et antipatriotique en cette période de crise nationale. Pour Sifton et de nombreux Canadiens anglais, la véritable crise nationale se trouve sur les champs de bataille d'Europe; pour de nombreux Canadiens français, elle se trouve au coeur des problèmes linguistiques du Canada. Quand l'abbé Lionel Groulx, six ans plus tard, construira son roman, *L'appel de la race*, autour du débat fédéral sur le problème des écoles, il fera à peine allusion à la guerre. Par contre, il donne son aval à la dissolution d'un mariage, métaphore de la Confédération, pour incompatibilité de langue et de race.

En 1916 pourtant, il n'est pas question d'oublier la guerre. L'engagement du Canada va occasionner entre Anglais et Français une rupture qui, par comparaison, fera paraître minime le problème des écoles de l'Ontario. Des rumeurs sur le service militaire obligatoire circulent déjà dans le pays quand apparaissent quelques signes d'apaisement dans la querelle sur les écoles bilingues. Pour les tribunaux, il ne fait aucun doute, que le gouvernement de l'Ontario n'outrepasse pas ses droits avec le règlement 17, en dépit du fait que les juristes érudits du Conseil privé de Londres aient avoué que sa formulation manquait de clarté, que sa portée était difficile à mesurer et que certaines mesures d'application en étaient contestables. Mais ils ont décrété également que le Conseil des écoles séparées d'Ottawa outrepassait ses droits en refusant d'appliquer le règlement. Le pape a aussi eu son mot à dire sur la question: dans sa réponse à l'appel de catholiques canadiens appartenant à des groupes divers, il recommande modération et tolérance. Pour lui, l'unité de l'Église catholique canadienne était essentielle et il n'était pas convaincu que l'engagement du clergé du Québec aux côtés des Franco-Ontariens servirait sa cause. Pendant que quelques prêtres canadiens se posent des questions sur l'influence des Irlandais à Rome, Henri Bourassa se refuse ostensiblement à tout commentaire dans *Le Devoir*. Les directives du pape réussissent cependant à faire revenir le calme. Chez les Ontariens anglophones, en signe d'apaisement, libéraux et hommes d'affaires inventent la notion de «bonne entente», et essaient de rétablir les ponts qui avaient été rompus dans les domaines de la politique et du commerce. Et l'Ontario éprouve de plus en plus de mal à faire appliquer son règlement et finit par l'abandonner en 1927. Il ne reste que l'Ordre d'Orange pour fulminer contre les écoles séparées, mais sa rage se déplace alors sur un terrain de bataille encore plus passionnant, la conscription. Bien que le débat sur les écoles ait fini par mourir sans grande gloire, la rude leçon qu'il a donné sur la loi du nombre, leçon que réitère l'usage de la force brutale dans le problème de la conscription, ne sera pas perdue.

Fin 1916, la guerre dont on avait cru qu'elle serait brève, se transforme en un bain de sang interminable. Elle dévore les hommes, les munitions et les vivres et les ensevelit tous ensemble dans les tranchées, puis dans la boue de l'Europe occidentale. Depuis le premier envoi héroïque de cent mille Canadiens au début de l'automne 1914, partis du camp d'entraînement de Valcartier près de Québec, le nombre des recrues enthousiastes a baissé avec régularité, en même temps que les effectifs d'immigrants britanniques récents et en bonne santé dans les provinces de l'Ouest: ils avaient été les premiers à répondre à l'appel de l'Empire. Les Canadiens nés au pays ne suivent pas, la solidité de leur lien à l'Empire étant inversement proportionnelle au nombre de générations que leurs familles compte au pays. Les appels au patriotisme et à la religion lancés aussi bien au Canada français qu'au Canada anglais, perdent leur force quand il apparaît que Dieu semble indifférent au massacre. De plus, l'économie canadienne profite de la guerre: les fermes de l'Ouest et les industries de l'Est attirent plus de main-d'oeuvre masculine et féminine que le corps expéditionnaire canadien. Mais quand les pertes augmentent et que les recrues diminuent, apparaissent les récriminations. La répartition de la population suffit à expliquer que les familles canadiennes-anglaises soient plus nombreuses à recevoir les sinistres télégrammes beiges qui annoncent un décès; les listes des blessés, des disparus et des morts sont forcément plus longues dans les journaux anglais. Mais quand les slogans commencent à réclamer «égalisons les sacrifices», les gens se mettent à comparer le nombre des enrôlés et à montrer du doigt la région du pays qui fournit le moins de recrues.

Naturellement, il s'agit du Québec. Étant les Canadiens de plus vieille souche, les Québécois sont ceux qui se sentent le moins concernés par la guerre; aucune attache sentimentale ne les lie à la Grande-Bretagne ou à la France. De plus, ils ne se sont jamais sentis à l'aise dans le service armé canadien. Même si souvent on met un Canadien français au poste de ministre ou de sous-ministre au département de la Milice, cela ne supprime pas le caractère résolument étranger de cette institution pour les Canadiens français. Les officiers supérieurs francophones sont rares : au Collège militaire royal de Kingston, l'école de formation des officiers, il y a très peu de Canadiens français et l'enseignement y est en anglais. Devenir officier, cela signifie être ou devenir Anglais. Les officiers supérieurs de la milice permanente, à ne pas confondre avec la milice volontaire, sont pour la plupart britanniques et partagent les enthousiasmes de l'Empire; ils manquent de temps et d'intérêt pour développer l'esprit militaire chez les Canadiens français. L'idée de leur donner un uniforme différent copié sur celui des zouaves pour augmenter l'attrait de l'armée sur les jeunes Canadiens français est rejetée au moment même où certains régiments canadiens anglais sont autorisés à porter le kilt, tout aussi étranger et bien moins pratique. Il n'est pas surprenant qu'en 1912 il n'y ait que vingt-sept officiers canadiens-français contre deux cent vingt-sept canadiens-anglais dans la milice canadienne.

La milice ne fait aucun effort supplémentaire pour accueillir les Canadiens français dans ses rangs durant ces années de guerre. L'instruction et le commandement se font en anglais. Les Canadiens français éprouvent beaucoup de difficultés à créer et à conserver des unités francophones sans qu'on les disperse pour renforcer d'autres unités et c'est toute la force de la pression politique qui sera nécessaire pour former et maintenir le Royal 22e Régiment composé de Canadiens français. Là enfin, ceux-ci pourront former un corps d'élite remarquable, que les Canadiens anglais leur envieront. Mais ailleurs dans la milice, les nominations et les promotions des Canadiens français à des grades supérieurs sont rares. Au cours des premières années de la guerre, le ministre de la Milice, Sam Hughes, ne cache pas son opposition : il ne veut surtout pas que des unités francophones accompagnent les processions populaires des catholiques; il veille à ce que le seul général canadien-français, François-Louis Lessard, soit maintenu au Canada et non pas envoyé outre-mer. Et son ministère établit des quotas d'enrôlements : ceux-ci doivent être proportionnels à la répartition de la population au Canada. Le Québec, avec vingt-huit pour cent de la population totale, doit fournir vingt-huit pour cent des recrues. Cependant, en comparaison avec le reste du pays, le Québec a moins d'hommes en âge de faire la guerre, moins de célibataires, moins de travailleurs à la journée, et de plus, il s'y trouve moins d'hommes originaires de Grande-Bretagne; or ce sont ces groupes qui fournissent le plus de recrues. Aucune statistique ne permet de mesurer l'influence sur l'enrôlement des Québécois du problème scolaire de l'Ontario et des tirades de plus en plus virulentes qu'Henri Bourassa publie contre la guerre dans *Le Devoir*. C'est un silence de mort qui a accueilli l'éclat d'Armand Lavergne à la Chambre du Québec, début 1916, quand il a déclaré que chaque sou dépensé pour recruter des soldats au Québec était volé à la minorité de l'Ontario, mais *La Presse*, journal à gros tirage, n'en place pas moins la querelle sur les écoles bilingues de l'Ontario en tête de la liste des raisons qui justifient le peu d'ardeur des Canadiens français à s'enrôler. Ils y sont si peu encouragés, en fait, qu'il y a même peut-être lieu de s'étonner que trente-cinq mille d'entre eux (à peu près la moitié avant la conscription, l'autre moitié après) aient rejoint les forces armées canadiennes pendant la guerre.

Début 1917, la rumeur de conscription se précise. Le Premier ministre fédéral, Borden, tient absolument à ce que les soldats canadiens soient cinq cent mille, chiffre qu'il a fixé l'année précédente. Mais la tâche devient d'autant plus ardue que le nombre des recrues n'arrive plus à compenser celui des victimes. Et la guerre est particulièrement sinistre, son issue n'est plus sûre et sa fin n'est pas en vue. La Russie déserte la cause des alliés pour la révolution et la guerre civile; les États-Unis n'ont pas encore rassemblé leurs troupes; l'armée française n'en peut plus et se mutine; les succès de la guerre sous-marine allemande sapent les forces et le moral de la Grande-Bretagne. Borden comprend tout cela quand il va en Angleterre au printemps 1917. Il finit par admettre à cette même période qu'au Canada les volontaires ont cessé de s'enrôler. Début 1917, ni l'enregistrement obligatoire, ni l'idée d'une force de défense territoriale ne réussissent à attirer de nouvelles recrues. En réalité, l'enregistrement obligatoire inspire plus de méfiance que d'enthousiasme. Ces listes, où dans le pays tout entier chacun inscrit ses aptitudes et ses disponibilités pour des emplois liés à la guerre, enregistrent aussi le nombre des soldats éventuels, et les Canadiens français ne sont pas les seuls à flairer le piège. La presse libérale et les organisations de travailleurs de tout le pays s'interrogent comme eux sur les motivations politiques de cette enquête. En même temps, employeurs et syndicats ensemble repoussent la suggestion du gouvernement de faire travailler davantage les femmes pour libérer les hommes en vue du service militaire. Dans leur effort désespéré pour attirer des recrues, les militaires baissent les normes des règlements médicaux et leurs agents recruteurs vont haranguer les foules qui font la queue en attendant leur distraction du samedi soir. L'unique général du Canada français anime lui-même une campagne de recrutement au Québec. Mais il ne rencontre qu'indifférence, comme partout dans le pays. Les gens qui réclament la conscription à grands cris ne sont pas, c'est évident, ceux qui sont susceptibles de s'enrôler.

C'est peut-être à la Chambre des communes que la conscription fait une de ses premières victimes. En juin 1917, on y discute le projet de loi sur le service militaire proposant la conscription. Bien trop âgé pour participer à des opérations militaires, Sir Wilfrid Laurier a cependant, sans nul doute, ressenti très douloureusement le poids de l'obligation militaire imposée par le projet. Au cours du débat sur la proposition du gouvernement de recruter cent mille sujets britanniques, de sexe masculin et âgés de vingt à quarante ans, Laurier se trouve acculé à présider à la désintégration du Parti libéral. Ses libéraux de l'Ouest avaient déjà critiqué la résolution Lapointe un an plus tôt; maintenant ils soutiennent à fond le projet de conscription du gouvernement. Certains d'entre eux sont déjà occupés à discuter avec les conservateurs la possibilité d'instaurer un gouvernement d'union qui rassemblerait tous les Canadiens bien-pensants et déterminés dans la poursuite de l'effort de guerre. Laurier hésite lui-même, juste assez longtemps pour sentir que, s'il apporte le moindre soutien à la conscription, il précipitera des fournées d'électeurs québécois dans les bras de Bourassa et de ses nationalistes. Il repousse donc la tentation de participer à un gouvernement d'union. Mais les votes successifs sur le projet de loi verront bien des disciples de Laurier originaires de l'Ontario et des Maritimes s'éloigner de leur chef et voter avec leurs collègues de l'Ouest en faveur de la conscription. Aux quelques libéraux canadiens-français du Québec qui lui restent, s'ajoutent une poignée de nationalistes venus des rangs des conservateurs. Ainsi Laurier doit-il renoncer à son concept d'unité nationale et prendre la tête d'un groupe défini seulement par des critères de langue et de race. En s'opposant à la conscription, Laurier renonce à la promesse qu'il avait faite en 1914 de participer à l'effort de guerre dans un esprit d'union. Les esprits et les coeurs des Canadiens sont loin d'être unanimes sur cette question, et Laurier est obligé d'en convenir. Son choix fait, Laurier sera contraint de s'opposer à la conscription jusqu'à l'élection fédérale. Il n'y aura pas d'unanimité, comme en 1916, pour prolonger la vie du Parlement et éviter les ruptures que causeraient des élections en temps de guerre. C'en est fait de l'unanimité et les ruptures devront suivre leurs cours; ce qu'elles ne manquent pas de faire, et de manière très âpre, à l'occasion de l'élection fédérale de décembre 1917.

L'opposition rationnelle de Laurier au Parlement contre la

conscription est la traduction pondérée de l'opposition bouillonnante du Québec. Laurier s'appuie sur la loi, les précédents et la politique qui ne reconnaissent pas la conscription. Le gouvernement n'est pas mandaté pour imposer au pays l'obligation du service militaire. Quelques libéraux vont même jusqu'à accuser les conservateurs d'utiliser la conscription comme enjeu populaire pour masquer la décrépitude du gouvernement. Pour eux, cette mesure fait de toute évidence partie des pouvoirs de plus en plus nombreux que le gouvernement fédéral s'arroge sur la vie du Canadien moyen. Avec l'excuse de l'état de guerre et facilités par la Loi sur les mesures de guerre, divers contrôles, du rationnement à la fixation des prix, des décrets contre le stockage aux décrets contre les oisifs, ont surtout pour résultat d'empoisonner la vie des fonctionnaires, mais ils indiquent bien la volonté de l'État de prendre en mains les activités des citoyens par la coercition plutôt que par la persuasion. Les gouvernements provinciaux, sauf celui du Québec, ont aussi imposé des restrictions, la plus visible étant le contrôle qu'exerce la prohibition sur ce que boivent les gens; le gouvernement fédéral les suivra sur cette voie en 1918, mais aucune de ces lois n'aura de suite. Et le gouvernement fédéral se met même à surveiller de près les manières de voter et les revenus des Canadiens: avec la Loi sur les élections en temps de guerre passée en 1917, les conservateurs suppriment prudemment le droit de vote à certains Canadiens de souche européenne et l'accordent, tout aussi prudemment, aux femmes ayant des liens de parenté avec les soldats. Au cours de la même année, le gouvernement introduit l'impôt sur le revenu, ce qui lui permet de contrôler les revenus de tous les Canadiens en faisant croire qu'il s'agit d'une mesure temporaire destinée à faire face aux dépenses croissantes de la guerre. Dans un tel contexte, l'idée de la conscription ne surprend qu'à peine. Pour Laurier cependant, le contexte ne donne pas d'excuse. La conscription est illégale; c'est un fardeau imposé par un gouvernement chancelant et ce serait la moindre des choses que celui-ci propose un référendum sur le sujet. Laurier compte sans doute sur la défaite du gouvernement dans une consultation de ce genre, du fait de l'opposition des classes laborieuses et des Canadiens français à la conscription. Et en cas de victoire du gouvernement, la conscription aurait au moins un fondement démocratique.

Mais il y a un hic: sur une telle question, c'est l'appartenance raciale qui détermine les résultats du jeu démocratique. Dans l'ensemble, les Canadiens anglais qui ont le nombre pour eux soutiennent la conscription et réduisent facilement au silence les protestations des fermiers et des ouvriers de l'Ouest; les Canadiens français s'opposent pratiquement tous à la conscription. Les politiciens libéraux du Canada français, à Ottawa comme à Québec, peuvent bien suivre Laurier et déclarer que le Québec acceptera le verdict d'un référendum canadien; rien n'est moins sûr. Le référendum touche un point trop sensible du problème national: la culture et la langue majoritaires vont imposer à la minorité le service militaire pour une guerre à l'étranger. Vue sous ce jour, la démocratie pourrait servir de moyen de coercition. Personne ne parle de viol — les Canadiens de cette époque sont bien trop prudes — mais beaucoup de gens se souviennent de la Conquête. Au dix-huitième siècle, on ne s'était pas gêné pour avoir recours à la force; il est peu probable qu'il en aille autrement au vingtième. L'amendement de Laurier visant à soumettre la Loi sur le service militaire à un référendum fut nettement rejeté.

Avec le vote de cette loi, les passions populaires déchaînées par la conscription ne font que s'intensifier au cours de l'été et au début de l'automne 1917. Tandis qu'Henri Bourassa dans *Le Devoir* traite la conscription de suicide national en faveur d'une cause étrangère, *le Globe* de Toronto en parle comme d'un nouvel engagement pour la cause de la liberté. Le dimanche au Québec, des assemblées populaires font vibrer l'atmosphère du bruit de leurs protestations. Quelques conservateurs du Québec démissionnent à la hâte du gouvernement fédéral; ceux qui restent et votent en faveur de la conscription savent que leurs jours dans la vie politique sont comptés. Des jeunes gens filent dans les bois: ils préfèrent vivre cachés que d'affronter les complications juridiques de la demande d'exemption. Les finissants des collèges classiques prennent soudain la soutane et annoncent leur désir ardent de se faire prêtres, ceux-ci étant exemptés de la conscription. Une tentative désespérée pour recruter des volontaires dans la province ne réussit à recruter en tout que quatre-vingt-dix jeunes gens. Certains croient même qu'il y a un risque de guerre civile, qui serait une conséquence logique, voire méritée, du manque de discernement du gouvernement. Le problème scolaire de l'Ontario refait surface, se mêle au débat sur la conscription aux Communes et contribue au malaise que ressentent les Canadiens français à propos de leur place dans la Confédération. Les atteintes à leur langue et à leur foi se cristallisent autour du service militaire obligatoire. Henri Bourassa déclare bien haut que la loi sur la conscription, appliquée au début d'août 1917, constitue une invitation au soulèvement populaire.

En l'occurrence, le soulèvement prendra la forme d'élections fédérales. Les conservateurs ne prennent pas le moindre risque: ils font du charme aux libéraux de l'Ouest, favorables à la conscription, pour les faire participer à un gouvernement d'union et s'assurent même un soutien encore plus important de l'Ouest en exemptant des obligations militaires les ouvriers agricoles de vingt à vingt-deux ans. Ils vont même jusqu'à faire la cour aux femmes et le vote féminin fait son entrée au fédéral sous une forme étrange: partant du principe que femmes, filles et soeurs de soldats canadiens voteront conservateur pour faire revenir leurs hommes plus vite, le gouvernement leur accorde le droit de vote. Il organise aussi le vote des soldats en Europe de manière à favoriser les candidats conservateurs. Le gouvernement n'a pas vraiment besoin que la presse ranime passions et préjugés, mais c'est précisément ce qu'elle fait. Au lieu de traiter des problèmes auxquels le pays est confronté, de la corruption au coût de la vie, l'assimilation des immigrants à la nationalisation des chemins de fer, la presse s'excite sur l'opposition du Québec à la conscription et sur la réaction des Canadiens anglais. Les journaux anglais citent les arguments d'Henri Bourassa contre la guerre et le traite de traître, condamnation qui atteignait par extension tous les Canadiens français. Voter pour Laurier, ce serait voter en faveur de Bourassa, pour la domination du Québec sur le pays tout entier, pour l'abandon de la guerre et pour le bilinguisme obligatoire dans toutes les écoles. Le Québec est l'enfant gâté de la Confédération et il faudrait bien l'obliger à prendre part à l'effort militaire. Une carte du Canada représente le Québec en noir, «la tache ignominieuse» du pays. Dans un tel contexte, au Québec, les candidats unionistes peuvent à peine ouvrir la bouche. Ils sont pris à partie, réduits au silence; on leur lance des oeufs pourris et on les menace de coups de revolver. Aucun journal francophone ne veut transmettre leur programme. Les nationalistes, moins organisés qu'en 1911 mais avec un problème plus brûlant à régler, réclament maintenant que l'on soutienne Laurier, moins de six ans après l'avoir condamné comme traître. Ils réclament avec insistance la suppression de la Loi sur le service militaire pendant que Laurier présente en termes vagues la politique libérale: elle tendrait à maintenir l'effort militaire avec le soutien des volontaires. Le résultat est facile à prévoir: au Québec, toutes les circonscriptions sauf trois votent libéral, dans le reste du Canada, toutes les circonscriptions sauf vingt élisent des candidats unionistes. Personne ne se réconforte à l'idée que trois cent mille voix seulement séparent unionistes et libéraux; c'est que la composition du Parlement est saisissante: le

Québec dans l'opposition, et les Canadiens anglais au pouvoir.

C'est du parlement de Québec que provient la première réaction. Une motion assez désabusée présentée par Joseph-Napoléon Francoeur soulève la question du séparatisme. Puisque le Québec se heurte à un tel mépris, il devrait peut-être se retirer. Bien que quelques étudiants et un journal clérical obscur proclament la puissance d'un Québec indépendant, maître des chemins de fer et des voies maritimes du nord du continent, Francoeur est plus pessimiste et l'Assemblée accueille sa motion dans le même esprit. Sa proposition est énoncée de la façon suivante: «Que cette Chambre est d'avis que la province de Québec serait disposée à accepter la rupture du pacte fédératif de 1867 si, dans les autres provinces, on croit qu'elle est un obstacle à l'union, au progrès et au développement du Canada.» Le débat qui suit cette proposition est assez décevant et n'aboutit même pas à un vote. En renvoyant la balle au reste du Canada, peu de Québécois ont l'illusion de demander l'avis de leurs concitoyens anglophones, car cet avis ne s'était que trop clairement exprimé aux dernières élections.

Les élections et les allusions au séparatisme ne pourront mettre fin à l'opposition des Canadiens français à la conscription ni aux maladresses du gouvernement dans ses relations avec le Québec. La mobilisation des premiers soldats ne commence qu'en janvier 1918 et la plupart d'entre eux réussissent à se faire exempter. En fin de compte, la conscription parviendra à réunir quatre-vingt mille soldats au Canada, dont le quart viendront du Québec, mais qui ne seront pas tous Canadiens français. Peu d'entre eux partiront outre-mer, et encore moins iront sur le front, avant la fin de la guerre en novembre 1918. Piètre résultat pour une opération qui avait déclenché une telle hostilité et pris valeur de symbole. Les familles canadiennes-françaises n'oublieront jamais les agents recruteurs anglophones débusquant leurs jeunes hommes. Et les jeunes gens n'oublieront jamais les mois passés à se cacher pour échapper à la loi, ou — pour les enrôlés — la condition misérable faite au conscrit, surtout s'il est francophone. Au début du printemps de 1918, les émeutes contre la conscription à Québec frappent encore plus les esprits parce qu'elles sont publiques. Déclenchée par la gendarmerie canadienne qui ramasse les déserteurs présumés et attisée par le mécontentement populaire causé par la hausse des prix et les rationnements dûs à la guerre, l'agitation fait rage pendant trois jours dans la capitale provinciale. Fidèle à lui-même et redoutant certainement la complicité des troupes canadiennes-françaises avec les émeutiers, Borden fait venir de Toronto des soldats anglophones pour mater l'agitation. Certains Québécois n'ont pas tort de se demander où se situe exactement le théâtre des opérations militaires.

D'autres Canadiens français pensent qu'une menace encore plus grave contre l'ordre social arrive d'Ottawa. Laissant à son adjoint les commentaires du *Devoir* sur les émeutes de Québec, Henri Bourassa prend en mains ce qu'il considère comme un problème bien plus grave, celui du vote des femmes. En 1917, dans toutes les provinces à l'ouest du Québec, les femmes avaient déjà droit de vote et elles n'avaient pas du tout l'intention de se contenter de voter au niveau provincial. Elles mettaient de l'avant qu'elles étaient tout particulièrement concernées par les réformes sociales, la prohibition et la santé publique. Elles faisaient valoir leur action pendant la guerre, pour collecter des fonds, encourager les troupes et leur contribution réelle en tant qu'infirmières militaires. S'exprimant par l'intermédiaire du National Council of Women, plusieurs associations féminines réussissent à convaincre le Premier ministre Borden d'étendre son étrange précédent de 1917 et d'accorder à toutes les femmes le vote aux élections fédérales. Le projet est à l'étude aux Communes au moment précis où les émeutes contre la conscription agitent la ville de Québec. Pendant ce temps, Bourassa expose dans *Le Devoir* toutes les conséquences néfastes du vote des femmes: quand elles voteront, les femmes ne se marieront plus puisqu'elles seront accaparées par leur compétition féroce avec les hommes. En conséquence, la famille se désintégrera, les enfants ne seront plus éduqués et ce sera la fin de la position privilégiée que les femmes occupent en raison de leur rôle de mères. La dégradation de la société suivra la dégradation de la femme.

Pour Bourassa le vote des femmes, comme le féminisme, est une de ces importations qui menacent la structure de la société canadienne-française. Il découle directement de l'individualisme propre aux religions protestantes; peut-être convient-il aux Anglo-Saxonnes, qui ont perdu depuis longtemps le pouvoir d'influencer la société par le charme féminin et des moyens naturels, mais il est parfaitement incongru pour des femmes canadiennes-françaises et catholiques. Ces dernières, Bourassa en a la conviction, ne veulent pas du droit de vote; elles seraient certainement enchantées d'être libérées des devoirs civiques et militaires qui vont de pair avec le droit de s'exprimer sur les affaires publiques. Elles ne souhaitent pas non plus participer aux cabales et aux intrigues des luttes politiques. Leur place est à la maison, au sens propre du terme; ce n'est que dans leurs foyers qu'elles peuvent jouer un rôle social et ainsi prétendre à une certaine supériorité. Pénétrer dans le domaine public, cela ne revient-il pas pour les femmes à trahir leur sexe, à dénier à la famille sa place fondamentale dans la société, à bouleverser toutes les notions de hiérarchie et d'autorité et à mettre fin à la primauté des devoirs sur les droits? Malgré les féministes qui affirment que le suffrage des femmes est simplement pour elles un moyen de mieux faire passer dans la société leurs préoccupations morales et sociales, Bourassa insiste sur le côté révolutionnaire de cette mesure. Quand elles voteront, les femmes seront sur le même pied que les hommes dans leurs rapports avec l'État. Ces rapports ne seront plus médiatisés par les hommes et qui pourrait imaginer les conséquences d'un tel défi à l'ordre établi? *La Gazette* de Montréal qualifie ces idées de «vermoulues». Mais Bourassa et les quelques Canadiens français de la Chambre des communes qui s'opposent à la loi sur le suffrage des femmes — ils ne réussiront pas à empêcher qu'elle soit votée — pensent savoir à quoi le vote des femmes conduira et cela ne leur plaît pas du tout: le Canada français va changer, en pire, et de manière irrémédiable.

Un certain nombre d'ecclésiastiques disent amen aux sermons de Bourassa et des hommes politiques. Le théologien Louis-Adolphe Paquet, qui observe le monde depuis l'intérieur du séminaire de Québec où il forme les futurs prêtres dépeint aussi l'abomination de la compétition que se livreront les femmes et les hommes si celles-ci obtiennent le droit de vote. Avec saint Paul, saint Thomas et le pape de l'époque Benoît XV de son côté, monseigneur Paquet ne prend pas grand risque quand il condamne le défi à l'autorité, à la famille et à la société que cachent les revendications féministes. Mais il n'est pas aussi sûr que Bourassa que cette revendication vienne de l'étranger. Il redoute que le féminisme soit bien en fait un produit de la société canadienne-française contemporaine. Pour lui, l'éducation des filles est bien trop calquée sur celle des garçons. Trop de jeunes filles bafouent l'autorité de leurs parents par leur mise et leur conduite. La nécessité où elles se trouvent de prendre des emplois dans l'industrie et le commerce éloigne les femmes de leurs foyers, les regroupe et facilite le développement d'aspirations nouvelles. Monseigneur Paquet voudrait que les filles soient éduquées en fonction du rôle maternel et religieux qui est le leur et que leur formation soit différenciée non pas en fonction de leurs dons, mais de leur classe sociale. Quel que soit leur mari, toutes les jeunes femmes ont la même fonction fondamentale à remplir: fortifier la vertu chez leurs fils, soutenir la foi chez leur mari. Selon cependant que leur mari est agriculteur ou juge, leur situation dans la vie sera différente et exigera par conséquent une formation particulière. Le cardinal archevêque de Québec, monseigneur Bégin, fait écho aux opinions de monseigneur Paquet en notant avec soin l'aversion du Pape pour le vote des femmes et les transmet à ses prêtres. Dans leur enseignement et leur prédication, ils ne doivent jamais perdre de vue que ni l'intérêt de la société, ni la loi naturelle ne justifient le vote des femmes. La presse catholique suit sagement cette ligne de conduite et prend parti contre le vote des femmes.

L'organisation féministe la plus importante du Québec, la Fédération nationale Saint-Jean-Baptiste suit aussi les directives du clergé et renonce à l'attitude qu'elle avait adoptée en ce qui concerne le vote des femmes. Elle préfère centrer ses efforts sur la préparation des femmes au bon exercice du droit de vote. Travaillant en relation étroite avec des religieux, la Fédération ne peut peut-être pas échapper à l'hostilité farouche que la hiérarchie masculine de l'Église manifeste envers l'idée de l'égalité des femmes devant la loi; partageant les mêmes idées sur le rôle des femmes dans la famille, sur la société et sur la sauvegarde de la culture canadienne-française, les femmes de la Fédération ont dû souffrir tout autant des énormes blessures infligées par les années de guerre au Canada français. Ces souffrances, à leur tour, ont peut-être renforcé la vocation des féministes à faire oeuvre de paix plutôt que de discorde. À coup sûr, la journaliste Fadette du *Devoir* estime que les Québécoises, exerçant au niveau fédéral le nouveau droit de vote qu'elles n'ont pas demandé, feront preuve de plus de discernement que les Canadiennes anglaises. Aussi est-elle mi-ravie, mi-inquiète de voir le Montreal Women's Club, membre de la section montréalaise du National Council of Women, se diviser sur le problème de la conscription. Si les femmes se mêlent de politique, pense-t-elle, toutes leurs entreprises vont être contaminées par la politique.

Cette crainte de la contamination colore de nombreuses réactions canadiennes-françaises au cours des années de la Première Guerre mondiale. L'association faite par les Canadiens anglais entre impérialisme et nationalisme est pleine de danger (parmi lesquels celui de participer à des guerres lointaines) pour les Canadiens français qui, eux, associent nationalisme et anti-impérialisme. Le lien qui au Canada français unit langue, religion et nationalité s'est révélé très ténu quand il avait fallu faire face à des coreligionnaires qui parlent une autre langue et à des compatriotes qui pratiquent une autre religion, les uns et les autres ne voient d'avenir, pour une nation canadienne bien différente de celle que conçoivent les Canadiens français, que dans la langue anglaise. Devant une majorité décidée sur le sujet de la conscription, une minorité tout aussi décidée ne peut que s'incliner: la conscription ne supporte pas le moindre compromis. Quand cette même majorité, non contente de piétiner les sentiments des Canadiens français, se met à menacer la famille, fondement de l'ordre social, en accordant le droit de vote aux femmes, la minorité n'a plus qu'une chose à faire: se retirer pour se protéger d'un monde étranger et cultiver ses différences. Des Prussiens de tout acabit sont présents à toutes les frontières, il est grand temps d'ériger des remparts.

ORIENTATIONS BIBLIOGRAPHIQUES

Armstrong, Elizabeth H., *The Crisis of Quebec, 1914-18*, New York, Columbia University Press, 1937.

Barber, Marilyn, «The Ontario Bilingual Schools Issue: Sources of Conflict», *Canadian Historical Review* 47, 1966, p. 227-48.

Bourassa, Henri, *Femmes-hommes ou hommes et femmes?* Montréal, *Le Devoir*, 1925.

Durocher, René, «Henri Bourassa, les évêques et la guerre de 1914-1918», *Historical Papers/Communications historiques*, Société historique du Canada, 1971, p. 248-75.

Granatstein, J.L. et J.M. Hitsman, *Broken Promises. A History of Conscription in Canada*, Toronto, Oxford University Press, 1977.

Gravel, Jean-Yves, *L'armée au Québec: un portrait social, 1868-1900*, Montréal, Boréal Express, 1974.

Morton, Desmond, «Le Canada français et la milice canadienne, 1868-1914», *in Le Québec et la guerre, 1867-1960*, sous la direction de Jean-Yves Gravel, Montréal, Boréal Express, 1974, p. 23-46.

———— , «French Canada and War, 1868-1917: The Military Background to the Conscription Crisis of 1917», *in War and Society in North America*, sous la direction de J.L. Granatstein et R.D. Cuff, Toronto, Thomas Nelson and Sons, 1971, p. 84-103.

Paquet, Louis-Adolphe, «Le féminisme», *Le Canada français* 1, 1918, p. 233-46.

Prang, Margaret, «Clerics, Politicians and the Bilingual Schools Issue in Ontario, 1910-1917», *Canadian Historical Review* 41, 1960, p. 281-307.

Rumilly, Robert, *Henri Bourassa: la vie publique d'un grand Canadien*, Montréal, Éditions Chanteclerc, 1953.

Trofimenkoff, Susan Mann, «Henri Bourassa et la question des femmes», *in Les femmes dans la société québécoise: Aspects historiques*, sous la direction de Marie Lavigne et Yolande Pinard, Montréal, Boréal Express, 1977, p. 109-124.

Willms, A.M., «Conscription, 1917: A Brief for the Defence», *Canadian Historical Review* 37, 1956, p. 338-51.

L'enseignement permet à l'abbé Lionel Groulx de combiner ses goûts littéraires et son ardeur patriotique et religieuse.
Reproduit avec l'aimable autorisation de la Fondation Lionel-Groulx.

XIV L'ABBÉ GROULX SONNE L'ALARME

Au cours des années vingt, une nouvelle génération de nationalistes québécois se met à réfléchir sur la place du Canada français au sein de la société industrielle urbaine et de la Confédération, et se trouvent peu satisfaits de ce qu'ils découvrent. En tant qu'intellectuels, ils se sentent peu concernés par les problèmes matériels qui continuent à pousser les ruraux à transplanter leurs racines campagnardes en milieu urbain. En tant que nationalistes et à cause des nombreuses blessures laissées par la Première Guerre mondiale, ils sont bien moins optimistes que les nationalistes d'avant-guerre sur l'avenir du Canada et sur les promesses économiques du nouvel ordre industriel. Les voix des nationalistes qui les ont précédés commencent à tomber dans l'oubli et l'étoile descendante d'Henri Bourassa fait place à l'étoile montante du prêtre et historien Lionel Groulx. Entre les deux hommes se dresse une barrière infranchissable: l'abbé Groulx évoque la possibilité de donner à un Québec sur la défensive des institutions politiques séparées. La séparation culturelle existe déjà, mais ni Groulx, ni ses amis de l'Action française ne croient que la langue, le catholicisme et la famille seront assez puissants à eux seuls pour assurer la survie d'un Canada français original. Au milieu des mouvements sociaux, politiques et économiques de l'après-guerre, ces caractéristiques du Canada français ont besoin de renfort.

La fusion opérée par les nationalistes entre religion, langue et famille n'est pas une nouveauté des années vingt. L'apport de l'abbé Groulx est de les avoir fondus en un tout quasi inséparable, ce qui le rend incapable d'en démêler les éléments, et de privilégier l'un ou l'autre. Il ne pourra jamais comprendre non plus les reproches de ses opposants qui estiment qu'un classement des idées serait indispensable pour assurer l'orthodoxie religieuse ou politique. Le nationalisme de Lionel Groulx constitue un tout intégré, une fusion organique de ce que le Canada français a réalisé de bien dans le passé avec les promesses de son avenir. Et pourtant il pense que cette continuité exige une certaine vigilance: dans un environnement nord-américain et de plus en plus urbain, la progression n'est pas garantie; elle pourrait même être contrariée par les manières et les usages étrangers. L'effort de Groulx, au cours des années vingt, pour mettre sa nation sur la bonne voie, se manifeste surtout dans son enseignement de l'histoire et dans le périodique qu'il dirige, L'Action française, de même que l'organisation nationaliste du même nom.

La capacité de Groulx à intégrer religion, langue et famille s'explique en partie par ses origines et sa personnalité. Né en 1878 près de Vaudreuil, il est le quatrième enfant d'une famille paysanne qui s'agrandit continuellement, mais qui réussit à résister à la pauvreté, à la maladie et à la mort grâce à une solidarité affective et religieuse très profonde. La mère de Groulx constitue la figure centrale de cette solidarité et elle lui prodigue des leçons inoubliables de détermination, de résistance et de persévérance. Elle veille aussi à ce que le jeune homme reçoive une éducation plus poussée que les quelques années d'école qu'elle-même a réussi à arracher à ses parents. La formation de Groulx au collège classique représente pour sa famille un énorme sacrifice financier, mais elle développe ses dons littéraires, oratoires et pédagogiques. Elle l'oriente aussi, comme sa mère l'avait espéré, vers la prêtrise. Mais la coupure affective avec la famille est douloureuse. L'éloignement dû d'abord à la distance puis à sa vocation religieuse a peut-être conduit le jeune séminariste sensible à idéaliser sa famille et plus tard, par extension, la nation elle-même.

La soutane ne cantonne pas Groulx à la religion. Bien qu'il célèbre souvent des messes, dirige des retraites et s'occupe parfois d'une paroisse à la place d'un ami absent, sa vraie vocation, c'est l'enseignement. Celui-ci lui permet de combiner ses goûts littéraires et son ardeur patriotique et religieuse. Jeune prêtre, professeur à Valleyfield au début du siècle, il y a dirigé un cercle d'étudiants rattaché à la Société du bon parler français; les étudiants veillent soigneusement à la correction de leur français, de celui de leur famille et même des commerçants locaux. Lionel Groulx a aussi été un des fondateurs de l'Association catholique de la jeunesse canadienne-française qui encourage les jeunes à étudier leur religion et à la mettre en pratique dans le cadre concret de la société du Canada français. En même temps, Groulx enseigne la littérature française, tient son journal, correspond avec ses anciens étudiants, écrit des poèmes, des nouvelles et plus tard des romans; en 1912, devant de très nombreux participants, il a fait une communication sur les traditions françaises dans la littérature canadienne au congrès de la langue française à Québec. Son talent se précise pour inspirer aux jeunes un intérêt pour les choses religieuses et laïques, mais il est interrompu dans son élan par les trois années d'études qu'il passe en Europe entre 1906 et 1909. Il fait des études de théologie à Rome, et à Fribourg des études littéraires, et il joue avec l'idée d'écrire une thèse sur la langue française au Canada. En France, il vit l'expérience de l'ostracisme officiel envers la religion. Les lois anticléricales de ce pays, son enseignement laïque, même les sarcasmes publics contre les prêtres, tout cela manifeste pour l'abbé Groulx la décadence de la France. Et cela se produit dans un pays où la langue ne court pas le moindre danger: le français y est parlé par tous, dans un monde culturel homogène. Groulx enregistre la leçon et s'y référera plus tard au Canada.

En cette époque qui suit la Première Guerre mondiale, le

Canada français a besoin de cette leçon et Lionel Groulx y occupe une situation qui lui permet de la donner. Il aurait pu tout aussi bien continuer à inspirer des croisades d'adolescents, pour reprendre le terme qu'il emploie pour désigner le nouveau mouvement étudiant dans le titre de son premier livre paru en 1912. Mais à la même époque, Henri Bourassa lance une campagne publique dans *Le Devoir* en faveur de l'enseignement de l'histoire canadienne à l'université catholique de Montréal. En 1915, il obtient satisfaction: la chaire est inaugurée et Groulx invité à l'occuper. Pendant plus de trente ans, il imprimera de solides leçons d'histoire aux milliers d'étudiants qui passeront par la Faculté des arts de l'Université de Montréal (en 1920, cette dernière devient indépendante de l'université Laval). Il tire du passé des raisons de fierté pour un Canada français (son «petit peuple») bien doté par la Providence, mais condamné par l'histoire à une perpétuelle vigilance en raison de son statut de minorité. Contrairement aux écrits de ses rares prédécesseurs historiens du Canada français, les premières conférences de l'abbé Groulx se contentent d'un regard rapide sur la Nouvelle-France, époque de la naissance d'un peuple, et passent ensuite rapidement au régime britannique. Groulx reprend à son compte la vision de la Conquête comme un désastre; il étend la notion du combat perpétuel de Garneau à la période de l'Union et à celle de la Confédération. Groulx est en fait l'un des premiers historiens du Québec à exprimer ses critiques à l'égard de la Confédération et il choisit l'année du cinquantenaire de celle-ci pour les formuler. Au milieu de la crise provoquée par la conscription, Groulx dissèque sans passion le pacte confédératif et exprime l'idée qu'il ne tiendra que tant que dureront les garanties offertes aux parties intéressées. Même s'il estime que les enjeux canadiens-français ont élevé le débat des années 1860 au-dessus du matérialisme des autres parties, il n'est pas convaincu que les hommes politiques québécois d'alors ont été suffisamment vigilants et prévoyants. Quant à ceux qui ont tenu les rênes depuis la Confédération, mieux vaut ne pas en parler. Groulx pense qu'ils ont trop souvent sacrifié les droits de la minorité à une solidarité de parti. Si de temps en temps, il lance des pointes aux Canadiens anglais, la majeure partie de son oeuvre a pour dessein d'édifier ses contemporains canadiens-français et non de dénigrer leurs compatriotes anglophones. En fait, les hommes politiques canadiens-français, passés et contemporains, constituent une des cibles préférées de Groulx, à la grande joie des étudiants toujours iconoclastes. Ses cours d'histoire sont tous destinés à alimenter le présent, le passé servant sans cesse à éclairer l'action présente.

Pour ce qui est de l'action, l'abbé Groulx y met aussi la main. Incapable de cantonner son activité aux salles de conférences ou aux livres d'histoire, il prend la tête d'un mouvement nationaliste de Montréal, l'Action française: le fait qu'il réside dans la ville même et l'étendue de ses préoccupations lui permettent de transformer la minuscule Ligue des droits du français, créée à la suite du Congrès de la langue française par le biais d'un organisme de sauvegarde de la langue française en un regroupement voué à la sauvegarde du Canada français. Groulx éblouit absolument le petit groupe de journalistes, de juristes et de prêtres qui défendent l'espace de plus en plus étroit que la langue française occupe dans le monde urbain du commerce et de l'industrie. Il leur démontre que leurs listes de termes techniques, le harcèlement qu'ils font subir aux commerçants pour les obliger à établir leurs factures, à rédiger la publicité de leurs marchandises et même à étiqueter les produits en français, sont des entreprises secondaires en comparaison avec les tâches immenses auxquelles va se trouver confronté un Canada français de plus en plus menacé. Ce qu'il faut, c'est mener l'action sur tous les fronts: histoire, présent, avenir, économie, politique, société, langue, éducation, littérature et religion, bref, une «Action française». Donné d'abord au périodique mensuel fondé en 1917 et ensuite à l'organisation elle-même en 1921, ce nom évoque le rayonnement littéraire et intellectuel de l'Action Française de France bien qu'il n'y ait guère de ressemblances entre les deux organisations. Le rapprochement s'avérera néanmoins dangereux, car à la fin des années vingt, le groupe français sera condamné par le pape pour avoir subordonné la religion au nationalisme; mais, de toutes façons, à ce moment-là, le groupe de Montréal aura commencé à se désintégrer.

Quoi qu'il en soit, pendant plus de dix ans, l'Action française fera preuve d'une intense activité publique. Le périodique traite de toutes les questions qui, dans tous domaines, peuvent concerner le Canada français de l'après-guerre. En tant que rédacteur en chef, l'abbé Groulx répartissait au cours de l'année, selon différents centres d'intérêts, les enquêtes annuelles; il cherche des collaborateurs, traque les abonnés, invente des concours littéraires, dirige des pèlerinages annuels vers des sites historiques et se charge de la rédaction de nombreux éditoriaux sous des pseudonymes variés. En outre, il prend la parole partout, au nom de son périodique, de sa maison de presse et de l'association; il va rencontrer des groupes de Canadiens français dans l'Ouest canadien, dans le Nord-Est américain, dans tout le Québec et dans les collèges classiques de la province. Une douzaine de personnes seulement animent l'Action française, mais plus de cent écrivains différents contribuent à la revue qui compte jusqu'à cinq mille abonnés. Enseignants et membres du clergé accroissent son audience en commentant ses articles et en les prenant comme thème de leurs cours dans les collèges. Qui plus est, la plupart des doutes de l'Action française, surtout dans le domaine social et économique, s'expriment aussi ailleurs, au cours de la même décennie. Les propositions politiques du groupe, qui, sur le moment, étaient plus difficiles à comprendre, apparaîtront à la fois sensées et attrayantes à de nombreux Québécois un demi-siècle plus tard. Considérées dans leur ensemble, elles sont plus révélatrices des préoccupations des nationalistes que des soucis réels du peuple, mais elles projettent une lumière indirecte sur les multiples facettes de la société québécoise des années vingt.

La première préoccupation concerne la démographie; une minorité se doit non seulement de maintenir ses effectifs, mais aussi de faire en sorte qu'ils pèsent davantage que leur simple total arithmétique. L'abbé Groulx et l'Action française ne sont pas du tout convaincus que la répartition géographique et les activités des Québécois soient de nature à assurer ces deux objectifs. Ayant fait l'examen des statistiques du recensement fédéral de 1921, ils mettent en garde les Canadiens français contre la baisse de leurs effectifs par rapport au reste de la population canadienne: de trente et un pour cent qu'ils étaient à l'époque de la Confédération, ils sont maintenant tombés à vingt-sept et on ignore comment ils évolueront. Mathématiquement, disent-ils, à long terme, on peut prévoir l'extinction des Canadiens français et en attendant on peut expliquer par la seule loi des nombres le sentiment d'impuissance que ceux-ci ont ressenti à l'occasion de la guerre. Si ces nationalistes étaient des démographes, ils reprendraient courage en constatant que le taux de natalité de la province est encore bien plus élevé que celui des autres provinces, surtout dans les régions du Québec peuplées exclusivement de Canadiens français. Mais leur inquiétude l'emporte sur leur sens de la statistique et ils ne remarquent qu'une seule donnée: la baisse du taux de natalité, surtout dans les grandes villes et en particulier à Montréal, ville de l'Action française. Dans cette ville, le taux des naissances pour mille habitants — qui est la mesure démographique la plus grossière, car elle ne tient compte ni des classes d'âge, ni de la répartition de la population entre hommes et femmes — est tombé de trente-quatre pour cent en 1916 à vingt-sept en 1923. Dans les villes, s'il y a moins de naissances que dans les zones rurales, il y a aussi bien plus de décès, car Montréal continue à être un des lieux du monde où il est le plus dangereux de naître, surtout pour celui qui choisit de naître Canadien français. Ignorant l'incidence de la pauvreté dans la mortalité infantile, dont les études plus récentes ont confirmé l'importance, les nationalistes des années vingt sont enclins à en rendre responsables les mères, mal préparées à leur tâche de pourvoyeuses d'enfants pour la nation. Ce que l'Action française ne mentionne pas, c'est qu'une jeune femme en âge de procréer, court alors presque autant de risques qu'un nouveau-né. Le taux de mortalité des femmes âgées de vingt à quarante-quatre ans est plus élevé que celui des hommes, malgré le fait que les maladies contagieuses, surtout la tuberculose, s'en prennent à la population adulte dans son ensemble. Les décès jouent en fait, dans la taille des familles, un rôle plus déterminant que la limitation volontaire des naissances qui, dans les années vingt, commence à peine au Québec et encore uniquement dans les grandes villes. *L'Action française* dénonce ce nouveau phénomène en faisant des références indirectes à l'infécondité volontaire et aux faiseuses d'anges, deux des fléaux urbains qui affaiblissent la famille et réduisent les effectifs canadiens-français.

L'implantation géographique de ces effectifs inquiète encore davantage les nationalistes. Comme l'équilibre social fondé sur la pondération des activités rurales et citadines leur est cher, et qu'ils aspirent en quelque sorte au développement des vertus sociales dont la vie rurale est censée être naturellement porteuse, l'abbé Groulx et ses alliés, comme les progressistes de l'Ouest à la même époque, déplorent la tendance marquée de la population à émigrer en ville. Et une fois de plus ils étudient le recensement. Déjà en 1921, celui-ci fait apparaître le déséquilibre en faveur des villes: la guerre a attiré suffisamment de ruraux dans les villes pour urbaniser le Québec à cinquante-six pour cent. En 1931, soixante-trois pour cent de la population du Québec vit dans des zones urbaines. Ces zones sont plus variées que celles de la fin du dix-neuvième siècle: l'énergie hydro-électrique jumelée à l'aluminium ont créé du jour au lendemain des villes modèles comme Arvida; l'énergie hydro-électrique et la chimie attirent de nouveaux venus dans des centres déjà installés tels que Shawinigan; associée aux pâtes et papiers, l'énergie hydro-électrique fait de même à La Tuque et Kénogami; l'or et le cuivre créent un chapelet de villes minières le long de la faille Cadillac dans l'Abitibi; les services administratifs régionaux assurés par la ville ajoutent à l'attraction de Sherbrooke, Chicoutimi et Roberval.

Mais Montréal reste l'aimant le plus puissant: son port, ses industries et ses services qui s'étendent à tout le Canada attirent immigrants nationaux et internationaux par milliers tous les ans. Bien que l'extension de ses limites y soit pour quelque chose, la croissance de sa population est néanmoins étonnante. Il y a eu deux cent mille Montréalais de plus entre 1921 et 1931, ce qui correspond à un accroissement de trente pour cent. À la fin des années vingt, Montréal abrite aussi trente pour cent de la population du Québec et presque la moitié de sa population urbaine. Comme ils désirent ardemment que le total du Québec soit égal à plus que la somme de ses parties, l'abbé Groulx et l'Action française prennent souvent une des parties pour le tout. Impressionnés et effrayés qu'ils sont par l'émergence de la métropole, ils donnent souvent au Québec des leçons de morale dont la seule raison d'être est leur propre réaction à la réalité urbaine de Montréal.

En cela, ils dévoilent une autre de leurs craintes: la ville engendre la standardisation, l'homogénéité et, peut-être bien en fin de compte, l'assimilation. Avec trop d'habitants engagés dans trop d'activités à l'utilité sociale douteuse, la cité aura du mal à maintenir les valeurs du Canada français; elle sera peut-être même leur tombeau. Empruntant une image pittoresque au monde rural, l'abbé Groulx s'inquiète du sort des citadins: «L'entassement des hommes, comme celui des pommes, engendre la pourriture.» Et bien sûr les tavelures d'une ville se voient davantage que celles des pommes. En plus de la baisse de la natalité que l'Action française attribue au surpeuplement des logis, la ville sape la solidarité familiale de bien d'autres façons: les films du dimanche passent des mélodrames américains aux personnages dissolus; la presse populaire singe les journaux américains en faisant des héros de criminels sordides: dans les salles de danse, on se trémousse et on s'enlace aux accents barbares et lascifs du jazz américain; les stades présentent du base-ball américain à des foules qui paient pour regarder à ne rien faire; et pis encore, en signe d'indépendance, les jeunes femmes se coupent les cheveux, raccourcissent leurs jupes et prétendent à autant de liberté que les hommes dans leur conduite. Toutes ces activités alimentent un individualisme qui finira par détruire les familles. Le père, dépouillé de sa légitime autorité, passe désormais davantage de temps à la taverne et succombe facilement à des influences néfastes. Les enfants, qui échappent maintenant au regard vigilant de leur mère, vont d'une attraction sordide à une autre. Si en plus la mère gagne sa vie hors de son foyer, la famille perd son centre de gravité. Il ne peut en résulter que des divorces.

Il ne faut pas croire que l'abbé Groulx prêche seul dans le désert: la presse et les prônes font largement écho à ses craintes et dénoncent la décrépitude morale qui accompagne le mode de vie urbain. Bien que vivant de ce mode de vie et des recettes publicitaires qu'il engendre, les journaux consacrent néanmoins beaucoup d'éditoriaux à radoter sur la mauvaise conduite populaire et sur les fléaux sociaux de la ville. Les prêtres, dont le premier rôle consiste à assurer la moralité de leurs paroissiens, trouvent que leur tâche devient de plus en plus ardue dans des centres urbains: les nouveaux arrivants s'y pressent toujours plus nombreux et tous les printemps, la recherche de nouveaux logements moins chers déstabilise les paroisses. Il est relativement facile d'établir un parallèle entre stabilité et bonnes moeurs dans une ville comme Montréal où tout changement, que ce soit dans les voitures, dans les films, sur les ondes de la radio ou dans les modes musicales, est interprété comme un signe de décadence. Des romanciers s'associent à l'anathème de Lionel Groulx contre les grandes villes. Ils voient le vol, la drogue, la prostitution qui sont l'apanage de la métropole et le peu d'ardeur que met la municipalité à les combattre; ils parlent ouvertement de la traite des Blanches, des maladies vénériennes et des avorteuses. Ils se demandent pourquoi Montréal tient une telle place dans l'importation illégale de rhum aux États-Unis tout proches (depuis 1919, ceux-ci pratiquent la prohibition). Derrière les inquiétudes sociales des nationalistes, des journalistes, des hommes d'Église et des romanciers, on trouve autre chose que dédain d'intellectuels pour le comportement vulgaire des gens du peuple: leur grande crainte, c'est de voir la ville devenir un puissant facteur d'assimilation. En transformant des citadins canadiens-français en Américains francophones, la ville détruit toutes les structures religieuses et sociales qui ont assuré la spécificité et la sauvegarde du Canada français.

Pour l'abbé Groulx, l'Action française et d'autres sympathisants nationalistes, la situation économique des années vingt présente pour le Canada français des risques aussi nombreux que ceux de la ville. Ces risques vont d'ailleurs de pair: l'industrialisation croissante attire davantage de Québécois ruraux à la ville; la ville à son tour fait pénétrer son style de vie de plus en plus loin à l'intérieur du pays. Pleinement conscients de l'irréversibilité du processus, Groulx et ses alliés s'inquiètent néanmoins d'un déséquilibre potentiel. Une industrie trop importante présente autant d'inconvénients qu'une agriculture trop réduite. La première produirait à coup sûr trop de biens que personne ne pourrait consommer et la deuxième ne produirait pas assez de biens alimentaires pour la population des villes qui continue à augmenter. Si leur analyse économique est assez simpliste, elle prend néanmoins un ton prophétique inquiétant dans le contexte de la crise des années trente. De plus, les nationalistes ne diffèrent pas beaucoup des autres Canadiens des années vingt dans leur réaction moralisante face à l'évolution de l'économie. Dans le pays tout entier, on ne voit pas le déclin de l'agriculture sans s'alarmer. La société canadienne plonge ses racines dans la terre, et dans les vertus d'indépendance et d'autosuffisance que celle-ci est censée développer. Par contraste, les machines et le béton d'un ordre industriel à la puissance démesurée lui apparaissent comme devant produire des prolétaires esclaves et soumis.

Inutile de dire que dans les années vingt l'économie du Québec est bien plus complexe que les nationalistes ne le disent. Les années de guerre ont gonflé artificiellement la demande de produits agricoles; l'effondrement du début de la décennie n'a été qu'une exagération des mutations survenues depuis la deuxième moitié du dix-neuvième. Les agriculteurs ont beau lancer tous les mouvements de protestation possibles, ce en quoi ils ne se montrent pas très différents des progressistes de l'Ouest, ils ne peuvent pas empêcher qu'en 1920 l'agriculture ne représente plus que le tiers de la valeur de la production totale du Québec et cette proportion baisse toujours. Bien loin de rééquilibrer l'économie — et encore moins d'en être la composante de base — au cours des années vingt, l'agriculture ne réussit même pas à se maintenir à son niveau. Les nouvelles mines de l'Abitibi, les nouvelles installations hydro-électriques qui accompagnent les industries-champignons des bois et papiers des vallées du Saguenay, du Saint-Maurice et de la Gatineau fournissent bien d'énormes marchés aux régions rurales avoisinantes, mais elles créent aussi davantage de richesses tout en fonctionnant avec une main-d'oeuvre réduite. Dans la région du Richelieu, qui a longtemps été le baromètre de l'état de l'agriculture au Québec, dans les années vingt, les agriculteurs continuent à produire du foin pour des véhicules hippomobiles qui ont disparu des villes de plus en plus motorisées. Les problèmes de la spécialisation toujours plus poussée, de la surproduction et de l'endettement provoqué par l'achat de terrain et de machines, problèmes fréquents dans une grande partie de l'agriculture canadienne, frappent les cultivateurs du sud et l'est de Montréal bien avant le désastre des années trente.

D'autres secteurs de l'économie ajoutent à la complexité

que les nationalistes ont tendance à esquiver. Le secteur des manufactures, par exemple, ne constituait en 1920, comme l'agriculture, qu'un tiers de la production totale. Lorsqu'il se développe durant la décennie, l'agriculture, elle, décline, ce qui attise les inquiétudes de Lionel Groulx et de l'Action française. La production industrielle attire certainement davantage de monde que l'agriculture, comme en témoignent les offres d'emploi nombreuses parues dans les journaux qui s'adressaient surtout aux jeunes femmes. En 1929, Montréal abrite soixante-trois pour cent de toutes les manufactures de la province. Mais en dépit des angoisses suscitées par l'industrie dans l'esprit des nationalistes, la véritable mutation des années vingt ne se produit pas dans ce secteur, mais plutôt dans l'exploitation accrue des ressources naturelles du Québec: forêts, mines et surtout énergie hydro-électrique. Leur développement a pour effet de relier le Québec aux marchés d'exportations nords-américains en même temps que de l'ouvrir à des investissements massifs, majoritairement en provenance des États-Unis dans les années d'après-guerre. Cela n'échappe pas au regard vigilant des nationalistes qui ont un instinct sûr pour déceler la présence de corps étranger dans la nation. Un des secteurs économiques auquel ils ne font pas attention, c'est le vaste domaine des services, propres aux sociétés industrielles. Au cours des années vingt, celui-ci fournit davantage d'emplois que la production industrielle ou l'agriculture. Si l'importance relative des services est un indice du niveau de l'industrialisation, le Québec des années vingt est déjà une province très industrialisée.

Si l'abbé Groulx et les nationalistes sont inquiets des conséquences sociales de l'industrialisation, ils ne le sont pas moins de ses caractéristiques ethniques. Entre 1920 et 1930, on trouve de moins en moins de Canadiens français parmi les dirigeants de l'économie de la province et ceux qui innovent. Ils sont par contre massivement présents au bas de l'échelle des emplois et des salaires, dans les manufactures, les commerces et les bureaux et dans la chaîne d'emplois reliant les magasins généraux de la campagne aux fournisseurs de la ville. Ils tiennent leur rang dans les emplois moyens des services urbains, dans les petits commerces et les petites entreprises de construction, dans l'immobilier. Ils produisent aussi des biens intellectuels, par l'intermédiaire des écoles et des journaux, dans les services notariaux, juridiques et religieux. Mais on n'en trouve pas dans les rangs de l'élite économique, en partie à cause du fait que l'homme d'affaires canadien semble aimer agir dans l'ombre, mais aussi et surtout parce qu'ils en sont absents. Certes, Rodolphe Forget a joué un rôle non négligeable dans la Montreal Light, Heat and Power et dans d'autres sociétés, et Alfred Dubuc s'est taillé une part importante dans les forêts du Saguenay et dans l'industrie de la pâte de bois, mais ce sont des exceptions, et d'ailleurs Dubuc n'a pas résisté à la concurrence accrue des années vingt. Le financement de l'essor du Québec est assuré surtout par les États-Unis, avec des capitaux américains qui se déversent dans la pâte et le papier, l'aluminium, les produits chimiques, les textiles et les mines d'amiante.

L'absence de Canadiens français à la direction et dans le financement des grandes entreprises qui contrôlent l'économie du Québec ne manque pas de susciter perplexité et inquiétude chez Lionel Groulx et ses collègues: les Canadiens français commencent à ressembler vraiment trop aux coupeurs de bois et porteurs d'eau de l'ancienne prédiction de Lord Durham. Et ce qui préoccupe encore davantage l'abbé Groulx, c'est de voir ses contemporains accepter d'être relégués au rang de citoyen de seconde zone. Le gouvernement, la presse et le peuple, tous se mettent à plat ventre devant les Américains. Ceux qui ne profitent pas de la présence américaine dans la province poursuivent leur rêve de richesse jusqu'aux États-Unis, et voilà qu'une fois encore l'émigration réduit la masse précieuse des Canadiens français. Que va-t-il résulter de tout cela, se demande l'Action française? Bien consciente du fait que pouvoir économique signifie pouvoir politique, elle redoute toujours que les exigences de la société industrielle n'induisent l'assimilation du Canada français.

Pour pallier ces dangers, l'abbé Groulx espère amener un certain nombre de cadres à organiser la défense du Canada français. Il ratisse beaucoup plus large que les nationalistes des générations d'avant-guerre et il assigne des tâches spécifiques à tous ses alliés potentiels. Il leur demande d'incarner les valeurs abstraites qui caractérisent le Canada français et renforcer ces valeurs dans la société du Québec. Il leur demande de mettre sur pied des institutions faites sur mesure pour un monde canadien-français industrialisé et urbain, et d'en assurer ainsi la survie. S'ils réussissent, alors le Canada français pèsera plus lourd que la somme de ses composantes. Et on réussira enfin à dépasser la sacro-sainte trilogie religion-langue-famille, qu'on invoque toujours pour assurer à elle seule, par magie, la survie des Canadiens-français. L'abbé Groulx ne se prive pourtant pas de formules incantatoires: sa rhétorique religieuse, historique et patriotique en est emplie. Il a toujours affirmé vouloir donner forme par son oeuvre à une doctrine qui permettrait aux Canadiens français de vivre en harmonie avec leur passé et d'envisager en toute sérénité leur avenir. Néanmoins, on trouve dans ses livres d'histoire des personnages réels qui ont organisé la résistance contre les multiples forces assimilatrices qui les ont cernés depuis le dix-huitième siècle. Il attend de l'Action française qu'elle encouragera les Canadiens français à faire de même dans le présent.

Les alliés nationalistes du chanoine Groulx et ses compagnons d'armes de l'Action française sont prêts à utiliser leurs dons intellectuels, oralement ou par écrit, partout où se trouvent des Canadiens français désireux de les écouter ou de les lire. Les noms de Joseph-Papin Archambault, Joseph Gauvreau, Omer Héroux, Anatole Vanier, Philippe Perrier et Antonio Perrault reviennent à tour de rôle dans les pages du magazine, à côté de la signature de talents nationalistes en herbe ou confirmés. À eux tous, ils assument collectivement la tâche de gardiens et d'ordonnateurs de la nation, désignant les dangers omniprésents et appelant à une riposte vigoureuse. L'abbé Groulx joue sur la corde de la fierté: si les Canadiens français prenaient conscience de leur héritage, de la spécificité de leur culture et de leur force collective, ils ne les troqueraient pas à la légère contre un plat de lentilles américaines. Ses cours d'histoire, ses pèlerinages en des lieux historiques, la création de héros populaires, tel Dollard des Ormeaux (l'officier qui a, paraît-il, sauvé Montréal d'une attaque des Iroquois en 1660), les enquêtes annuelles de *L'Action française*, qu'il guide personnellement sur des sujets tels que les points forts du Canada français, l'économie, l'avenir politique, le catholicisme et le bilinguisme, toutes ses actions ont des visées extrêmement concrètes: rassembler les Canadiens français pour la défense de leur nation. Quelques-uns de ses collègues s'appliquent à donner à leurs concitoyens des leçons précises de fierté linguistique. Ils proposent leurs services aux entreprises qui utilisaient trop l'anglais; ils harcèlent les hommes politiques coupables de la même erreur. Ils s'accordent le crédit du bilinguisme des services téléphoniques de Montréal et la paternité des premiers panneaux bilingues installés dans les rues. On leur doit peut-être aussi les premiers timbres bilingues du Canada parus en 1927. D'autres, doués pour l'écriture, se mettent à écrire des romans, genre littéraire considéré à l'époque comme légèrement populaire: Jean-Charles Harvey crée le personnage de l'industriel canadien-français Marcel Faure et Harry Bernard donne des leçons de morale aux jeunes femmes fascinées par les manières de la ville dans *La Maison vide* et dans *La Terre vivante*. Lionel Groulx lui-même s'essaie au roman dans *L'Appel de la race*, où il montre un avocat arriviste qui se transforme en patriote en renouant avec ses racines. Plus tard, dans *Au Cap Blomidon*, il racontera comment même les terres d'Acadie, perdues depuis longtemps, pourraient être remises aux mains de Canadiens français prêts au travail et au sacrifice. L'abbé Groulx a aussi des amis et des contacts au sein de la presse nationaliste catholique et indépendante du Québec. *Le Devoir*, *L'Action catholique* et *Le Courrier de Saint-Hyacinthe* reproduisent des articles de *L'Action française*, font souvent état de ses efforts publics, et partagent avec elle la mission de conscience de la nation. Et bien que la plupart des autres journaux, surtout ceux qui sont liés aux partis politiques, jugent les nationalistes quelque peu imbus de leur personne, il leur est de plus en plus difficile de prétendre les ignorer. Groulx s'est constitué des disciples nombreux et zélés au sein de l'élite intellectuelle du Québec.

Il compte aussi sur ses alliés du clergé, eux aussi très motivés, pour encadrer et organiser le Canada français. En 1920, le père J.P. Archambault, dont il est très proche, fonde les Semaines sociales et en fait une sorte d'université itinérante. Installées chaque année dans une ville différente du Québec, elles réunissent à la fin de l'été les élites laïques et religieuses de la région : des conférences et des débats publics sur des thèmes sociaux présentent aux participants et au public les outils du catholicisme social. Le clergé y apprend à appliquer la doctrine catholique à des problèmes sociaux concrets touchant la famille, les relations dans le monde industriel, les conditions de la vie urbaine et le comportement des gens; les laïques s'y habituent à prendre leurs responsabilités face à ces mêmes problèmes et à collaborer avec les prêtres pour trouver des solutions typiquement canadiennes-françaises. Tout le monde comprenait le message: le trait caractéristique du Canada français, ce qui assurera sa survie, c'est le lien indissociable entre le domaine civil et domaine religieux. Tout au long des années vingt, les Semaines sociales vont mettre en pratique la doctrine catholique de l'harmonie des relations sociales: fondée sur la réciprocité des droits et des obligations au sein d'une société hiérarchisée mais organique, gravitant autour de la famille, elle s'applique à des sujets aussi variés que les relations entre capital et travail, la famille, l'économie et la ville. Alors que l'évangile social du clergé et des laïques protestants perd beaucoup de sa force d'avant-guerre dans le monde de plus en plus laïque et déçu des années vingt, le catholicisme social au contraire prend de la force et vient s'ajouter à l'arsenal des défenses du Canada français.

Il est un autre champ d'action par lequel le clergé touche de plus près encore aux problèmes économiques de la classe ouvrière. L'organisation des syndicats d'ouvriers et d'agriculteurs qu'il a suscitée a porté ses fruits au cours de la décennie 1920, avec la Confédération des travailleurs catholiques du Canada (C.T.C.C.), créée en 1921, et l'Union catholique des cultivateurs (U.C.C.), en 1924. Toutes deux sont destinées non seulement à réduire l'attrait des organisations «étrangères» — syndicats affiliés à des centrales américaines ou associations de fermiers canadiens-anglais —, mais aussi à créer des institutions spécifiques destinées à protéger les travailleurs, les cultivateurs et la nation elle-même. La CTCC rassemble environ vingt mille travailleurs des diverses industries du bâtiment, des dépôts de chemin de fer, des ateliers de mécanique, des industries de la chaussure, du textile, du vêtement, des pâtes et papiers et des brasseries. L'UCC réunit quelque treize mille cultivateurs de toute la province — profession notoirement individualiste —, désireux de partager les mêmes problèmes et de leur trouver des solutions communes. Aucune des deux organisations n'a jamais été majoritaire dans le monde ouvrier ou agricole et, au sein de chacune d'elles, on discerne un double courant, motivations morales et patriotiques des fondateurs, membres du clergé, d'une part, problèmes économiques des ouvriers et des cultivateurs, de l'autre. On discerne bien aussi leur complémentarité. Le clergé sait parfaitement que les syndicats sont nécessaires, il connaît leur force et il sait aussi que s'il ne participe pas à leur organisation, il risque d'être mis sur la touche. C'est pour cette raison sans doute, que dès 1922, de grandes cérémonies religieuses ont accompagné la célébration de la Fête du travail. De leur côté cependant, ouvriers et cultivateurs savent que le clergé peut mettre à leur disposition un leadership expérimenté, des réseaux d'influence et une caution morale. Par ailleurs, ils se retrouvent sur le plan du nationalisme et du catholicisme social: ni les uns ni les autres n'ont oublié la hargne manifestée pendant la guerre contre les Canadiens français et l'exode rural qui alarme le clergé, préoccupe aussi les cultivateurs que famille et tradition attachent à leur terre. Et pourtant, les relations à l'intérieur des deux organisations ne sont pas toujours harmonieuses: des querelles sur la stratégie, le financement, les personnalités et même le pouvoir et les responsabilités des prêtres qui y militent, sapent les énergies, tandis que des grèves classiques infligent un démenti à l'idée d'altruisme à laquelle les prêtres tiennent tant. Les pages de *L'Action française* de l'abbé Groulx tendent à masquer les difficultés, mais elles n'en existent pas moins.

Ce n'est pas l'abbé Groulx, qui, au cours des années vingt, a inventé l'activisme nationaliste et clérical. Seulement, le fait qu'il ait été l'un et l'autre, et qu'il ait été animé d'une énergie débordante et d'une force de conviction à toute épreuve le distingue de ceux qui, avant lui, s'étaient donné la mission d'assurer la sauvegarde de la nation. Ce qu'il a ajouté à la formule préexistante, c'est que la famille (et surtout la femme dans la famille) et le gouvernement devaient se mobiliser pour organiser la défense du Québec. Malheureusement pour lui, les femmes et le gouvernement se sont montrés moins déterminés que ses alliés nationalistes et cléricaux. S'il lui a été assez facile de dire ce que l'on attendait des femmes et de l'État, il lui a été plus difficile d'en obtenir l'application. Déçu par ce qu'il prend pour une dérobade délibérée des deux pièces maîtresses de la rédemption nationale, l'abbé Groulx se venge en les emprisonnant chacun dans un rêve; la femme dans celui de la survivance, et l'État, celui de l'indépendance.

Les jeunes femmes présentent l'élément le plus visible de la mutation sociale des années vingt. À la différence des employées d'usines ou des fermes, les jeunes filles éduquées selon les règles des classes moyennes étaient restées dans leur foyer ou dans leur couvent. Voici que maintenant elles en sortent et exigent que la société leur accorde quelques années d'indépendance entre l'école et le mariage. Et elles montrent un sens de la mode et du comportement qui gêne d'autant plus les esprits conservateurs qu'il ne se cache pas. On n'a jamais pu établir la relation entre longueur des jupes et degré de moralité, mais pour l'abbé Groulx, ses associés et ses sympathisants de l'Action française, il y en a bien une. Étant donné le rôle important qu'ils confient aux femmes dans le maintien de l'ordre social, ils redoutent, eux qui se sont institués gardiens de la nation, que des changements sociaux suivent l'évolution des femmes. Que le comportement des femmes vienne à se détériorer et la société en fera autant. Il est donc absolument nécessaire de rappeler aux jeunes femmes que leur rôle dans la famille est voulu par Dieu et qu'un lien étroit existe entre ce rôle et la survie de la nation. Le premier point soulève peu de problèmes à ce moment-là; mais le second exige plus d'efforts. Comment une jeune mère pourrait-elle penser que les chansons, les jouets et les réceptions qu'elle offre à ses jeunes enfants ouvrent une brèche, si étroite soit-elle, à l'assimilation? Comment pourrait-elle percevoir le danger potentiel des achats qu'elle fait, des repas qu'elle prépare, de la frivolité mondaine des thés ou des bridges qu'elle organise à l'occasion?

C'est ce qu'entreprennent de lui montrer l'abbé Groulx et ses amis. Certains de leurs conseils sont d'ordre pratique: éviter Santa Claus, donner sa clientèle à des commerçants canadiens-français, refuser le droit de vote au niveau provincial et suivre les décisions du chef de famille en matière de vote fédéral, encourager l'enseignement ménager, même dans les collèges classiques de filles, participer aux campagnes contre le divorce et refuser toute modification du statut de la femme mariée. Mais les conseils ayant valeur de symbole sont encore plus nombreux: pour l'abbé Groulx, les femmes devraient se conformer à une image qu'il a conservée toute sa vie et qui lui vient probablement de sa mère. Celle-ci, en fait, apparaît sous les traits de plusieurs personnages historiques de son oeuvre: il l'a reconnue parmi les pionnières de la Nouvelle-France, et parmi les religieuses fondatrices des écoles et des oeuvres sociales. Et quand il lui devient de plus en plus difficile de retrouver cette image dans les figures féminines, de celluloïd et de guimauve qui s'étalent dans le monde urbain qui entoure sa vie d'adulte, il l'appelle à la rescousse pour qu'elle imprègne de son esprit la nation tout entière. Pour lui, le Canada français a besoin de la force et de l'énergie inépuisables, du sens du devoir et de la mission, de la volonté de survivre et de la certitude de se perpétuer dans le temps, que seules les femmes peuvent apporter. Il est sûr que son «petit peuple» ne pourra survivre dans le monde urbanisé et industriel de l'Amérique du Nord du vingtième siècle que grâce à ces qualités féminines qui font si cruellement défaut à la société des années vingt. Aux femmes d'incarner ces qualités et de les imprimer à la nation.

Le projet politique ajouté par l'abbé Groulx à son modèle féminin du Canada français exige que le gouvernement provincial lui aussi joue le rôle de tuteur de la société, de concert avec les nationalistes, le clergé et les femmes. Malgré leur aversion marquée pour la politique, aversion fondée sans doute sur le fait qu'ils sont très conscients de ce que les minorités n'y possèdent pas de pouvoir — Lionel Groulx et l'Action française perçoivent la puissance potentielle d'un gouvernement où les Canadiens français sont majoritaires. Sur ce point, il se contente de faire écho aux partisans de la Confédération qui entre 1860 et 1870 ont justement insisté sur ce point. Mais on n'a encore jamais réussi à exploiter ce potentiel, car on n'a jamais essayé. Adoptant la même attitude que ses homologues nord-américains, le gouvernement du Québec s'est bien gardé d'intervenir dans le domaine social et économique, et encore plus de le prendre en main. Lorsque, comme en 1921, il se risque à réglementer le financement des associations charitables ou, comme en 1924, à préciser les procédures d'adoption, les nationalistes n'en sont pas toujours heureux. Mais, la plupart du temps, les quelques velléités d'interventions que manifestent les gouvernements dans le secteur économique se trouvent en faveur d'entreprises auxquelles politiciens et même Premiers ministres sont étroitement liés. Et le fait que ces entreprises soient pour une grande part, sinon dans leur totalité, aux mains des Américains ou des Canadiens anglais ne fait qu'ajouter à la vindicte des nationalistes. Ils voudraient que le gouvernement du Québec soit plus vigilant quand il distribue les droits d'exploiter ses eaux, ses minéraux et ses forêts. Ils voudraient un contrôle plus strict de l'exploitation des ressources naturelles du Québec par des étrangers. Ils voudraient que le gouvernement étudie, organise et planifie le développement rationnel de l'agriculture, des ressources naturelles et de l'industrie. Ils sont en faveur de la colonisation, contre l'émigration et espèrent que le gouvernement tiendra compte de leurs conseils. Ils n'écoutent pas leurs détracteurs qui voient le spectre de la révolution russe derrière toute intervention de l'État. Pour la poignée de nationalistes des années vingt, l'État devrait être ce qu'il est devenu au cours des années soixante, à savoir un instrument pour la défense et le développement de la nation.

Pendant une brève période, au début de la décennie 1920, Lionel Groulx et l'Action française caressent l'idée d'un État séparé, défense ultime contre les menaces venues de l'extérieur. En 1922, l'empire britannique présente tous les signes d'un effondrement imminent: il a cédé sa suprématie financière aux États-Unis et on voit ses colonies dans le monde entier réclamer leur indépendance à cor et à cri. Le Canada est une de ces colonies et lui aussi paraît en pleine désintégration. Pendant la guerre, la question scolaire et la conscription ont divisé le Canada selon les lignes de ses composantes raciales. Dans le monde du travail, l'agitation de l'après-guerre annonce des ruptures irréparables entre les classes sociales. La surprise causée par l'irruption d'un grand nombre de progressistes de l'Ouest à l'élection fédérale de 1921 révèle les problèmes agraires du pays et laisse craindre son démembrement selon ses frontières régionales. Les Canadiens n'ont aucune cohésion idéologique et ils se chamaillent sans cesse au sujet de l'autonomie, du libre-échange, du protectionnisme et du matérialisme américain. Pour Lionel Groulx, le Canada est sûrement une idée sans avenir. À cette analyse de la vie politique de son temps, il ajoute une critique historique de la Confédération: non seulement elle sape les droits des Canadiens français, mais elle constitue aussi depuis ses origines une union mal assortie. Elle s'avère donc une erreur. Pour faire bonne mesure, l'abbé Groulx ajoute à cette critique la vieille définition ultramontaine de la nation: si on tient compte de l'origine commune de sa population, de sa langue, de sa religion, de son territoire, des us et coutumes et de l'histoire, seul le Canada français constitue une nation. Derrière beaucoup de «si», de «mais» et de «peut-être», se profile donc l'idée d'un État indépendant qui parerait aux dangers que Groulx voit partout. Sa géographie reste floue, sa politique encore davantage, mais c'est un idéal sur lequel méditer. Un jour, l'avenir s'organisera suivant les goûts des Canadiens français; des institutions politiques et même un État-nation pourront prendre forme, en accord avec le génie canadien-français. Un État français indépendant sur les rives du Saint-Laurent constituera toujours, selon l'abbé Groulx, la meilleure des défenses possibles.

Lionel Groulx ne réussit pas à convaincre les hommes politiques ni même nombre de ses contemporains. Cette question entraîne sa rupture définitive avec Henri Bourassa et il en est si déçu qu'il en vient même à traiter Bourassa de fou. Mais après avoir analysé pendant toute l'année 1922 les différentes facettes de l'État à venir dans les colonnes de *L'Action française*, le groupe de Lionel Groulx n'en reparlera que rarement et Groulx lui-même refusera pendant le reste de sa vie d'être considéré comme séparatiste. Au cours des années 1920, ni l'empire britannique ni la confédération canadienne ne se sont effondrés, et le Canada français a poursuivi sa route dans l'inquiétude, à la recherche d'une forme acceptable de survivance. La voix puissante de Groulx a accompagné cette marche pendant la décennie de l'après-guerre, et les Canadiens français ont pris l'habitude d'entendre sonner des alarmes. À l'aide des éléments originaux du nationalisme canadien-français (religion, langue et famille), Groulx a tissé un mythe grisant centré sur le Québec. Ses cours d'histoire et l'Action française ont offert aux Canadiens français le lieu, la situation, les personnages, les objectifs d'une magistrale fresque nationale. En même temps, il a fait du nationalisme une donnée sociologique que les politiciens ne pourront plus faire semblant d'ignorer. Bien évidemment, aucune des stratégies de défense de Groulx n'empêchera le monde de connaître un bouleversement radical au cours des années trente. Mais dans une large mesure, c'est grâce à son oeuvre que des nationalistes mieux armés, souvent alliés à d'autres groupes, pourront tenter de redonner un équilibre à la partie québécoise de ce monde perturbé.

ORIENTATIONS BIBLIOGRAPHIQUES

Dupont, Antonin, *Les relations entre l'Église et l'État sous Louis-Alexandre Taschereau, 1900-1936*, Montréal, Guérin, 1972.

Groulx, Lionel, «Henri Bourassa et la chaire d'histoire du Canada à l'Université de Montréal», *Revue d'histoire de l'Amérique française* 6, 1952, p. 430-39.

———, *Mes mémoires*, vol. 1 et 2, Montréal, Fides, 1970 et 1971.

Montreuil, Claude, *La vérité choque*, Montréal, 1923.

Robertson, Susan Mann (Trofimenkoff), «Variations on a Nationalist Theme: Henri Bourassa and Abbé Groulx in the 1920's», *Historical Papers/Communications historiques*, Société historique du Canada, 1970, p. 109-19.

Rouillard, Jacques, *Les syndicats nationaux au Québec de 1900 à 1930*, Québec, Les Presses de l'université Laval, 1979.

Senese, P.M., «Catholique d'abord! Catholicism and Nationalism in the Thought of Lionel Groulx», *Canadian Historical Review* 60, 1979, p. 154-77.

Trofimenkoff, Susan Mann, *Action française: French Canadian Nationalism in the Twenties*, Toronto, University of Toronto Press, 1975.

———, «Les femmes dans l'oeuvre de Groulx», *Revue d'histoire de l'Amérique française* 32, 1978, p. 385-98.

Vigod, B.L., «Ideology and Institutions in Quebec, The Public Charities Controversy 1921-1926», *Histoire sociale/Social History* 11, 1978, p. 167-82.

XV À LA RECHERCHE D'UN ÉQUILIBRE

Au cours de la décennie 1930-1940, les avertissements de Groulx et même ses solutions s'avèrent fondés à plusieurs points de vue. Comme le reste du monde occidental, le Québec a été atteint par la surproduction industrielle peu après cette période de spéculation économique effrénée et de prospérité qu'ont représentée les années vingt. La production industrielle urbaine a fait pencher la balance, non seulement au-delà de la notion esthétique d'une économie équilibrée proposée par Lionel Groulx, mais aussi au-delà de cette distribution de plus en plus large des richesses dont rêvaient les économistes libéraux et que devait assurer une expansion industrielle soutenue. Et tout cela s'est brusquement arrêté, ce qui a entraîné une infinité de misères. Tandis que les travailleurs des villes et des campagnes sont écrasés sous le poids du bouleversement économique, les intellectuels et les politiciens craignent pour la survivance du Canada français. Comme leurs homologues anglophones du reste du pays, les files d'attente devant les centres de distribution de pain et les soupes populaires, les bidonvilles de papier goudronné et les dépotoirs de ces dix années de crise leur semblent contenir le ferment d'une agitation sociale. Quelques-uns de leurs collègues les plus extrémistes vont même jusqu'à favoriser cette agitation. Mais la plupart pensent qu'une réaction collective et raisonnée fournira le seul remède possible aux maux engendrés par la crise. Et il est assez curieux de noter qu'ils tournent alors leurs regards vers les deux éléments actifs sur lesquels Lionel Groulx a cru pouvoir miser au cours des années vingt: les femmes et l'État. Si les femmes voulaient bien être l'élément de la stabilité sociale et l'État, celui de la mutation politique, alors le Québec trouverait peut-être l'équilibre qui lui est indispensable pour survivre à cette nouvelle crise.

Il est assez naturel qu'on dit alors considéré cette crise comme une autre invasion étrangère. Selon le jugement des intellectuels, les alliés de Groulx à l'Action nationale, qui est

*Les villes fournissent des allocations aux chômeurs (...)
en échange, elles essaient d'en tirer du travail.*
Assistés sociaux élaguant des arbres dans le parc de
l'île Sainte-Hélène à Montréal en 1937.
Archives publiques du Canada, PA121570

la forme renouvelée que prend l'Action française dans les
années trente, et ses amis prêtres des différentes organisations
vouées au catholicisme social, la crise économique résulte de la
surindustrialisation. Et pour ceux, cette industrialisation reste
associée aux capitaux étrangers, américains, britanniques ou
canadiens-anglais. Ces capitaux ont pu pénétrer facilement au
Québec grâce au laxisme du gouvernement provincial libéral.
Selon les nationalistes, la crise inflige un démenti aux espoirs
de prospérité sans limite, aux perspectives d'emploi infinies
que devaient entraîner les investissements étrangers réalisés
au prix d'énormes concessions. Le fait que les investisseurs
soient capitalistes et que la crise soit née du capitalisme est

pour eux secondaire. L'élite des intellectuels et du clergé voit d'un mauvais oeil la Cooperative Commonwealth Federation (C.C.F.), nouveau parti politique qui applique au capitalisme une critique inspirée par le socialisme, et ils redoutent davantage encore la critique européenne qui prend la forme du communisme. Pour eux, ces deux types de critique sont aussi étrangers au Canada français que les investisseurs eux-mêmes, et potentiellement plus malfaisants. La seule influence étrangère qui soit acceptable, c'est celle du pape: dès le début de la décennie, il a fermement condamné aussi bien la théorie et la pratique économique libérale individualiste que les conflits de classe que prône la contestation collectiviste de l'ordre économique en cours d'effondrement. Mais le pape n'a jamais été témoin des scènes que les nationalistes du Québec voient tous les jours: les patrons anglophones jetant à la rue les ouvriers canadiens-français. Lionel Groulx est assez fin pour reconnaître qu'il ne suffirait pas de remplacer l'anglais par le français aux échelons les plus hauts de l'économie pour guérir tous les maux de la société, mais à son avis cela éviterait au moins l'aggravation de la tension émotive; si l'économie était entre les mains des Canadiens français, il y aurait quelque chose de changé.

Pour des centaines de milliers de Québécois, l'analyse des nationalistes reste éloignée des réalités de la crise. Cette dernière secoue la province à des moments différents et à des degrés divers. Dès 1927, la surproduction de pâte, de papier et même d'électricité a entraîné la fermeture d'unités de production au Saguenay. En 1929, la disparition des transports hippomobiles a frappé de plein fouet les producteurs de foin des Cantons de l'Est. En 1931, une chute du commerce et de la production déclenche la spirale du chômage dans les villes de Québec et de Montréal; en 1932, la chute libre des prix de la morue ruine les pêcheurs de Gaspésie. Seules les mines de l'Abitibi continuent à produire de l'or et du cuivre, mais le nombre des emplois dans l'industrie minière a toujours été réduit. À chaque fois que la crise atteint une région, elle se propage aussitôt dans la zone avoisinante. Les villes vivant d'une industrie unique voient parfois la moitié de leurs habitants mis au chômage, ce qui entraîne la disparition des commerces, des services et la ruine des maraîchers du voisinage. Seules les fermes qui ont peu d'échanges avec la ville réussissent à tenir le coup, mais l'agriculture de subsistance n'a jamais été un idéal. Les cultivateurs du Lac-Saint-Jean, les pêcheurs de Gaspésie ne peuvent plus compter pour compenser leur diminution de revenu sur une saison de travail dans des camps de bûcherons, car même les forêts ne valent plus rien. En peu de temps, le crédit du cultivateur au magasin local, chez le marchand d'outils, auprès de la compagnie d'hypothèque, auprès du fisc est réduit à zéro. S'ils se résignent à céder leur bétail, leur équipement et même leur ferme à leurs créanciers, les agriculteurs n'ont plus qu'à aller rejoindre les chômeurs.

Et toutes les issues sont fermées. Les voies traditionnelles de la poursuite du mieux-être, sinon du salut sont toutes bloquées: l'émigration vers les États-Unis a cessé, le gouvernement américain ayant fermé ses frontières; pour émigrer vers des zones rurales, il faut des capitaux, de l'endurance et de la terre de qualité convenable. Toute la bonne volonté du clergé et des fervents du retour à la terre ne peut pas transformer en fermes fertiles les régions pour la plupart impossibles à cultiver du Québec. Quant aux villes elles-mêmes, elles ont perdu leur attrait; on va jusqu'à refouler les gens qui arrivent de la campagne de crainte de les voir s'ajouter à la masse déjà énorme des sans-emploi. Toutes les municipalités imposent des conditions de résidence, jusqu'à deux années, pour qui veut se prévaloir d'une aide financière municipale. Parfois une jeune femme de la campagne part vers la ville, selon la filière bien connue, pour s'y placer comme domestique et subvenir aux besoins de sa famille, mais les bas salaires et les longues heures de travail la mènent souvent à la prostitution ou à la tuberculose et au sanatorium. Même les vocations religieuses diminuent. Le nombre des enseignants fléchit aussi, car de nombreuses commissions scolaires rurales ferment purement et simplement les écoles quand elles ne peuvent plus payer à la maîtresse les deux cents dollars de son salaire annuel. Mais bien qu'ils n'aient aucun espoir d'en sortir, la majorité des ruraux du Québec, à peine plus du tiers de la population totale, réussissent du moins à ne pas mourir de faim.

Ce n'est pas toujours le cas des citadins. Henri Bourassa provoque un choc chez les parlementaires, et chez celui qui siège à ses côtés, J.S. Woodsworth, fondateur du C.C.F., quand il révèle que soixante-quinze mille Montréalais vivent dans des conditions qui ne seraient pas acceptables pour des animaux. Les autres villes camouflent leur misère, bien que dans les environs de Hull et de Valleyfield on trouve des bidonvilles infestés de rats et de maladies. Si les dépotoirs de la ville n'assurent pas leur subsistance, les jeunes gens sans logis traînent dans les rues, parias sans famille, errant dans tout le pays en quête d'un impossible travail. Ils fouillent les caniveaux à la recherche d'un mégot ou d'un sou perdu; ils font la queue pour avoir un bol de soupe et refont la queue pour trouver un lit, dans un asile, un entrepôt ou une voiture de chemin de fer. Et le lendemain, il faut tout recommencer. S'ils rencontrent de la parenté en ville, la réception est dépourvue de cordialité. À Montréal en 1933 (l'année la plus dure de la crise) près de trois cent mille personnes, soit plus du tiers de la population, sont réduites à accepter des secours distribués par la ville, et il n'y a pas place pour les errants venus d'ailleurs. Mais ce ne sont pas toujours des isolés: des familles entières errent ainsi sans espoir. Avec la crise, les prix tombent, mais pas aussi vite que les revenus. Les pauvres cherchent à se loger toujours moins cher, dans des logements toujours plus crasseux. Les loyers ne baissent pas autant que le prix des aliments, et l'aide sociale ne couvre jamais intégralement les deux. Pour combler l'écart, les pères de famille acceptent n'importe quel emploi pour une bouchée de pain. Ils savent que, s'ils se plaignent, ils seront signalés aux autorités municipales et rayés des listes de bénéficiaires. Les mères mendient auprès des familles bourgeoises une journée de travaux ménagers. Les filles acceptent que leur salaire et leur temps de travail soient réduits pour garder un semblant d'emploi dans un magasin bon marché. Ni les parents ni la société ne peuvent oublier un seul instant la pâleur et l'air hagard des enfants sous-alimentés.

Pendant que dans les villes, les pauvres portent le poids physique et moral de la crise, les municipalités endossent celui de son coût. Ce sont en fin de compte les édiles municipaux qui doivent payer la facture si les autres recours font défaut: quand les organisations charitables privées ne peuvent plus faire face à la demande, quand des directeurs de sociétés intraitables refusent de laisser tourner leur usine même avec la promesse d'une réduction de leurs taxes, quand le gouvernement provincial décide de refuser tout déficit et le gouvernement fédéral estime que l'indemnisation du chômage ne relève pas de lui. Il est vrai que les politiciens municipaux doivent se faire réélire tous les deux ans, à la différence de ceux du fédéral. De plus, ils sont pour la plupart convaincus que la stabilité sociale est en jeu. Le populiste Camillien Houde, qui est maire de Montréal au cours de la plus longue partie de la décennie, estime que les cinquante mille chômeurs de Montréal pourraient déclencher la révolution à n'importe quel moment. Les hommes politiques de la ville n'ont donc aucune difficulté à se convaincre eux-mêmes qu'ils constituent l'ultime rempart contre la révolution ni à en convaincre les autres. Les budgets qu'ils votent pour tenter d'acheter la paix sociale sont astronomiques. Les villes fournissent aux chômeurs des allocations de nourriture, de combustible et de logement. Quelques années plus tard, elles vont payer aussi l'électricité et les soins médicaux. En échange de ces secours, elles essaient d'en tirer du travail et offrent des allocations un peu plus élevées, variables selon les villes et la situation locale, à ceux qui acceptent d'entretenir les parcs, les terrains de jeu, la voirie et les bâtiments publics. Les municipalités se plaignent si fort de l'accroissement de leurs charges financières, que le gouvernement fédéral finit par accepter une formule de répartition à trois (fédéral, provinces, municipalités) des coûts des secours sociaux. Il ne s'engage que pour un an, mais en fait la formule sera reconduite d'année en année pendant la décennie de la crise.

Cela n'empêche pas les villes de s'enfoncer dans les dettes. L'essor des services urbains au cours des années vingt a laissé aux municipalités un lourd fardeau financier qui menace de les engloutir maintenant. La ville de Montréal, par exemple, a endossé les dettes des villes voisines qu'elle a annexées. Pendant toute la décennie, le maire Houde essaie d'alléger la charge financière de sa municipalité en faisant valoir que le chômage est du ressort fédéral, mais ses propos ne seront pas entendus avant 1940, date à laquelle une commission royale sur les relations entre les provinces et le Dominion lui donne raison. Le gouvernement fédéral n'accepte d'accorder que des fonds d'urgence. Pendant un certain temps, il héberge aussi quelques chômeurs sans domicile dans des camps de secours d'urgence comme la base militaire de Valcartier. Mais il ne prend pas d'autres responsabilités. Pendant ce temps, l'entreprenant maire de Montréal essaie de persuader le gouvernement provincial de participer au plan de retraite fédéral qui, depuis 1927, accorde des pensions aux vieillards nécessiteux. Cela rayerait sept mille vieillards des listes des secours distribués par la ville. Avant que la province n'accepte ce plan en 1936, elle aura dû secourir soixante-quinze municipalités dont la crise a causé la faillite. Montréal réussira à tenir jusqu'en 1940, mais cette année-là, elle ne pourra rembourser ses dettes : celles-ci s'élèvent à près de quatre cent millions de dollars. La province prendra alors sous son aile tutélaire l'administration de la ville et en ajoutera le coût à son endettement propre qui ne cesse d'augmenter.

Parallèlement à la montée du chômage, grandit la crainte d'une agitation sociale. Avec presque quatre cent mille personnes sur une population de trois millions — plus du tiers de la main-d'oeuvre — au chômage dans les pires années de la crise, les autorités se sentent justifiées de prédire le pire. Elles craignent les manifestations. Elles tremblent à la venue d'un syndicaliste américain ou même à la seule pensée de la Ligue d'unité ouvrière, d'inspiration communiste. Mais le spectre de la révolution sociale est plus dans les esprits de certains membres de l'élite que dans la tête des chômeurs et des ouvriers du Québec. Pour la plupart, ils n'ont guère connu mieux; la crise se situe dans le prolongement des problèmes de chômage saisonnier, de maladies, de difficultés de logement qu'ils connaissent depuis des générations. À certains chômeurs chroniques, la crise apporte même un mieux-être, en leur fournissant une aide régulière; même si celle-ci est minime, c'est un revenu assuré, ce qu'ils n'ont jamais connu auparavant. De plus, comme d'autres Canadiens, les Québécois d'alors acceptent l'idée que le travail relève de la responsabilité individuelle: s'il n'y a pas de travail, c'est de leur faute, pas de celle de la société. La plupart d'entre eux aussi, catholiques comme protestants, acceptent la hiérarchie qui dans la société place les pauvres — comme ils le méritent, et pour toujours — tout en bas de la pyramide. Beaucoup d'entre eux comptent bien plus sur une récompense au ciel que sur une amélioration de leur sort ici-bas.

Néanmoins, il y a des signes évidents de malaise populaire. Les douze pour cent de la main-d'oeuvre qui sont syndiqués expriment un certain mécontentement. Chaque fois que la crise semble se calmer, comme en 1934 ou encore en 1937, des signes d'agitation apparaissent au sein de la classe ouvrière. Quelquefois elle prend la forme de rivalités entre syndicats, les syndicats internationaux affirmant qu'ils offrent une meilleure protection que les syndicats catholiques. Bien que ces deux types d'unions soient liés par des accords tacites, variant selon les régions et les secteurs, laissant les mines du Nord-Ouest et le bâtiment dans les villes aux syndicats internationaux, et l'exploitation forestière du nord et les textiles des petites villes aux syndicats catholiques, aucun des deux n'accepte vraiment de limites à sa juridiction. Les syndicats catholiques essaient souvent d'attirer les ouvriers de l'industrie lourde où dominent les syndicats internationaux. Les patrons aussi ont leurs préférences. Faute de pouvoir bannir les syndicats dans leur ensemble, beaucoup parmi eux préfèrent avoir à faire aux catholiques, qu'ils supposent plus maniables. Mais les syndicats savent qu'ils sont menacés par les employeurs: parfois, ils font donc front commun non seulement pour faire reconnaître le syndicalisme, mais même pour obtenir le droit exclusif de l'un ou de l'autre de représenter collectivement les ouvriers d'une industrie donnée dans les négociations. Le fait que ce besoin de protection en vienne à remplacer les salaires ou les conditions de travail comme motif principal des nombreuses grèves de 1937 donne une indication sur le sentiment d'impuissance ressenti par les travailleurs pendant toute la décennie. Que les grévistes soient des débardeurs de Montréal, des travailleurs de l'aluminium d'Arvida, des mineurs d'amiante des Cantons de l'Est, ou bien des ouvriers du papier de Trois-Rivières, des constructeurs navals de Sorel, ou encore les dix mille ouvriers des neuf usines différentes de la Dominion Textile et de ses succursales dans toute la province, leur but est le même: ils veulent se protéger. Si les syndicats se montrent incapables d'assurer cette protection, comme dans la grève du textile qui se termine par un accord mis au point par l'Église et le gouvernement, alors les travailleurs quittent les syndicats.

La présence de femmes de plus en plus nombreuses dans les syndicats déjà existants et dans ceux qui sont apparus au cours des années trente témoigne aussi du désespoir engendré par la crise. En 1937, Yvette Charpentier répond à l'appel de l'Union internationale des ouvriers du vêtement pour dames et réussit à convaincre ses compagnes de la confection de Montréal de faire comme elle. Comme Yvette Charpentier, nombre de ces ouvrières travaillent depuis leur enfance dans les usines de confection et en retirent de quoi vivre chichement: les salaires y sont payés selon le rendement et les horaires peuvent atteindre les soixante-dix heures hebdomadaires. En 1937, elles sont prêtes à se défendre par des grèves. À la même époque, Laure Gaudreault met sur pied le premier syndicat d'enseignantes rurales du Québec dans le comté de Charlevoix. Elle fait la classe depuis le début du siècle, dans les écoles rurales du comté, pour un salaire annuel qui dépasse rarement les cent vingt-cinq dollars. Durant l'été de 1936, elle décide de s'en prendre au gouvernement provincial. Peut-être la Fédération catholique des institutrices rurales réussira-t-elle à obliger le gouvernement à tenir ses engagements et à augmenter le salaire annuel minimum des institutrices à trois cents dollars. En tout cas, un syndicat d'institutrices sera toujours plus fort qu'une institutrice isolée face à la ladrerie d'une commission scolaire: celle-ci va jusqu'à affirmer que même des salaires de deux cents dollars l'acculeraient à la faillite. Les institutrices attendront la génération suivante pour faire comme les autres travailleurs et utiliser la grève, mais leur association même, comme les nouveaux syndicats des années trente, montre que beaucoup de gens n'acceptent plus de se résigner en silence aux dures exigences de l'économie.

Le refus des femmes de se soumettre constitue peut-être le

plus grand scandale de ce monde bouleversé qu'est la décennie 1930. Leur présence dans le monde du travail, et qui plus est, parmi les grévistes et les syndicalistes représente un défi à l'ordre naturel des choses, déjà bien ébranlé. Pour comble, l'une des femmes les plus engagées entreprend même de syndiquer les hommes: Jeanne Corbin, une organisatrice de la Ligne d'unité ouvrière, crée assez d'agitation parmi les bûcherons de l'Abitibi pour qu'ils se mettent en grève et descendent manifester à Rouyn en 1933. De manière plus générale, la Maria Chapdelaine, soumise, quoique inébranlable, des forêts perdues de Péribonka a cédé la place à la Florentine Lacasse, impertinente et versatile, du quartier Saint-Henri de Montréal. Seuls les employeurs apprécient cette transformation qui leur fournit des ouvrières à bon marché. Mais la plupart des autres Québécois n'apprécient guère: les hommes politiques, les hommes d'Église et les nationalistes craignent tous pour l'avenir de la famille et donc de la nation en voyant les femmes quitter la sphère de la vie privée pour s'engager dans le domaine de la vie publique. Sans nul doute cela fait des décennies que le processus est commencé, mais la menace qu'il représente n'est perçue clairement que depuis le début des années trente. Les femmes apparaissent alors comme les principales responsables de la dislocation de la société. Si on pouvait les convaincre de rester conformes à l'idéal que les hommes se font d'elles, elles pourraient aussi y remédier.

Quelques mesures sont effectivement proposées au cours de la crise pour cantonner les femmes dans leur univers. En 1932, des hommes politiques du Québec paradent vêtus de costumes tissés à la main. Leur tenue vestimentaire, expliquent-ils, est une forme de protestation contre les importations coûteuses, les tarifs douaniers élevés et l'urbanisation excessive; ce qu'ils prônent, c'est la remise en route des rouets et des métiers à tisser familiaux, le retour au travail domestique gratuit et le retour au foyer des femmes. En 1935, les hommes politiques font une attaque plus directe contre le travail féminin salarié au parlement de Québec: ils y discutent des mérites d'une loi qui n'autoriserait à se présenter sur le monde du travail que les femmes qui auraient une attestation déclarant qu'elles ont besoin d'argent, attestation délivrée par une personne responsable (c'est-à-dire un homme) comme le curé, le maire ou un échevin. La loi ne sera pas votée, mais elle donne l'occasion aux deux côtés d'exprimer des craintes identiques: le fait que des femmes soient sur le marché du travail est peut-être à l'origine de l'accroissement du chômage chez les hommes. Quant aux membres du clergé et aux ordres religieux, ils sont nombreux à inculquer à leurs étudiantes l'idée que le rôle des femmes consiste à être des bienfaitrices bénévoles, non seulement envers les classes les plus démunies mais envers la nation dans son ensemble. En 1937, l'abbé Albert Tessier entreprend de revaloriser les écoles d'enseignement ménager: il les transforme en écoles secondaires consacrées à la formation de «femmes de maison dépareillées». Le gouvernement provincial lui accordera son soutien pendant plus de vingt ans et financera ce qui va devenir les instituts familiaux, alors qu'il refusera pendant tout ce temps de subventionner les collèges classiques de jeunes filles. Et pendant ces dix années, les mêmes personnes, clergé et hommes politiques réunis, érigeront des lignes de défenses solides et efficaces contre le symbole par excellence de l'égalité des femmes dans le domaine public: leur droit de vote. Année après année, les législateurs de toutes obédiences politiques repoussent les délégations de femmes venues réclamer le droit de vote, même si elles sont conduites par Thérèse Casgrain, qui appartient à la haute société et y a des relations bien placées. En effet, pour eux c'est une suffragette, ce qui la met au même rang que la chanteuse populaire Mary Travers, «La Bolduc», que l'élite trouve vulgaire; toutes deux, bien que de manière différente, lancent un défi à la nature qui a réparti les responsabilités sociales entre hommes et femmes selon leur sexe.

Les élites du Québec sont convaincues que la stabilité de la société repose sur cette répartition. La maintenir, c'est renforcer la résistance à la crise. Même les réponses institutionnelles dont rêvent les intellectuels, les nationalistes, les hommes d'Église et les hommes politiques, ont pour fondement une image de la famille où la femme est à la fois une force d'intégration et un exemple de la dévotion d'un individu au bien d'autrui. Chacune des trois notions dont les intellectuels vont s'enticher au cours des années trente, la colonisation, le corporatisme et les coopératives, promet la régénération de la société et chacune compose son idéal autour d'une image de la femme.

Comme remède à la crise, la colonisation sera toujours plus efficace en matière de nostalgie que d'effectifs. Elle a pour but de rééquilibrer le Québec rural et le Québec urbain, et de recréer la famille rurale où femmes et hommes sont des partenaires économiques dans une entreprise commune. La famille rurale revivifiée est censée redécouvrir la hiérarchie naturelle perdue dans l'individualisme de la ville, et femmes et enfants y reprennent la place que Dieu leur a dévolue: ils sont soumis au père de famille, leur maître, et dépendent de lui. En fait, c'est aux femmes que la colonisation demande le plus de sacrifices: sur la route de l'Abitibi, par exemple, les jeunes femmes des villes et même celles des paroisses rurales établies doivent renoncer aux chaussures à la mode et aux robes fantaisie, au pain du magasin et à l'aide médicale, aux conseils de leurs voisines et au soutien de leur famille. Et c'est peut-être cela qui a constitué l'obstacle le plus grand à la colonisation. Certains politiciens sont néanmoins assez entichés de la notion de colonisation pour échafauder en 1932 un plan fédéral qui vise à rayer des listes d'assistés sociaux quelque neuf mille individus, et décide de les faire partir vers le nord-ouest du Québec. L'une des destinations est la rivière Solitaire, la bien nommée. Un plan provincial suit en 1934 et, à la fin de la décennie, on aura installé quelque quarante-cinq mille personnes, nouveaux colons ou anciens cultivateurs, dans les régions comme l'Abitibi, le Témiscamingue, le nord du Lac-Saint-Jean, la région de Rimouski et la Gaspésie. Les deux tiers d'entre eux n'y resteront pas. On ne peut pas remonter le temps aussi facilement que l'ont imaginé certains membres de l'élite. Les incertitudes du gouvernement provincial qui ne sait pas trop si la colonisation est valable se reflètent dans son budget: entre 1930 et 1939, une part infime de ses dépenses annuelles, soit à peu près cent millions de dollars, ira directement au mouvement du retour-à-la-terre. Par contraste, les chantiers publics et les secours directs absorbent la majeure partie du budget. La colonisation ne paiera jamais.

Certaines élites recommandent une autre panacée dont les résultats seront encore plus minces: le corporatisme. Conçu comme un système d'organisation de l'économie, le corporatisme remplit de ses théories les pages de périodiques comme *L'Action nationale* et *L'Actualité économique*, les salles de conférence des Hautes Études commerciales et les salles de réunion des collèges classiques. Il a la bénédiction du pape, toujours utile pour les partisans de certaines idées politiques au Québec. Mais ce qui lui donne son véritable attrait, c'est qu'il promet la régénération et la stabilité de l'économie en y projetant la structure familiale. Cette structure est à la fois hiérarchique et harmonieuse; la femme en est à nouveau le centre et le symbole parce qu'elle admet la hiérarchie et contribue à l'harmonie en subordonnant toujours sa personne au bien de l'ensemble. Or ce qui s'accomplit dans la famille peut aussi se réaliser dans l'industrie. Dans un secteur de production donné, travailleurs et employeurs devraient harmoniser leurs intérêts dans une corporation au lieu d'institutionnaliser leurs différences par des syndicats de travailleurs ou des associations d'industriels. Les diverses corporations des différents secteurs de l'économie fusionneraient ensuite pour constituer un conseil économique qui s'occuperait, de concert avec le gouvernement, de prévoir et de régler la politique économique. On envisage même de remplacer par ce conseil économique le Conseil législatif du Québec. Aucune de ces idées ne se réalisera, mais le rêve est bien là: il s'agit d'organiser et peut-être de contrôler l'économie dans une structure sociale qui sera le reflet même du Canada français.

Le mouvement coopératif représente un moyen plus réaliste de résoudre la crise. Avec ses ambitions plus limitées, c'est lui qui obtient les résultats les plus concrets. Comme ils connaissent bien l'isolement et l'impuissance du petit producteur du secteur primaire, qu'il soit agriculteur ou pêcheur, et ceux aussi du consommateur ordinaire, qu'il épargne ou qu'il dépense, les partisans des coopératives insistent pour que les efforts individuels s'unissent en une force collective. Et là aussi, c'est la famille qui sert de modèle, moins cette fois-ci pour sa structure hiérarchique que pour sa pratique communautaire. Le dévouement de la femme au bien commun illustre, tout particulièrement pour les enfants, les bienfaits de la coopération familiale, et ses relations avec les autres femmes au sein des associations de village ou d'Église constituent les règles fondamentales de la solidarité sociale. Depuis le début du vingtième siècle, il existe des coopératives d'emprunts et de prêts qui fonctionnent selon les mêmes principes, les caisses populaires. Les coopératives de cultivateurs ont aussi démarré au cours des années vingt, quand les producteurs des campagnes ont uni leurs forces pour mieux contrôler les revenus provenant de leurs ventes et les dépenses allant aux fournitures. Au cours des années trente, les coopératives de crédit et de production agricoles prennent de l'extension tandis que les consommateurs des villes et les pêcheurs de Gaspésie fondent les leurs. Il n'est pas toujours facile de s'engager dans une coopérative, car les grandes sociétés privées ont les moyens d'éloigner les hésitants des coopératives naissantes dont les profits sont à long terme et collectifs, et non pas immédiats et individuels. Mais c'est précisément parce que leurs profits sont collectifs, que les coopératives trouvent des avocats puissants: nationalistes, hommes d'Église et universitaires ne se contentent pas de parler et d'écrire, mais prennent activement part à l'organisation des coopératives. L'École des sciences sociales de l'université Laval, qui formera tant de membres de l'élite laïque du Québec au cours des années cinquante, est fondée en 1938 et dotée d'une chaire sur la coopération. Son directeur, Georges-Henri Lévesque, un dominicain très engagé dans l'action sociale catholique, entreprend de créer, à l'échelle de la province, une fédération des coopératives d'alors et publie un périodique, *Ensemble*, pour faire connaître le mouvement. À la fin de la décennie, les coopératives compteront plus d'adhérents que les colonisateurs et les corporatistes réunis.

La recherche de la stabilité sociale par le moyen d'institutions faites sur mesure conduit inéluctablement à la politique. Il faut la sanction du Parlement pour obliger les femmes à conserver leur rôle traditionnel; la colonisation exige des deniers publics votés par le Parlement, le corporatisme suppose une nouvelle forme de relation entre hommes politiques et hommes d'affaires; les coopératives ont besoin de soutien, et seul un gouvernement qui leur serait favorable peut le leur accorder. Ainsi, pour renforcer l'ordre social, il faudrait peut-être changer la politique elle-même. Durant la décennie, quelques voix, perçantes mais isolées, se font entendre en faveur du séparatisme, du communisme, du fascisme ou du socialisme. Ces trois derniers phénomènes trouvant plus d'adhérents dans des régions du Canada autres que le Québec. Le séparatisme lui-même a ses jeunes enthousiastes et ses théoriciens ardents, mais personne ne comprend exactement ce que l'abbé Groulx veut dire quand, en 1937, il déclare à Québec à une foule follement exubérante: «Notre État français, nous l'aurons.» La plupart des gens se posent plus de questions sur la réforme que sur la révolution. Et la majorité de l'électorat québécois, comme les autres électeurs du Canada, attend simplement l'occasion de renverser le gouvernement.

C'est une rude affaire que de pousser le gouvernement provincial à faire quelque chose. L'Assemblée ne se réunit que trois mois par an et, durant la session, elle évite toute législation litigieuse. Les ministres de la Couronne cumulent leur fonction avec la direction de sociétés — le Premier ministre Taschereau en a dix — et légifèrent rarement à l'encontre de leurs bienfaiteurs. La rareté des quelques lois sociales votées par le Parlement leur donne plus de sens que leur contenu même: une loi sur le salaire minimum des femmes a été votée en 1919, mais est rarement appliquée. À partir de 1921, des subsides de la province aident de façon régulière les institutions privées et religieuses d'assistance sociale. À partir de 1934, les résultats obtenus dans les négociations collectives d'une industrie donnée (pourvu qu'elle concerne suffisamment de monde) doivent s'appliquer automatiquement aux mêmes travailleurs des autres régions. Mais il n'y aura pas de pensions de vieillesse jusqu'à la veille de la démission de Taschereau en 1936, il n'y a pas d'assurance-chômage non plus. Même les palliatifs imposés par la crise ont été accordés à regret. Le gouvernement, comme tous les gouvernements en Amérique du Nord, n'a ni le désir ni les moyens de combattre les abus des sociétés étrangères, surtout lorsque ce sont ses largesses qui ont incité celles-ci à s'installer.

Entre les sessions du Parlement, les députés et les ministres s'engagent individuellement dans l'action sociale de leur choix. Par l'intermédiaire de leurs cabinets juridiques, de leurs bureaux d'affaires et de leurs relations professionnelles, ils répandent la bonne parole, et plus souvent encore les bonnes oeuvres, du gouvernement libéral. La répartition de la manne est directement proportionnée à la puissance des députés et à la fidélité électorale des comtés. Le système est réglé avec précision: les grandes sociétés, qui attendent ou viennent de signer des contrats lucratifs avec le gouvernement, versent tout naturellement une contribution aux fonds électoraux du parti; ces fonds servent ensuite à graisser de nombreuses pattes, directement ou par personne interposée, tout au long de la route qui conduit à l'isoloir. Tous les membres de la famille du Premier ministre Taschereau qui touchent aux affaires du gouvernement pourraient témoigner de la connaissance approfondie qu'il possède des astuces du commerce politique. À celui qui a l'esprit assez vif pour observer sans s'opposer, Taschereau, qui a été Premier ministre du Québec pendant seize ans, peut donner bien des leçons de longévité politique. Ainsi à partir de 1933, l'ambitieux Maurice Duplessis, le nouveau chef des conservateurs qui siège à la tête de son groupe de onze députés dans une Assemblée toujours déséquilibrée, ne le perdra pas de vue une minute. En attendant l'occasion de lui lancer un défi, Duplessis apprend tout ce qu'il a besoin de savoir sur le patronage et le paternalisme. Taschereau est un bon professeur et Duplessis, un élève doué.

La chance de Duplessis lui est venue plus de la crise et de la fermentation intellectuelle et politique qu'elle a suscitée, que du Parti conservateur. Celui-ci souffre en fait du double handicap de ses défaites continuelles aux élections depuis les années 1890 et de la conscription que ses collègues du fédéral ont imposée en 1917. Et il n'a pas pu tirer parti des deux facteurs qui ont joué au Québec en faveur de son homologue fédéral conservateur: ni l'alliance nationaliste-conservatrice de 1911, ni la victoire des conservateurs sur Mackenzie King en 1930, n'ont réussi à constituer un capital politique au parti provincial. Ses chefs successifs ont bien tenté de ranimer la flamme nationaliste de 1911, mais en vain: les nationalistes sont bien trop ombrageux pour lier leurs sentiments à un parti politique.

Et Camillien Houde, chef des conservateurs de la province de 1929 à 1932, n'a pas réussi à faire profiter le parti de la ferveur populiste qu'il a déclenché comme maire de Montréal. Le programme conservateur commence bien de faire de vagues allusions aux problèmes qui préoccupent les gens au cours des années trente — problèmes agricoles, mainmise des étrangers sur les industries liées aux ressources naturelles et trust de l'électricité —, mais le débat sur ces problèmes se déroule essentiellement à l'extérieur des cercles politiques. Étudiants, enseignants, nationalistes, clergé, groupes d'étude, associations professionnelles, écrivains et journalistes, discutent tous des misères et des menaces liées à la crise. Certains cherchent des boucs émissaires sur place, comme les juifs, de plus en plus nombreux dans le commerce de détail à Montréal depuis les années vingt; certains voient des communistes partout tandis que d'autres attendent le chef qui les galvanisera; d'autres encore aspirent à une réforme culturelle menée par un christianisme modernisé. Mais, en même temps, ils sont tous atterrés par la conduite politique des libéraux provinciaux. Bien que beaucoup s'en défendent, la conception qu'ils se font du salut de la société débouche inéluctablement sur la politique. Sur leur chemin, aux aguets, et à la recherche d'alliés potentiels, on trouve Maurice Duplessis.

Ces alliés viendront de deux directions: d'une part, un groupe de laïcs et de prêtres engagés dans l'action sociale catholique, d'autre part, des mécontents en marge des partis politiques. Avec l'École sociale populaire fondée en 1911 sous l'inspiration de l'infatigable père Joseph-Papin Archambault, les premiers ont depuis longtemps trouvé un cadre institutionnel pour leurs idées. Les seconds apparaissent tout d'abord au début des années trente comme un groupe d'insatisfaits du Parti libéral; en 1934, ils n'hésitent pas à se présenter comme une troisième force politique sous la bannière de l'Action libérale nationale. À ce moment-là, l'École sociale populaire a déjà lancé un «programme de restauration sociale» pour adapter l'enseignement pontifical au contexte québécois et pour offrir une solution catholique de remplacement au socialisme. Ce programme est en réalité conçu comme une réponse au C.C.F. Il a quatre volets: il propose la «restauration» de l'agriculture par la colonisation et l'octroi d'un crédit aux cultivateurs, celle des ouvriers par une législation spéciale, et notamment par des allocations familiales; il veut restaurer les finances publiques par l'appropriation gouvernementale des sociétés d'intérêt public et la politique en éliminant corruption et népotisme. Le programme ne parle pas des mécanismes de ces «restaurations», mais il chatouille agréablement les oreilles de nombreux groupes de jeunes animés par le clergé, d'étudiants activistes, de syndicats de travailleurs, d'associations de cultivateurs et de coopératives. Il a aussi un résultat concret: les personnes qui, à l'intérieur du Parti libéral, et à titre individuel, discutent déjà de réforme politique endossent le programme et le font adopter par Paul Gouin, le fils d'un ancien Premier ministre libéral du Québec qui a pris la tête de l'Action libérale nationale. Les objectifs des membres de ce groupe sont incontestablement proches de ceux de l'École sociale populaire, à part le fait qu'ils s'en prennent directement au Parti libéral dont ils sont issus: il faut purger le parti de la corruption dont il fait preuve dans sa pratique gouvernementale et dans les élections; il faut que le parti prenne plus à coeur les problèmes sociaux et assure sa maîtrise sur l'économie de la province. La mesure spécifique qui garantira cette maîtrise, c'est la nationalisation des sociétés hydro-électriques, en particulier de la société privée qui écrase de son monopole les industries et les habitants de Montréal, la Montreal Light, Heat and Power. «À bas les trusts!» devient le cri de ralliement de ces réformateurs de la politique. Si le Premier ministre Taschereau ne veut pas les écouter, peut-être Maurice Duplessis leur tendra-t-il l'oreille?

En effet, Duplessis dresse l'oreille, lorsqu'il entend l'Action libérale nationale se déclarer prête à combattre Taschereau en se plaçant à l'extérieur du Parti libéral. Séparément, ni l'Action libérale nationale ni les conservateurs n'ont de grandes chances de prendre la forteresse électorale libérale. Ensemble, ils pourraient l'ébranler. Donc, en vue de l'élection provinciale de novembre 1935, les conservateurs veillent à mettre l'accent sur les aspects de leur programme qui ressemblent le plus au Programme de restauration sociale, et Duplessis fait sa cour à Paul Gouin. Ils n'ont l'un et l'autre pas grand-chose à perdre et, à moins de trois semaines de l'élection, ils pensent tous les deux qu'ils ont beaucoup à gagner: ils décident de rassembler leurs troupes sous la bannière de l'Union nationale, dont le nom même évoque le vieux rêve d'une unité canadienne-française, exempte de divisions partisanes et forte devant des Anglo-Saxons hostiles.

La réalité est plus terre-à-terre, mais plus viable sur le plan électoral. Le nouveau parti réunit des vieux conservateurs, anglais et français, des nouveaux libéraux d'une tendance radicale et des nationalistes escomptant de grands bienfaits économiques et ethniques du contrôle des monopoles par l'État. Derrière ces trois catégories se profilent des intérêts financiers, idéologiques et religieux qui ne sont pas toujours compatibles. Mais leur union est assez forte pour faire peur aux libéraux. Aux élections, l'Union nationale remporte quarante-deux des quatre-vingt-dix sièges de l'Assemblée. Sur ces quarante-deux sièges, vingt-six vont non pas à Duplessis mais à ses alliés. Il ne s'arrête pas à cette blessure d'amour-propre et pousse son avantage; il harcèle sans répit ses adversaires en dévoilant scandale sur scandale jusqu'à ce que les libéraux s'effondrent. Taschereau démissionne en juin 1936. Même un homme intègre comme Adélard Godbout ne parvient pas à empêcher la débandade du gouvernement. Fin août, une autre élection porte l'Union nationale au pouvoir avec soixante-seize sièges et cinquante-huit pour cent des voix. L'alliance a été payante.

Mais Duplessis n'a pas l'intention de la respecter. Il s'est déjà querellé avec Paul Gouin avant l'élection d'août 1936, et comme il a plus de personnalité et possède davantage d'expérience politique, c'est lui qui a gagné. Après les élections, il traite de la même manière les partisans de Gouin. En dépit de ce que stipulait le premier accord de 1935, les anciens membres de l'Action libérale nationale n'auront pas la majorité des cabinets ministériels. Il n'est pas question pour Duplessis de partager le pouvoir avec quiconque. Il ne s'estime pas lié non plus par le programme électoral de l'alliance. Pour sa part, il a seulement promis un gouvernement propre. Si d'autres ont sottement prévu la nationalisation de l'électricité et la refonte du Conseil législatif pour fournir à l'État les moyens de planifier et de contrôler l'économie, c'est leur affaire. Duplessis est tellement sûr de son pouvoir qu'il ne prend même pas la peine d'inviter les fortes têtes de l'Action libérale nationale — elles sont peu nombreuses — aux réunions du caucus. Certains crient à la trahison, d'autres troquent leur silence contre un peu de pouvoir.

Et pourtant, grâce à cette alliance de brève durée, Duplessis a gagné davantage qu'un poste de Premier ministre du Québec. Les nationalistes ont répandu dans le public quelques-unes de leurs inquiétudes, et Duplessis a vite compris le parti politique qu'il peut en tirer. Il se saisit de l'aspiration à l'autonomie provinciale et se met à fulminer contre la moindre initiative du fédéral. Il s'oppose à l'intention centralisatrice de la Commission Rowell-Sirois sur les relations entre le Dominion et les provinces, et ferraille de concert avec Hepburn, Premier ministre de l'Ontario, contre le Premier ministre fédéral, Mackenzie King. Duplessis accorde au thème de l'autonomie provinciale une influence politique qu'il n'a jamais eu auparavant; de même pour l'anticommunisme, autre épouvantail des nationalistes pendant la décennie. La loi de Duplessis «protégeant la province contre la propagande communiste», loi votée en 1937, que l'on connaît mieux sous le nom de «loi du cadenas», autorise la police à fermer tout lieu soupçonné d'abriter de la littérature de propagande, des militants ou des idées communistes ou bolcheviques. L'imprécision des accusations n'est pas sans alarmer les défenseurs des libertés fondamentales ailleurs au Canada, mais la loi impressionne favorablement l'électorat de la province qui estime que Duplessis assure très bien la protection du Québec contre les menaces venues de l'étranger.

Ce rôle de protecteur, Duplessis l'assume facilement. Son tempérament conservateur et son éducation ont développé en lui le respect de l'autorité et de l'ordre établi, et la crainte du changement. Il coule le gouvernement dans ce moule. Quand il incite ses ministres à rompre leurs liens avec le monde des affaires, il a pour dessein de protéger l'un de l'autre le monde politique et le monde des affaires. Il n'a pas l'intention d'intervenir dans l'économie: pour lui le rôle de l'État se limite à établir des conditions favorables à l'épanouissement des entreprises. Il arrive qu'il exige des sociétés étrangères qu'elles obtiennent des chartes de la province pour avoir le droit d'exploiter ses ressources naturelles. Ou bien il demande que soit créée une commission hydro-électrique provinciale; mais ces mesures relativement inoffensives ne sont conçues que pour protéger le patrimoine du Québec et à calmer certains électeurs de l'Union nationale; elles ne visent pas à modifier le schéma de développement économique de la province. De même les allocations que Duplessis consent aux vieillards, aux veuves, aux orphelins et aux mères nécessiteuses ne sont qu'un geste paternaliste destiné à alléger les listes de secours des municipalités. Et même pour éviter que l'État ait l'air d'encourager l'immoralité, il raie les mères célibataires et les couples de concubins des listes de bénéficiaires de l'aide sociale. Pour essayer d'épargner aux chômeurs le côté débilitant des distributions publiques gratuites, il lance par contre davantage de programmes de travaux publics. Routes, parcs et centres administratifs redonnent du moral aux gens tout en embellissant la province; et si on fait ces travaux aux bons endroits, ils attirent aussi la reconnaissance des électeurs.

Les préoccupations de Duplessis envers les ruraux suivent la même ligne directrice. Il est bien convaincu que les cultivateurs contribuent à la stabilité de la société et il sait aussi que leur poids électoral dépasse le simple volume de leurs voix. Comme en 1936, l'Union nationale a réuni plus de voix urbaines que de voix rurales, Duplessis trouve là un motif de s'intéresser aux campagnes: le budget pour la colonisation augmente du jour au lendemain; des routes rurales surgissent un peu partout et certaines d'entre elles sont même déneigées l'hiver. Les écoles agricoles se mettent à former les jeunes à des méthodes scientifiques et s'emploient à les convaincre de ne pas abandonner la terre. On parle beaucoup d'amener l'électricité aux fermes rurales car, à quatre-vingt-sept pour cent, elles ne l'ont pas; mais les poteaux électriques ne suivent pas souvent les promesses. Un système de crédit agricole géré par le gouvernement apporte des bienfaits plus immédiats: sous la garantie du gouvernement, un office de crédit agricole permet aux paysans de souscrire des emprunts à long terme et à faible intérêt qui peuvent atteindre jusqu'à soixante-quinze pour cent de la valeur de leur terre. La finalité économique est de ranimer l'agriculture; la finalité morale, de maintenir les familles nombreuses à la campagne. Dans l'un et l'autre cas, Duplessis est persuadé qu'il protège les bases de la société.

La protection des travailleurs est une entreprise un peu plus compliquée. Certains ont déjà pour les défendre leurs propres organisations et ils attendent du gouvernement d'Union nationale une législation en leur faveur. Par exemple, tous les syndicats, quelle que soit l'organisation à laquelle ils se rattachent, veulent des garanties locales pour l'atelier fermé. Mais Duplessis cherche plus à distribuer ses largesses paternalistes aux individus qu'à travailler avec les organisations en place. Il estime que le principe de l'atelier fermé est en contradiction avec la notion de liberté sur le lieu du travail, et sa première législation du travail interdit effectivement l'atelier fermé en mettant à l'amende les employeurs qui s'immiscent dans la question de l'appartenance ou la non-appartenance syndicale de leurs employés. En même temps, Duplessis s'engagea à assurer la protection des ouvriers non syndiqués en faisant passer la Loi sur les salaires raisonnables: une commission du gouvernement fixera les salaires et les conditions de travail de certaines catégories de travailleurs. Cette loi annule les mesures de Taschereau qui prévoyaient le principe de l'extension des accords collectifs. D'après Duplessis, une simple majorité de syndiqués ne doit pas imposer à tous les secteurs ou dans toutes les régions pour une industrie donnée les accords qu'elle a conclus; il faut au contraire que les travailleurs syndiqués négocient séparément leurs propres contrats. Au cas où un accord s'avérera impossible, c'est l'Office des salaires raisonnables qui en imposera un. Les syndicats, catholiques comme internationaux, flairent tout de suite le piège et leurs craintes s'avèrent justifiées quand, en 1938, la gigantesque Dominion Textile refuse de négocier avec ses syndicats en disant qu'elle est prête à le faire avec l'Office des salaires raisonnables. Entre-temps, le gouvernement a lui-même soustrait ses responsabilités d'employeur des dispositions de la loi. Du point de vue des syndicats, il a en effet le pouvoir de fixer lui-même les salaires, quitte à rogner par la suite. Mais les syndicats ne rassemblent que douze pour cent des travailleurs salariés du Québec et leur proportion parmi le corps électoral est encore plus réduite. Et ça, Duplessis le sait bien.

Au cours des années trente, au Québec comme dans le reste du Canada, les élections servent de soupape à l'expression de beaucoup de sentiments de frustration. Il n'y a pas de soulèvement populaire, pas de révolution et très peu de références à des idéologies étrangères. Un politicien habile — un Bennett à Ottawa ou un Duplessis à Québec — peut même tirer parti sur le plan politique des craintes de ses contemporains. La plupart des drames sociaux se vivent dans l'isolement, dans les files d'attente où on se bouscule pour avoir du pain gratuit, dans les taudis surpeuplés ou dans les fermes éloignées. Les rares réactions collectives à la crise émanent d'hommes qui analyse la situation à travers leur conception masculine du monde et essaient d'adapter les valeurs de la religion et de la famille à une société laïque en pleine débandade. La conquête par la femme de son rôle public demeure précaire et même illégitime, parce que la vision des autres lui a attribué un autre rôle. L'État jouait un rôle simplement défensif, parce que cette vision a suscité un protecteur. Ni le rôle des femmes ni celui de l'État ne connaîtront de grands changements pendant la génération suivante. On a peut-être atteint l'équilibre intérieur. C'est pourtant du monde extérieur que va venir la vraie solution aux problèmes économiques de la crise: la Deuxième Guerre mondiale. Elle va donner un nouvel aspect à la question nationaliste au Québec.

ORIENTATIONS BIBLIOGRAPHIQUES

Black, Conrad, *Duplessis: l'ascension et le pouvoir*, 2 vol., Montréal, Éditions de l'Homme, 1977.

Casgrain, Thérèse F., *Une femme chez les hommes*, Montréal, Éditions du Jour, 1971.

Desbiens, Jean-Paul, *Sous le soleil de la pitié*, Montréal, Éditions du Jour, 1965.

Dumas, Evelyn, *Dans le sommeil de nos os: quelques grèves au Québec de 1934 à 1944*, Montréal, Leméac, 1971.

Dumont, Fernand *et al.*, *Idéologies au Canada français, 1930-1939*, Québec, Les Presses de l'université Laval, 1978.

Durocher, René, «Taschereau, Hepburn et les relations Québec-Ontario, 1934-1936», *Revue d'histoire de l'Amérique française* 24, 1970, p. 341-56.

Grignon, Claude-Henri, *Un homme et son péché*, Montréal, Éditions du Totem, 1933.

Groulx, Lionel, *Mes mémoires*, vol. 3, Montréal, Fides, 1972.

Hughes, Everett C., *Rencontre de deux mondes: la crise d'industrialisation du Canada français*, Montréal, L. Parizeau, 1944.

Lapalme, Georges-Émile, *Le bruit des choses réveillées*, Montréal, Leméac, 1969.

Lavigne, Marie et Yolande Pinard, dir., *Travailleuses et féministes. Les femmes dans la société québécoise*, Montréal, Boréal Express, 1983.

————, *Les femmes dans la société québécoise: Aspects historiques.* Montréal, Boréal Express, 1977.

LeFranc, Marie, *La rivière solitaire*, Montréal, Fides, 1957.

Lemelin, Roger, *Les Plouffe*, Québec, Bélisle, 1948.

Lévesque, Andrée, *Virage à gauche interdit*, Montréal, Boréal Express, 1984.

Miner, Horace M., *St. Denis, a French Canadian Parish*, Chicago, University of Chicago Press, 1939.

Neatby, H. Blair, *La Grande Dépression. Les naufragés des années trente*, Montréal, La Presse, 1975.

Quinn, Herbert F., *The Union Nationale: a Study in Quebec Nationalism*, Toronto, University of Toronto Press, 1963.

Rapport de la Commission royale des relations entre le Dominion et les provinces, Ottawa, 1940 (Rapport Rowell-Sirois).

Ringuet (Philippe Panneton), *Trente arpents*, Paris, Flammarion, 1938.

Roy, Gabrielle, *Bonheur d'occasion*, Montréal, Beauchemin, 1945.

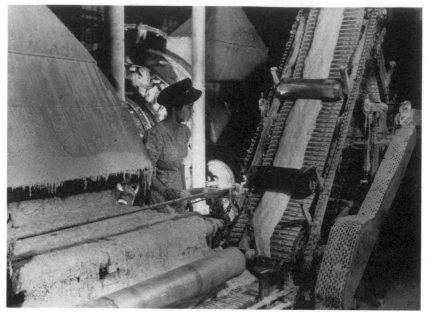

Acier, caoutchouc, produits chimiques, matériel radio et radar, tout est produit...
Ouvrière de guerre devant sa machine à carder l'amiante. Asbestos, 1944.
Archives publiques du Canada, PA115069

XVI
LA GUERRE D'OTTAWA

Une semaine après que la Grande-Bretagne eut déclaré la guerre le 3 septembre 1939, le gouvernement canadien fait de même. Quelques députés canadiens-français exprimèrent leur désaccord, mais dans l'opposition, la voix qui s'oppose avec le plus de virulence à l'entrée en guerre du pays n'est pas celle d'un Canadien français. Avant même que le Parlement ne se réunisse, le gouvernement fédéral a ressorti la vieille Loi des mesures de guerre qui date de la Première Guerre mondiale et il s'apprête à mettre sur pied de guerre la nation. La guerre et la prise en main par le gouvernement de la situation conjuguées feront des merveilles pour l'économie du Canada et celle du Québec. Mais pour ce qui est du sens de la nation, elles auront des résultats contraires. Non seulement certains Québécois contestent-ils l'idée d'une nation canadienne, mais de plus ils font valoir que l'action d'Ottawa va contre les intérêts de la seule vraie nation du Canada, le Canada français. Une guerre lointaine pour laquelle les directives à suivre viendraient d'Ottawa, voilà bien une menace extérieure de plus pour le Canada français.

En effet, la guerre paraît bien loin en septembre 1939. Si la presse canadienne sympathise avec la Grande-Bretagne et la France, beaucoup de gens se demandent si la participation du Canada est bien raisonnable. Que les Canadiens anglais se précipitent si vite et avec tant d'émotion aux côtés de la Grande-Bretagne, c'était prévisible, mais pas admissible pour autant. Où est donc passée l'autonomie si durement acquise au cours de l'entre-deux-guerres? Quelle était la véritable signification du statut de Westminster qui, croyait-on, avait reconnu l'indépendance du Canada en 1931? Que penser des déclarations du Premier ministre fédéral Mackenzie King et de son principal collègue canadien-français, le ministre de la Justice Ernest Lapointe, qui depuis 1935 ne cessent de répéter que le Canada ne doit pas se laisser entraîner dans des guerres étrangères? Est-ce qu'ils ont bien réalisé, pendant tout ce temps, que, pour la majorité des Canadiens anglais, la Grande-Bretagne n'est pas un pays étranger? Au cours du débat parlementaire qui a lieu au début de septembre 1939 sur la participation du Canada, Lapointe ne refuse pas de reconnaître ce sentiment, mais se place surtout d'un point de vue juridique: il est impossible au Canada de rester neutre, car beaucoup d'engagements légaux le lient, irrévocablement, à la Grande-Bretagne. Pourtant, ceux même que leur raison ou leur coeur persuade que le Canada doit s'engager pensent que les opérations se dérouleront très loin et seront brèves. Pour eux, la force de l'Allemagne n'est qu'apparente et elle va vite s'effondrer; le Canada enverra plutôt des vivres et des armes que des hommes, et sa participation se fera sur la base du volontariat.

Les gens n'attendent même pas d'être convaincus. Au grand étonnement de certains groupes de jeunes, de nationalistes, de cultivateurs et de travailleurs, les jeunes Canadiens français se précipitent en masse vers les bureaux de recrutement dès leur ouverture. Certains parce qu'ils éprouvent un véritable intérêt, d'autres parce qu'ils y trouvent un véritable emploi. La solde de base de l'armée, un dollar trente par jour (plus le gîte et le couvert, des vêtements gratuits, et même un entraînement physique) représente une aubaine pour les pauvres et les nécessiteux, pour les sans-logis et les affamés des villes du Québec. Fin septembre, deux régiments canadiens-français de Montréal, le Maisonneuve et les Fusiliers Mont-Royal, sont les premiers du Canada à avoir fait le plein de leurs effectifs; et il y a même une liste d'attente. À Noël, les régiments canadiens-français, parmi lesquels le Royal 22e, font partie de la première division canadienne acheminée vers la Grande-Bretagne. À la fin de la guerre, en 1945, les effectifs canadiens-français seront presque cent quarante mille pour un total de sept cent trente mille soldats canadiens. Ils serviront dans l'aviation et la marine, représentant à peu près quinze pour cent de l'une et cinq pour cent de l'autre. Et dans tous les services, ils rencontreront les mêmes problèmes que leurs pères au cours de la Première Guerre mondiale. Les officiers sont pour la plupart anglophones; les écoles militaires possèdent peu de manuels en français; formation et promotion dépendent de la connaissance de l'anglais. La marine et l'aviation ne fonctionnent qu'en anglais. Mises à part les équipes de forestiers, les services spécialisés de l'armée proposent peu de places aux Canadiens français. Mais ils sont là quand même en nombre, et jusqu'à la fin de 1941, époque où les Conservateurs fédéraux chercheront désespérément un sujet de querelle politique, personne ne se permettra de dire qu'ils étaient trop peu nombreux.

À l'automne de 1939, Maurice Duplessis décide de faire de la guerre elle-même un thème politique en organisant des élections. L'engagement du Canada remonte à deux semaines à peine et Duplessis espère canaliser le mécontentement du Québec vis-à-vis d'une guerre étrangère, au profit de son gouvernement d'Union nationale qui a lui-même à peine trois ans. Il fait valoir que la Loi sur les mesures de guerre entraînera une centralisation excessive: ce qui est en jeu, c'est l'autonomie des provinces. Et, perspective encore plus redoutable, ce que les partisans de la centralisation ont derrière la tête, c'est la conscription. Cela n'a-t-il pas été la conséquence logique de la participation du Canada à la Première Guerre mondiale, une génération plus tôt? Pourquoi n'en serait-il pas de même cette fois? Seule l'Union nationale peut assumer l'autonomie du Québec; seul Maurice Duplessis peut éviter la conscription. Un gouvernement libéral, assure Duplessis, serait le jouet du gouvernement libéral d'Ottawa.

Ce n'est évidemment pas l'opinion des libéraux d'Ottawa. Estimant que l'élection de Duplessis remettrait en question les premiers efforts de participation à la guerre, ils interviennent de tout leur poids dans l'élection provinciale. Le libéral Ernest Lapointe et ses deux collègues québécois du cabinet, Arthur Cardin et Charles G. Power, respectivement ministre des Travaux publics et ministre des Postes, se présentent comme les véritables défenseurs des intérêts du Québec. Leur argument, c'est que le Québec a besoin d'une voix puissante à Ottawa pour le représenter, sans quoi les partisans de la conscription en feront à leur guise, comme en 1917. Mais pour être vraiment puissante, disent-ils, cette voix doit pouvoir compter non seulement sur les suffrages fédéraux de la province du Québec, mais aussi sur ses suffrages provinciaux. Lapointe, Cardin et Power menacent de démissionner du cabinet fédéral si l'électorat du Québec réélit l'Union nationale. Ainsi, ils renvoient directement sur Duplessis la responsabilité de la conscription: si Duplessis gagne, si eux démissionnent, et si le Canada renonce à l'enrôlement volontaire et accepte la conscription, ce sera de la faute de Duplessis. Ce raisonnement compliqué joint au chantage politique réussit. Les libéraux n'ont pas vraiment besoin, pour gagner, de recourir à l'aide supplémentaire que leur offrent certaines des mesures de guerre; mais les hommes politiques du fédéral ne veulent prendre aucun risque: on exhume la censure, abandonnée depuis la Première Guerre mondiale, juste au bon moment pour influer sur la campagne électorale: aucun discours politique ne pourra être radiodiffusé sans avoir été préalablement soumis à la censure; les réunions politiques ne pourront pas être rediffusées en direct. Adélard Godbout, le chef des libéraux, soumet ses discours à la censure préalable. Maurice Duplessis se passe de la radio. Son gouvernement doit aussi se passer de certains fonds quand la toute jeune commission sur le contrôle des échanges avec l'étranger insiste pour empêcher individus, municipalités ou provinces d'emprunter à l'extérieur. Même les fonds électoraux de Duplessis diminuent peut-être encore quand les donateurs potentiels voient qu'ils ont plus à gagner des contrats de guerre promis par le fédéral aux localités qui voteront bien. Inutile de dire que les électeurs choisissent la voie la plus facile: à l'inverse de 1936, ils donnent soixante-dix sièges aux libéraux contre quatorze à l'Union nationale. Si certains dénoncent la manipulation des électeurs du Québec par Ottawa, d'autres prennent acte du pacte que l'élection a scellé entre Ottawa et le Québec: en contrepartie des voix données aux libéraux, il n'y aura pas de conscription.

Cela ne constitue pas une situation confortable pour le nouveau Premier ministre du Québec, Adélard Godbout, un agronome de Sainte-Anne-de-la-Pocatière. Il doit sa victoire à ses collègues du fédéral et ceux-ci ne vont pas se priver de le lui rappeler. Il s'est aussi engagé personnellement à se battre contre eux s'ils mobilisent de force un seul Canadien français. Et pour couronner le tout, c'est un réformiste modéré, et son programme électoral comporte le droit de vote des femmes et l'enseignement obligatoire. Ces deux points sont terriblement suspects à certains nationalistes qui l'ont néanmoins soutenu à la dernière élection, parce que Duplessis les a cruellement déçus en 1936. Quelques-unes de ces mêmes personnes continuent à réclamer la nationalisation de l'électricité au Québec, et Godbout n'y est pas hostile. Et il y a l'électorat ouvrier, lui aussi déçu par Duplessis. Même s'il avait l'assurance et le charme aristocratique de Taschereau ou le panache de Duplessis, il ne lui serait pas facile de manoeuvrer au milieu de courants si divers.

Cela n'empêchera pas Godbout de faire voter quelques réformes pendant les cinq années qu'il passera dans sa charge. Son énergie d'homme de la campagne lui permettra peut-être de réussir là où d'autres ont échoué; peut-être aussi la diversité de ses alliés politiques lui permettra-t-elle de négocier avec chacun les projets caressés par l'autre. En tout cas, il résiste à l'opposition constante de l'Église au vote des femmes, opposition qu'exprime le cardinal de Québec, monseigneur Rodrigue Villeneuve; et il réussit à convaincre l'aile parlementaire libérale d'en faire autant. Le refus d'accorder ce droit, sous prétexte qu'il menace la solidarité familiale et la pudeur féminine, finit par conférer au Québec une image négative dans le monde occidental. En outre, c'est infliger une insulte aux femmes qui jouent un rôle dans la société et qui le réclament depuis des années. Au printemps 1940, les deux chambres votent la loi sur le vote des femmes, presque sans protestations. Ce qu'il y a de plus remarquable dans cette loi, ce n'est peut-être pas le fait qu'elle accorde l'égalité politique aux femmes, c'est le fait qu'elle constitue un camouflet à la hiérarchie catholique: l'État se considère comme seul juge en cette affaire.

Il n'en va pas de même en ce qui touche à l'enseignement, sur lequel l'Église catholique garde les pleins pouvoirs. Celle-ci accueille favorablement, et même exige la contribution financière du gouvernement provincial, mais elle reste seul juge dans ce domaine. Au fil des ans, pourtant, l'État a institué un certain nombre d'écoles qui n'ont rien à voir avec le comité catholique du Conseil de l'instruction publique et qui proposent une formation spécialisée technique, commerciale ou autre. Mais le gouvernement n'a jamais pu aller plus loin et d'ailleurs il ne le souhaitait pas. Il s'est toujours incliné devant l'opposition cléricale et nationaliste et s'est refusé à légiférer sur l'enseignement élémentaire obligatoire, demandé par les libéraux provinciaux les plus radicaux, et qui est établi dans toutes les autres provinces du Canada depuis le début du vingtième siècle au moins. Au Québec, sa seule mention évoquait le spectre de la sécularisation et de l'ingérence de l'État dans le droit que les parents ont reçu de Dieu d'éduquer leurs enfants comme ils l'entendent. Et pourtant, Godbout va finir par rassurer les esprits au début des années quarante. Son gouvernement ne se contente pas de faire passer, en 1943, une loi sur l'enseignement obligatoire, mais il réussit à le faire avec l'accord du comité catholique du Conseil de l'instruction publique et avec la bénédiction du cardinal Villeneuve; il a peut-être réussi à le convaincre qu'il y avait plus de risques moraux à laisser près de quatre cent mille enfants non scolarisés, qu'à laisser le gouvernement imposer sa volonté à toute une population.

Godbout s'attaque aussi à un secteur puissant du monde des affaires de Montréal. Avec le soutien, cette fois, de quelques alliés nationalistes, il s'en prend au trust de l'électricité. À part quelques petites centrales gérées par les municipalités, la majeure partie de l'énergie hydro-électrique était jusque-là entre les mains de sociétés privées. Au cours des années trente, des nationalistes avaient fait de ces sociétés le symbole de l'exploitation économique du Québec. Dans les années quarante, ils font valoir que si cette ressource naturelle était propriété du peuple du Québec et non pas d'un petit groupe d'individus privilégiés, on pourrait baisser les prix de l'électricité et encourager l'expansion de l'industrie. En 1944, le gouvernement du Québec est prêt à établir un réseau hydro-électrique qui serait propriété de la province. L'Hydro-Québec voit le jour avec la nationalisation de la Montreal Light, Heat and Power Company, et son premier geste est d'installer l'électricité dans les campagnes. La présence d'une nouvelle force politique dans la province, le Bloc populaire, qui est en faveur de cette mesure, a peut-être persuadé Godbout d'agir ainsi. Mais que ce soit le fait de sa conviction personnelle ou de la persuasion, il n'en façonne pas moins ainsi un instrument de pouvoir économique, un des rares dont disposent les Québécois. Complétée vingt ans plus tard par le gouvernement libéral suivant du Québec, la nationalisation de l'électricité sera un élément moteur du développement économique et une source de fierté nationale dans les années soixante.

Mais au cours des années quarante toujours, quelques

coups très durs sont aussi portés à la fierté nationale, et Godbout en prend pour son compte. En ces temps de guerre, il doit
payer toutes ses dettes politiques aux libéraux fédéraux et à
chaque fois la mauvaise humeur nationaliste monte d'un cran
au Québec. Que les problèmes soient constitutionnels, financiers, militaires ou sociaux, la sensibilité de certains Québécois
ne manque pas d'être piquée au vif. C'est Ottawa qui façonne
l'attitude canadienne et le Québec n'a plus qu'à opiner. Suivant la situation de près, tout en pansant ses maux politiques
et physiques — son alcoolisme entre autres — il y a Maurice
Duplessis qui prend bonne note de cette mauvaise humeur. Il
finira par redevenir Premier ministre et par sortir gagnant des
multiples passes d'armes que se font Québec et Ottawa.

Au début de la décennie 1940, Ottawa essaie de régler
quelques problèmes constitutionnels en suspens depuis les
années trente. Un amendement de l'Acte de l'Amérique du
Nord britannique finit par obliger le gouvernement fédéral à
faire quelque chose pour le chômage: il crée un système
d'assurance-chômage dépendant d'Ottawa. Le Premier ministre Godbout a timidement proposé une législation conjointe,
fédérale et provinciale, mais devant l'opposition de Mackenzie
King, il accepte le projet fédéral. Personne, semble-t-il, n'accorde la moindre attention aux remarques d'un économiste
québécois bien qu'elles aient figuré en annexe au rapport
Rowell-Sirois préconisant une assurance-chômage au niveau
fédéral; cet économiste explique que cette assurance amélio-
rera la condition des ouvriers des villes et aggravera donc
l'exode rural. Le rapport lui-même fait l'objet d'une conférence
fédérale-provinciale de deux jours en 1941. Au cours de cette
réunion, Godbout laisse tranquillement ses homologues de
l'Ontario, de l'Alberta et de la Colombie-Britannique mettre le
rapport en pièces. Aucun d'entre eux ne veut de la redistribution des compétences financières recommandée par le rapport
(qu'ils croient tous être à l'avantage d'Ottawa), et le rapport
est classé.

En 1942, Ottawa a besoin d'énormément d'argent pour
assurer l'effort de guerre. Si les provinces ne sont pas d'accord
pour modifier la constitution, du moins peut-être accepteront-
elles une redistribution temporaire des comptes pendant la
période de guerre. Une fois encore, Godbout donne son accord
et cède à Ottawa les droits de succession, l'impôt sur le revenu
des particuliers et l'impôt sur les sociétés contre le versement
d'une somme forfaitaire. Duplessis fulmine, mais c'est Godbout
qui signe l'accord qui durera jusqu'à l'année suivant la fin de
la guerre. Tout en menant les diverses négociations intergou-

vernementales, Ottawa orchestre aussi une grande campagne de relations publiques en faveur de la guerre et pour obtenir un soutien financier. Bien qu'il y ait peu de Canadiens français dans le personnel des bureaux de l'organisation de cette campagne, on les trouve partout au Québec, dans la presse écrite, en chaire, à la radio, au sein des hommes politiques et des hommes d'affaires, pressant leurs compatriotes de souscrire aux emprunts de guerre en achetant des bons de la victoire. Leurs campagnes ont beaucoup de succès: les gens du Québec préfèrent, semble-t-il, se séparer de leur argent plutôt que de leurs fils.

Peut-être en est-il ainsi parce qu'il y a davantage d'argent à donner. La guerre entraîne l'essor industriel du Québec, et il y a pléthore d'emplois car les industries de guerre, sous contrat fédéral, surgissent dans toute la province. Même les contrôles imposés par Ottawa, dans le cadre de la Loi sur les mesures de guerre, aux prix et aux salaires, à la quantité et la qualité des biens de consommation, et aux relations dans le monde du travail n'étouffent pas la fièvre qui se saisit de l'industrie. Au contraire, les industries de guerre sont assurées d'avoir des matières premières et des marchés, car les comités et les commissions qui siègent à Ottawa réglementent les approvisionnements, la production et la distribution de toutes choses depuis les produits agricoles jusqu'à l'acier, le bois de construction, le pétrole, les produits chimiques et l'énergie. Si, avec tous ces stimulants, l'industrie privée ne réussit pas à fabriquer les produits nécessaires à la guerre, le gouvernement fédéral crée des entreprises de la Couronne pour en assurer la production. Au Québec, des sociétés sous contrôle fédéral produisent armement, avions et bateaux. De temps en temps quelqu'un se plaint bien de ce que l'Ontario profite davantage de la générosité du fédéral, mais sa voix se noie dans le martèlement des pas des ouvriers qui se pressent aux portes des usines et dans le grondement des machines.

Comme le Canada fournit une grande part de l'équipement de guerre des Alliés, entre la chute de la France au printemps 1940 et l'entrée en guerre des États-Unis en décembre 1941, les industries du Québec tournent à plein rendement. Dans les régions urbaines du Saguenay, les ouvriers des équipes de jour et ceux des équipes de nuit se partageaient leurs emplois et même leurs logements sans jamais se rencontrer. En 1942, l'usine d'aluminium d'Arvida, une usine immense toujours en expansion, produit plus d'aluminium que le monde entier en 1939. Tout en rêvant de faire du Saguenay le coeur industriel du Canada de l'après-guerre, ses hommes d'affaires doivent trouver de nouveaux itinéraires pour importer la bauxite qui entre dans la composition de l'aluminium. Le Saint-Laurent n'est plus sûr, car on avait repéré des sous-marins allemands dans le golfe, et même à Matane; la bauxite transite donc par le train depuis Portland sur la côte du Maine. Puis trains et bateaux emmènent l'aluminium d'Arvida vers l'étranger et vers les usines de montage d'avions qui fleurissent à Montréal. Les trains, autant ceux qui sont destinés à l'usage domestique qu'à l'étranger, se construisent dans d'énormes installations à Montréal et à Québec. Les mêmes usines s'équipent à neuf pour produire aussi pour l'armée camions, tanks et artillerie lourde. Pour transporter en Europe tout ce matériel, des bateaux sortent en un temps éclair des chantiers navals de Montréal, Sorel et Lauzon. À Sorel, la famille Simard, propriétaire de Marine Industries, se sert de ses relations politiques avec le ministre fédéral Arthur Cardin pour obtenir des contrats d'armement, en même temps que des contrats de construction de bateaux. La fabrique d'explosifs la plus importante de l'Empire voit le jour à Saint-Paul-l'Ermite, juste au nord de Montréal, tandis que l'usine de Beloeil, sur le Richelieu, qui, au départ était une petite fabrique d'explosifs civils se développe tellement qu'elle devient un des grands fournisseurs de l'arsenal des Alliés. L'armée canadienne, elle-même, possède ses propres usines d'armement à Québec et des dépôts de munitions à Montréal. Acier, caoutchouc, produits chimiques, amiante, matériel radio et radar, tout est produit à la vitesse même à laquelle les agents du ministère du Commerce et de l'Industrie du Québec arrachent les contrats à Ottawa. Même les industries plus traditionnelles trouvent des débouchés de guerre: tabac, bottes, chaussures et tissus manufacturés au Québec partent consoler, chausser et vêtir des millions de soldats alliés.

À leur tour, ces industries sont créatrices d'emplois. Quand une usine de munitions ouvre ses grilles, la municipalité ferme ses bureaux d'aide sociale. Les villes se chamaillent pour obtenir des contrats de guerre et de nouvelles industries; les ouvriers quittent les queues des soupes populaires pour aller dans les usines. Les colons qui avaient pris part aux divers plans de colonisation des années trente sont ravis de retrouver des emplois en ville. Les manufactures de munitions de Québec, à elles seules, emploient plus de dix mille personnes; plus de vingt mille vont dans la région de Chicoutimi chercher des emplois. La main-d'oeuvre industrielle double pendant les quatre premières années de la guerre et les effets économiques s'en font sentir dans toute la province.

Les effets sociaux aussi, puisque dans cette nouvelle main-d'oeuvre on compte des milliers de femmes. Employées de magasins, domestiques, jeunes filles venues de la campagne et — ce qui dérange davantage — femmes mariées délaissant leur foyer, toutes quittent leurs besognes mal payées pour aller dans les usines. Dans les manufactures de textiles, de tabac, de tricots, de chaussures et de cordes, ces nouvelles venues rejoignent une main-d'oeuvre qui, depuis presque une centaine d'années déjà, est féminine. Dans d'autres domaines comme l'aéronautique, l'aluminium, l'industrie chimique, les munitions et l'acier, dans la métallurgie, la fonderie ou la fabrication d'outils, elles sont les premières femmes à travailler à la chaîne. Certaines d'entre elles ont une mère ou une tante qui a fait le même travail pendant la Première Guerre mondiale, mais la plupart créent un précédent dans l'industrie lourde. À l'automne 1943, elles constituent le tiers de la main-d'oeuvre industrielle de Montréal, de Québec et de toute la province.

Le gouvernement aussi bien que l'industrie facilitent la venue des femmes dans la main-d'oeuvre salariée. Le gouvernement provincial suspend l'application de quelques clauses de sa réglementation du travail pour leur permettre de travailler la nuit. Pour faire sortir les femmes de chez elles, le gouvernement fédéral leur promet des avantages fiscaux: tant que le revenu d'une épouse provient d'un emploi lié à la guerre, son mari peut continuer à la déclarer comme personne à charge. Les industries instaurent les heures flexibles et le travail à temps partiel pour attirer les ouvrières mariées et organisent des garderies sur les lieux de travail pour attirer les mères de jeunes enfants. Les deux paliers de gouvernements et le monde de l'industrie collaborent pour lancer des campagnes publicitaires qui insistent sur le charme des jeunes femmes en bleu de travail en train de manier une clé à molette; mais, à la fin de la guerre, on supprimera les lois, les incitations, les garderies et les affiches publicitaires. Les femmes partiront aussi vite qu'elles étaient venues. Peu d'entre elles cependant retourneront à la campagne, ou au service domestique, en tout cas pas comme bonnes.

Ceux qui sont contre le travail des femmes dans les industries de guerre estiment que leur présence dans le monde du travail est désastreuse. Pour eux, les femmes abandonnent leurs foyers et leurs devoirs sacrés, et recherchent distractions et argent dans des emplois peu honorables. Là, elles courent des risques moraux et physiques: la route de la prostitution va de l'usine au bordel. Celles qui échappent de justesse à ce sort gardent les traces des mauvaises conditions sanitaires qui prévalent dans l'industrie; leur santé en est affectée et elles en restent comme empoisonnées. Quelle sorte d'enfants vont-elles mettre au monde? Et que dire des enfants des mères qui travaillent? Abandonnés à eux-mêmes, au mieux confiés à des mains étrangères, au pire vagabondant dans les rues, ce seront bientôt des délinquants juvéniles. Le sort de la famille canadienne-française — et par voie de conséquence le sort de la nation — est donc suspendu entre les mains, tachées d'huile de machine, des femmes des usines de munitions. Et les périodiques de se lamenter: «La conscription des femmes», «La grande pitié de la famille», «Que deviendront-elles?», «Rendre les mères au foyer», «Les enfants ont besoin de leur mère». Les évêques catholiques du Québec et des autres provinces ajoutent le travail de guerre des femmes à la liste des autres manquements à la morale de ce temps: les blasphèmes, l'alcoolisme, le travail du dimanche et la propagande communiste. Les législateurs québécois votent à l'unanimité une résolution qui prie le gouvernement fédéral de ne pas intensifier le recrutement des femmes pour les industries de guerre, car cela tue l'âme des foyers canadiens. Les syndicats cachent leur gêne en lançant un appel semblable en faveur de la famille: la place de la femme est dans son foyer, à élever ses enfants. Sa place n'est certainement pas dans le monde du travail où elle concurrence les hommes, les pousse à entrer dans l'armée et affaiblit leurs syndicats. Dans les réactions diverses que suscite le travail de guerre des femmes, il n'est pas difficile de trouver le coupable: c'est la guerre qui impose au Québec une situation anormale, et la guerre est l'oeuvre d'Ottawa.

Faisant partie de cette situation anormale, il y a l'aggravation de l'agitation dans le monde du travail. Au cours des années trente, le manque de travail avait donné des inquiétudes quant à la stabilité de la société; l'excédent d'emplois des années quarante semble encore plus explosif: les syndicats se battent pour attirer de nouveaux syndiqués et pour obtenir l'embauche exclusive de syndiqués chez les travailleurs du papier, de l'aluminium, des chantiers navals et dans les emplois municipaux. Les syndicats catholiques, en particulier, ont vu dans la guerre une chance de prendre pied dans l'industrie lourde, mais il leur faut s'opposer à un autre rival international, le Congrès des organisations industrielles. Pendant la guerre, le nombre des syndiqués augmente de manière spectaculaire. Mais de nombreux travailleurs n'attendent pas les syndicats pour dénoncer la hausse des prix, le blocage des salaires et la pénurie de logements et de biens de consommation: en de multiples occasions, des ouvriers non syndiqués déclenchent des grèves. La plus spectaculaire, c'est en juillet 1941, à Arvida, l'arrêt de travail de cinq jours de cinq mille ouvriers de l'aluminium, soutenus par quatre mille ouvriers du secteur de la construction. Les syndiqués constituent une infime minorité, le syndicat est pris de court par la grève. Étant donnée l'importance de l'aluminium dans l'économie de guerre, le gouvernement fédéral dépêche immédiatement un médiateur anglophone d'Ottawa et, pour faire bonne mesure, des troupes de Valcartier. La commission royale chargée du problème par la suite ne détecte pas de saboteurs: il y a seulement des ouvriers mal payés mécontents de leurs conditions de travail. Ailleurs, les ouvrières du prêt-à-porter féminin exigent une augmentation de vingt pour cent, les travailleurs de l'aéronautique demandent à toucher une prime d'augmentation du coût de la vie; les ouvriers de l'armement se plaignent de ce que leurs homologues de l'Ontario sont mieux payés; les conducteurs de tramway de Montréal bloquent la circulation avec leur rivalité de syndicats pendant que dans la même ville la police et les pompiers font grève pour avoir le leur. En 1943, pour se rendre maître de la construction navale, le gouvernement fédéral met fin aux grèves des chantiers navals de Québec et de Lauzon en créant sa propre compagnie, la Quebec Shipyards Limited. En 1944, le gouvernement provincial instaure une législation sur la négociation de conventions collectives entre les employeurs et tout syndicat représentant soixante pour cent des travailleurs. Il espère ainsi mettre un terme à la rivalité entre syndicats et aux grèves. Si néanmoins, les deux parties ne réussissent pas à s'entendre, il leur faut alors passer par un médiateur, puis par une commission d'arbitrage. Les travailleurs ne pourront recourir à la grève que si cette dernière échoue. Quant aux fonctionnaires provinciaux, aux pompiers et aux agents de police, ils n'ont droit ni au syndicat, ni à la grève. Si le nombre des grèves peut donner des indications, on peut dire que l'intervention du fédéral et la législation provinciale ont ramené le calme dans le monde agité du travail: on passe de cent trente-trois grèves, en 1942, à cent trois, en 1943, et à quarante-quatre, en 1944.

En 1944, cependant, les hommes du Québec se sentent menacés par quelque chose de plus grave que la réglementation par la province des conflits du travail et de l'industrie. Depuis 1940, le gouvernement fédéral fait peser sur les hommes du Canada la menace de la conscription. Pourtant le Premier ministre fédéral, Mackenzie King, a toujours déclaré qu'il n'en était pas question: n'a-t-il pas déjoué tous les plans des requins conscriptionnistes de l'armée canadienne et du

Parti conservateur, sans parler des traîtres qu'abrite sa propre aile parlementaire, pour conjurer le spectre de la conscription? Il n'est pas nécessaire de lui dire que, depuis 1917, ce spectre hante l'imagination des Canadiens français. Après tout, il obsède aussi son propre parti et King n'a aucunement l'intention de terminer ses jours brisé, comme Sir Wilfrid Laurier au beau milieu d'un Parti libéral en miettes. Au Québec cependant, à part les libéraux qui s'occupent activement de politique, personne ne se soucie des prémonitions politiques de Mackenzie King: l'idée de la conscription imposée par une majorité hostile et pour une guerre étrangère représente à elle seule un cauchemar suffisant.

Tout a commencé en 1940. La chute de la France en juin a mis fin à l'idée que la guerre serait brève et que l'Allemagne avait une armée incapable. Elle remet aussi en question la promesse, clamée avec tant de force par les libéraux fédéraux au cours de la campagne électorale de l'automne 1939, qu'il n'y aurait pas de conscription. Voilà maintenant la Grande-Bretagne isolée. Le Canada avait pensé qu'il serait un de ses grands fournisseurs de matériel, mais maintenant il reste le seul ou presque. Peut-être faudra-t-il aussi fournir davantage d'hommes; il faudra adjoindre des bateaux chargés de troupes aux convois d'approvisionnement qui traversent l'Atlantique en direction de l'est.

Pour s'y préparer, le gouvernement fédéral vote en juin 1940 la Loi sur la mobilisation des ressources nationales, en donnant comme prétexte qu'il faut faire l'inventaire des hommes et du matériel; le résultat majeur de cette loi est la création d'une armée de conscrits destinée à la défense du Canada. Peu de gens refusent de défendre le Canada; par contre un règlement du département du Travail, qui oblige les employeurs à vérifier les certificats de réquisition de leurs employés, déplaît à beaucoup de gens. Le maire de Montréal, Camillien Houde, critique la loi en disant qu'il s'agit d'une conscription déguisée. Il affirme publiquement son intention de ne pas s'inscrire et demande aux autres de faire comme lui. Il passera quatre ans aux arrêts dans un camp fédéral de prisonniers. D'autres aussi, et pas seulement au Québec, partent se marier très vite pour échapper au statut de célibataires qui les rend aptes au service armé. Mais bien plus nombreux sont ceux qui participent de bon coeur aux premières périodes de formation militaire de trente jours pour la défense du territoire, car cela leur permet d'abandonner ainsi leur travail habituel. Les camps représentent une aubaine pour l'économie locale, hommes politiques et hommes d'affaires en réclament dans leurs districts. En 1941, les périodes d'entraînement sont prolongées jusqu'à quatre mois, puis deviennent un service continu, ce qui contrarie quelques agriculteurs et occasionne quelques désertions; néanmoins, peu de gens encore expriment leur désaccord. D'après la loi de 1940, les effectifs mobilisés, les «zombies» comme on finit par les appeler avec une certaine cruauté, ne peuvent pas être envoyés outre-mer. Ils sont destinés à la défense du pays, et les Canadiens français ont toujours dit qu'ils seraient les premiers à défendre leur terre natale. Les effectifs mobilisés en vertu de la loi de 1940, canadiens-français à quarante pour cent à peu près en 1944, sont, bien sûr, les premières cibles des agents de recrutement et ceux-ci sont persuasifs et parfois même agressifs. Accepteraient-ils d'échanger leur situation de volontaires contre celle de soldats de l'armée régulière prêts à servir n'importe où dans le monde? Certains répondent oui, la plupart non.

En fait, les agents recruteurs n'auront pas à se montrer trop persuasifs jusqu'à la fin de 1944. Les soldats canadiens d'active prendront part à relativement peu de combats jusqu'à la campagne de Sicile pendant l'été 1943, puis à celle d'Europe après le débarquement de juin 1944 en Normandie. La plupart des soldats sont cantonnés dans des camps d'entraînement intensif du sud de l'Angleterre où ils attendent une invasion allemande; et quand elle arrive, c'est l'aviation et non pas l'armée qui réussit à la contenir. On trouve aussi des soldats canadiens dans les troupes britanniques intrépides qui défendent Hong-Kong contre les Japonais à la Noël 1941; deux mille Canadiens y périssent ou y sont faits prisonniers. Et il y en a le double qui meurent ou sont blessés sur les plages de Dieppe en août 1942. Mais jusqu'aux derniers mois de la guerre, les soldats canadiens, comme les politiciens au pays, passent plus de temps à rouspéter qu'à combattre: où se déroule donc le combat?

Aussi quand, début 1942, la question de la conscription revient de nouveau hanter la conscience publique, c'est comme problème politique, pas comme problème militaire. La guerre alors atteint sa dimension mondiale du fait de l'entrée en lice des États-Unis. Mais, à part quelques craintes au sujet de la côte Pacifique, l'extension de la guerre ne signifie pas que le Canada va jouer un rôle militaire plus important. Certains conservateurs, cependant, sont persuadés du contraire; ils demandent même à leur chef des années vingt, Arthur Meighen, de recommencer sa carrière politique: il va reprendre la tête du parti au niveau fédéral et pousser à la conscription. Les conservateurs espèrent même débusquer chez les libéraux quelques «conscriptionnistes» de salon. De plus, Ernest Lapointe, le Canadien français le plus opposé à la conscription, est mort d'un cancer fin 1941. Qui maintenant prendra le contrepied des statistiques des conservateurs: d'après les chiffres de l'Ontario, le Québec ne fournit que la moitié des recrues qu'il a dû fournir? Mackenzie King analyse la situation politique et trouve que tout cela sent mauvais. Il craint le déchaînement des passions raciales et, pire encore, politiques. Partant allègrement du principe que la stabilité du Canada dépend de la stabilité du Parti libéral qu'il espère incontesté et, si possible, uni au pouvoir, King décide de prendre de court l'appel des conservateurs à la conscription: il va consulter l'électorat. Il ne fera cependant pas d'élection générale, puisque ce n'est ni nécessaire légalement ni avisé politiquement. Il va plutôt organiser un référendum, pratique rare au Canada. En janvier 1942, dans le discours du Trône à l'ouverture du Parlement, il annonce qu'il demandera «au peuple, par un plébiscite, de le dégager de toute obligation résultant d'engagements du passé et de nature à restreindre les méthodes de recrutement pour le service militaire». King attend que les Canadiens le libèrent par leur vote de sa promesse antérieure de ne pas imposer la conscription. Les conservateurs sentent le vent tourner et les Canadiens français se sentent trahis.

Les jeux sont vite faits et le plébiscite décidé pour avril. Les Canadiens français présents dans le cabinet fédéral ne s'affolent pas, car King les assure que, quel que soit le résultat du vote, il n'y aura pas de conscription. Ils acceptent même de faire campagne au Québec en faveur du «oui». Pour les rassurer encore, King prend avec lui au cabinet un avocat célèbre de Québec, Louis Saint-Laurent. Mais ils se trompent tous sur l'électorat du Québec. S'ils avaient écouté l'ancien libéral Maxime Raymond devenu député indépendant, ou même quelques-uns de leurs collègues, ils auraient prévu un rejet massif. Raymond les a bien alertés sur ce que signifiait pour le Québec l'accord de 1939: la solidarité pendant la guerre et même leurs voix aux libéraux en temps de guerre, contre la garantie qu'il n'y aurait pas de conscription; il est tout à fait injuste de demander à l'ensemble du pays de libérer le gouvernement de la promesse faite à une partie de ce pays.

Raymond brandit le spectre du séparatisme mais se met à organiser la campagne du «non» en créant une Ligue pour la défense du Canada. Avec des partisans et des sections organisées dans tout le territoire québécois, la Ligue clame que le Canada a déjà suffisamment contribué en hommes et en matériel à l'effort de guerre, affirme que le système d'enrôlement volontaire amène plus d'hommes qu'il n'en faut et que la conscription n'est donc absolument pas nécessaire. Ce message circule mieux au Québec que dans le reste du Canada car les ondes de Radio-Canada sont interdites à la Ligue. Celle-ci s'appuie donc sur le réseau des organisations nationalistes, sur le clergé et sur des personnalités occupant des positions clés pour convaincre les Québécois que le plébiscite, malgré sa formulation compliquée, revient à dire simplement «oui» ou «non» à la conscription. Parmi ces personnalités des vieillards, tel Henri Bourassa, des jeunes, tels Jean Drapeau et André Laurendeau; *Le Devoir* reprend le message. Quand à l'abbé Groulx, il écrit des manifestes en coulisses; dans les rues, les jeunes chantent «À bas la conscription» sur l'air de *God save the King.* Maurice Duplessis fait savoir qu'il votera «non». Pour sa part, le cardinal Villeneuve évite soigneusement toute déclaration et le Premier ministre Godbout est pris entre deux feux, bien en peine.

Tous ont prévu les résultats. Pas Mackenzie King. Le Premier ministre fédéral s'attend vraiment à ce que le Québec vote «oui»; après tout, n'a-t-il pas dit que «oui» ne signifie pas «conscription»? Mais contrairement à son attente, le 27 avril, la grande clameur du «non» déferle sur tout le Québec. C'est dans les régions uniquement francophones de la province, que cette clameur est la plus forte — atteignant jusqu'à quatre-vingt-dix-sept pour cent — et une séparation nette entre Canadiens anglais et français se manifeste dans les districts mixtes. Le Québec a voté «non» à soixante et onze pour cent et le reste du Canada «oui» à quatre-vingt pour cent. Ce sont les résultats du Québec qui sont les plus surprenants, si l'on songe à la propagande énorme et à la censure mises sur pied par Ottawa. King repense alors à Durham: il y a cent ans, n'a-t-il pas peint le Canada comme constitué de deux nations en guerre au sein d'un État unique. Ravis des résultats, les Québécois se demandent néanmoins ce qui va advenir.

King répond par un petit amendement à la Loi sur la mobilisation des ressources naturelles. Ses ministres et le public le pressent de toutes parts: on ne peut tout de même pas organiser un référendum et ne pas lui donner de suite. Les «oui» ont eu la majorité dans l'ensemble du pays, ce qui indique certainement que la conscription est acceptable. Par contre, la majorité de «non» au Québec indique tout aussi nettement une hostilité à la conscription. Presque personne n'est dupe quand King réaffirme qu'il n'est pas du tout question de conscription. Et pourtant il persiste. Le projet de loi 80, présenté à la Chambre des communes au début de mai 1942, se borne à supprimer le petit article de la loi de 1940 qui prohibe l'envoi des mobilisés outre-mer. Néanmoins, déclare King, on n'enverra personne nulle part: si les circonstances le demandent, et quand elles le demanderont, le Parlement décidera. Malgré toutes ces roueries ou précisément à cause d'elles, King perd un ministre parce que la conscription est entrée dans les faits et manque en perdre un second parce qu'elle ne l'est pas encore: le ministre des Travaux publics, Arthur Cardin, démissionne parce que le projet de loi 80 semble annuler les garanties qu'il a données à ses compatriotes quand il les a poussés à voter «oui» au plébiscite. Au même moment, le ministre de la Défense, James Ralston, menace de démissionner parce qu'il estime que le projet de loi, au lieu de faciliter la conscription, la bloque. Il envoie sa lettre de démission à King, mais celui-ci le retient en lui promettant d'agir au niveau du cabinet plutôt qu'au niveau du Parlement si jamais la mise en oeuvre de la conscription s'avère nécessaire. Mais King garde la lettre; elle peut lui être utile un jour. Pour l'instant, il vaut mieux que Ralston reste, même si le départ de Cardin en vient à provoquer un réalignement politique entre libéraux et nationalistes du Québec.

Pendant l'été 1942, un tel réalignement paraît possible. La plupart des députés canadiens-français ont repoussé le projet de loi 80. Iront-ils jusqu'à quitter le Parti libéral? Si tel est le cas, Maxime Raymond, qui cherche à renforcer les «non» exprimés au plébiscite se fera un plaisir de les accueillir. S'il pouvait compter sur Cardin et sur ses nombreux partisans, Raymond serait en mesure de développer la Ligue pour la défense du Canada et d'en faire un nouveau parti. Raymond ne réussira jamais à faire passer Cardin de son côté, mais il parvient à réunir, au sein du Bloc populaire, un groupement de personnalités hétéroclites: députés fédéraux déçus, libéraux provinciaux mécontents, nouvelle génération de nationalistes issus de la campagne anticonscription, anciens de l'Action libérale nationale mal remis de l'Union nationale; le nom même de ce rassemblement est révélateur. Derrière le Bloc populaire, on trouve un rêve nationaliste et populiste, celui que les Canadiens français devraient constituer un regroupement compact opposé aux tendances centralisatrices et dominatrices du Canada anglais à Ottawa. Et en même temps, ils devraient insister pour obtenir une législation en faveur des Québécois: législation du travail, allocations familiales, suppression des taudis, nationalisation de l'électricité, du gaz et du téléphone. Au début des années quarante, ce rêve n'est pas aussi fantaisiste qu'il en a l'air et, malgré les interminables querelles de personnes, de politique et de stratégie qui divisent le Bloc, le nouveau parti parvient à s'inscrire dans la réalité politique pendant un certain temps. En 1943, un candidat du Bloc est élu dans les Cantons de l'Est à une élection fédérale partielle, et dans un secteur ouvrier de Montréal, un autre arrive juste après le vainqueur communiste. À l'élection provinciale de 1944, le Bloc emporte quinze pour cent des suffrages; il a quatre élus, dont André Laurendeau, et contribue ainsi sans doute à l'élection de Duplessis. Cependant, les deux sièges qu'il gagne au fédéral en 1945 n'entament pas la domination libérale d'Ottawa.

À ce moment-là, Mackenzie King est en mesure de justifier cette domination: il peut faire valoir les nombreuses occasions où il s'est opposé à la conscription et se vanter de ce qu'aucun conservateur n'aurait pu en faire autant. S'il a cédé, dit-il, c'est à des pressions formidables, et seulement à la dernière minute, à l'automne 1944 et il n'a accepté qu'une conscription limitée. Et à ce moment-là, c'était vraiment devenu une nécessité militaire. Le ministre de la Défense, Ralston, a constaté en personne l'état des troupes canadiennes placées en première ligne dans le nord de la France: elles ont besoin de renfort, et vite. Pour Ralston, le moment d'imposer la conscription est arrivé. Dans le cas contraire, il démissionnera. Les conservateurs sont de son avis et leur presse fait des commentaires du genre de celui du *Globe:* «Le gouvernement sacrifie cyniquement des jeunes gens pour conserver sa puissance politique au Québec.» Bien des gens se demandent néanmoins pourquoi on ne peut pas prendre les quinze mille hommes demandés en renfort dans le contingent de deux cent mille soldats de l'armée régulière disponibles au Canada et en Grande-Bretagne. Faut-il absolument que ce soit les mobilisés affectés à la défense du territoire national qui fournissent les renforts? King, pour sa part, continue à résister. Il étonne son cabinet en acceptant la lettre de démission que Ralston lui a envoyée deux ans plus tôt et en le remplaçant par un officier en retraite qui continue à chercher des volontaires, le général McNaughton. Celui-ci reçoit plus d'oeufs pourris que d'aspirants au service outre-mer et renonce à sa tâche au bout de trois semaines. C'est cependant autre chose qui va convaincre King de rendre la conscription obligatoire: McNaughton a fait savoir au Premier ministre que les officiers supérieurs étaient sur le point de se révolter; voilà qui est bien plus grave qu'une crise ministérielle. King ne parle qu'à une seule personne de ce présumé complot: Louis Saint-Laurent sera chargé de convaincre le Québec que le Premier ministre a fait ce qu'il a pu. Et finalement, par ordre en conseil, fin novembre 1944, le gouvernement fédéral donne l'ordre à seize mille soldats de la défense territoriale de se préparer à servir outre-mer. Mais manifestement, ce n'est pas la conscription générale. Avec un peu d'imagination et en ne tenant pas compte des quatre mille soldats, dont la moitié du Québec, qui disparaissent à l'annonce de cette nouvelle, on pourrait même penser qu'il n'y a pas de conscription du tout.

Mais peut-être les jeux sont-ils déjà faits au Québec. Quand cet été-là les libéraux de la province ont été battus par Duplessis et l'Union nationale, les libéraux fédéraux ont eu l'impression de marcher sur des oeufs. Godbout n'a pas voulu qu'ils s'en mêlent; et eux-mêmes ont peut-être envisagé de le jeter en pâture pour sauver leur peau dans l'élection fédérale prévue pour 1945 au plus tard. Qu'ils l'aient fait exprès ou non, cela leur réussit dans les deux cas. Mackenzie King s'est peut-être arrangé pour faire libérer Camillien Houde la semaine qui suit la victoire de l'Union nationale en août 1944, en guise de soupape de sûreté. En novembre, il ne pourra compter que sur la presse libérale du Québec pour répéter que la conscription limitée des libéraux vaut mieux que ce que les conservateurs auraient imposé. Même le journal indépendant *Le Devoir*, consterné par toutes ces combines politiques, doit convenir que King mérite une certaine admiration pour avoir réussi à se glisser, avec succès sinon avec élégance, entre les conservateurs, les militaristes, les nationalistes, la presse canadienne-anglaise et les partisans de la conscription dans son propre parti. Louis Saint-Laurent estime néanmoins que les libéraux fédéraux vont perdre tous les sièges qu'ils détiennent dans la province. Les quelques députés du Québec qui accordent un vote de confiance au gouvernement King, approuvant ainsi de fait sa politique en matière de conscription, déclarent qu'ils n'oseront plus se montrer dans leurs circonscriptions de crainte de s'y faire lapider. Mais, six mois plus tard, l'électorat du Québec accorde quatre-vingt-un pour cent de ses suffrages aux libéraux fédéraux, et il continue dans cette voie, malgré les sombres prophéties d'un député canadien-anglais du Québec, C.G. Power: celui-ci, dès 1939, s'est dressé personnellement contre la conscription et en novembre 1944, il a démissionné du cabinet pour protester contre son imposition. Il prédit que, même si le Canada anglais parvient à oublier celle-ci, le Canada français, lui, ne l'oubliera pas.

De toute façon, Ottawa n'a pas encore dit son dernier mot en ce qui concerne l'effort de guerre. Après avoir pris en mains l'économie, le fédéral s'est chargé de l'armée. Il reste la politique, domaine plus aléatoire. Mais si on accepte quelques aberrations qu'on trouve ici ou là dans les provinces — l'Union nationale au Québec, le C.C.F. en Saskatchewan — il y a sûrement moyen aussi de venir à bout des problèmes politiques. Par exemple, on pourrait penser à intégrer les idées de gauche, de plus en plus populaires, sur la sécurité sociale, à un grand plan de reconstruction de l'après-guerre. Dès le milieu de la guerre, les fonctionnaires d'Ottawa et les hommes politiques libéraux de la Chambre des communes ont commencé à préparer l'après-guerre en élaborant des projets fédéraux pour orienter et diriger d'Ottawa le bien-être des Canadiens. Au premier programme d'assurance-chômage, on ajouterait une assurance-santé, des pensions pour tous les retraités, des allocations familiales, des logements et des formations professionnelles. N'incombe-t-il pas au gouvernement fédéral d'éviter une crise d'après-guerre et de préparer la reconversion de l'industrie pour le temps de paix, de trouver des emplois pour les anciens combattants et pour les employés des industries de guerre? Ottawa, qui a pris l'habitude de planifier la guerre, a maintenant l'intention de planifier la paix.

Québec est contre, pour des raisons financières et culturelles. Les plans d'Ottawa signifient la centralisation financière. Si, en 1942, Godbout a bien voulu confier au gouvernement fédéral la majeure partie de ses ressources fiscales pour des projets liés à la guerre. Duplessis n'a pas l'intention d'en faire autant en 1946 pour des projets liés à la paix. En fait ni l'Ontario ni le Québec n'accepteront le prolongement en temps de paix des arrangements fiscaux du temps de la guerre. De plus, pour Québec, ces plans sociaux sont le fait d'une fonction publique fédérale expansionniste et celle-ci compte peu de Canadiens français. Même excellents, ces projets resteront donc «étrangers» dans leur conception et leur réalisation. Ce n'est pas que la politique sociale en soi pose problème, bien que l'électorat ne l'ait jamais vraiment approuvée au Québec avant les années soixante: le Bloc populaire, le mouvement coopératif, les organisations ouvrières, l'Action libérale nationale, et même parfois l'Action française et la vieille Ligue nationaliste du début du siècle, ont tous suggéré que la situation économique et nationale du Québec s'améliorerait si le gouvernement prenait en main l'organisation de la société. Mais pour ces groupes, il s'agissait du gouvernement provincial, et ils n'ont jamais réussi à convaincre ni le gouvernement ni les électeurs. Par contre, ils ont réussi à convaincre bien des gens que le gouvernement fédéral est pour ainsi dire étranger et même peut-être hostile aux vrais intérêts du Québec.

La question des allocations familiales illustre bien leurs

craintes et même l'ambiguïté de leur position. Le gouvernement fédéral en présente le projet pour l'année 1945 comme un
moyen de maintenir le pouvoir d'achat après la guerre et éviter
ainsi une possible récession; en secret, il espère aussi que les
allocations inciteront les femmes à abandonner leur travail
salarié. Les nationalistes du Québec ne peuvent vraiment pas
s'opposer à ces deux intentions, et surtout pas à la seconde. Et
pourtant, ils estiment que cette mesure empiétera sur les droits
constitutionnels des provinces. Duplessis fait connaître clairement sa pensée sur ce point, mais il n'entreprend pas d'action en justice, car il voit bien que les allocations familiales
plaisent au public. Certains, malgré tout, y voient une offense
aux pères de famille: l'État les insulterait en faisant croire
qu'ils sont incapables de pourvoir aux besoins de leurs enfants,
et il réduirait l'autorité paternelle en versant les allocations
aux mères de famille. Ils affirment que ces décisions vont
détruire la famille canadienne-française. Les récriminations
atteignent même un tel paroxysme que Mackenzie King, hésitant, envisage, pour le Québec seulement, de verser aux pères
les allocations familiales. Il fallut l'intervention personnelle de
Thérèse Casgrain qui met en jeu tout son prestige politique et
social pour le persuader de n'en rien faire. Et pendant tout ce
temps, des conservateurs du reste du Canada, qui sont contre
les allocations familiales, insinuent que toute cette affaire des
allocations est une tactique des libéraux pour acheter les voix
des familles canadiennes-françaises, célèbres pour leurs nombreux enfants. Quelques nationalistes du Québec pensent d'ailleurs la même chose et trouvent aussi le plan humiliant. Selon
eux, les allocations familiales devraient être attachées aux
salaires de l'industrie, non pas se présenter comme une aumône
de l'État. En outre, le Québec devrait mettre sur pied une législation sociale qui lui serait propre et conforme à ses idéaux.
L'économiste et écrivain nationaliste François-Albert Angers
va jusqu'à suggérer aux Québécois de refuser les chèques. Il
sera cependant un des rares à suivre ses propres conseils.

Le malaise suscité par la question des allocations familiales reflète bien les mutations sociales entraînées au Québec
par la guerre. En 1945, il ne reste pas grand-chose des défenses
traditionnelles des nationalistes du Canada français. L'agriculture et la colonisation ont déversé leur surplus de population dans les industries de guerre. Les familles ont envoyé
leurs jeunes femmes et même leurs mères de familles dans la
même direction. Les jeunes gens sont partis vers une guerre
étrangère, parfois de bon gré, parfois sous la pression de la
conjoncture économique ou de la propagande politique. L'Égli-

se, ou du moins ses hauts responsables, les y a encouragés. L'État aussi: les hommes politiques libéraux du Québec, aux niveaux provincial et fédéral, ont, plus ou moins de gaieté de coeur, accepté la guerre d'Ottawa. Mais l'année 1944 marque un changement. Depuis cette date, le Québec et Ottawa ont presque toujours été dominés par des partis politiques différents, alors que précédemment le même parti était presque toujours au pouvoir aux deux niveaux. Quelles seront les conséquences de ce changement, quelles sortes de défenses érigera maintenant le Québec, qui les édifiera et qui en tirera profit, voilà les questions qui se posent alors. Tout au long des années cinquante, le débat va faire rage, mais dans les années soixante, les craintes exprimées par Mackenzie King pendant la guerre pour l'unité du Canada sembleront presque imaginaires.

ORIENTATIONS BIBLIOGRAPHIQUES

Auger, Geneviève et Raymonde Lamothe, *De la poêle à frire à la ligne de feu. La vie quotidienne des Québécoises pendant la guerre 39-45*, Montréal, Boréal Express, 1981.

Black, Conrad, *Duplessis: l'ascension et le pouvoir*, 2 vol., Montréal, Éditions de l'Homme, 1977.

Chaloult, René, *Mémoires politiques*, Montréal, Éditions du Jour, 1969.

Dawson, Robert MacGregor, *The Conscription Crisis of 1944*, Toronto, University of Toronto Press, 1961.

Dumas, Evelyn, *Dans le sommeil de nos os: quelques grèves au Québec de 1934 à 1944*, Montréal, Leméac, 1971.

Granatstein, J.L., *Conscription in the Second World War 1939-1945*, Toronto, Ryerson Press, 1969.

————— , *Canada's War. The Politics of the Mackenzie King Government 1939-1945*, Toronto, Oxford University Press, 1975.

Granatstein, J.L. et J.M. Hitsman, *Broken Promises: A History of Conscription in Canada*, Toronto, Oxford University Press, 1977.

Jamieson, Stuart Marshall, *Times of Trouble: Labour Unrest and Industrial Conflict in Canada 1900-66*, Ottawa, Task Force on Labour Relations, 1968.

Lapalme, Georges-Émile, *Le bruit des choses réveillées*, Montréal, Leméac, 1969.

Laurendeau, André, *La crise de la conscription 1942*, Montréal, Éditions du Jour, 1962.

Pickersgill, John W., *The Mackenzie King Record*, vol. 1 et 2, Toronto, University of Toronto Press, 1960 et 1968.

Quinn, Herbert F., *The Union Nationale: A Study in Quebec Nationalism*, Toronto, University of Toronto Press, 1963.

Thomson, Dale C., *Louis Saint-Laurent: Canadian*, Toronto, Macmillan, 1967.

Le drapeau proclame en 1948 ce que les nationalistes répètent depuis des années (...).
Manifestation de jeunes militants de l'Union nationale en faveur du drapeau à fleur de lis à Montréal en 1948.
Archives publiques du Canada, PA129325

XVII
RALLIEMENT AU DRAPEAU

En 1948, le gouvernement du Québec adopte le drapeau fleur-delisé comme emblème distinctif du Québec. Ainsi donc, dans la période même où il participe à l'essor économique de l'après-guerre en Amérique du Nord, le Québec déploie ses propres couleurs; alors que l'intégration à l'Amérique du Nord se manifeste partout dans l'économie du pays, le drapeau fait ressortir la différence du Québec. Les nationalistes d'avant-guerre jubilent: cela fait des années qu'ils en réclament un. Les derniers ralliés à la ferveur nationaliste des années de guerre sont tout aussi ravis: n'ont-ils pas tous soutenu la motion qu'un député indépendant a présentée en 1946? Ils ont d'ailleurs orchestré une grande campagne publicitaire destinée à convaincre un parlement divisé et un Premier ministre encore plus hésitant que le peuple veut vraiment un drapeau distinctif. Duplessis, malgré l'intérêt qu'il porte à l'autonomie provinciale, a tergiversé à propos de la spécificité du drapeau et du symbole qu'il représente. Une fois adopté, pourtant, l'étendard et sa symbolique feront partie de l'arsenal politique du Premier ministre jusqu'à la fin de ses jours. Cette symbolique imprégnera les études de la Commission Tremblay sur les problèmes constitutionnels au milieu des années 1950 et montrera la collaboration étroite de l'Église catholique avec le pouvoir pendant l'après-guerre.

Depuis les jours de la Nouvelle-France, les drapeaux ont toujours fait partie de la vie du Québec. Une croix blanche, la fleur de lis de la royauté, les étendards des familles aristocratiques et les couleurs des divers régiments de soldats français ont symbolisé successivement et parfois concurremment la présence française en Amérique du Nord. Avec la Conquête, les pavillons français ont disparu, mais des groupes de Canadiens français n'ont jamais cessé d'en adopter ou d'en dessiner. Dans les années 1830, les patriotes ont défilé sous un étendard à bandes vertes, blanches et rouges; l'Institut canadien, au cours des années 1840, a brandi le drapeau tricolore de la Révolution française. À la fin du dix-neuvième siècle, les processions religieuses déploient leurs bannières, leurs banderoles et leurs oriflammes. La religion a tant d'importance au Québec qu'en 1903, on a ajouté un Sacré-Cœur, au centre d'un drapeau fleurdelisé, qui était censé avoir flotté sur Carillon et sur les Français qui défendaient le fort en 1758. Depuis lors, divers groupes nationalistes se sont réclamés du Carillon-Sacré-Cœur. C'est lui qui, une fois le cœur enlevé et les fleurs de lis redressées va être adopté comme emblème officiel du Québec en 1948, après quelques palinodies parlementaires de Duplessis.

Pour le Québec du milieu du vingtième siècle, la signification symbolique du drapeau qu'il vient de choisir est plus importante que la signification de son origine historique. Certes, il y a une leçon d'histoire dans la croix et les lis stylisés qu'il représente: la religion et la France ont façonné le Québec, et il est sous-entendu qu'elles devront continuer de le faire. On peut même lire dans le blanc éclatant sur fond azur des symboles de pureté et de grâce. Mais par-delà l'organisation appliquée des lignes et des couleurs, le drapeau évoque surtout un univers ineffable d'émotions et de sentiments. Il postule une unité entre les habitants du Québec, un dénominateur commun qui les attache à leur terre ou à leur langue à leur famille ou à leur destin, à un goût de la tradition ou de la ténacité. Cette unité s'exprime rarement en paroles ou en actes. Elle flotte dans les inconscients et les non-dits, et en 1950, elle possède peut-être quatre millions de formes différentes. Pourtant le fait même de planter le drapeau avive les convictions : un drapeau délimite un territoire et manifeste la volonté de protéger ce territoire, sinon le pouvoir de le faire véritablement. Au-delà de ce territoire, tout est différent, peut-être pas étranger, mais résolument autre. De bien des manières donc, le drapeau proclame en 1948 ce que les nationalistes répétaient depuis des années, mais que les politiciens ne voudront pas dire avant la décennie 1970 : le Québec est un lieu distinct, une communauté, une patrie différente du reste de l'Amérique du Nord.

Malheureusement pour ceux qui hissent le drapeau, l'économie de l'après-guerre au Québec ne confirme guère leur conviction. Au contraire, presque tous les indices de l'activité économique et du niveau de vie font ressortir que le Québec ressemble vraiment beaucoup au reste de l'Amérique du Nord : ouvriers d'usines, syndicalistes et femmes au foyer le disent depuis longtemps, mais personne ne leur a prêté attention ; ils profitent maintenant de la lueur de prospérité promise par les années de guerre et l'expansion économique des années cinquante pour faire entendre leur point de vue. Ils se mettent en grève pour obtenir de meilleurs salaires et dépensent la plus grande part de ces salaires en biens de consommation. Ils ont davantage d'enfants et s'installent dans les banlieues. Ils sont ravis de promener leur famille dans leurs voitures américaines, leurs sports sont américains et ils suivent des émissions de télévision et de radio américaines. Le quart, à peine, de leurs compatriotes réside dans les zones rurales, et parmi ceux-là, plusieurs ne gagnent pas leur vie dans l'agriculture. La mécanisation et l'électrification poussent la population excédentaire à quitter les fermes qui restent et presque tous se dirigent vers Montréal : en vingt ans, entre 1941 et 1961, la population de la métropole double, pour atteindre les deux millions. Les emplois saisonniers qu'on retrouvaient depuis toujours dans les camps de bûcherons disparaissent, car scies mécaniques et routes forestières transforment de fond en comble les conditions d'exploitation du bois. Dans ce contexte, la colonisation périt de mort naturelle ; ceux qui la pleurent n'ont de toute façon jamais quitté les villes et leur confort...

Dans ces villes, tous les signes du développement industriel sont manifestes. Les industries lourdes du temps de guerre — fer et acier, matériel de transport, manufactures d'avions, production de pétrole et d'aluminium — ouvrent la voie à une transition étonnamment facile de l'économie de guerre en économie de paix, et elles continuent à dominer le paysage industriel des années cinquante. Le secteur du bâtiment, en plein essor, répond à leurs besoins, construit de nouveaux locaux pour les vieilles industries du textile, du cuir, des pâtes et du papier, et pourvoit aux besoins d'un énorme marché dans le secteur du logement. Pour le nombre des travailleurs, le bâtiment vient vraiment au premier rang: il emploie quelque cent cinquante mille travailleurs en 1957. Si quarante pour cent d'entre eux travaillent à Montréal, d'autres construisent des villes nouvelles pour les exploitations minières, l'énergie hydro-électrique en plein développement, les pâtes et papiers et l'aluminium, dans une zone qui traverse le nord du Québec de l'Abitibi à l'Ungava. Chibougamau, Baie-Comeau, Sept-Îles, Schefferville, tout au nord, et même Murdochville en Gaspésie, sont nées dans l'élan de l'après-guerre, du mariage fécond des capitaux américains et des ressources naturelles récemment découvertes ou nouvellement exploitables. Certains de ces minerais approvisionnent l'industrie locale, mais la plupart sont extraits pour transformation dans le Midwest américain. Et c'est le minerai de fer de l'Ungava, réclamé avec tant d'insistance par les aciéries des États-Unis, qui, en fin de compte, encourage les gouvernements canadien et américain à réaliser la fameuse voie maritime du Saint-Laurent à la fin des années cinquante. Les hommes politiques parlent de coopération internationale; les investisseurs américains savent qu'ils travaillent en fait à une intégration. De fait, presque personne n'est dupe.

Au Québec, l'intégration présente cependant quelques traits particuliers. Si les investissements américains y sont énormes, ils y sont pourtant moins importants que dans le reste du Canada. Quand des sociétés américaines décident d'établir des filiales au nord de leur frontière, avant d'envisager le Québec, elles regardent d'abord du côté de l'Ontario. Au milieu des années cinquante, quelques sociétés canadiennes les imitent même, leur exode loin du Québec étant à l'époque masqué par l'essor exceptionnel des autres secteurs. La disparité se manifeste néanmoins par des salaires inférieurs, une productivité moindre et un taux de chômage plus élevé au Québec qu'en Ontario. Mais une fois encore la prospérité générale amortit l'effet de ces données. Le contraste est tel, par rapport aux sombres années trente, qu'il suffit pour réduire au silence de nombreux contestataires. Malgré tout, on prend acte de ces différences et on se pose des questions. Ces différences proviennent-elles des traits de caractère propres aux Québécois? Est-ce qu'elles sont causées par des structures démographiques et industrielles spécifiques? Étant donné son taux de natalité plus élevé, le Québec compte proportionnellement plus de jeunes, et donc moins de travailleurs, hommes ou femmes, dans sa population active. Le Québec compte aussi davantage d'ouvriers que l'Ontario dans les industries du textile, du tabac et de la chaussure, traditionnellement moins rentables. Et que dire de l'absence de Canadiens français aux échelons les plus élevés de la majeure partie des industries québécoises? Personne n'a de réponses sûres sur les causes de cette disparité, et personne ne semble se demander alors si la disparité entre les deux provinces vaut aussi en ce qui concerne le coût de la vie et le niveau de vie. Sans doute, personne ne sait comment s'y prendre pour réduire cette disparité et il est impossible de savoir si les solutions qu'on pourrait apporter à ce problème ne mèneraient pas encore plus loin sur la voie de l'intégration. Cette préoccupation cache un débat philosophique qui enflamme toute la décennie 1950: va-t-on s'autoriser de ces différences pour dénigrer le Québec ou au contraire pour reconnaître son caractère distinctif? Ceux qui brandissent le drapeau sont sûrs que c'est cette dernière hypothèse qui va se vérifier.

Ils trouvent un allié en Maurice Duplessis. Ou du moins, ils croient le trouver. Duplessis voit tant de dangers partout et il dépense tant d'énergie à se faire le protecteur des Canadiens français qu'il pense certainement qu'il a quelque chose à protéger. En réalité, son nationalisme est très tempéré; par contre, ses antennes politiques fonctionnent à merveille. Il brandit le drapeau du Québec devant les politiciens d'Ottawa pour leur rappeler qu'eux n'ont pas encore trouvé d'emblème pour le Canada. Cependant, en même temps, il ne désire pas rompre les relations avec la Grande-Bretagne, si cela signifie, comme c'est le cas en 1949 par exemple, que la Cour suprême du Canada, nommée par le gouvernement fédéral deviendra la toute dernière instance en appel et l'interprète sans recours des litiges constitutionnels. Il taxe ses ennemis politiques de communistes mais, ce faisant, il se comporte davantage comme un disciple du sénateur américain Joseph McCarthy qu'en conservateur québécois. Il fait étalage de son attachement à toutes les valeurs canadiennes-françaises, mais il se mêle tout joyeux aux foules du Yankee Stadium de New York pour se laisser aller à la seule passion qu'il ait en dehors de la politique, le base-ball. Il brosse des tableaux brillants d'un Québec rural, base de la stabilité de la société et du progrès économique, mais il passe des heures au téléphone ou dans son appartement du Château Frontenac à faire du charme aux hommes d'affaires américains ou canadiens-anglais pour qu'ils multiplient leurs investissements dans l'industrie de la province. Il se dit le défenseur des ouvriers, mais pour tenir les promesses qu'il a faites aux investisseurs, il envoie la police provinciale veiller à ce qu'ils se tiennent tranquilles. Comme cette ambiguïté est celle de la société du Québec, elle permet peut-être d'expliquer ses quatre victoires électorales de 1944 à 1959.

Si les actes de Duplessis montrent qu'il n'ignore rien de l'état d'intégration du Québec à l'Amérique du Nord, ils témoignent aussi de traits spécifiques de l'identité québécoise. Les nationalistes des époques précédentes se sont longtemps efforcés de ne pas voir que le Québec était en Amérique; leur conviction s'appuyait sur la langue, la religion et une manière supérieure de penser et d'être. Duplessis est le pur produit de ces convictions et il les fait peut-être siennes, bien qu'il ne les exprime pas. Ses adversaires politiques se moquent souvent de ses expressions vulgaires et de sa religion ostentatoire, et se posent même des questions sur son célibat. Mais Duplessis est l'expression du conservatisme d'une société aux profondes racines rurales et religieuses. Pour lui, la puissance et la structure hiérarchique de l'Église catholique correspondent à une nécessité sociale et morale. Il imite le paternalisme des hommes d'Église et il est jaloux de son autorité morale de chef laïque. Il s'attache les gens par des méthodes typiquement ecclésiastiques et familiales: générosité lorsqu'il s'agit de son propre argent, grande bienveillance accompagnée parfois de réprimandes, immense mémoire des détails concernant la vie privée des individus, dont il fait un usage sélectif, marques de faveur, chantage aux sentiments et pouvoir de se faire craindre. Pour ses collègues, il est le chef et pour son peuple il est le bon père de famille. Et si à peine plus de cinquante pour cent des électeurs acceptent suffisamment ses opinions et sa manière de faire pour voter en faveur de l'Union nationale, ils ne lui donnent pas moins l'occasion de se complaire dans son rôle grâce à un nombre considérable de sièges (de soixante-huit à quatre-vingt-deux au cours des années cinquante) sur les quatre-vingt-douze qu'en compte alors l'Assemblée provinciale.

Duplessis utilise cette majorité pour parachever un projet politique qui date de soixante-dix ans au moins, celui de l'autonomie provinciale. Cette notion n'est pas réservée au Québec, mais là elle y recueille la faveur populaire. Le chef libéral Georges-Émile Lapalme, qui a un handicap considérable à remonter, gémit quand il prend la mesure de l'écho que ce thème a réveillé dans le peuple quand Duplessis l'a lancé. Le terme d'«autonomie provinciale» a des significations différentes selon les gens et les adversaires de Duplessis disent souvent que la sienne ne signifie pratiquement rien. Mais derrière le slogan et l'écho que renvoie son vide apparent, se dessinent les contours d'un pays : il se veut distinct du reste du Canada par sa langue, sa culture et ses valeurs, il s'inquiète de la puissance et des intentions d'une majorité canadienne-anglaise confortablement installée dans ce que Lapalme appelle «la cathédrale anglicane sur la colline parlementaire». Bien que les électeurs du Québec renvoient régulièrement à Ottawa les représentants du parti au pouvoir, ils n'en accusent pas moins régulièrement leurs représentants d'être les laquais d'Ottawa. Dans les deux cas, cela fait bien l'affaire de Duplessis.

En réalité, la notion d'autonomie provinciale recouvre bien autre chose que des rêves nationalistes ou des invectives politiques. Duplessis s'y intéresse pour des raisons d'argent et de pouvoir. La suprématie financière et politique d'Ottawa pendant la guerre l'a irrité tout en lui donnant les moyens d'accéder au poste de Premier ministre de la province en 1944. À partir de ce moment-là, il a refusé toutes les ouvertures d'Ottawa. Il refuse de continuer à appliquer l'entente fédérale-provinciales sur la taxation des années de guerre : il n'acceptera plus de vendre, de louer ou de prêter le droit de la province à lever des impôts en échange d'une somme dérisoire attribuée par les bureaucrates d'Ottawa. Il repousse les plans du gouvernement fédéral en faveur d'entreprises conjointes, car, dans ce jeu de la carotte et du bâton, il soupçonne Ottawa de vouloir forcer les provinces à faire ce qu'il veut. Il s'oppose aux initiatives fédérales dans des domaines qui dépendent manifestement de la juridiction de la province : il ne va pas goudronner les routes du Québec avec les deniers du fédéral, même si l'une de ces routes doit devenir la Transcanadienne. Ottawa n'ira pas brandir ses dollars au nez des universités de la province sous prétexte que les diplômés représentent un capital national. La province n'acceptera pas non plus le financement par Ottawa de l'assurance-maladie avec les normes d'un service de santé appliqué dans tout le Canada. La suprématie financière du gouvernement fédéral provient en grande partie, selon Duplessis, du fait qu'il puise dans les poches des provinces ; il doit donc s'abstenir d'utiliser ses profits mal acquis pour marcher sur les pieds des provinces.

Toutefois, cela coûte de l'argent de dire non. Tout comme les autres provinces, le Québec paie de plus en plus cher ses routes, son enseignement et ses services de santé. Au contraire des autres, il dispose d'une institution sociale très importante, l'Église catholique, qui prend en charge une grande part du fardeau financier de l'enseignement, des hôpitaux et de l'aide sociale. C'est de bien des manières grâce à l'Église, que le Québec peut se permettre d'avoir son autonomie provinciale. Mais, en dépit des apparences, l'Église ne peut pas suffire à tout et les frais s'élèvent sans cesse. Les universités, tout particulièrement, voient leurs homologues des autres provinces s'engraisser des deniers fédéraux. Québec doit donc leur accorder une contribution spéciale, mais cela même contrarie Duplessis, car l'augmentation de ces dépenses n'est que la contrepartie des initiatives d'Ottawa. En 1954, pour régler le dilemme, Duplessis prend le risque d'instaurer un impôt provincial sur le revenu. Ses adversaires libéraux pensent tenir là une bonne affaire: les électeurs du Québec ne vont pas accepter d'être imposés deux fois; ils ne voudront sûrement pas payer d'impôt sur le revenu à la fois à Ottawa et à Québec. En outre, leurs collègues d'Ottawa leur disent que ce n'est pas parce que le Québec lève un impôt sur le revenu que le gouvernement fédéral va modifier le sien. Ils croient tous que cette fois-ci Duplessis est pris. Ils devraient savoir qu'il a plus d'un tour dans son sac: dans l'année qui suit la création de l'impôt provincial sur le revenu, il réussit à négocier avec Ottawa un arrangement qui réduit l'impôt fédéral sur le revenu des résidents du Québec. Les libéraux provinciaux se font tout petits et prennent leur leçon: ils doivent bien reconnaître que Duplessis a gagné une grande bataille, et cette fois tangible, en faveur de l'autonomie provinciale.

Mais parfois aussi les combats de Duplessis ressemblent beaucoup plus à des attaques de pure forme. Il prend l'initiative de mettre le Canada au coeur de la guerre froide en faisant du Québec le bastion dressé contre les hordes communistes. Il accuse tous ses adversaires politiques de sympathies communistes et quand *Le Devoir* prend parti contre lui au début des années 1950, il riposte en le traitant de torchon bolchevique. Il va même jusqu'à dire que les libéraux du Québec sont coupables par association: leurs collègues d'Ottawa ne votent-ils pas des subsides aux agriculteurs de l'Asie du Sud-Est — qui sont tous communistes naturellement — alors qu'ils en refusent aux agriculteurs québécois? Il signale la vente au Québec des «oeufs communistes» et dénonce par là des pratiques commerciales illégales du Canada. Il essaie même de faire croire que ce sont des saboteurs qui ont causé l'effondrement du pont Duplessis de Trois-Rivières: celui-ci s'est écroulé par une nuit glaciale de janvier 1951. Il protège les trésors artistiques de la Pologne — on les a transférés au Canada pendant la guerre pour en assurer la sauvegarde et on les a confiés d'abord à des couvents de Québec, puis au musée provincial — et empêche Ottawa de les rendre trop vite au régime communiste. À une époque où on ne compte, dans toute la province de Québec, qu'une poignée de communistes — et ceux-ci pour la plupart changeront d'idée après l'invasion de la Hongrie par les Russes en 1956 — Duplessis se pose en défenseur du Québec contre le communisme, le matérialisme, l'athéisme et la lutte des classes.

Il garde le même comportement dans des conflits, bien réels cette fois, avec des organisations de travailleurs. Partant de l'idée que le Québec constitue une famille, Duplessis peut bien accepter une ou deux escarmouches, mais pas de conflit ouvert entre générations, entre frères ou entre sexes. Évidemment, pour lui, toute remise en question de la hiérarchie familiale organisée, de la société et de l'État est le fait d'agitateurs étrangers. En 1946, Duplessis découvre un communiste ou deux parmi les organisateurs lors des grèves des ouvriers du textile de Valleyfield et celles des mineurs de Noranda. Il a l'intention de les chasser et il compte pour cela sur la loi et sur les agents chargés de son application. Pour lui, il s'agit d'une condition nécessaire à la stabilité sociale seule susceptible d'attirer les investissements créateurs d'emplois et d'améliorer les conditions de vie des travailleurs du Québec. Duplessis espère que le peuple lui en saura gré, et c'est d'ailleurs le cas pour la plupart des gens. Mais la minorité des ouvriers syndiqués et la minorité encore plus étroite des leaders syndicaux commencent à se poser des questions: il leur semble que la stabilité sociale prônée par Duplessis va de pair avec leur exploitation.

Parmi les grandes grèves de l'après-guerre, rares sont celles qui correspondent à une guerre des classes déclarée. La plupart portent sur les revendications traditionnelles des travailleurs: salaires de misère, heures de travail trop longues, mauvaises conditions de travail et reconnaissance des syndicats. Que les grèves se produisent dans les industries traditionnelles du Québec, comme celle des textiles à Louiseville en 1952, ou dans des industries plus modernes comme celle des mines d'Asbestos et de Thetford en 1949, de Noranda en 1953 et de Murdochville en 1957, ou même chez les employés du grand magasin Dupuis Frères de Montréal, en 1952, que le syndicat mis en cause soit catholique ou international, elles traduisent toutes le même désir des travailleurs d'être mieux payés et mieux protégés. Avec la grève de l'amiante, on entend pour la première fois une plainte, qui deviendra un leitmotiv au cours des années 1970: celle de la pollution. Tant de décès sont causés par la poussière d'amiante, selon le délégué syndical local, qu'on pourrait utiliser le cimetière comme mine d'amiante. Chacune de ces grèves est d'une durée inhabituelle: la tendance dans les luttes sociales de l'après-guerre est à des arrêts de travail moins nombreux mais plus longs que ceux de la Deuxième Guerre mondiale qui a connu quantité de grèves. La durée de ces conflits (trois mois chez Dupuis Frères et onze mois à Louiseville) montre bien, sinon la lutte des classes, du moins la détermination des patrons et des travailleurs. Et pourtant, une seule de ces grèves se terminera par la victoire des travailleurs, celle du personnel chargé de la vente, des femmes pour la plupart, chez Dupuis Frères. Les autres aboutissent à un match nul ou à une défaite cuisante des ouvriers.

La raison principale de cet état de fait, c'est Duplessis lui-même. Ses lois et son attitude à la fois instaurent un climat de malaise syndical. Les lois sur le travail limitent les syndicats, freinent leur développement et leurs activités, et contrôlent même les qualités morales de leurs chefs. Les procédures sont lentes et compliquées, aussi bien celles qui précèdent la reconnaissance des syndicats que les tentatives de conciliation et d'arbitrage qui sont obligatoires avant de déclencher légalement la grève; de nombreux travailleurs sont persuadés que ces procédures sont faites pour avantager les compagnies. Quand des ouvriers mécontents, convaincus que la procédure légale n'aboutira pas, vont de l'avant et lancent une grève, ils deviennent une proie facile pour la presse qui est à la solde de Duplessis. Une grève illégale va à l'encontre de la loi et la police provinciale a le droit d'intervenir, ce dont elle ne se prive pas; elle se montre lors de la grève de l'Associated Textiles de Louiseville et devant Dupuis Frères de Montréal, en dépit du fait que, même selon l'interprétation rigoureuse faite par Duplessis de ses propres lois, ces grèves soient légales. Dans chaque cas, la police affiche nettement ses sympathies: elle protège les biens de la compagnie. Elle accompagne les briseurs de grèves quand ils vont et viennent dans la mine, l'usine ou le magasin. Elle houspille les piquets de grève, les chefs syndicalistes dans leurs quartiers généraux et les familles des grévistes à leur domicile. La présence de la police a sans doute contribué au développement potentiel de la lutte des classes que Duplessis souhaitait tant éviter; et elle a souligné la collaboration de classe entre gouvernants et employeurs. Duplessis peut bien avoir fait passer son point de vue, il peut bien avoir gagné la plupart des grèves, il a aussi semé les germes d'une opposition politique.

Duplessis s'est pourtant appliqué jusqu'à sa mort à réduire cette opposition. Le découpage électoral lui-même y contribue en favorisant les comtés ruraux aux dépens des circonscriptions urbaines, beaucoup plus peuplées. Ainsi, une population rurale qui, au cours de la décennie 1950, passe de trente-trois pour cent à vingt-cinq pour cent de la population élit plus de la moitié des députés à l'Assemblée provinciale. Le suffrage à un tour à la majorité simple confère aussi un avantage fabuleux à un parti qui obtient tout juste cinquante pour cent des suffrages populaires. Naturellement, Duplessis ne modifie ni le découpage électoral, ni le mode de scrutin; il se contente d'agir sur les électeurs. Routes, écoles, hôpitaux et lignes électriques viennent remercier les comtés compréhensifs, et leur venue et leur nombre coïncident avec le calendrier des élections. La plupart des ministres du Cabinet ont pour tâche de répartir les fonds provinciaux de la manière la plus payante électoralement. L'Union nationale a en outre une caisse électorale bien garnie à laquelle contribue quiconque a bénéficié ou espère bénéficier d'un contrat gouvernemental, d'un bail ou d'un allégement fiscal. Pour faire face aux faux frais des élections de 1948, 1952 et 1956, les responsables de la campagne de Duplessis puisèrent dans le coffre trois, cinq puis neuf millions de dollars. Même alors, le coffre continue à se remplir. Au moment de la mort de Duplessis en 1959, il contiendra quelque dix-huit millions de dollars. Par comparaison, en 1952, les libéraux ont de la peine à en rassembler un million. Les fonds de l'Union nationale financent l'américanisation des pratiques électorales au Québec: matraquage publicitaire à la radio et dans la presse, tracts et affiches, réjouissances populaires gratuites, myriades de menus cadeaux, briquets, cendriers et même bas nylon. Ces fonds règlent les notes des électeurs indigents et équipent les foyers en biens de consommation, postes de radio et réfrigérateurs, et même en appareils de télévision, véritable chevaux de Troie. Avec tout cela, Duplessis peut joyeusement faire valoir que la véritable bataille électorale, c'est celle que mène le Québec pour sauvegarder ses droits, sa liberté et ses prérogatives.

Faute de savoir exactement ce que ces mots signifient, Duplessis confie à certains intellectuels le soin d'y réfléchir. En 1953, il charge la Commission Tremblay d'enquêter sur les problèmes constitutionnels au Québec. L'initiative cependant ne vient pas de lui, qui n'a point coutume de faire dans la précision. L'initiative vient plutôt de quelques chambres de commerce dont les membres mettent en question la répartition des revenus dans la province. Elles se plaignent de ce que les divers découpages du gâteau, des impôts, découpage fédéral, provincial, municipal et scolaire aboutissent à des incohérences administratives et elles déplorent le financement insuffisant de secteurs clés comme l'éducation qui en découle. Mais en reprenant ces critiques, la Commission Tremblay les enterre sous une masse de détails et de justifications philosophiques, sociologiques et même théologiques des caractères distincts du Québec et, par voie de conséquence, de l'autonomie provinciale si chère à Duplessis. Sur chacune des pages des cinq volumes du rapport de la Commission, déposé en 1956, flotte le drapeau fleurdelisé.

Comme d'autres porte-étendard, les membres de la Commission Tremblay semblent redouter pour le Canada français des attaques sur tous les fronts. Le rythme de l'industrialisation donne corps à la peur de l'assimilation totale. Plus les Canadiens français vivent dans des cadres urbains, avec des emplois à l'usine et de l'argent pour acheter les biens de consommation produits en grande quantité aux États-Unis, plus ils sont susceptibles de parler, de penser et de se conduire en Américains. Reconnaissant à regret un processus qui n'a pas cessé depuis la Conquête — qui a mis les Canadiens français en contact avec ces institutions politiques étrangères — la Commission Tremblay déclare que les années cinquante verront les effets néfastes de l'industrialisation atteindre leur point culminant. Menacé comme il l'est par des institutions sociales étrangères, le Canada français doit s'occuper immédiatement de sa survie.

La Commission insiste sur le fait qu'au péril de l'assimilation par l'industrialisation s'ajoute le péril de la centralisation. Depuis l'institution de l'impôt sur le revenu en 1917, Ottawa rogne lentement les droits constitutionnels du Québec. La crise a autorisé le fédéral à intervenir encore davantage et, bien que la Commission Rowell-Sirois, à la fin des années trente, ait eu très peu de résultats, le fait même qu'il y ait eu enquête et le rapport qui s'est ensuivi, ont marqué l'intention du fédéral d'appliquer des normes nationales aux dépens des provinces. Ensuite, la Deuxième Guerre mondiale a fourni des arguments militaires et sociaux à Ottawa pour justifier les desseins qu'elle poursuit dans les années cinquante. Libre aux provinces anglophones d'accepter cette centralisation; le rapport Tremblay n'autoriserait pas le Québec à faire de même. Puisque le Québec constitue la seule province à majorité francophone, il doit faire front contre les menaces venues de l'extérieur. Et il ne peut réussir qu'en puisant dans le grand réservoir de sa spécificité. Les Canadiens français se distinguent par leur histoire, leur religion, leur langue, leur tradition, leur comportement social qui les rendent différents des autres Nord-Américains. Ils ne pouvaient pas plus se conformer aux «normes étrangères» que leur proposent les services sociaux d'Ottawa que de renier leur religion. Cette religion, en outre, leur a conféré une mission en Amérique du Nord: c'est à eux qu'il incombe, du fait de leur destin culturel, d'alléger la chape du matérialisme qui pèse sur le reste du continent. Les Canadiens français ont une mission civilisatrice à accomplir, et ils n'ont pas le droit de la renier et de se laisser aller à la médiocrité. Ainsi, comme maints nationalistes avant eux, de monseigneur Laflèche au dix-neuvième siècle à l'abbé Groulx au vingtième, les membres de la Commission Tremblay cachent leur malaise sous un mépris grandissant envers ce qui les entoure.

Ce qu'ils proposent, en termes beaucoup plus précis que tous leurs prédécesseurs, c'est que la Constitution confirme leurs différences. Il est intéressant de noter que cette proposition ramène en arrière, en 1867, au temps du fédéralisme vrai. La Confédération, selon le Rapport Tremblay, est un accord entre provinces et un pacte entre peuples. La répartition des pouvoirs y a été prévue clairement — le pouvoir économique au gouvernement fédéral et le pouvoir socio-culturel aux provinces, et la répartition des ressources fiscales aussi. Il est temps maintenant d'en revenir à cette définition, de faire les réalignements nécessaires, et de veiller à ce que les provinces exercent leurs pouvoirs sur l'assistance sociale et l'essor culturel, et en assurent la gestion au moyen de fonds suffisants. C'est donc aux provinces que devraient aller les impôts sur le revenu et sur les sociétés, ainsi que les droits de succession; à Ottawa, les impôts indirects et les taxes sur les ventes, l'essence et le tabac. Cette division du pouvoir et des ressources permettrait au moins au Québec de régler les problèmes de l'enseignement, de la vie rurale et de l'assistance sociale, dont la gravité est bien connue, par des moyens propres au Québec. Bref, le fédéralisme devrait contribuer plutôt à maintenir les différences authentiques entre provinces et peuples qu'à les réduire.

Tout comme lors de l'examen des problèmes constitutionnels auquel s'était livré le gouvernement fédéral à la fin des années trente, rien de très précis ne sortira de l'étude entreprise par le gouvernement du Québec au cours des années cinquante. Et pourtant le Rapport Rowell-Sirois de 1940 et le

Rapport Tremblay de 1956 indiquent tous deux, de manière sibylline, ce que sera l'avenir des relations fédérales-provinciales. La commission fédérale suggère qu'Ottawa joue un rôle directif plus important; la commission québécoise, elle, note que les réticences se font plus nombreuses dans la province. Duplessis ne les apprécie peut-être ni l'une ni l'autre, car il s'empresse de mettre aux archives le Rapport Tremblay, sans même l'avoir lu, aux dires de certains, et avec la même désinvolture qu'il l'a fait pour l'enquête Rowell-Sirois. Les libéraux provinciaux, de leur côté, se mettent à étudier le rapport. Quand arrivera 1960, ils auront changé sa philosophie conservatrice en un plan échelonné de négociations financières avec Ottawa. Certains membres de la Commission Tremblay réussiront même à se caser aux échelons les plus élevés de la fonction publique après la victoire libérale de 1960. Ils mettront ainsi peut-être en pratique l'une des conclusions implicites du Rapport Tremblay: si vraiment les périls qui guettent le Canada français sont intrinsèquement économiques, sociaux et surtout politiques, alors, seule une entité politique pourrait peut-être lui garantir la protection nécessaire; ainsi assimile-t-on de plus en plus la notion de la protection des intérêts canadiens-français à celle du Québec. Selon la Commission Tremblay, les Canadiens français constituent un peuple distinct et seul le Québec semble avoir le potentiel politique pour assurer leur défense.

Avant de pouvoir assumer cette responsabilité, le gouvernement du Québec devra déloger une autre institution qui a les mêmes prétentions: l'Église catholique. Elle a toujours prétendu à distinguer le Canada français et à le protéger. Aucun autre groupe d'Amérique du Nord que lui ne peut se réclamer à la fois de l'assurance divine et de la réalité institutionnelle que l'Église catholique a apportées aux Canadiens français. Depuis la Conquête, cette Église avait pris soin de s'allier au pouvoir politique en place, même si elle en a parfois ressenti une certaine gêne. Et en même temps elle a apporté aux Canadiens français son réconfort spirituel et son aide pratique. Par sa présence même, tout autant que par le pouvoir qu'elle possède dans les écoles, les collèges et les universités, dans les syndicats et les mouvements de jeunes, parmi les pauvres, les vieillards et les orphelins, elle confère au Canada français des traits distinctifs. Seuls, par conséquent, un sens aigu de l'héraldique ou même le sens de la bienséance de la part de l'Église elle-même ont pu retirer le Sacré-Coeur du centre du drapeau proposé pour le Québec. Sa présence n'y est d'ailleurs pas nécessaire: la croix d'un clocher et le reflet d'un toit d'église sont aussi typiques du Québec que n'importe quel drapeau.

Au cours des années cinquante, cependant, il devient de plus en plus difficile à l'Église d'accomplir toutes les tâches que tout le monde attend d'elle. Ses activités multiples exige-raient davantage de personnel et voilà que les recrues poten-tielles, surtout chez les hommes, commencent à chercher et à trouver dans le monde séculier des situations tout aussi respec-tables et intéressantes. Il lui faut donc maintenant initier des laïques à la direction des écoles et des agences d'assistance sociale toujours plus nombreuses. On ne peut pas exiger des laïques qu'ils assurent les tâches religieuses et spirituelles des curés dans les paroisses, mais là aussi les chiffres donnent une indication intéressante : moins de la moitié des prêtres du Québec sont curés résidents, ce qui montre bien qu'ils s'em-ploient à d'autres tâches multiples et peut-être trop variées ; en comparaison, la France, elle, compte quatre-vingt pour cent de prêtres résidents. Il faut ajouter que ce personnel religieux ne se répartit pas harmonieusement dans le pays : il est plus nombreux que la population ne le demande dans les zones rurales, et même dans ces régions le clergé connaît des conflits de pouvoir et de compétences : les évêques locaux souhaitent que les activités inspirées par le clergé se déroulent dans le cadre de la paroisse ou du diocèse ; au contraire des groupes de jeunes, des associations professionnelles et des coopératives qui, s'ils ne sont pas directement dirigés par le clergé, ont de nombreux contacts avec lui, envisagent d'avoir des réseaux à l'échelle de la province, grâce aux collèges, aux syndicats et aux entreprises. Les évêques eux-mêmes ne présentent pas non plus un front uni, car leurs préoccupations varient énormé-ment selon les régions. Après la mort du cardinal Villeneuve en 1947, aucun prélat ne réussira par son autorité à les unir.

Maurice Duplessis utilise à son profit la moindre fissure dans l'armure du clergé. Après la disparition du cardinal Vil-leneuve, Duplessis se garde bien de distinguer un évêque en particulier, mais il distribue ses largesses à tous ceux qui font appel à lui, c'est-à-dire la plupart. Ils ont besoin de fonds pour une école ou un hôpital, ils sollicitent l'augmentation des bourses de la province pour un collège ou un sanatorium. À chaque service rendu, Duplessis resserre son emprise. En géné-ral, il sort l'argent, mais souvent aussi il fait attendre celui qui le sollicite jusqu'à ce que son institution soit au bord de la fail-lite. Il est rare qu'il s'engage à une contribution assurée et pré-cise, car il sait bien qu'à chaque fois qu'il fait un don, il aug-mente la gratitude du demandeur ; chaque attribution fait de la publicité à la générosité du gouvernement. Duplessis n'ignore pas, bien sûr, que les crédits alloués sont infimes par rapport au coût des services éducatifs, sanitaires ou sociaux qui sans l'Église seraient à la charge de l'État. Le voeu de pauvreté que prononce le personnel religieux maintient leurs salaires à un niveau très bas, et il a des incidences sur ceux de leurs collègues laïques; tout cela convient bien au gouvernement. Duplessis sait aussi que l'Église redoute davantage la sécularisation que le manque d'argent. Cette situation lui permet d'avoir un oeil sur le budget pendant que de l'autre il regarde pieusement et avec bienveillance ses hôtes religieux. Quant à savoir si cette collaboration assez malsaine entre l'Église et l'État a fini par ternir l'image de celle-ci de manière irrémédiable, c'est aux générations futures qu'il appartiendra de le dire.

Dans les années cinquante, pourtant, cette collaboration confirme de nombreux Québécois dans l'idée que le Canada français constitue une collectivité à part: la famille, l'Église et l'État participent aux mêmes idéaux et possèdent la même structure. Tous ses membres pratiquent la coopération et prêchent le dévouement dans un cadre hiérarchique, voire patriarcal. La division du travail se fait à l'intérieur de cette hiérarchie et en fonction des différents membres. Officiellement, cette répartition se fonde sur le mérite et la compétence, mais dans les faits, elle se fonde tout autant sur le sexe, et, au niveau le plus élevé du gouvernement, sur l'appartenance ethnique. La division du travail pose en a priori et en même temps renforce des hypothèses communément admises sur le rôle naturel des individus et des institutions: la famille reproduit la nation: le père y possède l'autorité de celui qui gagne la vie de tous, et la mère y montre ses talents de maîtresse de maison. L'Église se charge d'instruire et de soigner la nation; en son sein, évêques et prêtres assurent la conduite des affaires morales et spirituelles pendant que les religieuses font la classe aux enfants, soignent les malades et servent les prêtres. L'État gère la nation et les politiciens — des hommes — déterminent les priorités; enfin, on trouve presque toujours un Canadien anglais aux Finances et des secrétaires — des femmes — écrivent ce qu'on leur dicte. Dans les trois institutions, l'intervention directe et publique des hommes contraste avec le rôle diffus et privé des femmes. Mais le seul élément vraiment particulier au Québec, c'est la présence de l'Église; le reste représente une réplique des normes nord-américaines et en fait, c'est une situation qui se retrouve dans tout le monde occidental.

C'est peut-être cette situation qui explique que le système scolaire constitue un instrument si important entre les mains du clergé et reconnu comme tel par la plupart des Canadiens français. Ce système permet à l'Église de propager la notion, tant religieuse que sociale, d'une communauté canadienne-française et catholique en Amérique du Nord. Il fournit aussi à l'Église un champ immense et apparemment inexpugnable pour exercer son prestige et sa puissance. Aussi, l'État en est-il venu à collaborer avec elle plutôt qu'à lui imposer sa volonté dans le domaine scolaire. Par l'intermédiaire du secrétaire provincial qui est membre du Cabinet, le gouvernement octroie des fonds et fournit des services administratifs aux écoles de la province. Par l'intermédiaire du Comité catholique du Conseil de l'instruction publique, siègent tous les évêques de la province, l'Église décide des matières, des programmes et des manuels de toutes les écoles catholiques du Québec. Un comité protestant assure de son côté les mêmes fonctions vis-à-vis des écoles anglophones à majorité protestante de la province. Bien que le personnel religieux représente moins de la moitié des effectifs d'enseignants des écoles publiques, élémentaires et secondaires, par sa présence et son prestige, il joue un rôle prépondérant. De plus, le curé résident siège dans la plupart des commissions scolaires et quelquefois les préside. Par l'intermédiaire des directeurs des écoles normales provinciales et grâce aux religieuses qui participent aux programmes spéciaux dans les couvents, le clergé a aussi la haute main sur la formation des enseignants. Aux échelons les plus élevés du système éducatif, le clergé est omniprésent: le personnel enseignant des quarante-cinq collèges classiques de jeunes gens comporte quatre-vingt-dix pour cent de religieux; et le pourcentage des religieuses éducatrices dans les nombreux couvents et les seize collèges classiques pour jeunes filles est probablement plus élevé encore. Les trois universités francophones — Laval, Montréal et Sherbrooke (fondée en 1955) — comptent toutes des prêtres parmi leurs administrateurs et leurs enseignants du plus haut niveau. Chacune de ces universités est définie comme catholique, ce qui se manifeste dans les programmes et le contenu des cours. On n'accède à l'université que si l'on sort d'un collège classique; toutefois, quelques facultés de sciences et d'ingénierie acceptent les rares étudiants qui demandent à y entrer dès leur sortie de l'école secondaire publique. Au Québec, nul ne peut faire d'études, même très limitées, sans avoir affaire à un prêtre, à une religieuse ou à un frère enseignant.

Les critiques que suscite ce système dans les années cinquante portent plus sur les incohérences du système, au niveau administratif et scolaire, que sur le fait que des religieux en assurent la direction. Il y a tant d'écoles différentes, leurs exigences sont si diverses! Il y a si peu de relations entre ces écoles et les écoles techniques spécialisées, artisanales ou professionnelles que dirige directement l'État! Puis, lorsque le nombre des enfants scolarisés s'est élevé, faisant suite à la loi sur l'enseignement obligatoire de 1943 et à la prospérité des années cinquante, les besoins en écoles, en enseignants, en manuels et en installations ont augmenté. Mais, même dans ces conditions, il y a encore moins de jeunes qui arrivent au bout de leurs études secondaires au Québec qu'en Ontario. Après l'école primaire, seuls les privilégiés accèdent aux prestigieux collèges classiques. Reconnaissant le prestige, l'État ajoute au système de favoritisme en n'attribuant des subventions annuelles qu'aux collèges de garçons seulement. Leurs diplômés rencontrent rarement ceux des écoles secondaires publiques, car les rares étudiants, provenant des deux systèmes, qui accèdent à l'université, y sont séparés dans des facultés différentes. Rien d'étonnant, disent les opposants, à ce que le droit, la médecine et la prêtrise continuent d'être des métiers de prestige quand le milieu, très industrialisé, a en fait besoin d'ingénieurs, de scientifiques et d'hommes d'affaires. Pour en produire, il faudrait que l'enseignement insiste davantage sur les sciences, la technologie et le commerce. La Commission Tremblay elle-même, malgré son attachement philosophique à tout ce qui est spécifiquement québécois, en vient à affirmer que le problème majeur du Québec des années cinquante est celui de son enseignement.

Le débat sur l'enseignement fait ressortir une autre spécificité, encore que ce soit l'institution et non le principe qui soit spécialement québécois: c'est seulement pour les garçons qu'on a le souci de faire correspondre la formation professionnelle avec les métiers de l'industrie moderne. Quant aux filles, on considère qu'elles doivent fuir l'industrialisation plutôt que s'y préparer. Le grand danger pour les filles, c'est qu'elles perdent de vue leur futur rôle d'épouses et de mères. Il faut donc les éduquer différemment des garçons; il faut les préparer à jouer l'unique rôle qui est fait pour elles et ne pas les exposer à des situations nouvelles et variées. Dès la fin des années trente, l'Église a commencé à élever beaucoup d'écoles d'enseignement ménager de la province à ce qu'on appellera en 1951 des instituts familiaux. Leur développement dans les années qui suivent la guerre — on en compte quarante-quatre au milieu de la décennie 1950-1960 — répond aux craintes engendrées par la crise et par la guerre: si les emplois sont en nombre limité, il faut les laisser aux hommes; en temps de guerre, les femmes mariées ne doivent pas occuper d'emplois; après la guerre, ceux-ci doivent être réservés aux hommes. Au cours des années cinquante, il y a manifestement assez d'emplois, et aussi assez de prospérité pour permettre à la plupart des femmes mariées de ne pas se joindre à la main-d'oeuvre salariée. Mais si on veut que les femmes soient heureuses de rester chez elles, il faut que les tâches domestiques soient promues au rang de véritable métier.

Les instituts familiaux visent à faire de leurs élèves des «épouses professionnelles». Dans le cadre d'un programme secondaire établi sur deux, trois ou quatre ans, les instituts enseignent aux adolescentes les vertus féminines et domestiques. Ces écoles sont des institutions privées, payantes, dirigées par des religieuses avec l'appui bienveillant des évêques, mais, au grand dépit des collèges classiques de jeunes filles, qui sont bien moins nombreux, elles reçoivent des subventions annuelles du gouvernement. Toutes les matières, qu'on les gratifie d'un nom scientifique ou pas, assignent aux jeunes filles leurs tâches dans leur futur foyer. Le cours de comptabilité présente le budget d'un ménage, le cours de chimie analyse la nourriture; la biologie étudie le développement de l'enfant, la psychologie met l'accent sur les traits innés qui différencient hommes et femmes, l'histoire montre le rôle des femmes dans la sauvegarde des familles, de la religion et donc de la civilisation. Mais avant tout, les jeunes filles apprennent à faire la cuisine et la couture, étudient la religion et la langue française, le tout assaisonné de notions sur les bonnes manières et l'hygiène, le crochet et le tissage, et d'un peu d'initiation à la musique. Elles lisent des recueils de textes spécialement préparés à leur intention, et leurs relations avec leurs condisciples imitent l'organisation d'une famille. Après son diplôme, une étudiante, de temps en temps, continue ses études pour devenir infirmière ou professeur d'enseignement ménager dans une école primaire. Mais toutes ont acquis de quoi passer leur vie, joyeuses, proprettes, compétentes, dans la soumission à un homme dont elles attendent conseil et direction et pour lequel elles fonderont une famille; et ces familles, à leur tour, garantiront la stabilité de la société canadienne-française. Le divorce et la délinquance juvénile, ces fléaux qui ravagent les États-Unis, ne pourront être épargnés à la société contemporaine que si les femmes jouent leur rôle d'épouse professionnelle. Ces femmes particulièrement bien formées assureront la perpétuation des vertus de la famille, et par le fait même, de la nation. Le drapeau devient une affaire de famille.

Comme Duplessis, comme les philosophes nationalistes de la Commission Tremblay, comme l'alliance de l'Église et de l'État, les instituts familiaux n'ont pas survécu aux années cinquante. Accusées d'inadaptation et de vide intellectuel, ces écoles succomberont au courant de rationalisation du début des années soixante. À ce moment-là, Duplessis lui-même aura disparu; les contradictions internes de son attitude sont apparues au grand jour lors de son décès, à Schefferville, l'un des sites les plus importants d'investissements étrangers de la province. En dépit de sa prétention à être le défenseur du Canada français, il a peut-être contribué à détériorer l'image du nationalisme et de l'Église en détournant une partie de leur ferveur au profit d'un parti politique qui s'est livré à des pratiques électorales douteuses et qui, en fait de réalisations nationalistes concrètes, n'a produit que le concept assez creux mais électoralement payant de l'autonomie provinciale. Sans aucun doute, il a servi de repoussoir, à droite comme à gauche. Bien que la Commission Tremblay ait affirmé que le séparatisme ne faisait pas partie des voies possibles, pour le Québec, un groupuscule de la droite nationaliste crée en 1957 l'une des premières associations séparatistes: l'Alliance laurentienne a pour devise «Dieu, Famille, Patrie». Un autre groupe, plus important, de la gauche religieuse et intellectuelle, met en cause l'attitude de Duplessis vis-à-vis du monde ouvrier. La vision nationale symbolisée par le drapeau bleu et blanc à fleur de lis ne reflète qu'une partie de la réalité profonde du Canada français des années cinquante. Les autres aspects de la réalité s'expriment largement à travers un autre médium: la télévision, que la générosité électorale de Duplessis a installée dans bien des foyers du Québec et qui constitue, elle aussi, un symbole.

ORIENTATIONS BIBLIOGRAPHIQUES

Archambault, Jacques et Eugénie Lévesque, *Le drapeau québécois*, Québec, Éditeur officiel, 1974.

Black, Conrad, *Duplessis: l'ascension et le pouvoir*, 2 vol., Montréal, Éditions de l'Homme, 1977.

Brown, Evelyn M., *Educating Eve*, Montréal, Palm, 1975.

Chaloult, René, *Mémoires politiques*, Montréal, Éditions du Jour, 1975.

Confédération des syndicats nationaux, *En grève! L'histoire de la C.S.N. et des luttes menées par ses militants de 1937 à 1963*, Montréal, Éditions du Jour, 1963.

Daigneault, Richard, *Lesage*, Montréal, Libre Expression, 1980.

David, Hélène, «L'état des rapports de classe au Québec de 1945 à 1967», *Sociologie et société* 7, 1975, p. 33-66.

Falardeau, Jean-Charles, dir., *Essais sur le Québec contemporain*, Québec, Les Presses de l'université Laval, 1953.

Gagnon, Mona Josée, *Les femmes vues par le Québec des hommes*, Montréal, Éditions du Jour, 1974.

Hamelin, Jean, Letarte, Jacques et Hamelin, Marcel, «Les élections provinciales dans le Québec», *Cahiers de géographie du Québec* 7, 1959-1960, p. 5-209.

Jamieson, Stuart Marshall, *Times of Trouble: Labour Unrest and Industrial Conflict in Canada 1900-66*, Ottawa, Task Force on Labour Relations, 1968.

Lapalme, Georges-Émile, *Le vent de l'oubli*, Montréal, Leméac, 1970.

Laporte, Pierre, *Le vrai visage de Duplessis*, Montréal, Éditions de l'Homme, 1960.

Lavigne, Marie et Yolande Pinard, dir., *Travailleuses et féministes. Les femmes dans la société québécoise*, Montréal, Boréal Express, 1983.

————— , *Les femmes dans la société québécoise: Aspects historiques*, Montréal, Boréal Express, 1977.

Lemieux, Vincent, dir., *Quatre élections provinciales au Québec 1956-66*, Québec, Les Presses de l'université Laval, 1969.

«Quebec Today», Numéro spécial du *University of Toronto Quarterly* 27, 1958.

Quinn, Herbert F., *The Union Nationale: a Study in Quebec Nationalism*, Toronto, University of Toronto Press, 1963.

Rozack-Brookwell, Sherene, «Les Instituts familiaux. Nationalisme religieux et préparation des filles à la vie familiale, 1937-1970» *in Idéologies au Canada français, 1940-1976*, t. III, sous la direction de Fernand Dumont et al., Québec, Les Presses de l'université Laval, 1981, p. 325-354.

Rumilly, Robert, *Maurice Duplessis et son temps*, 2 vol., Montréal, Fides, 1973.

Tremblay, Louis-Marie, *Le syndicalisme québécois: idéologie de la C.S.N. et de la F.T.Q., 1940-1970*, Montréal, Les Presses de l'Université de Montréal, 1972.

Trudeau, Pierre Elliott, dir., *La grève de l'amiante*, Montréal, Cité libre, 1956.

Voisine, Nive *et al.*, *Histoire de l'Église catholique au Québec, 1608-1970*, Montréal, Fides, 1971.

La télévision et la langue française, en se combinant, ont ouvert une scène immense au talent artistique.
Montage d'une dramatique à Radio-Canada (Montréal) en 1952.
Archives publiques du Canada, PA111385

XVIII ICI RADIO-CANADA

Au cours des années cinquante, la télévision se répand rapidement dans le Québec, comme dans tout le Canada. En 1952, un foyer sur dix capte les premières émissions canadiennes; trois ans plus tard, c'est presque un sur deux, et en 1960, quatre-vingt-neuf pour cent des maisons québécoises arborent leur poste de télévision. Beaucoup plus rapide que la diffusion du téléphone et de la radio qui, depuis leurs débuts, dans les décennies 1880 et 1920 respectivement, ont progressé à une vitesse d'escargot au Québec comme à travers le reste du territoire canadien, les progrès de la télévision témoignent de la grande prospérité des années cinquante. Pour ce qui est du Québec au moins, ils témoignent aussi de l'utilisation ingénieuse de la corruption électorale. Elle révèle aussi, concrètement et symboliquement, l'intégration de plus en plus rapide du Québec à la société de consommation nord-américaine. Les partisans de cette intégration surgissent presque aussi vite que les téléviseurs, bien qu'ils restent moins nombreux. Fascinés par ce média et méprisants à l'égard des partisans du drapeau, de nouveaux groupes sociaux poussent le Québec à s'adapter non seulement aux réalisations techniques de la société nord-américaine, mais aussi à son éthique. Pour partager leur enthousiasme envers le progrès et leur volonté de réforme, ils trouvent des alliés à l'intérieur de l'Église et du Parti libéral. Rares sont ceux qui prennent le temps de réfléchir aux répercussions finales de cette adaptation.

Au début de la télévision, l'influence américaine se fait sentir partout. À la fin des années quarante, il n'existe que des chaînes américaines, mais pour les capter, il faut être riche, très proche de la frontière et anglophone. D'ailleurs, les téléviseurs sont encore rares dans la province. Au début, les chaînes américaines imposeront leur modèle à la télévision canadienne: un mélange de westerns, de variétés, de comédies de moeurs et de spectacles sportifs. Et en fait, comme elles s'offriront toujours au choix des téléspectateurs canadiens habitant près de la frontière américaine, elles feront que les émissions canadiennes — du moins celles en anglais — ne pourront jamais s'éloigner beaucoup de cette grille. Les considérations financières elles-mêmes obligeront les Canadiens à importer des États-Unis des films et des émissions pour compléter une production somme toute limitée. Les émissions américaines exercent une telle fascination que même la barrière linguistique finira par tomber, les jeunes francophones délaissant l'émission pour enfants de Radio-Canada, trop austère, au profit des chevauchées et des coups de pistolet du western américain. Mais cela ne préoccupe personne. Les timides nationalistes canadiens de la Commission Massey sur les arts, les lettres et les sciences, en 1951, et la Commission Fowler sur la radiodiffusion sont les seuls à exprimer quelques inquiétudes. La télévision et la radio canadiennes, disent-ils, devraient avoir leur caractère propre, servir de lien entre les Canadiens et leur montrer le monde sous un éclairage canadien. Cependant, leur dilemme, c'est qu'elles ne peuvent pas s'éloigner des émissions américaines sans perdre une part importante de leur public; les nationalistes ne réussirent jamais à trancher ce dilemme; la télévision canadienne avancera toujours sur le fil du rasoir et les téléspectateurs, partout où ce sera possible, continueront à passer d'une chaîne à l'autre, selon leur fantaisie.

Mais lors de l'inauguration de la télévision au Québec, ce sont des considérations pratiques plus que le nationalisme canadien ou l'ouverture d'esprit des Canadiens-anglais qui entraînent un premier essai de bilinguisme: le poste C.B.F.T. commence à diffuser ses émissions sur la chaîne 2 de Montréal en septembre 1952: c'est la première chaîne canadienne à émettre et la seule à utiliser les deux langues. Cela fait presque deux ans que l'on travaille à la construction des studios et à la programmation des émissions: en 1951, le gouvernement Duplessis a donné le feu vert à l'établissement, accepté par Montréal sept ans plus tôt, d'un émetteur sur le Mont-Royal; malgré tout, la portée de l'émetteur, qui ne dépasse pas soixante-cinq kilomètres, et le coût des appareils, ne permettent au nouveau poste de n'avoir qu'un public très restreint. De plus, il y a la question des talents, des financements et des commanditaires. En trouvera-t-on assez pour remplir la programmation? Celle-ci pourtant n'excède pas quatre heures et demie quotidiennes. Une première solution consiste à diviser en deux cette plage horaire, où le français et l'anglais se succèdent. La langue varie selon le genre d'émissions; parfois les annonces en français s'intercalent à l'intérieur d'un spectacle en anglais importé des États-Unis. Cela ne plaît à personne et les commanditaires sont rares. Comme seules les brasseries accordent leur soutien financier aux transmissions de hockey ou d'autres sports en français, des plaisantins de Montréal surnomment C.B.F.T. la «télévision française des brasseries canadiennes» («Canadian Breweries French Television»).

En peu d'années pourtant, la télévision va connaître des changements spectaculaires dus à une demande accrue et à une plus grande hardiesse de conception. En 1954, l'expérience de télévision bilingue prend fin et Radio-Canada instaure deux chaînes séparées de télévision à Montréal. C.B.M.T. n'émet qu'en anglais sur la chaîne 6, et C.B.F.T. n'émet qu'en français sur la chaîne 2. Jusqu'en 1961, on freinera l'apparition des télévisions privées dans la région de la métropole. Ailleurs dans la province, Radio-Canada autorise des compagnies privées, reliées en général à la presse et à la radio, à fonctionner comme des postes affiliés. À l'aide d'émetteurs situés à

Québec, Rimouski, Sherbrooke, Jonquière, Rouyn et Chicoutimi, ces postes diffusent ainsi certaines émissions de Radio-
Canada dans presque tout le Québec. La plupart des émissions
proviennent des studios montréalais de Radio-Canada; en 1957,
sa production est la troisième du monde après New York et
Hollywood, et la première en français. Finis les films américains mal doublés, et les vieux films français! À la place, on
trouve des émissions de variétés, des jeux, des informations,
des sports, des pièces de théâtre, des concerts et des feuilletons,
tous conçus au Québec.

Les conséquences de l'essor rapide de la télévision au Québec sont surprenantes. D'une part, la télévision fait pénétrer le
monde tel qu'il est, sans le filtrage de la presse, des prêtres ou
des hommes politiques, dans les cuisines et les salons du Québec. Et parfois ce monde est bien aussi épouvantable que
l'avaient dit ceux qui se chargeaient de l'interpréter: il est vrai
qu'en 1956, les communistes écrasent le soulèvement du peuple
de Hongrie; et que les impérialistes britanniques et français
défendent leurs intérêts à Suez. Et pourtant beaucoup d'éléments de ce monde semblent aussi étonnamment familiers, et
les similitudes ou des différences incitent à réfléchir et à com-
menter. À travers les images et les paroles, par le mouvement
et les détails précis qui contrastent avec le flou sentimental qui
entoure le symbolisme du drapeau, un message se dessine:
après tout, le Québec n'est peut-être pas tellement différent.
Leurs manières de consommer, de se distraire et de vivre rapprochent vraiment beaucoup les Québécois des autres Nord-
Américains. Mais en même temps, la télévision du Québec fait
de l'univers minuscule d'un village des Laurentides, de la
basse-ville de Québec ou d'un centre sportif local des éléments spécifiques du patrimoine de la province. Devenu *Les
belles histoires des pays d'en-haut, Un homme et son péché*
quitte les rayons des bibliothèques et captive tous les téléspectateurs du lundi soir. *Les Plouffe* obligent l'auteur, Roger
Lemelin, à travailler pendant des années à redécouper son
roman pour en faire le feuilleton télévisé que réclame l'insatiable public du mercredi soir. Ce même public, tout aussi fidèle à
«La soirée du hockey» qui le passionne le samedi soir, ne tolé-
rerait pas que l'on remplace *Les Plouffe* par une finale de
hockey. Si le pouvoir d'intégration de la télévision a créé un
«village global» comme l'affirme Marshall McLuhan, son pouvoir de séparation a aussi conféré au village une dimension
nationale. Au Québec, la télévision réussit à faire les deux, et
en français.

La télévision et la langue française, en se combinant, ont

ouvert une scène immense au talent artistique. Jusque-là, le Québec a toujours caché ses créateurs, snobant les artistes populaires, exilant ceux qui avaient de l'ambition ou qui s'exprimaient trop librement, et ne tolérant que les sages décorateurs d'églises ou les paysagistes dont les toiles ornent les corridors étroits de l'École des Beaux-Arts. Maintenant, il les exhibe. Pour le plus grand plaisir, et à la grande surprise des téléspectateurs de tout le Québec, la télévision présente un flot apparemment intarissable d'artistes du cru. Les acteurs sont les favoris du public, qui les considère, eux et leurs personnages, comme des amis de la famille. Mais il y a aussi les musiciens, les compositeurs, les comédiens, les poètes et les chanteurs. Et même les commentateurs des émissions de sports, de nouvelles et d'actualités font preuve de qualités scéniques et de talent dans leur façon de parler et de se tenir: René Lévesque fait du théâtre dans son émission d'actualité, *Point de mire*. Et dans les coulisses, il y a, aussi remarquables qu'invisibles, tous les metteurs en scène, producteurs et techniciens.

Tous ces talents mettent en relief les deux faces de la télévision: son côté intégrateur et son côté séparateur. Pour les écrivains, acteurs, producteurs et compositeurs, c'est un vrai régal d'utiliser ce média ultra-moderne qui les fait rivaliser avec les meilleurs talents du monde. Nombre d'entre eux avaient déjà des rapports avec leurs homologues, qu'ils fussent américains ou européens, ou étaient en train d'en établir, mais peu d'entre eux éprouvent désormais le besoin d'aller briller ailleurs sous les feux de la rampe du monde de la culture. Ces feux brillent maintenant aussi à Montréal et attirent même des talents francophones venus d'Europe. Néanmoins, cette nouvelle intelligentsia prend de plus en plus conscience du fait qu'elle crée en français, mais dans un environnement anglophone; peut-être même la tension entraînée par cette situation est-elle à l'origine de l'effervescence des arts. En tout cas, en 1959, ces créateurs ont fait de la télévision quelque chose de tout à fait particulier au Canada français: elle purifie la langue, fait oeuvre éducative, ouvre des débouchés à tous les talents. Bref, aux yeux de ceux qui la font, la télévision est devenue un élément important de la culture canadienne-française.

La plupart des artistes, des intellectuels, des spécialistes et des chefs syndicalistes qui commencent à occuper le devant de la scène dans la décennie 1950 accueillent avec satisfaction l'arrivée de la télévision, qui ouvre une voie rayonnante à l'intégration du Québec à l'Amérique du Nord, et ils en redemandent. Ce faisant, volontairement ou non, ils portent un regard critique sur maints aspects de la société québécoise contemporaine. Leur propre avenir dépend bien sûr de la place que cette société leur accordera et pour laquelle de nombreuses mutations sociales seront nécessaires. Ils admettent rarement que des mutations se sont déjà produites, auxquelles ils doivent d'exister et de convoiter la première place. Ils exigent plutôt de l'Église et de l'État qu'ils s'adaptent à eux. Cette nouvelle classe moyenne, qui vient de prendre conscience de sa valeur, mettra longtemps à admettre ce que la plupart des travailleurs savent depuis toujours: que les meilleures places sont pour ceux qui parlent l'autre langue. Pour surmonter cet obstacle, il leur faudrait bien plus de solidarité entre eux et une intervention de l'État bien plus ferme que ces individualistes des années cinquante ne veulent l'admettre.

En 1948, deux artistes donnent le ton de la majeure partie de la décennie suivante. Paul-Émile Borduas et Gratien Gélinas n'ont pas du tout la même personnalité, ni le même tempérament, ni les mêmes moyens d'expression; ils réussissent cependant à choquer leurs contemporains de manière très comparable. Ce peintre solitaire qu'est Borduas a reçu une formation traditionnelle et a fait une carrière classique comme décorateur d'église et professeur de dessin, avant de tâter du surréalisme au début des années quarante. Sa conception de la peinture comme émanant de l'inconscient, sans forme ni composition, ni ordre, loin de la tradition et sans relation avec le réel, a séduit certains de ses étudiants et de ses collègues. Puis, ce nouveau groupe d'artistes non conformistes connus sous le nom d'*automatistes* s'est mis à appliquer ses théories artistiques à la société tout entière. La liberté, déclarent-ils sans ambage dans leur manifeste intitulé *Refus Global*, exige que la société soit aussi libérée de la mainmise traditionnelle et organisée de la politique et de la religion. Le franc-parler de Borduas lui coûtera son poste à l'École du meuble et le poussera à quitter d'abord Montréal puis le Québec et finalement l'Amérique du Nord. Mais son message artistique et social se répercutera dans tout le Québec des années cinquante, des peintres et des intellectuels de plus en plus nombreux laissant leurs pinceaux et leurs plumes s'exprimer en toute liberté. Quelques plumes justement se sont déchaînées après les premières représentations de *Tit-Coq*, de l'auteur dramatique Gélinas, en 1948; on y voit une critique subtile de la famille, de l'Église, et de l'État au Québec. Gélinas, acteur et comédien populaire et bon enfant des années quarante, a depuis lors toujours nié avoir voulu écrire autre chose qu'une histoire d'amour drôle et pathétique. Mais comment comprendre cette histoire d'un enfant illégitime auquel toute vie normale est refusée par les partisans «comme il faut» de la famille, de l'Église et du monde politique? Gélinas recommande d'en rire et d'en pleurer. Nombre de ses jeunes contemporains sont d'avis d'entreprendre une action, ne serait-elle qu'intellectuelle.

Les intellectuels ne sont pas des nouveaux venus sur la scène québécoise des années cinquante. L'Église comme la nation, depuis des générations, ont eu recours à leurs services et leur ont conféré un certain poids. Et peu d'entre eux auraient pu survivre, tant sur le plan des idées que sur le plan matériel sans ce soutien. Ils ont toujours eu pour fonction d'expliquer le présent, à la lumière de deux données qu'ils ne devaient pas remettre en question: le fait que le catholicisme convenait au Canada français, et le fait que le nationalisme était indispensable à sa survie. Entre 1950 et 1960, on trouve encore beaucoup d'intellectuels de ce type qui se portent fort bien. La Commission Tremblay les attire; l'abbé Groulx leur donne sa bénédiction; il a même créé chez eux un nouveau courant en formant les historiens laïques Guy Frégault, Maurice Séguin et Michel Brunet à l'Université de Montréal. Pour eux, les maux dont souffre le Canada français contemporain remontent à la Conquête: cette défaite militaire infligée par des étrangers a contrarié le développement normal du Québec. Une Église puissante en est sortie et cela ne plaît pas du tout à ces historiens, à la différence de leurs prédécesseurs. Mais ce n'est tout de même pas le Canada français qui en est responsable; cette toute-puissance de l'Église s'explique par la Conquête.

D'autres intellectuels vont encore plus loin et mettent le doigt sur les problèmes internes. Des journalistes de *L'Action nationale* et du *Devoir* comme Gérard Pelletier et André Laurendeau dépassent les limites habituelles de la rhétorique nationaliste et avancent des arguments en faveur de réformes économiques, sociales et politiques qui moderniseraient et purifieraient le Québec. Le système scolaire doit être remodelé pour gagner en cohésion et être plus ouvert; il faut débarrasser le monde politique montréalais de l'avidité, de la corruption et de l'immoralité qui le caractérisent. Rejoints par des universitaires et d'autres mécontents, ces critiques du système consultent leurs homologues de France et leurs collègues du Canada anglais; ils prennent des notes, font des dossiers et arrivent à la conclusion que le Québec est arriéré et cela par la faute des Canadiens français. Quelques-uns d'entre eux tiennent encore à l'autonomie provinciale, d'autres, devant tant d'émissions télévisées américaines craignent pour la survie de la culture; mais la plupart réclament une grande remise en question des institutions sociales du Québec parce qu'elles ne répondent pas aux impératifs d'une société industrielle, société qu'il épousent d'ailleurs avec enthousiasme. D'autres intellectuels vont encore plus loin: à partir de 1950, écrivant essentiellement pour eux-mêmes, ils remplissent les colonnes d'un nouveau périodique, *Cité libre*, de critiques contre tout ce qui, de près ou de loin, sent la tradition ou l'autorité. Parmi eux, un intellectuel mordant, Pierre-Elliott Trudeau, un avocat héritier d'une grosse fortune, fier de son éducation internationale. Leur plaisir à tous est d'en découdre avec le passé et le présent du Québec. Pour eux, les institutions et les idées du passé constituent un frein à l'essor d'un Québec industriel, moderne et démocratique; ils portent d'ailleurs le même jugement sur la plupart de leurs contemporains, politiciens en tête; ils refusent de faire porter la responsabilité de cet état de fait sur d'autres: c'est aux Canadiens français à porter le fardeau; c'est à eux aussi de l'alléger.

Ce genre de critique sert bien les desseins des nouveaux cadres économiques et sociaux des années cinquante. Car si le Québec n'entre pas dans le modèle nord-américain pour se définir, quelle y sera la place des hommes d'affaires, architectes, ingénieurs, chimistes, sociologues, des enseignants laïques et des professeurs sortis des écoles professionnelles du Québec ou rentrés au pays après des études de troisième cycle à l'étranger? Par ses effets bénéfiques sur l'industrie et les affaires, la guerre a lancé des carrières: le financier Jean-Louis Lévesque, par exemple, a bâti sa fortune sur les bons de la victoire. La prospérité soutenue des années cinquante fait scintiller les perspectives d'avenir. Quelques jeunes diplômés partent pour Ottawa faire carrière dans la fonction publique du fédéral. Certains vont même jusqu'à envisager sérieusement cette hérésie que constituerait aux yeux des nationalistes une centralisation très poussée parce qu'elle permettrait de faire face aux nécessaires planifications d'une économie et d'une société modernes. D'autres déplorent l'absence d'idées semblables dans la fonction publique du Québec, toujours gérée comme une entreprise familiale et pourrie par le patronage. Pendant ce temps, des jeunes universitaires se taillent une place dans la société en appliquant les découvertes les plus récentes des sciences sociales au Québec contemporain. Ils font tellement de bruit que les chercheurs canadiens-anglais, dont la plupart ignorent tout du Québec, finissent par s'y intéresser. Tous sont en faveur d'une société moderne, diversifiée et laïque, tous veulent la promouvoir; en fait, leurs positions personnelles ne sont tenables que dans un milieu ouvert, en expansion et pluraliste.

La perspective d'un tel avenir attire bon nombre de militants du mouvement syndicaliste du Québec; certains de ses chefs d'ailleurs ressemblent davantage aux nouveaux intellectuels et professionnels qu'à des travailleurs de l'industrie. En 1946, Gérard Picard, journaliste et syndicaliste militant, et Jean Marchand, diplômé en sociologie et organisateur syndical, deviennent respectivement président et secrétaire général de la Confédération des travailleurs catholiques du Canada (C.T.C.C.). Leur façon d'envisager les activités syndicalistes est bien plus séculière que celle de leur prédécesseur, Alfred Charpentier. Leur arrivée coïncide avec la mise à l'écart progressive du clergé au sein des syndicats catholiques et contribue à la diminution de son influence. Depuis 1943, les aumôniers des syndicats ont perdu leur droit de veto, les syndicats affiliés ont le droit de supprimer l'adjectif catholique de leur raison sociale et accueillent les adhérents non catholiques. La tendance va s'accentuer pendant la décennie 1950: tout en reconnaissant qu'elle est inspirée par la doctrine sociale catholique, la C.T.C.C. lorgne du côté de l'industrie lourde de Montréal déjà caractérisée par le pluralisme culturel et religieux. C'est précisément de ce côté-là — celui des métallurgistes — que vient, en 1956, la proposition de renoncer au caractère confessionnel de la C.T.C.C. parce qu'il nuit à son développement et à son efficacité. En 1960, ses statuts et son nom sont modifiés et la C.T.C.C. devient la Confédération des syndicats nationaux (C.S.N.). Cette transformation marque une nouvelle étape dans le processus d'alignement du Québec sur les modèles nord-américains.

Les syndicats internationaux du Québec ont toujours été par tradition plus proches du modèle nord-américain. Par leur présence même, par leur nombre, ils ont toujours reposé sur une conception nord-américaine de la solidarité ouvrière comme transcendant les barrières nationales et culturelles. Et pourtant, à l'intérieur du Québec, cette solidarité n'existe quasiment pas. Les fédérations provinciales des syndicats internationaux n'ont jamais bien marché car l'affiliation se faisait sur la base du volontariat, et le bureau central manque de fonds et de personnel. En outre, depuis le début des années quarante, une cassure grave a séparé, chez les internationaux, les syndicats de métier et les syndicats d'industrie. Les premiers sont plus nombreux, les seconds plus fonceurs, et leur rivalité est souvent vive.

Cette cassure est si profonde que, lorsque l'idée d'une intégration des syndicats se répand en Amérique du Nord au cours des années cinquante, une alliance entre les syndicats d'industrie et la C.T.C.C. semble préférable à une alliance avec les syndicats de métier, et ce, d'autant plus que la C.T.C.C. est de plus en plus engagée politiquement à gauche. En fin de compte cependant les syndicats internationaux du Québec finiront par accepter la version canadienne du plan élaboré aux États-Unis. Au moment où, en 1955, la Fédération américaine du travail se rattache (par un trait d'union) au Congrès des organisations industrielles (en anglais leur sigle est A.F.L.-C.I.O.), le Congrès des métiers et du travail du Canada et le Congrès canadien du travail se rassemblent en 1956 sous le nom nouveau de Congrès du travail du Canada (C.T.C.). En 1957, la Fédération provinciale du travail du Québec et la Fédération des unions industrielles du Québec font de même et constituent l'actuelle Fédération des travailleurs du Québec (F.T.Q.). Les syndicats catholiques du Québec, qui se départissent petit à petit de leurs attaches religieuses, résistent à la tentation de s'y joindre. Ils veulent, à l'intérieur du Congrès du travail du Canada, un statut distinct que la toute jeune organisation n'est pas prête à leur accorder. La F.T.Q. constituera la branche provinciale du C.T.C. et la C.T.C.C. restera indépendante.

La diversité de leurs façons de s'adapter au modèle nord-américain est un symptôme des rapports, tantôt d'hostilité, tantôt de complémentarité qui existent entre les centrales syndicales. La rivalité intersyndicale se prolonge au cours des années cinquante, mais avec moins de rancoeur que dans les années de pleine guerre. Pendant cette décennie, les adhésions aux syndicats demeurent relativement stables avec un plafond d'à peu près vingt-cinq pour cent des salariés, alors qu'elles étaient de dix-neuf pour cent juste après la guerre; elles atteindront le sommet de vingt-neuf pour cent en 1955. Les effectifs des adhérents grossissent tout simplement parce que la masse des salariés grossit elle aussi. Les adhésions aux syndicats affiliés à la C.T.C.C. dépassent la cote des cent mille au milieu des années cinquante; et le nombre des adhérents des syndicats internationaux est tout proche des deux cent mille. Les deux types de syndicats s'accusent mutuellement de chercher à être bien vus du gouvernement et se jettent à la tête des accusations de communisme. Ils pratiquent diverses stratégies politiques, la C.T.C.C. glissant progressivement vers une attitude de contestation radicale, la F.T.Q. restant soigneusement apolitique jusqu'à ce que le C.T.C. déclare qu'il va apporter son soutien au C.C.F. pour créer un nouveau parti politique. Néanmoins, il leur arrive d'agir conjointement, chaque centrale soutenant à son tour les luttes des autres, dans les grèves les plus spectaculaires, comme celle d'Asbestos en 1949, de Louiseville et de Dupuis Frères en 1952 et de Murdochville en 1957. La grève de Murdochville réussit même à obtenir le soutien des syndicats de la F.T.Q., individualiste par tradition, pour l'une de leurs branches les plus importantes, celle des unions locales des Travailleurs de l'acier unis d'Amérique. Mais les centrales ne peuvent pas s'entendre, et encore moins convaincre leurs adhérents, pour lancer une grève générale en soutien aux travailleurs du textile de Louiseville et aux mineurs de Murdochville. En 1954, elles n'arrivent pas non plus à s'accorder pour manifester ensemble devant le parlement de Québec contre la dernière mesure que vient d'ajouter Duplessis à sa législation du travail pourtant déjà très répressive. Parfois, on a l'impression qu'il y a, entre le militantisme des responsables et l'apathie des syndiqués, un fossé aussi large que celui qui sépare les centrales elles-mêmes.

Le fossé qui sépare les chefs syndicaux, les nouveaux professionnels et les intellectuels de gauche est, lui, nettement moins profond. Deux incidents survenus dans les années cinquante illustrent leur sympathie mutuelle et même la renforcent. Le premier, c'est la publication en 1956 d'un livre sur une grève; l'autre, c'est une grève réelle en 1959. Étant donné la personnalité des auteurs, dans le cas du livre, et celle des participants, dans le cas de la grève, *La grève de l'amiante* et la grève des réalisateurs de télévision de Radio-Canada laissent le Québec de l'époque stupéfait. Ils versent ainsi au dossier de la contestation de la société un élément qui fermentera tout au long de la décennie.

La grève de l'amiante sort des presses de *Cité libre* en 1956; l'ouvrage est publié et présenté par Pierre-Elliott Trudeau. En quatre cents pages, plusieurs jeunes auteurs venus du monde des syndicats, de la presse, de l'Église et des nouvelles disciplines universitaires de la sociologie et de l'économie, dissèquent la grève; celle-ci est survenue dans les mines et les centres de traitement de l'amiante d'Asbestos et de Thetford Mines, à la fin de l'hiver et au printemps 1949. Dans sa longue introduction, Trudeau donne le ton: à ses yeux l'histoire du Québec est triste, conservatrice et empreinte d'autoritarisme, fermée aux réalités économiques en général et à la classe ouvrière en particulier. Les autres auteurs vont dans le même sens et analysent en détail la grève et les réactions qu'elle a suscitées; ils voient un signe encourageant dans la prise de conscience effectuée par les syndicats catholiques, les travailleurs et l'Église. Voilà que la classe ouvrière réclame sa place au soleil, que l'élite admet que le Québec constitue une société industrielle! Voilà aussi que le gouvernement et les patrons de la compagnie cimentent leur complicité par l'usage de la force policière! Le livre met en relief les traits de société que ses auteurs souhaitent voir s'instaurer, non seulement durant les grèves mais dans le Québec tout entier : la solidarité syndicale, la sympathie du clergé envers les travailleurs et l'hostilité du peuple à la répression politique. Il trouve une justification au fait que la grève ait été illégale dans l'immoralité de la législation du travail de Duplessis. En tant que contestation de la société de son temps, le livre a sans doute joué un rôle pius important que la grève elle-même.

Dix ans après cette grève, et trois ans après la sortie du livre, c'est un conflit du travail bien différent qui attire l'attention du public. Fin décembre 1958, à Montréal, aux abords des studios de télévision de Radio-Canada situés dans le centre ville, il n'y a ni membre du clergé, ni représentant de la classe ouvrière — au sens traditionnel de travailleurs manuels spécialisés ou manoeuvres. Cette fois-ci, ceux qui font la grève, soixante-dix réalisateurs, n'existaient pas professionnellement dix ans plus tôt; eux que les directeurs de Radio-Canada considèrent comme étant des leurs se sont mis en grève pour obtenir la création d'un syndicat et négocier une convention collective. Cet arrêt de travail serait sans doute passé inaperçu si le Québec tout entier n'avait pas pris l'habitude de regarder leurs émissions tous les soirs à la télévision. En outre, les grévistes peuvent compter sur le soutien des auteurs et des acteurs; ceux-ci ont cessé leurs activités et le personnel technique et de bureau, pour sa part, déjà syndiqué, refuse de franchir les lignes des piquets de grève en ce froid mois de janvier. Les directeurs de Radio-Canada font l'impossible pour continuer les émissions; ils importent des longs métrages de France, encourant ainsi les reproches des propriétaires des cinémas locaux. Ils continuent aussi à ne pas reconnaître l'existence d'un syndicat de réalisateurs, qui leur paraît une exigence inouïe de la part de cadres. Pendant plus de deux mois, durée de la grève, les réalisateurs goûtent à toutes les subtilités de l'action syndicale, à l'hostilité du public et même aux harcèlements de la police. Le gouvernement fédéral fait traîner les négociations et, en vient même à les suspendre; des Canadiens français se demandent alors à haute voix si Ottawa aurait accepté la poursuite d'une grève pareille au réseau anglophone de C.B.C.: cela ne gêne peut-être personne à la direction, que la télévision en français meure. En mars 1959, la presse et le public s'inquiètent surtout du refus des Canadiens de Montréal de participer à des éliminatoires de hockey télévisées tant que le conflit n'est pas réglé. Ainsi la pression du public amène-t-elle Radio-Canada à accepter la création d'un syndicat de réalisateurs; mais il n'est pas question qu'ils s'affilient à une centrale syndicale et surtout pas à la radicale C.T.C.C. dont le président est Jean Marchand. Fait remarquable, pendant toute la durée de la grève, nul n'a pensé à l'Église comme médiateur possible, alors que, dix ans plus tôt seulement, sa médiation aurait été automatique. Bien au contraire, c'est à un expert en relations industrielles, et de l'université McGill par-dessus le marché, auquel on demande de régler tous les problèmes en suspens.

Que devient donc l'Église dans la remise en question des idées et de la société de ces années cinquante? Certains de ses membres regardent les choses avec consternation; d'autres apportent leur soutien enthousiaste à la contestation. Parmi les évêques, les prêtres et les religieux, il en est qui voient toujours le pire — du matérialisme au positivisme et au socialisme et tous ces maux, bien sûr, entraînant la laïcisation de la société — dans la moindre concession faite par l'Église ou le Québec à l'américanisation; d'autres croient sincèrement que la religion et le Québec ne pourront survivre qu'en se plaçant à l'avant-garde des changements sociaux. D'ailleurs, l'Église elle-même, peut-être à son corps défendant, a préparé les jeunes gens à la remise en question de la société qui ébranle cette décennie. Dans les années trente déjà, diverses organisations de jeunes avaient pris leurs distances avec le nationalisme. La Jeunesse ouvrière catholique et la Jeunesse étudiante catholique, non contentes de s'éloigner de l'Association catholique de la jeunesse canadienne-française, avaient même critiqué les prétentions de ce groupement à vouloir diriger la totalité des mouvements de jeunes. Derrière cette évolution, il y a pour une part le souci de dissocier catholicisme et nationalisme et pour une autre part, le désir de séparer problèmes sociaux et question nationale. Avec la décennie 1950, la séparation était largement accomplie, et les jeunes étudiants catholiques des années trente sont souvent les nouveaux intellectuels et les nouveaux censeurs de la société. Il en vient aussi des rangs des coopératives et des syndicats auxquels l'Église a été très liée.

L'effort systématique de certains membres du clergé pour développer l'élite laïque des sciences sociales naissantes a été beaucoup plus délibéré. Cette entreprise remonte d'ailleurs aussi à la fin des années trente: l'École des sciences sociales de l'université Laval est devenue faculté en 1943. Il a fallu que le doyen, un dominicain, le père Georges-Henri Lévesque, se batte pendant des années pour convaincre ses collègues universitaires, ses supérieurs ecclésiastiques et ses patrons politiques de l'intérêt de former des étudiants en économie, en sociologie et en science politique. Tous, en effet, se demandaient ce qu'il allait faire de ces étudiants? Comment, et surtout à quoi allait-on les former? Les opposants du père Lévesque voyaient venir la laïcisation de la société. Le dominicain n'avait-il pas distingué dans son programme d'études les cours pratiques destinés à étudier les méthodes et les recherches en sciences sociales des cours théoriques portant sur la doctrine sociale catholique? Quand certains de ses diplômés, comme Jean-Charles Falardeau, Maurice Lamontagne, Fernand Dumont, ou Léon Dion sont de retour après des études supérieures aux États-Unis ou en Europe et se préparent à enseigner à leur tour à la faculté, ils sont prêts, ainsi que leurs étudiants, à abandonner tous les cours théoriques. Les sceptiques continuent donc l'attaque: au début des années cinquante, des esprits critiques reprochent au père Lévesque les relations d'amitié qu'il entretient avec des intellectuels canadiens-anglais au sein de la Commission Massey, commission fédérale d'enquête sur les arts, les lettres et les sciences, qui leur est éminemment suspecte. Ils trouvent aussi que ses étudiants abordent trop de statistiques et pas assez d'encycliques. Ils portent même leurs critiques jusqu'à Rome avec l'espoir que le père Lévesque sera taxé d'hérésie. Ses chères sciences sociales se préparent à réduire le rôle du clergé dans les syndicats puis dans les écoles. D'ailleurs le dominicain pense peut-être que ce serait là une bonne chose! Il n'est certainement pas le seul à estimer que les autorités religieuses devraient renoncer à jouer un rôle aussi important dans les affaires publiques. Rome est peut-être d'accord avec lui; en tout cas, elle ne donne pas de suite aux accusations portées contre le père Lévesque.

Certes, jouer un rôle public un peu trop visible ne va pas sans risque pour le clergé. Son engagement dans la grève de l'amiante de 1949 a contribué à ouvrir les yeux de bien des religieux et bien des laïques et les a obligés à voir les rapports sociaux dans leur réalité; mais l'Église en prend aussi un coup avec la démission forcée de l'archevêque de Montréal, monseigneur Charbonneau. Au fur et à mesure que la grève s'est prolongée, au cours du printemps 1949, les prêtres ont fait montre de plus en plus de compréhension vis-à-vis des travailleurs. Les curés des paroisses concernées, et les évêques, plus éloignés des problèmes, ne peuvent rester à l'écart quand un syndicat catholique s'engage dans une longue lutte contre le gouvernement et contre une compagnie, pour obtenir un minimum de conditions de travail décentes pour les travailleurs, et que les familles des grévistes acceptent de souffrir de la faim pour la même cause. «Si j'étais mineur, je serais gréviste» confie le curé d'Asbestos. «La classe ouvrière est victime d'une conspiration (...)» déclare pour sa part monseigneur Charbonneau, «c'est le devoir de l'Église d'intervenir.» Pendant que l'évêque de Montréal et ses collègues organisent des collectes aux portes des églises en faveur des grévistes, les deux parties demandent à monseigneur Roy, archevêque de Québec, de jouer le rôle de médiateur dans le conflit. Six mois après la fin de la grève, en juillet 1949, monseigneur Charbonneau quitte son poste d'archevêque et prend une retraite anticipée en Colombie-Britannique.

Les raisons de son départ demeurent mystérieuses. Pour les amis de l'archevêque, c'est Duplessis le responsable: il n'a pas supporté qu'on s'oppose à la volonté d'un Premier ministre pendant une grève; et Duplessis est certainement bien capable d'une telle attitude. Quant à savoir s'il a vraiment dans sa manche ceux qui à Rome font et défont les évêques, c'est un autre problème. Par ailleurs, les détracteurs de monseigneur Charbonneau, à l'intérieur comme à l'extérieur de l'Église, affirment qu'il a fait des erreurs; la sympathie qu'il a manifestée envers les grévistes de l'amiante est symptomatique d'un esprit trop imprégné des courants laïques de la société contemporaine: il a cru que les catholiques devaient coopérer avec les non-catholiques au sein d'organisations professionnelles et charitables; il voulait que l'Université de Montréal fonctionne comme une université nord-américaine pour lui éviter les problèmes dont Laval souffrait en essayant de rattacher les nouvelles sciences sociales au catholicisme. Bref, pour ses détracteurs, Charbonneau est allé trop loin. Des observateurs plus neutres se contentent de faire remarquer que monseigneur Charbonneau a été un mauvais administrateur et qu'il était étranger au système ecclésiastique complexe de Montréal. Les différentes interprétations de son départ s'insèrent dans le débat de l'époque sur la place de l'Église catholique dans une société de plus en plus pluraliste. En fin de compte, cet exil est peut-être le symbole du retrait de l'Église elle-même, prenant ses distances par rapport au rôle très visible, presque politique même, qu'elle a précédemment joué dans la société. L'Église aura cependant besoin de quinze autres années pour achever ce processus de retrait et, dans l'intervalle, l'affaire Charbonneau sera peut-être l'un des jalons qui marquent l'intégration du Québec à l'Amérique du Nord.

Quelques semaines seulement après le départ de monsei-

gneur Charbonneau, l'Église pose un autre de ces jalons: les
évêques du Québec signent ensemble une lettre pastorale dans
laquelle ils analysent la question du travail à la lumière de la
doctrine catholique. Envolée l'idée que loin du travail des
champs, il n'y a point de salut: avec son cadre industriel, la
ville peut représenter une vie spirituelle tout aussi valable;
envolés les ricanements moralisateurs sur les ouvriers: ils ont
droit à l'amélioration de leurs conditions matérielles de vie et
de travail; c'est leur devoir que de s'affilier à des syndicats et
ils sont même autorisés à revendiquer la participation ouvrière
à la propriété, à la direction et aux profits de l'industrie. Et,
mieux encore, c'est à eux de réaliser ces transformations. Les
aumôniers des syndicats catholiques ne devraient plus y jouer
un rôle de meneurs. Tout en montrant clairement leur sympathie envers les travailleurs organisés, les évêques se préparent
à mettre fin à l'engagement direct de l'Église dans les relations de travail. Au cours des dix années qui vont suivre,
l'Église continuera dans ce sens, si bien qu'en 1960, la rupture
officielle de ses liens avec les syndicats catholiques ne présentera pas de difficultés.

La voie du désengagement s'avère néanmoins parfois
malaisée. Peu de temps après les élections provinciales de
1956, un journal canadien-anglais de Toronto met la main sur
un document privé critiquant les moeurs politiques du Québec.
Ce sont deux prêtres, l'abbé Gérard Dion et l'abbé Louis
O'Neill qui ont préparé ce document, destiné exclusivement au
clergé de leur diocèse de Québec. Leur propos, semble-t-il, vise
à examiner le rôle incontesté de l'Église comme gardienne de
la moralité des individus en regard de sa réticence grandissante à se prononcer sur les problèmes politiques. Mais publié
à travers tout le Canada, leur commentaire est reçu comme un
pamphlet au Québec. La rage qu'il déclenche contre le régime
atteint un tel paroxysme que Duplessis doit se soustraire quelque temps à la curiosité et aux questions des journalistes. La
presse canadienne-anglaise profite du document Dion-O'Neill
pour dénoncer des pratiques politiques similaires dans d'autres
régions du Canada; la presse canadienne-française semble
plus frappée par le fait que ce rapport est l'oeuvre de deux prêtres que par son contenu.

Comme le disent les deux prêtres eux-mêmes, nul n'ignore
ce qui se passe au moment des élections et entre les élections.
Ce qui les préoccupe, c'est que le peuple accepte l'achat des
voix, la distribution de pots-de-vin, les usurpations d'identité,
les faux témoignages, la corruption des agents électoraux, les
menaces contre les opposants et les voies de fait. Et après

avoir vendu leur voix sans le moindre remords de conscience contre l'acquittement d'une note d'hôpital ou le remboursement du prix d'une paire de chaussures, les électeurs sont tout à fait prêts à gober les mensonges politiques que Duplessis fait circuler. Pour avoir reçu un réfrigérateur ou un téléviseur en période électorale, trop de gens sont prêts à accepter ensuite n'importe quel slogan: la sécurité sociale représente le premier pas sur la voie du marxisme; l'assurance-santé sabote les communautés religieuses; l'aide aux pays sous-développés appauvrit le Québec et fait le lit du communisme. À tous ces mensonges évidents, trop de personnes, même à l'intérieur de l'Église, s'associent. Ce faisant, elles vont contre le respect de la vérité, de la justice, de la liberté, contre toute la morale chrétienne en somme. Après quoi, il leur est difficile de faire étalage de leurs valeurs catholiques.

Quatre ans plus tard, et cette fois de manière anonyme, un autre religieux annonce l'effondrement des valeurs culturelles. *Les insolences du frère Untel* s'en prennent à l'éducation donnée aux Canadiens français et à leur langue, toutes deux corrompues. Le système éducatif n'est ni dirigé, ni éclairé; il n'est même pas en relation avec ce qui se passe dans le monde. Les maîtres sont des ignorants, mal préparés et se refusent à sortir du moule traditionnel. Ils tremblent tous devant l'autorité, qu'elle soit religieuse ou politique, et ils transmettent leur crainte à leurs élèves. Où sont donc la curiosité d'esprit et la vivacité intellectuelle qui devraient être l'apanage des écoles? Les divers comités de l'instruction publique au niveau provincial les ont fait disparaître depuis longtemps, répond le frère Untel. Quant à la langue, l'impertinent clerc voudrait que l'on fusille tous ceux qui parlent joual. Cet idiome populaire avec son accent, sa prononciation, sa syntaxe et sa grammaire qui tirait son nom d'une mauvaise articulation du mot «cheval». Même si le système éducatif réussissait à apprendre aux jeunes à penser correctement, comment pourraient-ils le faire avec un tel instrument?

Le frère Untel sera réduit au silence, mais le mal est fait. Sa communauté l'expédie à l'étranger vers des tâches moins dangereuses, pendant que son livre se vend à des centaines de milliers d'exemplaires. À la fin des années soixante, le frère Untel reparaîtra sous les traits du journaliste Jean-Paul Desbiens, beaucoup plus à l'aise dans cette société sécularisée qu'il avait annoncée. La critique qu'il avait faite de l'éducation avait ébranlé les écoles, jusqu'à leurs fondations, tout particulièrement celles que dirigeaient des membres du clergé; Georges-Émile Lapalme, qui a été chef des libéraux pendant la plus grande partie des années cinquante, a comparé cette critique à de la nitroglycérine. Ceux qui, de plus en plus nombreux, ont contesté la société au cours de cette décennie sont ravis; le pamphlet, même si l'auteur en est anonyme et même s'il a payé de sa personne, montre que l'Église peut devenir la cible de jeunes hommes en colère qu'elle a elle-même formés.

Ces gens-là, dans les années cinquante, le Parti libéral du Québec aimerait bien les accueillir. Lapalme tente la démocratisation du parti et essaie de rompre ses attaches avec Ottawa et avec la haute finance. Il médite une politique sociale avancée, mais avec son parti qui tergiverse et l'Union nationale qui se livre à des campagnes de dénigrement, il finit toujours par se faire battre. Sans ressources financières, il n'a pas les moyens de séduire la presse, traditionnellement vénale. Avec sa faible députation, il est écrasé par l'Union nationale. Et, comme il n'a ni le tempérament extraverti ni la popularité de Duplessis, il ne réussit pas à s'attirer de fidélités personnelles. Il se présente, bien timidement, devant les caméras lorsque, pour la première fois en 1956, la télévision présente des émissions électorales, mais même ce nouveau médium n'est pas pour lui.

Il faut bien reconnaître que la tâche de Lapalme est colossale. La décennie est traversée par tant de courants de contestations, économiques, politiques et sociales! Les syndicats supportent de moins en moins la législation de travail de l'Union nationale, mais ils ne sont pas sûrs que les libéraux pourraient faire mieux. Les autonomistes n'aiment pas le caractère superficiel des tirades de Duplessis contre Ottawa, mais ils redoutent les liens qui rapprochent encore les libéraux de leurs homologues du fédéral. Ceux qui contestent la politique économique du gouvernement n'apprécient pas qu'il continue à concéder à des étrangers les ressources naturelles du Québec, mais ils n'ont pas la certitude que les libéraux mettraient fin à cette pratique. Les militants des comités de moralité publique se vantent d'avoir commencé le nettoyage de la municipalité de Montréal avec l'élection de Jean Drapeau en 1954, mais ils se demandent si les libéraux seraient capables de faire la même chose à l'échelle de la province. Aux élections de 1956, les différents thèmes de la contestation politique se polarisent autour des libéraux soutenus par *Le Devoir*, mais cela fait plus de mal que de bien aux libéraux qui perdent un point au suffrage populaire: ils tombent à quarante-cinq pour cent des voix et le nombre de leurs députés passe de vingt-trois à vingt seulement.

Pendant la fin de la décennie, les diverses contestations se développent, indépendamment les unes des autres. Quand, à partir de 1957, la prospérité cède la place aux difficultés, les deux centrales syndicales exigèrent de l'État qu'il intervienne plus directement dans l'économie. L'entreprise privée, dit la F.T.Q., n'est pas en mesure d'opérer la planification et la gestion dont une économie moderne a un pressant besoin. La C.T.C.C. pour sa part fait valoir que seul l'État est capable de lutter contre l'inflation, le chômage et la disparité constante entre les salaires du Québec et de l'Ontario. L'une des premières tâches de la province devrait consister à assurer la transformation des ressources naturelles du Québec, sur place, au Québec: ce sont les étrangers qui profitent non seulement des ressources, mais aussi des créations d'emplois qui les accompagnent. La C.T.C.C. répète aussi que la modernisation de l'économie ne peut se faire sans la modernisation du système scolaire. L'État seul a les moyens de mettre de l'ordre dans le chaos actuel, et de régler les questions de scolarité et de budget. Pendant que les syndicats façonnent un avenir tout en rose pour l'État, les militants de la moralité publique tentent une alliance plus large avec tous ceux que les révélations de l'abbé Dion et de l'abbé O'Neill ont choqués. Quand l'Union nationale reprend ses troupes en main et bat Jean Drapeau aux municipales de 1957, les moralistes se dressent contre Duplessis et font campagne au niveau provincial pour une réforme des moeurs politiques et pour la restauration de la démocratie. Certains d'entre eux forment avec des intellectuels, des journalistes et des membres des nouvelles professions un mouvement assez lâche, connu sous le nom de Rassemblement. Méfiants à l'égard de tous les hommes politiques, ils se demandent comment une social-démocratie pourrait assurer égalité, sécurité et justice au Québec. Ils ne croient aucun des deux partis politiques assez pur pour cela. Ils ne sont pas sûrs non plus qu'ils devraient eux-mêmes se salir les mains en jouant un rôle politique actif.

C'est le comportement politique de Duplessis, qui a peut-être précipité les changements, plus que celui de ses opposants. En 1958, il tente le sort en proposant son organisation et bon nombre de circonscriptions choisies aux conservateurs fédéraux. Les électeurs de ces cinquante circonscriptions suivent ses directives et participent ainsi au raz de marée qui amène le conservateur John Diefenbaker à Ottawa. Mais la victoire conservatrice libère trente-sept anciens députés libéraux fédéraux originaires du Québec, qui sont désormais prêts à s'employer ailleurs. Même celui qui a réussi à conserver son siège trouve peu de charmes à sa position de député de l'opposition.

Jean Lesage et ses nombreux anciens collègues à Ottawa tournent leurs regards vers leur province d'origine: quelque chose se prépare peut-être sur le front du Québec. On ne peut certainement plus leur faire porter le chapeau fédéral maintenant que les conservateurs sont en place à Ottawa du fait — du moins en ce qui concerne le Québec — de l'Union nationale. Duplessis a complètement usé Georges-Émile Lapalme, et Jean Lesage est plus dynamique et passe bien mieux à la télévision: Lesage devient donc le chef provincial des libéraux en 1958, et Lapalme se retire pour écrire son programme politique en deux volumes; il y reprend les suggestions qu'il a entendues ou auxquelles il a pensé au cours de la dernière décennie pour moderniser le Québec. Duplessis contribue peut-être à la victoire finale des libéraux en mourant à l'automne 1959. Sa générosité était notoire!

La mort de Duplessis fournit à certains de ses adversaires l'occasion de jouer avec le pouvoir politique. Ils ont passé la décennie précédente à réclamer des modifications à l'ordre social et politique incarné par l'Union nationale et ses divers partisans. Le modèle qu'il préconise se rapproche beaucoup plus de celui du reste de l'Amérique du Nord. Le Québec, répètent-ils avec insistance, est arriéré, conservateur, réactionnaire et imprégné d'autoritarisme. Il faut lui apporter modernisation et démocratie, et même l'assainir. Il doit larguer les entraves du passé, surtout celles que lui ont imposées la religion et le nationalisme. En fait, cela fait longtemps que le processus est en marche. Au cours de la décennie 1950, la télévision a à la fois provoqué et enregistré ce processus en brisant par ses images les liens privilégiés qui rapprochaient du peuple les prêtres et les hommes politiques. Par sa petite lucarne, la télévision montre et appelle en même temps, la similarité de plus en plus grande entre le Québec et le reste de l'Amérique du Nord. Mais en même temps, elle amplifie certains traits culturels distinctifs du Canada français, surtout l'usage de la langue française: malgré toutes leurs ressemblances avec le modèle nord-américain, les Québécois sont et resteront différents. Ce qui constitue précisément le dilemme des contestataires des années cinquante. Les Canadiens français pourront-ils se modeler sur l'individualisme nord-américain sans lui ressembler en tous points? C'est peut-être pour cette raison qu'ils ont plongé en politique: la maîtrise du pouvoir fera peut-être enfin disparaître la vieille crainte de l'assimilation?

ORIENTATIONS BIBLIOGRAPHIQUES

Behiels, Michael et Ramsay Cook, dir., *The Essential Laurendeau*, Toronto, Copp Clark, 1976.

Brunet, Michel, «La Conquête anglaise et la déchéance de la bourgeoisie canadienne 1760-1793», *in La présence anglaise et les Canadiens*, Montréal, Beauchemin, 1964.

Caldwell, Gary et B. Dan Czornocki, «Un rattrapage raté. Le changement social dans le Québec d'après-guerre, 1950-1974: Une comparaison Québec/Ontario», *Recherches sociographiques* 18, 1977, p. 9-58.

Confédération des syndicats nationaux, *En grève! L'histoire de la C.S.N. et des luttes menées par ses militants de 1937 à 1963*, Montréal, Éditions du Jour, 1963.

Cousineau, Jacques, «Charbonneau et le chef: légendes et réalité», *Le Devoir*, 6 avril 1974.

_____ , «La grève de l'amiante, les évêques et le départ de Mgr Charbonneau», *Le Devoir*, 7 mai 1974.

Daigneault, Richard, *Lesage*, Montréal, Libre Expression, 1981.

Desbarats, Peter, *René Lévesque ou le projet inachevé*, Montréal, Fides, 1977.

Dion, Gérard et Louis O'Neill, *L'immoralité politique dans la province de Québec*, Montréal, Comité de moralité publique, 1956.

Falardeau, Jean-Charles, *L'essor des sciences sociales au Canada français*, Québec, ministère des Affaires culturelles, 1964.

_____ , dir., *Essais sur le Québec contemporain*, Québec, Les Presses de l'université Laval, 1953.

Groulx, Lionel, *Mes mémoires*, vol. 4, Montréal, Fides, 1974.

Lapalme, Georges-Émile, *Le vent de l'oubli*, Montréal, Leméac, 1970.

_____ , *Le paradis du pouvoir*, Montréal, Leméac, 1973.

Lapointe, Renaude, *L'histoire bouleversante de Mgr Charbonneau*, Montréal, Éditions du Jour, 1962.

Lévesque, Georges-Henri, «Prélude à la révolution tranquille au Québec: notes nouvelles sur d'anciens instruments», *Histoire sociale/-Social History* 10, 1977, p. 134-46.

McKenna, Brian et Susan Purcell, *Jean Drapeau*, Montréal, Stanké, 1981.

Ouellet, Fernand, «M. Michel Brunet et le problème de la Conquête», *Bulletin des Recherches historiques* 62, 1956, p. 92-101.

«Quebec Today», Numéro spécial du *University of Toronto Quarterly* 27, 1958.

Quinn, Herbert F., *The Union Nationale: a Study in Quebec Nationalism*, Toronto, University of Toronto Press, 1963.

Ryan, Claude, «Un jugement sommaire du chanoine Groulx sur Mgr Charbonneau», *Le Devoir*, 10 décembre 1974.

Tremblay, Louis-Marie, *Le syndicalisme québécois; idéologies de la C.S.N. et de la F.T.Q. 1940-1970*, Montréal, Les Presses de l'Université de Montréal, 1972.

XIX UNE ÉVOLUTION TURBULENTE

La Révolution tranquille a trompé beaucoup de monde. Pendant six ans, le Parti libéral du Québec va croire lui-même et faire croire à la plupart des observateurs qu'il est en train de créer dans le calme quelque chose de neuf. En utilisant le gouvernement provincial de façon audacieuse et originale, les libéraux ont réussi à exorciser le fantôme de Duplessis. Sur les cendres de la «grande noirceur», s'est construit un Québec résolument moderne, plein d'enthousiasme et de détermination, et qui ne diffère guère, la langue mise à part, de n'importe quelle autre entité politique d'Amérique du Nord. Des bureaucrates en costumes rayés férus d'organisation ont fait table rase du passé. Au début, presque tout le monde applaudit. Puis on commence à s'interroger: à l'intérieur de la province, on trouve que les choses changent trop vite ou trop lentement; pour les observateurs de l'extérieur, les changements paraissent tout d'abord prometteurs puis deviennent inquiétants: c'est au moment où le Québec se met à ressembler à tout le monde qu'il réaffirme sa différence; étant donnée la modernité dont cette différence s'habille, elle pourrait bien devenir une menace pour la stabilité du Canada lui-même. Tandis que les Québécois se demandent avec inquiétude où tout cela va les mener, les Canadiens anglais posent la fameuse question: que veut exactement le Québec? («*What does Quebec want?*»)

Mais que fait au juste le Québec entre 1960 et 1966, entre la victoire des libéraux de la province en 1960 et leur défaite en 1966? Ce sont également ces deux dates que l'on a coutume de donner pour marquer le début et la fin de la Révolution tranquille. Faut-il donc créditer les libéraux d'une révolution, comme le voudrait la logique? Mais ce sont les libéraux eux-mêmes qui ont fait cette association: entre le slogan accrocheur de 1960, «c'est le temps que ça change», et la surprenante incompréhension qui entoure leur défaite de 1966, les libéraux se sont appropriés tout ce qu'il y a de neuf et de dynamique sur la scène politique québécoise. Au nom d'une

Le Québec n'est pas une province comme les autres et dorénavant c'est l'État qui parlera pour la nation.
Carte de la province de Québec.

société libérale, moderne, efficace, planifiée et organisée, ils accablent ceux qui les ont précédés et méprisent ceux qui vont leur succéder. Ce faisant, ils se comportent plus ou moins comme tous les autres révolutionnaires des années soixante, que ce soit au Canada ou dans le reste du monde, qui brandissent la roue qu'ils viennent d'inventer et s'en servent pour écraser le passé. Il y a beau temps que l'abbé Groulx en a parlé comme de «notre maître le passé», et dans les années soixante, l'abbé Groulx est toujours vivant. Le passé aussi. C'est pourquoi les libéraux, en dépit de toutes leurs bravades, vont en intégrer de nombreux éléments dans leur soi-disant révolution. La religion, la langue et la famille, institutions traditionnellement liées au nationalisme, vont devenir propriété de l'État, de même qu'une partie des secteurs québécois traditionnellement dominés par des intérêts économiques étrangers. À grand son de trompe, les libéraux cherchent dans le capitalisme d'État la voie de l'avenir. Ils s'approprient la nation elle-même et cela de manière plutôt bruyante: le Québec n'est pas une province comme les autres, et dorénavant c'est l'État qui parlera pour la nation. L'arithmétique selon laquelle l'État et la nation ne font qu'un et se confondent avec le Québec a pu séduire les technocrates des années soixante; ce n'est cependant pas une idée neuve pour les nationalistes de longue date. Nul événement ne marque mieux, peut-être, le terme de l'évolution turbulente des années soixante que la mort, en 1967, de l'abbé Groulx: son coeur de prêtre redoutait que la religion et la famille ne soient annexées par l'État, mais son âme de nationaliste était charmée par la hardiesse du projet économique et politique.

Les libéraux ont soigneusement préparé leur retour au pouvoir. Grâce à Georges-Émile Lapalme et à Jean-Marie Nadeau, le parti a réorganisé ses structures, ses finances et sa base militante. Dans chaque comté, des militants ont répondu avec enthousiasme au désir de réformer le parti à tous les niveaux. Ils tirent parti des critiques de plus en plus nombreuses que s'attire l'Union nationale. Ils sont même si actifs que pendant la campagne électorale, à la fin du printemps 1960, nombreux sont les partisans de l'Union nationale qui passent ouvertement aux libéraux. Les candidats libéraux sont soit des notablers locaux (ici un maire, ailleurs un président de commission scolaire...), soit connus dans l'ensemble de la province: Jean Lesage a été ministre dans le cabinet fédéral de Saint-Laurent; Georges Lapalme a été chef des libéraux de la province; René Hamel est connu comme le seul député libéral de la Chambre capable de tenir tête à Duplessis; Paul Gérin-Lajoie, qui a fait ses études à Oxford, est un expert en droit constitutionnel; enfin, René Lévesque, vedette de l'émission *Point de mire*, est venu à la politique à l'occasion de la grève de Radio-Canada de 1959. Les candidats du Parti libéral se signalent par un niveau d'éducation et une appartenance à des catégories socio-professionnelles plus élevées que ceux de l'Union nationale; à de nombreux égards, ils ne sont pas sans rappeler la nouvelle classe de cadres urbains, d'intellectuels et de chefs syndicalistes des années cinquante qui, sans aucun doute, leur apporte son soutien. Mais les libéraux recherchent une base électorale plus large et c'est délibérément qu'ils font figurer dans leurs annonces électorales à côté du nom de chaque candidat celui d'un membre de sa parenté appartenant au clergé. Cependant, la victoire ne peut pas être attribuée uniquement à l'organisation de la campagne, même si elle a été excellente; le hasard y a joué aussi un rôle; la mort vient opportunément enlever à l'Union nationale son seul homme fort: Paul Sauvé, qui seul aurait pu succéder à Duplessis, n'a disposé que de cent jours comme Premier ministre pour faire passer un certain nombre de réformes politiques et administratives. Les libéraux les reprendront, les approfondiront et s'en attribueront tout le mérite. Après sa mort, fin 1960, le seul recours de l'Union nationale sera Antonio Barrette, homme sans élan, trop correct pour s'abaisser aux manoeuvres de Duplessis mais trop conservateur pour changer significativement les moeurs de l'Union nationale.

En face, le Parti libéral fait miroiter de belles idées au service de la réforme de ces moeurs: la nouvelle classe moyenne assainira les pratiques de l'Union nationale et ce faisant — elle ne le dit pas trop — elle se prépare à devenir la catégorie dirigeante de la société. À de nombreux égards, cette classe n'est pas sans rappeler celle qui, dans les années 1840 à 1850, avait plaidé pour le gouvernement responsable en tant que réforme politique, tout en escomptant bien occuper les postes de prestige que cette réforme entraînerait. Lesage promet une enquête sur les scandales supposés de l'Union nationale; il plaide pour que cesse la corruption politique et le patronage dans la fonction publique. Dans les promesses que les libéraux déversent sur la province, il est question d'assurance-hospitalisation, de scolarité gratuite, de ministère des Affaires culturelles, de conseil de planification économique et de code du travail. On n'y trouve pourtant aucune annonce des deux réalisations qui vont être les plus caractéristiques du gouvernement Lesage: la laïcisation du système scolaire et la nationalisation de l'électricité. Ce n'est que plus tard que ces deux projets prendront corps, en partie comme conséquences du mouvement que le nouveau gouvernement aura lancé (pendant le premier mois de son mandat, il lance à peu près un nouveau projet chaque jour) et en partie comme moyens de maintenir la cohésion d'un cabinet composé d'individualistes forcenés. À part Lesage, aucun des nouveaux ministres n'a l'expérience du gouvernement et tous sont pressés d'expérimenter les instruments du pouvoir dans leur domaine de prédilection, qu'il s'agisse de culture, d'économie, de politique, ou tout simplement de statut. C'est davantage aux spécialistes en relations publiques du gouvernement et à leurs alliés journalistes qu'à la réalité qu'on doit l'impression de cohérence dans les résultats que suggère le terme de «Révolution tranquille».

Ce n'est donc pas de propos délibéré qu'une fois au pouvoir, les libéraux reprennent à leur compte les vieilles valeurs du nationalisme. Au contraire, nombre de réformateurs, qu'ils aient fait partie du gouvernement Lesage ou qu'ils l'aient simplement soutenu étaient persuadés qu'ils sonnaient le tocsin du nationalisme. Comment quelque chose d'aussi émotif et d'aussi grégaire que le nationalisme aurait-il pu survivre à l'individualisme rationaliste qui caractérise le véritable libéralisme, que ce soit dans le sens de tolérance mutuelle qu'il a pris au dix-neuvième siècle, ou sous la forme plus moderne de la compétence technocratique? En tout cas, au Québec, il se peut bien que le nationalisme n'ait survécu que parce que l'État lui a donné un nouveau bail. Sans le vouloir vraiment, le gouvernement du Québec des années soixante a à la fois sapé et détourné en sa faveur les trois institutions qui ont servi de levain à l'entité canadienne-française: la religion, la langue et la famille.

L'Église elle-même a peut-être prêté main-forte à l'État. Dans les années cinquante, il se trouve à l'intérieur de l'Église des groupes pour prôner la séparation de l'action catholique et de l'action nationale; mais le lien entre les deux a toujours été si fort que lorsque la coupure se produira effectivement, certains se demanderont ce qui reste du catholicisme lui-même. C'est là une préoccupation partagé par les catholiques du monde entier, pour des raisons différentes, et l'Église du Québec participe au mouvement général de réforme de l'engagement catholique. La situation propre au Québec, s'ajoutant à l'évolution générale du catholicisme, a pour effet de tarir les vocations religieuses et d'ébranler même les vocations confirmées: les hommes commencent à quitter les communautés religieuses, bientôt suivis par les femmes. Il se peut que ces défections aient été moins de nature spirituelle que liées à la place spécifique occupée par l'Église catholique dans la société québécoise; en effet, en 1960, et de plus en plus au fur et à mesure que la décade avance, il devient possible de trouver des emplois utiles et prestigieux ailleurs que dans l'Église. Celle-ci n'est plus un important pourvoyeur d'emplois. Mais il n'y a pas que les professionnels de la religion qui disparaissent; le nombre des fidèles eux-mêmes diminue: dans les années soixante, les églises de Montréal n'accueillent plus que cinquante pour cent des catholiques déclarés; dans les banlieues, ceux qui continuent de fréquenter l'église avancent des raisons sociales, et non plus spirituelles, pour expliquer leur fréquentation. Des changements considérables sont intervenus: la magie des processions, le rituel, l'usage du latin, tout cela a disparu avec l'effort de l'Église pour s'adapter au monde moderne. Le bingo remplace les dévotions et on voit apparaître sur les églises le panneau «à vendre».

Pour l'État, il devient dès lors facile, et peut-être même nécessaire d'occuper les secteurs traditionnellement gérés par l'Église. De toute évidence, il y a des précédents: pendant des générations, l'État a apporté son soutien financier aux oeuvres sociales et éducatives de l'Église; mais il l'a toujours fait avec discrétion, laissant celle-ci retirer dans le public le bénéfice de la charité et des services rendus à la société. Désormais l'État quadrille lui-même le terrain: dès 1958, sous le gouvernement de Duplessis, on a vu apparaître un ministère de la Jeunesse et du Bien-être social; puis en 1961, c'est un plan conjoint fédéral-provincial d'assurance-hospitalisation; suivi la même année d'un ministère des Affaires culturelles; enfin, un ministère de l'Éducation en 1964. Chacune de ces créations ne fait pas que confirmer l'engagement de l'État, elle l'élargit: l'État n'apporte plus son aide, il dirige. Les membres du clergé sont remplacés, au sommet comme à la base des nombreuses entreprises qu'il gérait, par des fonctionnaires et des employés de l'État; ces changements se font en général sans heurt, peut-être parce que les bureaucrates laïques ne diffèrent pas beaucoup des bureaucrates cléricaux.

Il faut toutefois faire une notable exception pour l'éducation, où l'on entend grincer les rouages du vieux département de l'Instruction publique; indépendant de toute autorité politique depuis les années 1870, il s'est battu contre tous ses adversaires pour maintenir ses maîtres cléricaux au sein du Conseil de l'instruction publique. Dans les années soixante, il s'avère que cette bataille est perdue, bien que beaucoup de gens, dans le public comme au sein de l'Église, continuent de militer en sa faveur. Ainsi, Jean Lesage répond par un «jamais» à la proposition de créer un vrai ministère de l'Éducation ayant la responsabilité de tous les aspects administratifs, budgétaires et pédagogiques des systèmes scolaires. Les «jamais» de Lesage durent rarement; mais son habileté politique, elle, a de l'esprit de suite, et il nomme un ecclésiastique de haut rang, monseigneur Alphonse-Marie Parent, vice-recteur de l'université Laval, à la tête d'une commission provinciale d'enquête sur l'éducation au Québec. Le Rapport Parent va reprendre à son compte toutes les critiques qui ont été émises à l'encontre du système scolaire et même en ajouter certaines de son cru.

Au nom de la modernité, de la science, de la technologie, de l'urbanisation et des mass-médias, au nom du rôle accru des femmes dans la société et de l'apparition de nouvelles élites, monseigneur Parent se prononce en faveur d'une uniformisation du système scolaire au Québec. Il préconise le modèle nord-américain en ce qui concerne la durée des études et leur accessibilité à tous, sinon en ce qui concerne les établissements proprement dits. Il se prononce aussi pour une autorité unique et laïque. Seul l'État a les moyens d'entreprendre cette tâche.

Monseigneur Parent n'a pas encore fini de rédiger les derniers volumes de son rapport, en juin 1963, que le gouvernement Lesage présente le projet de loi 60 créant un ministère de l'Éducation. Mais les groupes hostiles à la déconfessionnalisation, qui redoutent le poids du pouvoir politique et s'inquiètent du coût d'un tel projet pour le contribuable, s'y opposent avec tant de virulence que, pendant un temps, Lesage retire son projet de loi. Partisans et adversaires du projet peuvent alors s'exprimer et ne manquent pas de le faire avec véhémence pendant tout l'été et l'automne de 1963; mais Lesage et le postulant au ministère de l'Éducation, Paul Gérin-Lajoie, ont bien l'intention d'atteindre leur but; ils estiment avoir déjà fait assez de concessions en ajoutant au projet de loi original une autre recommandation du Rapport Parent. Un Conseil supérieur de l'éducation, toujours respectueux des démarcations confessionnelles (le comité catholique pour sa part étant largement constitué d'évêques) veillera à ce que les écoles gardent leur caractère confessionnel. Mais confessionnel ne signifie pas clérical et les écoles seront prises en charge par l'État. La création du ministère se fait dans le bruit: fracas des chantiers de construction, brouhaha des autobus scolaires, la rumeur des élèves surtout (la scolarité est prolongée jusqu'à seize ans et tout le monde peut accéder aux écoles secondaires et aux cégeps, nouvellement créés), bruissement enfin des diplômes accordés à quelques milliers de nouveaux enseignants laïques. L'évolution du système scolaire au Québec dans les années soixante est décidément turbulente.

De manière moins provocante, mais tout aussi définitive, l'État couvre la langue française de son parapluie protecteur. Lapalme tient à ce que soit adjoint un Office de la langue française à son tout nouveau ministère des Affaires culturelles institué en 1961. Ce ministère surprend lui-même par sa nouveauté: des hommes politiques d'autres provinces et d'autres pays lui écrivent pour lui demander des renseignements et des conseils; un agriculteur s'adresse au ministère de la Culture pour obtenir des semences... Pour une part, le ministère ne fait que rassembler sous une même autorité les organismes d'attribution de diverses subventions que le gouvernement provincial accorde depuis des années aux musées, aux artistes et aux étudiants boursiers, mais il a également vocation à innover et à diriger. Il comporte quatre sections: l'Office de la langue française, le département du Canada français d'outre-frontières, un Conseil provincial des arts et la Commission des monuments historiques. La seconde mise à part, ces sections vont devenir des outils importants, puissants même, entre les mains des gouvernements successifs et ceux-ci ne mettront jamais en doute leur devoir de protection vis-à-vis de la culture canadienne-française. Et de fait, au milieu des années soixante, en raison à la fois de l'effervescence culturelle de l'époque et du rôle culturel assumé par l'État, ce seront les poètes et les politiciens qui auront repris à l'Église et aux nationalistes la fonction de définir l'identité culturelle.

Pendant que cette évolution se fait, l'usage du français est devenu la caractéristique première des Canadiens français. Certains, et en particulier le ministre des Affaires culturelles, en tirent la conclusion qu'il faut à la fois renforcer et améliorer la qualité de la langue; Lapalme se souvient que ses propres professeurs, ayant reçu plus de formation religieuse à Rome que de formation linguistique en France, avaient un langage extrêmement pauvre. Mais d'autres, et notamment les jeunes écrivains du milieu et de la fin des années soixante considèrent que ce qui caractérise en propre le Canada français, c'est son idiome populaire: le joual est une création typiquement québécoise et doit donc être glorifié comme telle. Le débat ouvert par la publication, en 1960, des *Insolences du frère Untel* va opposer pendant toute la décennie les puristes comme Lapalme, formés par les études classiques, que la vulgarité de la langue commune fait frémir, et les jeunes écrivains en herbe comme Michel Tremblay, que le réalisme truculent du joual comble d'aise. Convictions nationalistes et réflexes de classe déterminent la façon dont on réagit au joual: ses adversaires ont été élevés dans le double respect de la foi et de la langue, considérés comme les piliers d'une culture minoritaire en Amérique du Nord. Or, le joual semble acquérir droit de cité au moment même où les manifestations extérieures de la foi perdent du terrain. Le déclin simultané de la religion et de la langue paraît donc symptomatique: les esprits chagrins voient poindre la barbarie au détour d'une phrase mal construite ou mal prononcée. Pour eux, le déclin de la langue constitue le signe avant-coureur du déclin de la nation. Cependant l'usage du français raffiné est largement la prérogative des classes moyennes instruites qui se félicitent de ce que Radio-Canada en répande l'usage; mais dès qu'un deuxième poste français de télévision est disponible à Montréal (une chaîne privée est créée en 1961), la plus grande partie du public se met à l'écoute d'un langage dans lequel il se reconnaît mieux. Ce n'est donc peut-être pas un hasard si la nouvelle classe moyenne façonne les instruments du pouvoir à sa propre image et si l'Office de la langue française nouvellement créé par Lapalme se met à veiller sur le français comme une mère poule sur ses poussins.

De même la famille, qui pendant longtemps a été le troisième pilier de la trilogie protectrice de la nation, va être progressivement placée sous l'aile tutélaire de l'État. Reprenant à son compte la mission d'enseignement de l'Église, l'État ne peut pas prétendre, comme celle-ci l'a fait pendant des générations, que c'est la famille qui a la responsabilité essentielle en matière d'éducation. Désormais, l'État revendique sa responsabilité pour ce que le Rapport Parent appelle l'autonomie de la personne. L'éducation repose sur un contrat entre l'individu et l'État; de ce fait, la famille est reléguée au second plan. De même, au fur et à mesure que l'État met au point un système de soins hospitaliers laïques, la famille devient une entité de plus en plus abstraite: en ouvrant largement l'accès aux soins donnés par des professionnels de la santé, le système d'assurance-hospitalisation réduit le rôle de la famille dans les soins médicaux apportés à ses membres. De même encore, le régime des pensions du Québec, élaboré soigneusement en 1964, pour le distinguer administrativement de celui d'Ottawa, enlève à la famille la charge de la vieillesse: on oblige tous les salariés à cotiser durant leur vie active à un régime de retraite. Enfin en 1965, le gouvernement Lesage utilise ce qui reste de la cellule familiale comme argument dans ses conflits de plus en plus fréquents avec Ottawa: il faut au Québec un plan d'allocations familiales préparé au Québec pour répondre aux besoins spécifiques du Québec.

En réalité, les besoins du Québec en la matière sont de moins en moins spécifiques. Durant les années soixante, les différences entre la famille québécoise et les autres familles nord-américaines s'estompent de plus en plus. Le taux de natalité va tomber brutalement de vingt-huit pour mille en 1959 à quatorze pour mille en 1971, ce qui représente le taux le plus bas de tout le Canada. C'est peut-être là que se situe la vraie Révolution tranquille: pendant que les politiciens font beaucoup de bruit en public, en privé, dans l'intimité de la cuisine, du salon ou de la chambre à coucher, les familles décident que trop c'est trop. À moins que la décision ne soit prise par les femmes toutes seules lorsqu'il leur est possible de se procurer la pilule et que son utilisation les autorise à une certaine autonomie, sur le plan personnel sinon sur le plan religieux. Cette autonomie s'accroît à son tour lorsque de plus en plus de femmes, et notamment de femmes mariées, entrent dans le monde du travail. En dépit de l'attitude des syndicats qui demandent des lois restrictives, et notamment l'interdiction du travail nocturne, en 1964, le gouvernement entérine largement cette autonomie en modifiant le code civil vieux de cent ans, pour en éliminer la disposition assujettissant les femmes mariées à leurs maris. Enfin, lorsqu'en 1968, le gouvernement fédéral modifie les lois sur le divorce et que, l'année suivante, la province institue ses propres cours en la matière, les femmes canadiennes-françaises s'y rendent avec autant d'empressement que les autres femmes nord-américaines. Et déjà, une famille sur douze a une femme pour seul soutien : cette famille est plus pauvre que celle du même type ayant un homme comme soutien unique, mais moins rare. Dans les années soixante, par conséquent, la famille québécoise commence à ressembler de plus en plus aux familles de partout.

La coïncidence entre les changements intervenus dans la famille, le langage et l'Église, et l'intervention de l'État dans ces trois domaines est remarquable. Incontestablement, chacun se nourrit de l'autre : les institutions telles que l'école, les hôpitaux et les organismes d'aide sociale ne trouvent plus dans l'Église les ressources humaines et matérielles dont elles ont besoin ; dans le même temps, l'État souhaite jouer la fonction organisatrice d'un gouvernement moderne. Il se peut même que l'État ait aidé à saper la cohésion interne de l'Église et de la famille. Au nom de la modernisation, il participe à de nombreuses transformations et, dans certains cas, les provoque même ; au nom du nationalisme, il détourne à son profit une grande partie de la force de ces institutions. Il puise des forces nouvelles en intervenant dans trois domaines traditionnels d'intégration sociale et nationale. Apparemment, la modernisation et le nationalisme sont tout à fait compatibles.

Compatibilité également dans un autre secteur de l'interventionnisme d'État. Pendant les années soixante, l'activité économique du gouvernement Lesage donne le vertige : un ministre n'a pas plutôt une idée brillante que l'équipe de fonctionnaires trouve le moyen et les hommes pour la réaliser. La plupart de cette activité a son origine dans la découverte que l'État peut être utilisé comme un instrument du développement économique. Il ne doit plus se cantonner à être un pourvoyeur de routes et de permis, un collecteur de petits impôts; il peut assumer lui-même un rôle moteur. Une partie de cette activité constitue une réaction aux difficultés économiques de la période de 1957-1961. À la fin des années cinquante, la prospérité de l'après-guerre s'est effondrée et le gouvernement a dû essayer de porter remède au chômage qui a atteint quatorze pour cent de la population active durant l'hiver 1960. Mais dans l'activité économique du gouvernement, se trouve une part de préoccupation nationaliste. De nouveaux emplois dans le secteur public pourraient être remplis par les Canadiens français; ce serait là une façon de résoudre le vieux problème de la domination du Québec par les intérêts étrangers. En reprenant à son compte le passé et en le contrôlant en grande partie, le gouvernement pourra ouvrir les voies du futur à la manière qui lui conviendrait.

C'est pourquoi l'une des principales réalisations du gouvernement Lesage sur le plan économique est la nationalisation de l'hydro-électricité. L'entreprise n'est pas tranquille, mais pas révolutionnaire non plus. Le processus a été engagé vingt ans plus tôt par le gouvernement libéral de la période de la guerre qui a nationalisé la Montreal Light, Heat and Power Company pour créer Hydro-Québec. Le gouvernement libéral de Lesage des années soixante ne fait que poursuivre logiquement dans cette direction en nationalisant les autres grandes compagnies hydro-électriques. Il ne fait rien de plus que ce qu'ont déjà fait la plupart des autres provinces canadiennes. Et pourtant cette décision fait l'effet d'une bombe. René Lévesque, alors ministre des Ressources naturelles, a recours à son média favori, la télévision, pour présenter son plan personnel d'intégration à Hydro-Québec de toutes les sociétés privées, coopératives et municipales. Le Premier ministre Lesage commence par mettre son veto en prononçant son habituel «jamais» et les autres ministres prennent fort mal le fait de ne pas avoir été consultés. Il en est de même de la puissante Shawinigan Power Company, appartenant en majorité à des intérêts étrangers, lorsqu'elle s'aperçoit qu'elle figure en tête de la liste de Lévesque. Alternativement, la presse et le public s'envoient à la figure les arguments pour et contre la nationalisation. Le cabinet se déchire puis, brusquement, se ressoude pour soutenir le projet et provoquer des élections sur ce thème. Dans tout cela, la seule chose qui se fasse sans bruit est la démarche de Lesage auprès des marchés financiers pour s'assurer que le gouvernement pourra emprunter les grosses sommes nécessaires au rachat des compagnies privées.

Bien qu'elles soient à sens unique, les élections sont passionnées. Les libéraux proclament qu'ils ont trouvé la clef de l'avenir du Québec. D'un même coup, ils vont mettre fin à la colonisation économique de la province et faire que les Québécois soient «maîtres chez nous». L'abbé Groulx reconnaît le slogan comme sien, mais pas l'auteur des discours de Lesage, Claude Morin, qu'on retrouvera plus tard au Parti québécois. Groulx sort même de sa réserve électorale habituelle pour aller soutenir le projet et voter pour la seconde fois de sa vie. René Lévesque parcourt la province, apparaît sur les écrans, subjuguant presque tous ses auditeurs par son ton inimitable, sa maîtrise complète des détails et sa conviction absolue. Il cite le conseil de planification économique de son propre gouvernement et démontre qu'un système unifié d'hydro-électricité constitue la clef de l'industrialisation de toutes les régions du Québec et le préalable indispensable non seulement à n'importe quelle politique de plein emploi, mais aussi à la libération économique du Québec en général. Il y ajoute son propre argument: les immenses profits générés par les compagnies hydro-électriques reviendront dorénavant à l'État; ils augmenteront même puisque, dorénavant compagnie publique, Hydro-Québec n'aura plus à payer l'impôt fédéral auquel les compagnies privées sont assujetties. Ces sommes permettront donc la normalisation et l'abaissement des tarifs de l'électricité dans toute la province. En prime, Hydro-Québec ouvrira aux Canadiens français des emplois de cadres administratifs, d'ingénieurs et de techniciens. C'est là une baguette magique que l'Union nationale ne veut pas ou ne sait pas briser. Avec cinquante-sept pour cent des voix et soixante-trois sièges à la Chambre, les libéraux accentuent encore leur avance.

La constitution, en 1963, du nouvel Hydro-Québec n'est que la mesure la plus spectaculaire prise par le gouvernement libéral. La même fièvre d'organisation et de dirigisme inspire d'autres mesures économiques. Dès 1961, le Conseil de planification économique de la province a passé au peigne fin son potentiel économique pour déterminer quel rôle le gouvernement pourra y jouer. En 1962, est créée la Société générale de financement, qui agit à la fois comme holding et comme institut de crédit vis-à-vis des entreprises québécoises. En 1963, l'ambitieux gouvernement entreprend aussi une planification régionale et lâche des équipes d'économistes et de spécialistes en sciences sociales dans la région du Bas-Saint-Laurent et en Gaspésie. En 1966, il organise la province en dix régions administratives dans lesquelles il parachute d'autres experts, tous fonctionnaires. Pendant un temps, leur savoir, leurs techniques et leurs plans compliqués éblouissent les responsables locaux qui depuis les années cinquante recherchent des solutions aux disparités régionales. Mais cette entente ne dure guère car les bureaucrates de Québec heurtent de plus en plus les sensibilités régionales. Il se trouve même des critiques pour avancer que si le gouvernement s'intéresse aux pensions, et notamment à ce que le régime de pensions soit géré par Québec plutôt que par Ottawa, c'est plus à cause de l'énorme capital disponible qu'en raison des bénéfices sociaux qui en découleraient. Et en effet, le régime de pensions n'est pas plutôt mis sur pied, en 1964, que l'année suivante une société étatique d'investissement, la Caisse de dépôt et de placement fait son apparition pour gérer les cotisations et assurer leur réinvestissement. Ultérieurement, la Caisse sera alimentée par différents autres régimes de pension; en quinze ans, elle deviendra un organisme financier aussi puissant que les caisses populaires, unions coopératives de crédit ayant des avoirs de presque quatorze milliards de dollars. Parallèlement, le gouvernement libéral crée un certain nombre d'organismes lui permettant de mettre le sceau de l'État sur les industries minières, la prospection pétrolière, l'industrie forestière et les aciéries. Il inonde les journaux, la fonction publique et les livres de compte de l'État d'une multitude de sigles tels que H.Q., C.O.E.Q. (qui deviendra l'O.P.D.Q.), S.G.F., F.A.E.Q., S.O.Q.U.E.M., S.O.Q.U.I.P., R.E.X.F.O.R., S.I.D.B.E.C. C'est impressionnant, légèrement mystérieux et si moderne...

Mais c'est aussi très dispendieux. En six ans, le cabinet Lesage triple le budget de la province. Certaines années, celui-ci s'accroît davantage qu'il ne l'a jamais fait depuis la fin des années quarante: vingt-quatre pour cent en 1959-1960; vingt-sept pour cent en 1964-1965. La proportion gouvernementale des dépenses brutes passe de sept et demi pour cent à douze et demi pour cent. Les principaux bénéficiaires des dépenses gouvernementales sont la santé, l'assistance sociale et l'éducation, dont la part dans le budget passe de trente-cinq pour cent en 1960 à soixante-huit pour cent en 1965. Ce déplacement des dépenses, du chapitre des transports et de l'exploitation des ressources naturelles vers les ressources humaines et les services sociaux était déjà perceptible dans les budgets de Duplessis des années cinquante, mais il ne portait pas sur des sommes aussi astronomiques (des budgets dépassant deux milliards de dollars en 1966). L'époque des budgets équilibrés est loin; la dette de la province monte en flèche avec les autres dépenses. La seule administration de la dette double entre 1959 et 1966. Cet accroissement est voulu par le gouvernement, en partie pour stimuler l'économie et en partie afin de fournir des salaires convenables aux employés de l'État dont le nombre croît à grande échelle. Ces deux objectifs sont atteints, mais pendant que le chômage diminue, les impôts augmentent, aussi bien au niveau provincial que régional et municipal.

Certaines tendances de l'économie discernables depuis les années vingt sont fortement encouragées par l'engagement accru de l'État. Une partie de plus en plus grande de la main-d'oeuvre du Québec se dirige progressivement vers les industries de service. Ce secteur (finances, transports, commerce, enseignement, construction, professions libérales et fonction publique) occupe en 1941 quarante pour cent de la main-d'oeuvre; en 1966, il en emploie soixante pour cent. La plupart des personnes nouvellement engagées par le gouvernement se trouvent dans ces catégories: elles font de l'organisation et de la planification, dressent des cartes et des graphiques, rédigent et transmettent des dossiers, mais elles ne produisent rien. Les économistes y voient l'heureux signe que le Québec est entré dans la société post-industrielle, mais d'autres s'inquiètent de la stagnation des activités productives et du déclin des secteurs primaires de l'agriculture et du bois. Une économie dans laquelle une aussi forte proportion de la main-d'oeuvre est employée par les secteurs improductifs peut-elle être saine? C'est une question qui ne trouble pas Jean Drapeau, réélu maire de Montréal en 1960. Sa luxueuse Place des Arts, ses grandes autoroutes, son artistique métro et son extravagante Expo 67 attirent l'attention et les touristes du monde entier. Et il rêve même du championnat international de base-ball, des jeux Olympiques! Ces entreprises font marcher la construction et ont des retombées commerciales: que veut-on de plus? Au milieu des années soixante, l'aimant que constituent les industries et les services de Montréal est encore assez fort pour attirer presque quarante pour cent de la population et plus de cinquante pour cent de l'activité économique de la province. Et si jamais les choses tournent mal, le reste de la province viendra toujours au secours de sa ville vedette. De fait, pendant cette période, le gouvernement ne montre guère son souci de redistribuer la richesse de Montréal au reste de la province.

Il est moins discret dans son conflit avec Ottawa. Là encore, le gouvernement Lesage n'innove pas vraiment; il marche dans les pas des gouvernements précédents du Québec mais avec plus de détermination; cependant ses exigences sont habillées d'une manière beaucoup plus officielle. En 1961, un ministère des Affaires fédérales-provinciales présidé par le Premier ministre lui-même commence à examiner minutieusement tous les aspects des relations de la province avec Ottawa. Comme peu de gens à l'extérieur sont conscients de la récupération du passé qui accompagne la modernisation spectaculaire du Québec, on ne s'aperçoit pas du travestissement. On croit avoir affaire à une province comme les autres et à un appareil d'État assumant enfin ses responsabilités sociales, culturelles et économiques. En fait, on se trouve en face d'une province qui parle au nom d'une nation et qui fonde ses exigences sur les besoins de cette nation. Le Canada français est devenu le Québec, et le gouvernement de la province a la responsabilité des deux.

Pour assumer cette responsabilité, il lui faut davantage d'argent, davantage de pouvoir et davantage de prestige. Le nouveau Québec est dispendieux et insatiable. En 1966, Lesage croit avoir épuisé toutes les possibilités de taxation, et pourtant les dépenses continuent d'augmenter. Il a besoin d'un nouveau système de répartition des sources de revenus entre Ottawa et Québec et, en 1966, il demande même à l'électorat de lui donner un mandat clair pour négocier ces modifications. Dans le même temps, il passe au peigne fin toutes les sources possibles et supplémentaires de se faire financer par le fédéral et réussit à convaincre ses partenaires de la nécessité de réorganiser ces financements dans la ligne qui convient au Québec. La province a besoin de plus de fonds de péréquation, de transferts d'argent, sans obligation en retour, des réserves inépuisables d'Ottawa vers ses réserves limitées. Par contre, la province veut moins de programmes à coûts partagés puisque leurs objectifs aussi bien que leurs modes de financement sont souvent décidés à Ottawa. D'ailleurs, elle ne veut pas du tout de subventions précises, car ces dernières dépendent en général totalement d'Ottawa. Mais refuser ces programmes ne signifie pas qu'elle refuse les subsides fédéraux. Le Québec veut être dédommagé pour son refus de participer aux entreprises bilatérales ou uniquement fédérales: bref, il veut à la fois avoir le droit de se retirer et y gagner financièrement. Enfin, il veut récupérer une grande part des impôts sur le revenu, sur les corporations et sur les droits de succession qui continuent d'être perçus par le gouvernement fédéral. En 1964, Lesage impressionne tellement ses partenaires des autres provinces et d'Ottawa qu'ils lui accordent pratiquement tout ce qu'il demande.

Ce n'est pas encore suffisant. Afin d'organiser la vie sociale et économique du Québec selon ses propres conceptions, le gouvernement du Québec instaure son propre régime de pensions, différent de celui d'Ottawa mais compatible avec lui.

Les fonctionnaires du Québec travaillent plus dur et plus vite que ceux d'Ottawa pour élaborer le projet, si bien que les présentations qu'ils en font aux conférences fédérales-provinciales sont irréfutables et que certains aspects du projet du Québec sont même intégrés à celui d'Ottawa. Les politiciens se plaignent en public de la complexité du double système, mais les fonctionnaires parviennent à coordonner leurs calculs compliqués de façon relativement simple. Dans les derniers mois du gouvernement libéral, Lesage envisage que des domaines gérés par Ottawa soient désormais uniquement du ressort de la province: les allocations familiales, les pensions et retraites, la main-d'oeuvre et l'immigration. Pourquoi donc Québec ne retrouverait-il pas sa souveraineté dans les secteurs de juridiction provinciale qu'Ottawa prétend financer et diriger? Il est difficile de résister à une telle perspective et, bien que l'électorat se tourne dans une autre direction en 1966, les gouvernements futurs du Québec vont réitérer ces demandes. Ainsi que le note le conseiller économique de Lesage et futur ministre des Finances du Parti québécois, Jacques Parizeau, Lesage leur a appris à tous à travailler, à faire de grandes choses en se servant de l'État et à le faire bien. De toute évidence, la ferveur a gagné les Canadiens français: ils ont appris l'exercice du pouvoir.

La fierté est communicative et elle a besoin de confirmations. Les journalistes, les hommes politiques et tous les constitutionnalistes en chambre commencent à débattre d'un statut spécial pour le Québec. La province a tellement changé pendant les dix dernières années, disent-ils, que ses relations avec les autres provinces et avec le Canada doivent être redéfinies. Au Québec nouveau, il faut les moyens de son autonomie, des institutions correspondant à ses aspirations et un statut correspondant à l'image nouvelle qu'il a de lui-même. Toutes les formules possibles sont envisagées: le statut particulier, le statut spécial, les États associés et le fédéralisme coopératif. Chacune d'elles a ses avantages et ses inconvénients; mais, de l'aveu de leurs adversaires comme de leurs partisans, aucune de ces formules ne signifie séparatisme. Elles constituent toutes une tentative différente pour définir ce que ressentent beaucoup de Québécois, à savoir que le Canada n'est pas composé de dix provinces mais de deux nations. Si l'une de ces deux nations correspond à une province, elle doit compter pour plus qu'une province; si l'autre englobe neuf provinces, elles doivent compter pour moins. Cette arithmétique politique confond tout le monde et l'ensemble du débat laisse la plupart des Canadiens anglais complètement stupéfaits. Sur le plan des relations extérieures, les positions sont plus nettes, mais à peine plus rassurantes. La nouvelle confiance en son destin que ressent le Québec l'amène à vouloir établir des liens directs avec les autres pays francophones. Il commence par la France: en 1961, la Maison du Québec ouvre ses portes à Paris et les hommes politiques français daignent reconnaître enfin l'existence d'une entité française extraordinaire outre-Atlantique. Pendant toute la fin des années soixante, Québec et Ottawa ne vont cesser de s'affronter sur des questions de protocole et sur le droit du Québec à entretenir ses propres relations extérieures. Le sujet est des plus délicats.

À l'intérieur même du Québec, la recherche d'une souveraineté pourrait être présomptueuse. Dans différents milieux, on commence à critiquer la prétention du gouvernement libéral à tirer à lui la couverture de la nation. Aucun des gouvernements qui suivront ne remettront en cause la politique de Lesage, la plupart l'accentueront même, mais tous auront à tenir compte de courants de protestation de plus en plus véhéments venant de différents milieux de la société québécoise. Les députés libéraux du Québec au fédéral représentent le courant de protestation le mieux organisé. Si c'est le gouvernement du Québec qui parle pour la nation, disent-ils, eux, que font-ils à Ottawa? Comme tous les autres libéraux du Canada, en 1962, ils ont espéré que la présence de libéraux au pouvoir au Québec faciliterait leur victoire. Mais les conservateurs, bien que minoritaires, gardent le pouvoir, grâce à l'émergence d'un autre groupe protestataire: vingt-six élus du Crédit social, inexistant avant les élections, représentant des comtés ruraux et ouvriers, vont porter le mécontentement de leurs électeurs en ce qui concerne le rythme et la nature des changements au Québec dans l'arène politique fédérale. Si gênants qu'ils soient pour les libéraux fédéraux du Québec, leur émergence sert probablement à attirer l'attention des autres libéraux, et en fait de tout le Canada, sur l'effervescence du Québec.

Les libéraux fédéraux reprennent le pouvoir en 1963. Le nouveau Premier ministre, Lester Pearson, essaye de trouver les moyens de communiquer cette effervescence au reste du pays. En créant la Commission royale d'enquête sur le bilinguisme et le biculturalisme, il indique clairement que les problèmes du Québec sont les problèmes du Canada; c'est au pays tout entier, et non au seul Québec qu'il appartient de les résoudre. À peine les présidents de la commission, André Laurendeau et Davidson Dunton, ont-ils remis leur rapport préliminaire en 1965 que le pays commence à réagir: les minorités francophones des autres provinces trouvent soudainement da-

vantage de soutien; davantage de place est faite aux francophones dans la fonction publique fédérale. Mais les rapports
ultérieurs de la commission vont confirmer ce que les Canadiens français ont toujours su, c'est-à-dire que le sacrifice de
leur langue est le prix à payer pour l'égalité d'accès aux
emplois bien rémunérés. C'est déjà une blessure suffisante
pour eux de se trouver placés en bas de l'échelle socio-économique dans une province dont ils constituent quatre-vingt pour
cent de la population; le fait de savoir que l'anglais représente
la seule planche de salut constitue une insulte supplémentaire.
Mais il n'y a même pas de garantie pour les francophones
bilingues, car il apparaît que les anglophones unilingues réussissent nettement mieux qu'eux. Les initiatives du gouvernement du Québec en ce qui concerne l'économie et la fonction
publique sont partiellement destinées à faire face à ce vieux
problème en ouvrant de nouvelles sphères d'emploi aux Canadiens français. Ce but semble atteint, vu le nombre de fonctionnaires fédéraux qui abandonnent Ottawa et vont travailler
en français pour le gouvernement Lesage y trouvant à la fois
stimulus et réconfort.

Mais il y a aussi au Québec des gens que la tonalité des
activités du gouvernement provincial gêne. Les emplois sont
une chose, peut-être même un gouvernement interventionniste
est-il une très bonne chose, mais faut-il pour autant une telle
fanfare nationaliste? Pierre Elliott-Trudeau est l'un de ceux
que cette fanfare agace. Pour lui, le nationalisme représente
une force de division, mauvaise et dangereuse. Il est aussi
anachronique dans une société moderne que Maurice Duplessis. Pendant les années cinquante, Trudeau a dépensé la plus
grande part de son énergie à combattre Duplessis bien qu'il ait
toujours attaqué à distance et sur le plan intellectuel, à la différence d'un Georges-Émile Lapalme qui livrait un corps à
corps quotidien au parlement. Les nationalistes sont la bête
noire de Trudeau presque autant que les communistes ont été
celle de Duplessis; il en voit partout et toujours, multiformes,
souterrains, réactionnaires et sectaires. Il a cru que la Révolution tranquille les avait chassés par la porte, et voilà qu'ils
reviennent par ces fenêtres qu'on a eu tant de mal à ouvrir
après la mort de Duplessis. Les libéraux fédéraux n'ont donc
aucun mal à persuader Trudeau de transporter son antinatio-
nalisme à Ottawa et là, à défendre l'idée que le gouvernement
fédéral est aussi engagé que le Québec dans le devenir du
Canada français. Flanqué de Gérard Pelletier, journaliste bien
connu, et de Jean Marchand, chef syndical encore plus célèbre,
Trudeau parvient à augmenter de huit sièges le contingent des

représentants libéraux du Québec. Mais c'est seulement lorsqu'il devient Premier ministre en 1968 qu'il réussit à rassembler à l'échelle du pays la grande majorité que les libéraux recherchaient depuis des années.

La présence de Jean Marchand au sein du triumvirat fédéral de 1965 est le résultat d'une démarche et d'une contestation sociale beaucoup plus complexe. Au début des années soixante, Marchand et la centrale syndicale qu'il dirige, la C.S.N., sont très proches des libéraux provinciaux et de leur ferveur réformatrice. Il est lié d'amitié avec Jean Lesage et beaucoup de conflits du travail ont été résolus à l'amiable entre eux. L'évolution de la C.S.N. a sur de nombreux points préfiguré puis accompagné celle de la société québécoise dans son ensemble: déconfessionnalisation, radicalisation, intérêt pour le développement économique sous l'égide d'un État interventionniste, intérêt porté à l'éducation et à la santé considérées comme un droit pour tous et non comme le privilège de quelques-uns. Pendant les premières années de la décennie soixante et au grand dépit de la centrale syndicale rivale, la F.T.Q., la C.S.N. est donc une fidèle alliée du gouvernement libéral. L'alliance est bénéfique aux deux: elle amène un nouveau type d'adhérent à la première et un soutien politique au second; ces liens ont probablement facilité l'implantation du syndicalisme dans la fonction publique, implantation à laquelle Lesage a tout d'abord opposé l'un de ses habituels «jamais»; en 1964, il cède et un nouveau code du travail, qui en outre réglemente les procédures de négociation et de conciliation avant le déclenchement d'une grève, autorise la plus grande partie des travailleurs du secteur public à se syndiquer. La C.S.N. tire immédiatement parti de la législation et recrute des milliers de membres chez les enseignants, le personnel hospitalier et les cadres d'Hydro-Québec. Faisant front avec la F.T.Q., la C.S.N. s'élève contre les limitations du code du travail et, en 1965, réussit à obtenir qu'il soit élargi pour permettre aux fonctionnaires de se syndiquer et de s'affilier à la centrale de leur choix. Le recrutement est à nouveau très important, notamment pour la C.S.N. Pendant les six années du gouvernement libéral, cette centrale fait plus que doubler ses effectifs, qui atteignent deux cent mille membres en 1966.

Mais la proximité du pouvoir n'a pas que des avantages. La rivalité entre les centrales continuant, la F.T.Q. a beau jeu d'accuser la C.S.N. de rechercher les faveurs du gouvernement pour certaines catégories de travailleurs au détriment des autres. Les conflits graves entre le gouvernement et ses salariés, comme il commence d'y en avoir à la fin des années soixante, font craquer tout semblant de sympathie idéologique, sans parler d'harmonie sociale. Qui plus est, tous ces nouveaux adhérents de la fonction publique créent des problèmes à la C.S.N., car ce sont pour la plupart des cols blancs, et ils doivent s'intégrer à une organisation prévue pour des cols bleus. Puis les syndicats eux-mêmes s'avisent de ce que le gouvernement ·libéral, incontestablement actif, privilégie les classes moyennes. La Révolution tranquille exclut de sa rhétorique réformatrice un grand nombre de gens. Qui se soucie des pauvres, désormais poussés en pleine lumière — en dépit des efforts de Jean Drapeau pour les cacher derrière de beaux panneaux d'affichage colorés — maintenant que la charité privée fait place à la responsabilité publique? Et qu'en est-il de la grande majorité des travailleurs non syndiqués? Plus les syndicats se conçoivent comme les porte-parole de la population en général et pas seulement de leurs propres adhérents, plus ils deviennent critiques à l'égard du gouvernement. Certains chefs syndicaux font un virage idéologique à gauche et commencent à envisager des solutions de type socialiste pour résoudre les problèmes économiques persistants du Québec; d'autres, comme Jean Marchand, sont surtout gênés par les tendances nationalistes du gouvernement provincial. Marchand part pour Ottawa avec l'idée de s'opposer à ce qu'il voit comme du séparatisme naissant.

Il y a aussi au début des années soixante des groupes plus restreints qui désespèrent de voir aussi bien la question nationale que la question sociale résolue par des moyens pacifiques. Une poignée de jeunes gens prennent suffisamment au sérieux les mouvements d'indépendance coloniale d'Afrique et d'Asie pour appliquer leurs analyses et leurs techniques à la situation canadienne : le Québec est une colonie et le Front de libération du Québec, le F.L.Q., la rendra libre. Les premières bombes artisanales visent des objectifs militaires en 1963 — un dépôt et un centre de recrutement de l'armée canadienne —, puis ce sont des boîtes aux lettres de Sa Majesté qui sautent à Westmount, un quartier de Montréal à caractère résidentiel et à la population essentiellement anglophone. Trois ans plus tard, les terroristes dénoncent les symboles de l'exploitation de la classe ouvrière en plaçant des bombes dans des usines de textile et de chaussures. Quatre ans après, enfin, ils attirent l'attention du monde entier en enlevant un diplomate britannique, James Cross, et en assassinant le ministre du Travail de la province, Pierre Laporte. Si l'assassinat et les vols qui accompagnent leur action laissent les membres du F.L.Q. impavides, par contre, la majorité de la population québécoise est horrifiée; elle n'est pas prête à approuver la révolution violente, même si les bombes se veulent une réponse aux inégalités de pouvoir et de richesse.

On trouve dans les années soixante un certain nombre d'associations séparatistes, qui tantôt flirtent avec les terroristes, tantôt les fuient. Allant de la gauche à la droite sur l'échiquier politique, recrutant des jeunes ouvriers comme des intellectuels de la classe moyenne, ces associations ont en commun de prôner un État indépendant comme conséquence logique du passé et du présent du Québec. Elles ne rassembleront jamais beaucoup de monde — à eux deux, le Ralliement national, de tendance conservatrice, et le Rassemblement pour l'indépendance nationale, d'inspiration socialiste, n'attireront que huit pour cent du suffrage aux élections provinciales de 1966 —, mais elles font beaucoup de bruit. Les unes proclament à cor et à cri que seul un État indépendant serait en mesure de préserver la spécificité du Canada français qui est le produit de l'histoire, du catholicisme et de la langue française. De manière non moins véhémente, d'autres affirment aussi leur foi en un État indépendant, seul capable d'assurer l'avenir du Canada français, notamment en secouant le joug d'une domination économique étrangère; les Canadiens français ne peuvent espérer faire leur place au soleil au sein de l'économie nord-américaine que s'ils possèdent une complète souveraineté sur l'appareil politique et économique de l'État. Ils reconnaissent que Lesage a accompli des pas de géant dans cette direction, mais pensent qu'il perd son temps en cherchant à faire des compromis avec Ottawa. L'indépendance est la seule véritable garantie de l'autonomie.

En 1966, tout ce bruit et cette agitation ont fini par gêner pas mal de gens. D'un côté, les traditionalistes se défient de la notion de l'État-providence, qui fait tout pour tout le monde. Ils reprochent à l'État d'avoir sapé les bases anciennes de la cohésion sociale comme l'Église. De l'autre, les radicaux trouvent les artisans de la Révolution tranquille trop bourgeois et les soupçonnent de façonner le nouveau Québec à leur propre image. Les ruraux observent avec suspicion le rythme et le sens des changements qui ont lieu dans les villes. Les sensibilités régionales s'irritent de la domination économique grandissante de Montréal et de la nouvelle domination bureaucratique de Québec. Si les travailleurs, et particulièrement ceux du secteur public ont vu leurs salaires augmenter, ils s'aperçoivent également que les impôts et l'inflation grignotent leurs gains. Les fédéralistes sont surpris du manteau nationaliste dont se couvre progressivement le gouvernement québécois et ils transportent leur surprise à Ottawa. Les nationalistes, enfin, trouvent que le manteau n'est pas encore assez grand et qu'il devrait recouvrir beaucoup plus, peut-être même un Québec indépendant. Quant aux Canadiens anglais du Québec et du reste du pays, ils se demandent avec chagrin jusqu'où va aller cette fièvre bien française. Au début, ils n'ont pas été surpris, mais les choses leur semblent prendre une tournure de plus en plus inquiétante. N'en déplaise aux poseurs de bombes cependant, l'idée la plus explosive de l'époque c'est peut-être celle que lancent les femmes dans le débat public, car leurs problèmes ne sont en fait reliés ni à la nation de classe sociale ni à celle de nation. Que va-t-il résulter de tout cela plus tard, nul ne pourrait le dire. Dans l'immédiat, toutes ces résistances se combinent pour enlever dix pour cent de ses suffrages au Parti libéral, deux pour cent allant à l'Union nationale et huit pour cent aux séparatistes. Les libéraux obtiennent encore le plus grand nombre de voix, mais ils perdent des sièges. Ils croient qu'avec la victoire de l'Union nationale le 5 juin 1966, c'en est fait de la Révolution tranquille. Mais les groupes auxquels cette évolution turbulente a donné naissance vont continuer à façonner leurs propres visions nationales.

ORIENTATIONS BIBLIOGRAPHIQUES

Canadian Annual Review, 1960-1966, Toronto, University of Toronto Press.

Clark, Samuel David, «Movements of Protest in Post-War Canadian Society», *Mémoires et comptes rendus de la Société royale du Canada*, 4e série, vol. 8, 1970, p. 223-37.

Daigneault, Richard, *Lesage*, Montréal, Libre Expression, 1981.

Desbarats, Peter, *René Lévesque ou le projet inachevé*, Montréal Fides, 1977.

Dion, Léon, *Le Bill 60 et la société québécoise*, Montréal, Éditions HMH, 1967.

Dumont-Johnson, Micheline, «Les communautés religieuses et la condition féminine», *Recherches sociographiques* 19, 1978, p. 7-32.

Gérin-Lajoie, Paul, *Pourquoi le Bill 60 ?*, Montréal, Les Éditions du Jour, 1963.

Guindon, Hubert, «Social Unrest, Social Class and Québec's Bureaucratic Revolution», *Queen's Quarterly* 71, 1964, p. 150-62.

Jones, Richard, *Community in Crisis: French Canadian Nationalism in Perspective*, Toronto, McClelland and Stewart, 1967.

Lapalme, Georges-Émile, *Le paradis du pouvoir*, Montréal, Leméac, 1973.

Latouche, Daniel, «La vraie nature de la Révolution tranquille», *Canadian Journal of Political Science* 7, 1974, p. 525-35.

Lemieux, Vincent, dir., *Quatre élections provinciales au Québec 1956-1966*, Québec, Les Presses de l'université Laval, 1969.

Moreux, Colette, *La fin d'une religion?*, Montréal, Les Presses de l'Université de Montréal, 1969.

Sauriol, Paul, *La nationalisation de l'électricité*, Montréal, Éditions de l'Homme, 1962.

Simard, Jean-Jacques, *La longue marche des technocrates*, Montréal, Éditions coopératives Albert Saint-Martin, 1979.

Smiley, Donald Victor, *The Canadian Political Nationality*, Toronto, Methuen, 1967.

Taylor, Charles, «Nationalism and the Political Intelligentsia: a Case Study», *Queen's Quarterly* 72, 1965, p. 150-168.

Tremblay, Louis-Marie, *Le syndicalisme québécois: Idéologies de la C.S.N. et de la F.T.Q. 1940-1970*, Montréal, Les Presses de l'Université de Montréal, 1972.

Trudeau, Pierre Elliott, *Le Fédéralisme et la société canadienne-française*, Toronto et Montréal, Éditions HMH, 1967.

Voisine, Nive *et al.*, *Histoire de l'Église catholique au Québec 1608-1970*, Montréal, Fides, 1971.

XX

FÉMINISME, FÉDÉRALISME ET INDÉPENDANCE DU QUÉBEC

De tout le remue-ménage engendré par la Révolution tranquille, il ne restera dans les quinze ans qui vont de 1966 à 1981 que trois courants de tension, qui s'avéreront peut-être des caractères permanents du paysage québécois. Le féminisme, le fédéralisme et le séparatisme, qui n'étaient que trois éléments parmi d'autres dans la remise en question en profondeur de tous les aspects de la société du Québec, deviendront en grande partie les catalyseurs et les vecteurs de ce chambardement à la fin des années soixante et au début des années soixante-dix. Certaines questions font plus de bruit que d'autres : les unes sont ponctuées par l'explosion de bombes, d'autres constituent le rêve d'une société égalitaire, et d'autres encore sont des cauchemars avec enlèvement et assassinat. Il se peut que ces différents combats aient été à l'origine de la Révolution tranquille elle-même et qu'ils aient été simplement masqués momentanément par l'accent mis sur l'action gouvernementale. Ou bien il se peut qu'ils aient été le résultat de cette action. En assumant le rôle des institutions nationales traditionnelles, l'État a fait de la langue, de la famille et de la religion, tout au moins dans ses aspects sociaux, des affaires relevant du domaine public. Pour démontrer la compétence et l'esprit d'invention des Canadiens français, il s'est impliqué dans les institutions économiques et cela a soulevé la question de la répartition équitable des richesses. Les Canadiens français ont alors démontré qu'ils étaient éminemment capables de gérer et de produire ces richesses. La télévision permet de comparer tout ce qui se passe au Québec avec les événements

(...) les femmes doivent mobiliser leur courage et leur ténacité et refuser de céder aux séductions du séparatisme.
Reproduit avec l'autorisation du *Toronto Star Syndicate*.

de la scène internationale: le choc des vieilles et des jeunes nations au Moyen-Orient; l'impérialisme des super-grands au Vietnam; les revendications des mouvements pour les droits civiques et des mouvements de libération de la femme aux États-Unis. Toutes ces remises en cause appellent des réponses de plus en plus dogmatiques, jusqu'à ce qu'elles soient canalisées par trois préoccupations, le féminisme, le fédéralisme et le séparatisme. Si leur nombre est plus restreint, leurs répercussions sont plus vastes. Mais c'est parce que ces centres d'intérêt sont au nombre de trois, qu'une réponse par OUI ou par NON s'avérera sans signification claire au référendum provincial de 1980.

Le retour du féminisme sur la scène du Québec après la Révolution tranquille n'est pas véritablement surprenant. Tout comme le mouvement organisé du début du siècle, ce féminisme découle des mutations sociales et économiques comme il en est l'illustration. Tout comme les militantes individualistes des années 1920 et 1930 qui exigeaient le droit de vote dans la province, ses adhérentes ont leurs revendications particulières. Il y a davantage de femmes salariées, surtout des femmes mariées, et sous-payées; elles se trouvent en butte à la discrimination, à la ségrégation des emplois et ne reçoivent aucun soutien dans les tâches domestiques qui leur incombent. Le fait d'avoir moins d'enfants est une de leurs façons de réagir, et cela bien avant que l'Église ne mette fin à ses discours sur la vocation maternelle des femmes. Une autre façon de réagir, c'est de s'organiser. Certaines s'affilient à des syndicats; en 1977, elles comptent pour un tiers de tous les syndiqués. D'autres adhèrent à des groupes féministes et créent six organisations provinciales nouvelles entre 1957 et 1973, dont cinq sont postérieures à 1966. Il est intéressant de noter un domaine où — pour la première fois dans l'histoire du Québec — elles ne font rien: aucune ne fonde une communauté religieuse et même beaucoup de soeurs quittent la leur. D'une part, il y a beaucoup plus à faire dans le monde séculier et d'autre part, il y a moins de travail pour les religieuses: l'État créait de nombreux emplois pour les laïcs dans les services d'enseignement et de santé dont il a la charge. Cependant ces emplois sont souvent attribués à des hommes. Quand les laïques succèdent aux gens d'Église, ce sont les hommes qui remplacent les femmes aux postes de direction et de décision. Les féministes ont donc bien des raisons de considérer la Révolution tranquille comme un bienfait mitigé.

Les féministes ajoutent ainsi un élément nouveau à l'analyse de la société québécoise menée par les nationalistes, analyse qui a donné toute sa vigueur à la Révolution tranquille. Lorsque les nationalistes découvrent que les anglophones dominent l'économie — ce que les enquêtes du gouvernement fédéral confirment — les féministes, elles, trouvent que l'économie est dominée par les hommes. En réactualisant les chiffres de la Commission sur le bilinguisme et le biculturalisme et en y ajoutant ceux du recensement de 1971, un économiste démontre que cet impérialisme s'est encore accru : un anglophone unilingue gagne soixante-quatre pour cent de plus qu'un francophone unilingue, et un anglophone bilingue vingt pour cent de plus qu'un francophone bilingue. Il omet seulement de mentionner que les femmes gagnent encore moins que ces différentes catégories ! Il faudra que les féministes utilisent d'autres manières de compter pour montrer que le fait d'être femme ajoute un handicap à ceux de la langue et de l'appartenance ethnique. Nationalistes et féministes se demandent si c'est dans les structures particulières de l'économie du Québec qu'il faut chercher l'explication des bas salaires et du taux de chômage élevé de la province. Les nationalistes accusent la petite industrie — transformation de produits alimentaires, fabrication du textile et de la chaussure —, mais les féministes insistent sur le fait que, dans ces industries, ce sont les femmes qui constituent la plus grande partie de la main-d'oeuvre. Les nationalistes ressentent une fierté toute paternelle devant le développement du rôle de l'État dans l'économie au cours des années soixante ; les féministes démontrent que le développement du secteur des services a créé des emplois mal rétribués et peu prestigieux qui sont confiés à des femmes. La ségrégation du travail aura au moins l'avantage de permettre aux femmes de défendre leurs quarante pour cent d'emplois salariés quand, à la suite de la montée du chômage dans les années soixante-dix, on leur demandera de laisser leurs emplois à des hommes. Même dans ce cas, il faudra que les féministes se chargent de démontrer que le chômage frappe davantage les femmes que les hommes.

Les préoccupations sociales des féministes sont encore plus précises. Comme la plupart des nationalistes de cette période, les féministes accueillent avec satisfaction la baisse d'influence de la religion dans la société québécoise. L'instauration du mariage civil en 1968 et du divorce en 1969 les libère aussi de l'intrusion du sacré dans la vie familiale. Mais quant au rôle politique de la famille, il n'évolue pas, pour la satisfaction des nationalistes et le mécontentement des féministes. Toujours inquiets de la position minoritaire des Canadiens français, les nationalistes sont déconcertés par la chute vertigineuse de la natalité. C'est peut-être un bonne chose que la revanche des berceaux aille rejoindre dans les poubelles de l'histoire d'autres aspects du passé du Québec, mais les Canadiens français peuvent-ils se permettre une croissance zéro ? Et cela précisément au moment où d'autres groupes du Canada continuent à se reproduire à un rythme plus soutenu et à assimiler les nouveaux immigrants. Les féministes s'élèvent contre ces inquiétudes, qui font des femmes des machines à fabriquer des bébés. Quelques féministes vont même jusqu'à considérer la famille comme une prison patriarcale dont la structure vise à favoriser les hommes et qui reproduit, au foyer comme au travail, une division des tâches selon le sexe. Elles montrent que, dans la famille, c'est la femme qui souffre de l'inflation et du chômage, qui prend un emploi pour pourvoir aux besoins financiers de la famille et qui, de retour à la maison, doit pourvoir aux besoins affectifs de celle-ci. Les femmes assument une tâche double, car il est rare que leurs responsabilités dans le ménage viennent à diminuer lorsqu'elles partent travailler à l'extérieur. Il y a sûrement quelque chose qui ne va pas. Pour preuve, la montée en flèche du nombre des divorces à partir de 1969, sur demande de la femme la plupart du temps. Il y a aussi quelque chose de bizarre dans la division du travail qui confère à l'État le rôle prestigieux autrefois assumé par l'Église dans ses oeuvres éducatives et hospitalières et laisse les corvées aux femmes. De petits groupes de féministes, sans soutien ni de l'Église ni de l'État, doivent s'occuper des laissés-pour-compte d'une société sexiste. Ce sont elles qui, vers 1975, fondent des foyers d'accueil pour les femmes et les enfants battus, des centres d'aide aux victimes de viols et de consultation pour les cas d'avortement, diffusent l'information sur le contrôle des naissances et lancent des campagnes contre la pornographie et le harcèlement sexuel.

Malgré le fait que le militantisme des féministes repose sur le postulat que les relations entre sexes sont plus importantes dans le fonctionnement de la société que les relations entre classes sociales ou groupes ethniques, les féministes ont beaucoup de points communs avec les nationalistes. Les unes et les autres sont en général issus des mêmes couches sociales et exercent souvent les mêmes métiers. Parfois, ce sont les mêmes personnes, bien que l'on trouve plus de nationalistes chez les féministes que le contraire. Tous cherchent à comparer leur mouvement aux associations analogues à travers le monde. Ils prétendent tous s'exprimer au nom de couches sociales plus larges que leur groupe de pression : les féministes au nom de toutes les femmes, les nationalistes au nom de toute la nation. Et leurs revendications sont curieusement comparables. Ils sont contre l'attribution des rôles selon des critères sexuels ou ethniques. Ils veulent améliorer leur position, en tant que femmes dans la famille ou dans le domaine public, en tant que Canadiens français dans la société canadienne. Ils demandent plus d'autonomie, à titre personnel pour les femmes, à titre collectif pour les Canadiens français. Ils réclament des améliorations sur les mêmes points précis: la parité des salaires entre travailleurs du Québec et de l'Ontario, et entre hommes et femmes; des postes de responsabilité, en politique et dans l'économie, pour les Canadiens français et pour les femmes. Et aussi, malgré leur désir d'autonomie, ils font valoir qu'ils méritent une considération spéciale de la part des pouvoirs publics en raison de leur handicap social particulier: les femmes portent leurs enfants et les Canadiens français, leur culture. Et en fin de compte, ils considèrent tous l'État comme l'instrument de leur libération.

Entre elles, les féministes ne sont pas toujours unanimes. L'éventail de leurs opinions va de l'attitude libérale qui recherche la possibilité pour les femmes de se réaliser par elles-mêmes, jusqu'au radicalisme prônant la révolution sans laquelle il ne peut y avoir que des changements mineurs dans une société à qui l'oppression des femmes profite, en passant par le credo réformiste selon lequel les femmes ne peuvent gagner leur autonomie que par une transformation des lois et des comportements. Les solutions préconisées varient donc elles aussi, de l'ouverture de garderies à une législation sur l'égalité des chances et à la suppression de toute trace de sexisme dans les livres scolaires et les médias. Certaines préconisent même l'abolition de la famille et le rejet de l'homme. Les organisations féministes comprennent autant des minuscules groupes de «conscientisation» que des cours d'autodéfense, des sessions d'études sur le rôle des femmes dans la vie politique, des comités spéciaux dans le cadre des syndicats, ou des mouvements d'action sociale et éducative à l'échelle de la province. On passe autant de temps à discuter des structures que du fond, parce que beaucoup de féministes veulent prendre le contre-pied des règles masculines de fonctionnement hiérarchique. Après des années de vitupération en ordre dispersé, les féministes vont finir par trouver dans le Conseil du statut de la femme, créé par la province en 1973, un moyen d'unir leurs revendications et de les faire remonter jusqu'au gouvernement.

En matière de diversité d'opinions, les fédéralistes de l'époque n'ont rien à leur envier. Si les relations entre féministes et nationalistes sont assurément ambiguës, il en est de même des relations des fédéralistes entre eux et avec les deux groupes précédents. On peut être féministe et fédéraliste, nationaliste et fédéraliste, c'est même fréquent. Mais on peut aussi être fédéraliste sans être féministe ni nationaliste; cela arrive souvent. Jusqu'en 1976, les fédéralistes ont l'avantage de dominer le gouvernement du Québec, mais ils sont divisés en quatre partis politiques: les libéraux, les conservateurs, l'Union nationale et le Crédit social qui se distinguent les uns des autres précisément par l'opinion qu'ils ont sur le fédéralisme. De plus, ils sont en compétition avec leurs collègues fédéralistes du Québec qui siègent à la Chambre des communes d'Ottawa. Quoiqu'ils appartiennent au même parti politique, les uns et les autres ont souvent des opinions diamètralement opposées sur la nature du fédéralisme et sa mise en oeuvre. Leur seul point commun est peut-être leur attachement à une forme de gouvernement de type fédéral parce que celui-ci leur semble le mieux convenir au Canada, et leur conviction que les relations entre Canadiens francophones et anglophones sont de nature essentiellement politique.

Leur attachement commun au fédéralisme n'est cependant pas assez fort pour éviter les escarmouches entre Québec et Ottawa. Quelques-uns de ces affrontements ne sont autres qu'une nouvelle version de la vieille joute autonomie versus centralisation, que les deux capitales jouent depuis des années. Certains cependant portent sur des problèmes plus nouveaux. En demandant davantage de pouvoir, de souveraineté et d'argent à Ottawa, le gouvernement libéral qui dirige le Québec au début des années soixante a mis à l'épreuve la solidité de la fédération canadienne. Est-il possible de distinguer deux nations dans un pays qui comporte dix provinces? demande gravement la Commission royale sur le bilinguisme et le biculturalisme sans fournir de réponse à la question. Il est évident qu'Ottawa ne tient pas du tout à ce que l'une de ces provinces, et encore moins une de ces nations, soit reconnue en tant que telle sur le plan international. Quand le président français Charles de Gaulle reconnaît implicitement la nation canadienne-française en utilisant le slogan séparatiste «Vive le Québec libre» au milieu des célébrations d'Expo 67, Ottawa le renvoie à ses affaires. Et quand le tout petit État africain du Gabon se permet d'inviter directement le gouvernement du Québec à prendre part à une conférence internationale en 1968, le coût diplomatique de cette initiative est élevé. Les fédéralistes d'Ottawa s'en tiennent rigidement au protocole; quant aux fédéralistes du Québec, ils se demandent pourquoi les affaires de la province qui ont une portée internationale doivent recevoir l'aval d'Ottawa.

Les fédéralistes d'Ottawa et du Québec ne manquent pas non plus de slogans à se lancer à la figure. Leur sens n'en est jamais très précis, même aux yeux de ceux qui les lancent, mais ils pimentent les comptes rendus de presse et les diverses conférences constitutionnelles qui se déroulent à la fin des années soixante et au début des années soixante-dix. Le Premier ministre Lester Pearson parle de fédéralisme coopératif avant de prendre sa retraite en 1968; son successeur Pierre Trudeau philosophe sur sa «société juste» tout en rebattant les oreilles du Québec de son hostilité au nationalisme et celles du Canada anglais des dangers du séparatisme québécois. Les libéraux de la province flirtent quelque temps avec l'idée du statut particulier, mais ont du mal à le distinguer du statut spécial cher à l'Union nationale. Daniel Johnson, qui dirige la province à la tête du gouvernement d'Union nationale entre 1966 et 1968, lance le slogan «égalité ou indépendance», beaucoup plus menaçant mais tout aussi vague. Quant aux libéraux provinciaux, aux prises dans les années soixante-dix avec l'idée séparatiste de la «souveraineté-association», ils font le gros dos. Pour contrer cette idée, ils imaginent les notions de souveraineté culturelle et de fédéralisme rentable. Tous ces slogans masquent la lutte que se livrent Ottawa et Québec pour savoir qui définira le statut du Canada français et qui le dirigera. Il faut que les débats se cristallisent sur des sujets précis comme la politique sociale, la langue française et le F.L.Q., pour que les slogans prennent quelque substance.

La politique sociale offre traditionnellement un terrain de choix pour les disputes entre le provincial et le fédéral, et cela continue de plus belle après la Révolution tranquille. Dès les années vingt, et plus encore après la Deuxième Guerre mondiale, le gouvernement du Québec avait exprimé ses réticences devant la volonté du fédéral d'imposer à tout le Canada un système d'assistance sociale. Il contestait au fédéral le droit de légiférer en première instance dans ce domaine; il craignait que les normes canadiennes ne soient pas adaptées au Québec; il se lamentait de la suprématie d'Ottawa en matières financières et de la facilité avec laquelle Ottawa pouvait engager des dépenses, ce qui permettait au gouvernement fédéral d'agir à sa guise en toutes circonstances. Mais il n'a pu s'attaquer franchement au problème qu'au moment où, au début des années soixante, il a mis sur pied lui-même une législation sociale de grande envergure. L'assurance-hospitalisation et les caisses de retraite fournissent capitaux, pouvoir et popularité, mais restent des copies des politiques fédérales. Pour montrer sa capacité d'innovation et pour ne pas se borner à appliquer les idées d'Ottawa, le gouvernement provincial, quel que soit le parti au pouvoir doit avoir ses projets et ses desseins propres. Aussi, à peine en place en 1966, l'Union nationale demande-t-elle à la Commission Castonguay d'étudier les problèmes de la santé et de l'assistance sociale. Lorsque cette commission remet son rapport, les libéraux de Robert Bourassa ont succédé à l'Union nationale et Claude Castonguay occupe le poste de ministre de la Santé et du Bien-être. Il met alors sur pied l'assurance médicale obligatoire et universelle, qu'il avait lui-même recommandée en 1967. Cette politique montre bien qu'il est encore possible de collaborer avec Ottawa, car son financement est assuré conjointement par les gouvernements provincial et fédéral. Mais presque toutes les autres idées de Castonguay pour réaliser un système cohérent de soins médicaux et de services sociaux adaptés aux besoins spécifiques du Québec sont en opposition avec les idées et les pouvoirs d'Ottawa en ces domaines.

De quelque manière qu'on définisse les besoins du Québec, la discussion finit toujours par un débat sur la constitution. Certains de ces besoins ne sont rien d'autre que les exigences d'un gouvernement provincial de plus en plus avide de pouvoir au fur et à mesure qu'il l'exerce. Mais d'autres reposent sur l'idée que la société du Québec n'est pas identique à celle du reste du Canada. Castonguay a en tête un système d'allocations familiales, d'assistance sociale et de services de santé en liaison avec une politique de revenu garanti, de formation professionnelle, de logement et de loisirs, tout cela accessible dans toutes les régions de la province. Pour être réalisée, cette politique nécessite que les juridictions provinciale et fédérale, qui empiètent les unes sur les autres, soient clarifiées et que le privilège du Québec à légiférer seul dans certains domaines soit confirmé. Il devient indispensable d'apporter des retouches à la constitution pour modifier la répartition des pouvoirs législatifs et budgétaires prévue par l'Acte de l'Amérique du Nord britannique entre les gouvernements provinciaux et fédéral. Mais dans les débats constitutionnels, Québec ne réussit jamais à obtenir que soit garantie la suprématie de la province dans tous les domaines de la législation sociale. C'est la raison pour laquelle le Premier ministre du Québec, en 1971, Robert Bourassa, saborde la Charte de Victoria: péniblement élaborée, elle préconisait le rapatriement et l'amendement de l'Acte de l'Amérique du Nord britannique. Pendant quelques années, le gouvernement du Québec se borne à appliquer sa politique sociale ambitieuse au seul domaine des allocations familiales. C'est sans doute parce que le gouvernement fédéral libéral est minoritaire et donc conciliant par force, qu'en 1974, le Québec réussit à obtenir le droit d'établir ses politiques propres sans que les résidents du Québec soient privés des capitaux fédéraux s'y rattachant. Les fédéralistes de la province sont ravis, les technocrates classent un dossier de plus, et il n'y a que quelques féministes pour s'inquiéter des conséquences des allocations familiales, qui augmentent substantiellement à chaque naissance.

Alors que sur le terrain de la politique sociale, Québec et Ottawa s'affrontent ouvertement, ils ne croisent jamais le fer quand il s'agit de la défense et de la promotion de la langue française. Sur ce terrain, qui constitue la différence la plus symbolique et la plus marquante entre les Canadiens français et les autres Nord-Américains, ils évitent de s'affronter, chacun définissant pour son compte ses zones de pouvoir. Les gouvernements du Québec, là aussi, quelle que soit leur couleur politique, considèrent que la langue française a besoin d'être défendue par des mesures législatives de plus en plus contraignantes face au déclin prédit par les démographes et les linguistes. Ils s'efforcent à ce que toutes les innovations intervenues dans l'économie, la société, la culture et même la politique depuis 1960 se parent de la langue française. Bien plus, ils estiment qu'avec un peu d'aide de la part du gouvernement, le français pourrait devenir un facteur d'assimilation des autres groupes du Québec, juste compensation au sort subi par les Canadiens français dans le reste du Canada. Pour empêcher la disparition du français au Québec, le gouvernement de la province doit mobiliser sa majorité francophone et son pouvoir législatif. L'Union nationale tente d'arriver à ce but en douceur et vote en 1969 un projet de loi qui proclame le français langue dominante, sans interférer avec le droit traditionnel des parents à choisir le français ou l'anglais comme langue d'enseignement pour leurs enfants. La réaction des Canadiens français est massivement hostile — dix mille manifestants à Montréal, vingt mille à Québec — et semble indiquer que le temps des solutions douces est révolu. Le gouvernement libéral qui suit est donc plus catégorique: en 1974, le français devient langue officielle du Québec et les enfants, sauf s'ils savent assez d'anglais pour pouvoir fréquenter une école anglaise, doivent être scolarisés en français. Cela paraît relativement simple, mais en fait l'application de la loi se fait dans le désordre. En conséquence, un des premiers gestes du gouvernement suivant, celui du Parti québécois, consiste à simplifier l'imbroglio administratif. À partir de 1977, seuls les enfants dont un des deux parents a été scolarisé en anglais au Québec pourront fréquenter les écoles anglaises: le français doit dominer, non seulement dans les écoles mais dans les affaires, au gouvernement, dans la vie professionnelle et même sur les panneaux indicateurs.

Pendant ce temps, le gouvernement fédéral s'efforce de démontrer que le Québec a tort de dire que le français est condamné dans les autres provinces. La tâche est souvent rude, compte tenu de l'hostilité des Canadiens anglais. Mais le Premier ministre libéral Pierre Trudeau, utilisant les armes que lui fournissent les premiers rapports de la Commission sur le bilinguisme et le biculturalisme, s'y attaque. En 1969, la Loi sur les langues officielles va beaucoup plus loin que l'Acte de l'Amérique du Nord britannique qui se contentait d'évoquer l'usage du français et de l'anglais dans les parlements et les tribunaux à Ottawa et au Québec: elle proclame qu'au Canada, les deux langues vont avoir le statut de langue officielle. En mettant l'accent sur la nécessité d'accroître la place du français chez les fonctionnaires de l'administration fédérale et dans les forces armées, Trudeau réussit à faire doubler le nombre des postes pour les francophones entre 1966 et 1976. C'est assez pour que des Canadiens anglais courent en masse suivre des cours de français, pas assez pour que le français contrebalance l'anglais dans l'ensemble de la population. Mais lorsque Trudeau commence à flirter avec le multiculturalisme, les Canadiens français se demandent s'il ne s'agit pas là d'un camouflet contre leur soi-disant égalité. Rien de surprenant non plus à ce que Québec et Ottawa se mettent à se quereller sur la question des communications. Ottawa désire le contrôle des ondes interprovinciales, Québec se préoccupe de la politique culturelle qui accompagne la langue parlée sur ces mêmes ondes. Au début de l'été 1976, le gouvernement fédéral fait mine de se ranger au côté des pilotes et contrôleurs aériens anglophones qui estiment que la sécurité ne sera plus assurée dans le ciel du Québec si on y parle français. Les Canadiens anglais ont déjà commencé de maugréer que Trudeau veut leur imposer le français. Quelques mois seulement avant les élections provinciales, les Canadiens français se demandent s'il prend vraiment au sérieux ses déclarations sur l'égalité des langues.

Ils ont déjà vu comment le gouvernement fédéral a réagi face à l'agitation violente au Québec. Cette violence, qui a ébranlé la décennie 1960 pour atteindre son paroxysme pendant la crise d'octobre 1970, est déjà assez préoccupante pour que ne s'y ajoute pas l'impression, alimentée volontairement ou non par Trudeau, que seuls, lui et le gouvernement fédéral pourraient mettre fin aux excès du Québec. En 1968, à la veille de sa première élection comme Premier ministre et devant tous les médias braqués sur lui, Trudeau tient bon sous l'avalanche de briques et de bouteilles qui s'abat sur lui à Montréal pendant un défilé de la Saint-Jean-Baptiste. À l'automne 1969, des régiments de l'armée canadienne se sont tenus en coulisse aux portes de la ville quand une grève sauvage de la police et des pompiers laisse le centre ville sans aucun contrôle. Il semble que pendant toute l'année 1970 la Gendarmerie royale ait doublé la police provinciale du Québec et la police municipale de Montréal dans la recherche des membres du F.L.Q. et d'autres poseurs de bombes. Et le 16 octobre 1970, avant l'aube, à la demande formelle du maire de Montréal et du Premier ministre du Québec, le gouvernement fédéral envoie ses troupes à Montréal et impose la Loi des mesures de guerre pour écraser ce que cette loi appelle «une insurrection réelle ou appréhendée».

Si l'insurrection se trouve plus dans le texte de la loi que dans les rues de Montréal, l'appréhension, elle, est réelle. Personne ne sait si l'enlèvement de l'attaché commercial britannique, James Cross, le 5 octobre, puis celui du ministre du Travail de la province, Pierre Laporte, le 10 octobre, par deux cellules séparées du F.L.Q. constituent des actes isolés ou le début d'une révolution terroriste. Les hommes publics sont-ils en sécurité? Les armes et les munitions volées au cours des dernières années par le F.L.Q. se trouvent-elles dans une cache secrète? Ce groupe, dont l'objectif est la révolution sociale et l'indépendance du Québec par la force, est-il sur le point de faire tomber le gouvernement? Nul ne le sait, mais les esprits s'échauffent quand le F.L.Q. se met à accorder quelques heures de survie à ses captifs chaque fois qu'il obtient la lecture solennelle à la radio et à la télévision d'une de ses revendications. Le fait que Trudeau fasse appel aux mesures d'urgence prévues en temps de guerre contribue peut-être aussi à accroître les craintes. Sans aucun doute, les Montréalais sont plus effrayés que rassurés par la vue des troupes patrouillant dans les rues de la ville. L'arrestation sans mandat de quatre cents personnes, au rang desquelles se trouvent des poètes, des chanteurs, des journalistes, des contestataires connus, des syndicalistes et des membres du parti séparatiste, à l'existence légale, n'a également rien pour rassurer. Désignés, comme on le saura plus tard, par les ministres fédéraux Gérard Pelletier et Jean Marchand comme des sympathisants possibles du F.L.Q., ils sont arrachés à leur lit et détenus. Le lendemain de la proclamation de la Loi des mesures de guerre, la cellule du F.L.Q. qui a enlevé Pierre Laporte, l'abat.

Ce meurtre de sang-froid accompli pour une cause révolutionnaire et ces mesures de guerre appliquées en temps de paix créent une double commotion chez les Canadiens. Trudeau est accusé d'avoir recours au pouvoir du gouvernement fédéral pour faire taire ses critiques du Québec et réduire l'opposition légitime des nationalistes et des séparatistes. Les trois grandes centrales syndicales du Québec, la F.T.Q., la C.S.N. et la C.E.Q. unissent leurs voix pour dénoncer la Loi des mesures de guerre. D'autres s'inquiètent de l'érosion du pouvoir provincial devant la faiblesse du Premier ministre Bourassa qui se cache à l'ombre de son grand frère fédéral. Mais l'écoeurement qu'éprouvent la plupart des Canadiens devant le déploiement militaire cède le pas à la consternation provoquée par l'assassinat. Le F.L.Q. en est peut-être lui-même surpris. Début décembre 1970, on réussit à localiser Cross et ses ravisseurs, et après quelques semaines de poursuites et de cache-cache on retrouve aussi ceux qui ont enlevé Laporte. Les premiers vont à Cuba en échange de Cross, les autres vont en prison. Quant à la réapparition sporadique du F.L.Q. pendant un an ou deux après la crise d'octobre, elle semble être davantage le fait d'infiltrations policières que du terrorisme, dont la ferveur s'éteint. En 1971, Pierre Vallières, le théoricien du F.L.Q. dont le livre *Nègres blancs d'Amérique* a embrasé l'imagination des révolutionnaires en 1969, renie publiquement l'efficacité du terrorisme à provoquer des changements sociaux et à entraîner l'indépendance du Québec. Il proclame maintenant son soutien au Parti québécois.

Assez étonnamment, ni cette déclaration d'appui de Vallières ni la suspicion de culpabilité par alliance lourdement entretenue par Trudeau ne signeront l'arrêt de mort du jeune parti séparatiste du Québec. Une chose dont René Lévesque, le chef du parti nouvellement fondé pour rechercher l'indépendance par des voies constitutionnelles, n'a vraiment pas besoin, c'est d'être classé extrémiste ou, pire, révolutionnaire. En 1970, le parti n'a que deux ans quand Lévesque a l'honneur ambigu d'être cité dans un des manifestes du F.L.Q. Né d'une scission survenue chez les libéraux de Lesage en 1967, le Mouvement souveraineté-association s'est employé à réunir les partis séparatistes déjà existants ; il a eu moins de difficultés à s'entendre avec le Ralliement national, plus conservateur mais plus pragmatique en politique, qu'avec le Rassemblement pour l'indépendance nationale, socialiste et dogmatique. Le Parti québécois (P.Q.), créé en 1968, fait sienne l'analyse historique qui a donné naissance au slogan séparatiste de 1967 «Cent ans d'injustice», mais l'enveloppe dans la formule plus séduisante mais non moins provocante de Lévesque : «Si on ne peut pas coucher ensemble, il vaut mieux faire chambre à part.» Pour le Parti québécois, la violence est une voie insensée sur le chemin du changement social et politique. Le parti utilise le charisme et les dons de persuasion de son chef pour rassurer le Québec et le public canadien. René Lévesque réussit souvent à convaincre ses auditeurs que le saut de la Révolution tranquille et de ses querelles avec Ottawa à la conviction séparatiste n'est qu'une évolution naturelle. Mais il continue d'arrondir les angles vifs du séparatisme. Ce que demande le Parti québécois, c'est une renégociation des relations avec le Canada: un Québec juridiquement souverain pourrait confirmer son particularisme culturel et territorial et instituer une association économique, entre partenaires égaux, avec le reste du Canada. La vision nationale de Lévesque est conçue pour rassurer, non pour effrayer.

La réalisation de ce rêve n'est cependant pas aussi facile. Au sein même de son parti, Lévesque doit jouer de son prestige et de sa popularité pour empêcher celui-ci d'éclater sur des questions aussi épineuses que celle des droits des minorités linguistiques dans un Québec indépendant. Il consacre autant de temps à contenir ses extrémistes qu'à expliquer son option à ses auditoires anglophones à travers tout le pays. Au Québec même, hors du parti, il lui faut convaincre les gens que la souveraineté souhaitée et réalisable, et à l'extérieur du Québec, que l'association et non seulement possible, mais souhaitable. Quant à convaincre un électorat conservateur d'accepter une version purement québécoise de la social-démocratie, cela ne va pas de soi non plus. Les premiers succès du Parti québécois à l'élection provinciale d'avril 1970 prouveront néanmoins que tout cela est possible. Sur les sept sièges gagnés par son parti à l'Assemblée nationale — ainsi nommée depuis 1969 — six se situent dans les quartiers populaires de l'est de Montréal. Mais cela ne va pas sans risques pour le Parti québécois, comme on le verra deux ans plus tard quand les trois grandes centrales syndicales, la F.T.Q., la C.S.N. et la C.E.Q., constitueront un front commun pour lancer des actions, des grèves et des manifestations parce qu'à leur gré les négociations salariales dans le secteur public ne vont pas assez vite. Au printemps 1972, les trois centrales réussissent à paralyser pratiquement toute la province. L'idéologie qui sous-tend leur action est encore plus gênante: à partir d'une analyse carrément socialiste, elles dénoncent le gouvernement libéral de Robert Bourassa et maintes institutions de la société québécoise. L'effet de ces turbulences sur les résultats électoraux est imprévisible. Le Parti québécois, qui se situe au centre gauche, sait bien que la peur du désordre peut jouer contre lui, tout comme l'hostilité grandissante des syndicats à l'égard des libéraux peut lui apporter des voix.

Tandis que le Parti québécois navigue prudemment parmi les écueils de l'opinion publique, la chance et les circonstances jouent en sa faveur. Il aurait pu facilement subir le même sort que d'autres partis de troisième ou quatrième ordre dans le système électoral canadien et demeurer marginal. Au contraire, ce sont l'Union nationale et le Crédit social qui sombrent, à la suite de leur incapacité de trouver un moyen terme constitutionnel entre les libéraux fédéralistes et le Parti québécois, qui est séparatiste sans le dire. Il aurait aussi pu se faire que le Parti québécois succombe sous les forces conjuguées des libéraux provinciaux et fédéraux, mais sur la scène politique provinciale, en face de René Lévesque, Robert Bourassa ne fait pas le poids. Pendant la campagne électorale de 1970, Bourassa promet «cent mille emplois», mais sa politique du travail entraîne par la suite des désordres qui touchent beaucoup plus de monde que cela. En 1971, il lance les travaux hydro-électriques colossaux de la Baie James, mais il se garde bien de dire qu'il s'agit là d'investissements et d'emplois temporaires. Il attend la dernière minute pour limiter les coûts des jeux Olympiques de 1976 et laisse à son successeur le soin de démêler l'écheveau de leur augmentation fabuleuse. De plus, Bourassa reste toujours dans l'ombre de Pierre Trudeau, situation que Lévesque évite soigneusement en veillant à ce que le Parti québécois ne s'occupe que de politique provinciale. Même après avoir été personnellement défait par deux fois aux élections de 1970 et 1973, l'image de Lévesque est plus solide que celle de Bourassa.

C'est peut-être l'apaisement progressif des tensions sociales dans la province qui donne au Parti québécois l'élan électoral dont il a besoin. S'il doit sa naissance aux remous qui ont marqué la fin des années soixante, il est sans doute redevable de son succès ultérieur à la dissipation de ces remous au milieu des années soixante-dix. Il arrive qu'il se méprenne sur les humeurs populaires, comme il le fait en 1973: puisant dans le discours socialiste du «front commun» et, enhardi par sa jeunesse même, il oriente sa politique sociale plus à gauche et déclare ouvertement son option constitutionnelle. Il va jusqu'à publier un budget pour la première année où le Québec serait indépendant. L'opinion publique ne suit pas. Elle a beau montrer de plus en plus de sympathie pour le Parti québécois — même si les sondages d'opinion ne réussiront jamais à dire si c'est à cause de la personnalité de son chef, de sa position constitutionnelle ou de sa politique sociale —, l'opinion n'est pas encore mûre pour un budget de cette clarté. Les libéraux se moquent de ce budget, mettent l'accent sur les conséquences

économiques de la séparation et s'en tiennent à leur option
fédéraliste, assez floue mais compréhensible du public: souveraineté culturelle et fédéralisme rentable. Tant que le Parti
québécois n'aura pas estompé les contours de sa ligne politique, ce qu'il entreprend de faire en 1974, il devra se contenter
de voir son électorat augmenter de vingt-quatre pour cent à
trente pour cent de voix. Il reste l'opposition officielle à l'Assemblée nationale, mais avec ses six sièges, il fait face à cent
deux libéraux.

Nous sommes en 1976: le Parti québécois a ajouté la
modération politique à son poids électoral grandissant. Désormais il évite soigneusement les termes de «séparatisme» ou
d'«indépendance». Il ne présente plus de budgets et ne tient
plus de grandes réunions politiques. À leur place, il reprend à
son compte les tactiques de «conscientisation» des féministes
et organise aux quatre coins de la province des «réunions de
cuisine» regroupant des petits groupes de sympathisants pour
les rallier à ses positions. Il enregistre avec satisfaction
le ralliement de la F.T.Q., mais sans fanfares, et il est peut-être
soulagé de voir la C.S.N. et la C.E.Q. se tenir sur l'expectative.
Au palmarès de ses candidats prestigieux, il ajoute l'économiste Rodrigue Tremblay et Lise Payette, figure populaire de
la télévision. La virulence de l'affrontement entre le provincial
et le fédéral, en juin, sur l'usage du français dans les transports aériens du Québec lui est sans doute bénéfique; il réussit
à convaincre quarante et un pour cent des électeurs qu'il gou-
vernerait mieux que Bourassa. Quant à la souveraineté-association, on en reparlera plus tard. Le Parti québécois s'engage
à tenir un référendum, mais sans préciser de date, pour consulter les électeurs sur les arrangements constitutionnels à apporter dans les relations avec le Canada. Cette stratégie, la
conjoncture et la chance lui sont favorables: le 15 novembre
1976, avec soixante et onze candidats élus sur cent dix, le Parti
québécois accède au gouvernement du Québec.

Une fois en place, René Lévesque, surpris comme les
autres par cette victoire, doit se faire encore plus convaincant.
Il donne des cours d'histoire aux hommes d'affaires américains en établissant une analogie douteuse entre la Révolution
américaine et la cause indépendantiste au Québec; il insiste
auprès des Premiers ministres des autres provinces sur le fait
qu'il recherche des réajustements, non un conflit ouvert. Mais
en même temps, il essaie de marchander avec ceux-ci sur la
question des droits linguistiques: il promet d'adoucir les termes
de la législation linguistique de son parti si les autres Premiers
ministres acceptent de soutenir davantage l'enseignement du

français dans leurs provinces respectives. Sur le moment, l'idée séduit. Mais les minorités francophones des autres provinces font savoir qu'elles ne veulent pas servir d'otages dans la tractation entre séparatistes et fédéralistes. De son côté, le Premier ministre fédéral Trudeau rappelle à ses homologues provinciaux que des négociations interprovinciales directes sont inconvenantes. Pendant ce temps, Lévesque envoie à travers la province ses ministres responsables de portefeuilles économiques rassurer les grandes compagnies sur la stabilité de la province. Quant aux compagnies qui ont plié bagages et déménagé ailleurs aussitôt après la victoire du Parti québécois, Lévesque et ses partisans peuvent parler, chiffres à l'appui, du déplacement général de l'économie nord-américaine vers l'ouest. La seule note discordante se fait entendre quand le nouveau gouvernement présente son plan de nationalisation de l'amiante. Les investisseurs américains y voient immédiatement la main du loup-garou socialiste, et le Parti québécois, à dessein peut-être, repoussera la nationalisation de la firme américaine Asbestos Corporation jusqu'à la fin de 1981.

Dans la province, le bon gouvernement promis consiste à garantir la stabilité sociale et à faire des réalisations dans le secteur de l'économie. Si on tient compte des contraintes imposées à tous les gouvernements d'alors — déficits énormes, taux d'intérêt élevés, inflation, chômage, crise de l'énergie et baisse du dollar canadien —, le nouveau gouvernement du Québec s'en tire remarquablement bien. Il renforce sa base électorale chez les travailleurs en élevant le salaire minimum, en mettant fin aux poursuites intentées contre les syndicats mêlés à l'agitation du printemps et de l'été 1976; il réforme aussi le Code du travail en précisant les droits et les devoirs des syndicats. En 1979, il doit légiférer pour imposer le retour de certains grévistes au travail et il commence à remettre en question le droit de grève des fonctionnaires. Il lui faut aussi faire face au mécontentement des régions. Les zones éloignées et sous-développées de la province ne sont pas du tout convaincues que leurs problèmes trouveront une solution dans le conflit politique avec Ottawa, dans la lutte raciale contre les Canadiens anglais ou dans la lutte de classe contre les exploitants. La politique agricole du Parti québécois veut être, en partie du moins, une réponse à ces besoins. Elle vise à protéger les terres agricoles menacées par l'expansion urbaine et encourage la diversification de l'agriculture, des produits laitiers aux produits de boucherie en passant par les grains de provende; dans ces deux derniers cas, on cherche à réduire la dépendance du Québec par rapport aux provinces de l'Ouest canadien. On accorde aussi une aide au développement des petites et moyennes entreprises dans les secteurs éloignés des grands centres urbains. La politique économique du Parti québécois montre nettement qu'il considère le secteur privé comme le moteur principal de l'économie, sans pour autant négliger l'enfant chéri du développement du Québec, l'Hydro-Québec. Il encourage la modernisation des industries traditionnelles du Québec, celles du textile, de la chaussure, du prêt-à-porter, du meuble et des pâtes à papier. Fin 1979, il peut se targuer de la création de quatre-vingt mille emplois pendant cette seule année et du fait que le revenu individuel québécois atteigne quatre-vingt-quinze pour cent de la moyenne canadienne. Fort de cette réussite, le gouvernement se tourne à nouveau vers Montréal et décide que la prochaine étape de son développement économique sera la haute technologie. Il s'engage enfin à lancer dans chacune des régions du Québec un grand projet destiné à utiliser leurs ressources naturelles respectives. Il axe sa campagne de 1981 sur sa politique économique et remporte les élections.

Mais, pendant la même période, le Parti québécois reçoit aussi un camouflet. Depuis 1973, on évoque dans ce parti la possibilité d'organiser un référendum sur l'avenir politique du Québec. Si certains estiment qu'il serait politiquement plus rentable de distinguer nettement élection d'un gouvernement et choix constitutionnel, d'autres croient que ce serait arrêter l'élan séparatiste. Ils vont jusqu'à douter que le Parti québécois fasse un référendum une fois confortablement installé au pouvoir. Mais Lévesque est formel: il veut une majorité pour le nouveau gouvernement du Québec et une autre majorité pour négocier de nouvelles relations avec le Canada. Et il n'est pas question d'amalgamer les deux points de vue. Dès l'été 1977, le gouvernement s'arrange pour que les électeurs aient toujours l'idée du référendum devant les yeux. En juin 1978, il prépare le projet de loi destiné à réglementer la consultation. En novembre 1979, il donne des précisions sur le déroulement de la campagne. En décembre, il rend publique la formulation de «la question»: il sollicite modestement un mandat pour négocier la souveraineté-association. L'Assemblée nationale débat de cette question en mars 1980. La date du 20 mai 1980 est finalement retenue. Le choix de chacune de ces étapes a été minutieux: il a fallu tenir compte des caprices des élections fédérales qui, en mai 1979, donnent aux conservateurs une victoire inattendue, aussitôt suivie par la démission puis par le retour (tout aussi déconcertants l'un que l'autre) de Pierre Trudeau à la tête du Parti libéral d'abord, puis une fois encore comme Premier ministre en février 1980.

Ce que Lévesque n'a pas prévu quand il a minutieusement élaboré les étapes du référendum, c'est la confusion qui va se faire entre féminisme, fédéralisme et indépendance du Québec. Dans la période qui précède le référendum, les trois courants se mélangent curieusement. Durant l'automne 1978, le Conseil du statut de la femme publie son premier grand rapport intitulé *Pour les Québécoises: égalité* et *indépendance*; la deuxième partie du titre reprend avec une certaine ironie le débat constitutionnel qui a cours depuis une douzaine d'années au Québec. Ce rapport étudie le préjudice que cause aux femmes la répartition fondée sur le sexe des travaux domestiques et professionnels, situation que viennent encore renforcer les stéréotypes sexistes des manuels scolaires et des médias. Ce rapport revient donc à dire qu'une société véritablement juste devrait accorder leur autonomie aux femmes et leur donner un rôle égal à celui des hommes. Un an plus tard, dans *La nouvelle entente Québec-Canada*, le gouvernement du Québec présente en détail son argumentation en vue de la campagne sur le référendum qui s'engage. La brochure étudie le préjudice causé au Québec par plus de deux siècles de domination des Canadiens anglais, domination encore accrue par la répartition des pouvoirs entre le fédéral et les provinces, répartition qui est de plus en plus favorable à Ottawa. Pour le gouvernement, la seule solution juste serait l'égalité par l'association et l'indépendance par la souveraineté. Quelques semaines plus tard, en janvier 1980, sous la houlette de Claude Ryan, les libéraux publient *Une nouvelle fédération canadienne*. Sans nier les coups bas que les Canadiens français ont reçus par le passé, les libéraux plaident que la tradition canadienne a toujours été de réformer plutôt que de bouleverser brutalement et ils demandent qu'elle se maintienne à l'avenir. Mais ensuite les libéraux se mettent à énumérer tant de modifications avec tant de détails et de complications qu'on a peine à y reconnaître la fédération; de son côté, le Parti québécois parle d'association avec tellement d'assurance qu'on perd presque de vue son séparatisme. Pendant que ces deux mouvements brouillent les cartes par dessein politique, seules les féministes laissent entendre que tout le débat pourrait bien être hors de propos.

L'analogie entre les trois courants sont pourtant à la fois à-propos et instructives. Féminisme et fédéralisme possèdent des points communs: tous les deux réclament plus de postes de responsabilité dans les institutions économiques, juridiques et politiques pour les femmes dans un cas, pour les Canadiens français dans l'autre. Par ailleurs, le féminisme, comme le séparatisme, suspecte ces institutions dont la raison d'être est la famille ou le fédéralisme, de constituer des facteurs de discrimination sexiste ou ethnique. Négocier la souveraineté-association pourrait bien s'avérer tout aussi difficile que de négocier un mariage égalitaire. Il ne fait aucun doute que le Canada anglais a eu avant le référendum le comportement d'un mâle bafoué: si la province du Québec vote étourdiment pour la séparation, qu'elle ne compte pas sur une conciliation ultérieure. De nombreux fédéralistes considèrent le séparatisme comme impensable justement parce que, même s'ils n'en sont pas pleinement conscients, pour eux, «la belle province» est une femme; comme la femme, le Québec n'a pas droit à l'indépendance. Devenue indépendante, la province ne va-t-elle pas renoncer à sa mission culturelle en Amérique du Nord, semblable en cela à certaines femmes qui rejettent le rôle qu'on leur a assigné dans la famille et refusent désormais de transmettre les valeurs et la bonne éducation qu'elles ont reçues? Un Québec séparé abandonnerait les minorités francophones des autres régions du Canada et s'exposerait aux mêmes reproches qu'une mère coupable abandonnant ses enfants. Pour beaucoup de Canadiens anglais, la mauvaise conduite de la province remonte aux années soixante: elle s'est alors mise à faire les yeux doux à son amoureux d'outre-mer, éconduit depuis si longtemps, le vieux pays de France; elle étale ses talents économiques et politiques tout neufs et réclame toujours plus du gouvernement fédéral. Les lézardes apparues au cours des années soixante et soixante-dix dans l'édifice confédéral ne sont rien d'autre que l'éclatement de la notion des mondes à part: née du dix-neuvième siècle, cette conception voyait dans les sexes et les peuples, les provinces et les pays des univers s'excluant mutuellement bien que censés être complémentaires.

Quelques semaines avant le référendum, cette symbolique féminine et les femmes elles-mêmes vont faire irruption dans la campagne électorale et elles auront peut-être une influence décisive sur le résultat final. En effet, au moment précis où les sondages donnent une légère majorité aux thèses de Lévesque, Lise Payette, la ministre péquiste responsable du statut de la femme, s'en prend à ses adversaires en brandissant un stéréotype sexiste: elle accuse l'épouse du chef libéral Claude Ryan d'entériner sans réfléchir les choix politiques de son mari et de se conduire en cela comme Yvette, la petite fille docile et soumise des manuels scolaires du Québec. Il y a longtemps que les féministes de la province demandent que ce personnage stéréotypé disparaisse des écoles et des médias, mais les libéraux se saisissent de l'insulte pour contre-attaquer vigoureusement. Le lendemain même, des milliers d'«Yvettes», délaissant leur cuisine, organisent un «brunch» public à Québec, suivi d'un rassemblement monstre d'environ quinze mille femmes au Forum de Montréal. Y prennent la parole des femmes qui sont tout sauf des Yvettes, des oratrices comme la sénateur Thérèse Casgrain et Monique Bégin, ministre fédérale de la Santé et du Bien-être. Massivement, elles répondent «non» à la demande de Lévesque d'être mandaté pour mener à bien la négociation d'un nouvel accord avec le Canada. Puis elles organisent des réunions dans toute la province. La presse leur fait les honneurs de la une et leur consacre plusieurs éditoriaux, ravie de découvrir ce qu'elle prend pour un mouvement antiféministe. L'affaire des Yvettes et la publicité qu'elle reçoit gêne considérablement les partisans du «oui» qui ne réussissent à faire insérer dans la presse que de maigres allusions au quarantième anniversaire du droit de vote des femmes au Québec. Les médias et les Yvettes, par contre, en appellent aux valeurs féminines traditionnelles pour sauver la nation en péril. Pour fidélité au passé et par sens de responsabilités face à l'avenir, les femmes doivent mobiliser leur courage et leur ténacité et refuser de céder aux séductions d'un séparatisme dont les conséquences seraient désastreuses. Il est de leur devoir de dire «non».

On ignore comment se sont répartis les suffrages masculins et féminins le 20 mai 1980. Mais c'est quelque part dans la confusion entre le féminisme, le fédéralisme et l'indépendance du Québec que la vision nationale de René Lévesque s'est évanouie. C'est cependant en raison même de cette confusion, que le résultat du référendum, pourtant sans ambiguïté — soixante pour cent du «non», quarante pour cent du «oui» — n'a pas apporté de réponse définitive à cette question vieille de presque quatre siècles: comment être Français en Amérique du Nord? Lévesque comprend peut-être tout cela quand, refoulant ses larmes, il reconnaît son échec. Et puis, avec son sourire énigmatique, il lance à la foule rassemblée et aux caméras de télévision des quatre coins du Canada le cri d'espoir: «À la prochaine.» Ce n'est pas à la prochaine vision qu'il pense. Même en cette sombre nuit du 20 mai 1980, Lévesque reste beaucoup trop optimiste pour parler d'un rêve.

«À la prochaine.» N'est-ce pas ainsi que se séparent les amis et les amants?

ORIENTATIONS BIBLIOGRAPHIQUES

Barry, Francine, *Le travail de la femme au Québec: l'évolution de 1940 à 1970*, Montréal, Les Presses de l'Université du Québec, 1977.

Bernard, André, *What Does Quebec Want?* Toronto, J. Lorimer, 1978.

Brunelle, Dorval, *La désillusion tranquille*, Montréal, Hurtubise HMH, 1978.

Canadian Annual Review 1967-1970, Toronto, University of Toronto Press.

Canadian Annual Review of Politics and Public Affairs 1971, Toronto, University of Toronto Press.

Commission royale d'enquête sur la situation de la femme au Canada, Ottawa, 1970.

Desbarats, Peter, *René Lévesque ou le projet inachevé*, Montréal, Fides, 1977.

Dumont-Johnson, Micheline, «Les communautés religieuses et la condition féminine», *Recherches sociographiques* 19, 1978, p. 7-32.

Fédération des femmes du Québec, *La participation politique des femmes du Québec*, Étude n° 10 pour la Commission royale d'enquête sur la situation de la femme au Canada, Ottawa, 1970.

Gagnon, Mona-Josée, «Les femmes dans le mouvement syndical québécois», *Sociologie et Sociétés* 6, 1974, p. 17-36.

Harvey, Fernand, «La question régionale au Québec», *Journal of Canadian Studies* 15, 1980, p. 74-87.

Jean, Michèle et Marie Lavigne, «Le phénomène des Yvettes: analyse externe», *Atlantis* 6, 1981, p. 17-23.

Lamothe, Jacqueline et Jennifer Stoddart, «Les Yvettes ou Comment un parti politique traditionnel se sert encore une fois des femmes», *Atlantis* 6, 1981, p. 10-16.

Lévesque, René, *Option Québec*, Montréal, Éditions de l'Homme, 1968.

McKenna, Brian et Susan Purcell, *Jean Drapeau*, Montréal, Stanké, 1981.

Pelletier, Gérard, *La Crise d'octobre*, Montréal, Éditions du Jour, 1971.

Provencher, Jean, *René Lévesque: Portrait d'un Québécois*, Montréal, Les Éditions La Presse, 1973.

Saywell, John Tupper, *Quebec 70. A Documentary Narrative*, Toronto, University of Toronto Press, 1977.

———, *The Rise of the Parti québécois, 1967-1976*, Toronto, University of Toronto Press, 1977.

Stewart, James, *The F.L.Q. Seven Years of Terrorism*, Montréal, Simon and Shuster, 1970.

LECTURES GÉNÉRALES

Blanchard, Raoul, *Le Canada français, province de Québec: étude géographique*, Paris, Fayard, 1960.

_____ , *Le centre du Canada français, province de Québec*, Montréal, Beauchemin, 1947.

_____ , *L'Est du Canada français*, 2 vol., Montréal, Beauchemin, 1935.

_____ , *L'Ouest du Canada français*, Montréal, Beauchemin, 1954.

Collectif Clio, *L'histoire des femmes au Québec depuis quatre siècles*, Montréal, Les Quinze, 1982.

Comeau, Robert, dir., *Économie québécoise*, Montréal, Les Presses de l'Université du Québec, 1969.

Cook, Ramsay, *Le sphynx parle français*, Montréal, Éditions IIMII, 1968.

Dictionnaire biographique du Canada, vol. I-V, IX-XI, Québec, Les Presses de l'université Laval, 1966-1983.

Fahmy-Eid, Nadia et Micheline Dumont, dir., *Maîtresses de maison, maîtresses d'écoles. Femmes, famille et éducation dans l'histoire du Québec*, Montréal, Boréal Express, 1983.

Groulx, Lionel, *Histoire du Canada français depuis la découverte*, 2 vol., Montréal, Fides, 1960.

Hamelin, Jean, dir., *Histoire du Québec*, Paris, Privat, 1976.

Lavigne, Marie et Yolande Pinard, dir., *Travailleuses et féministes, les femmes dans la société québécoise*, Montréal, Boréal Express, 1983.

_____ , dir., *Les femmes dans la société québécoise*, Collection «Études d'histoire du Québec», n° 8, Montréal, Boréal Express, 1977.

Linteau, Paul-André, René Durocher et Jean-Claude Robert, *Histoire du Québec contemporain*, vol. 1: *De la Confédération à la crise (1867-1929)*, Montréal, Boréal Express, 1979.

McRoberts, Kenneth et Dale Postgate, *Développement et modernisation du Québec*, Montréal, Boréal Express, 1983.

Robert, Jean-Claude, *Du Canada français au Québec libre*, Paris, Flammarion, 1975.

Rumilly, Robert, *Histoire de la province de Québec*, 41 vol., Montréal, Fides, 1971.

Wade, Mason, *Les Canadiens français de 1760 à nos jours*, 2 vol., Montréal, Cercle du livre de France, 1963.

INDEX

Achevé d'imprimer à Montmagny
par les travailleurs des ateliers Marquis Ltée
en septembre 1986